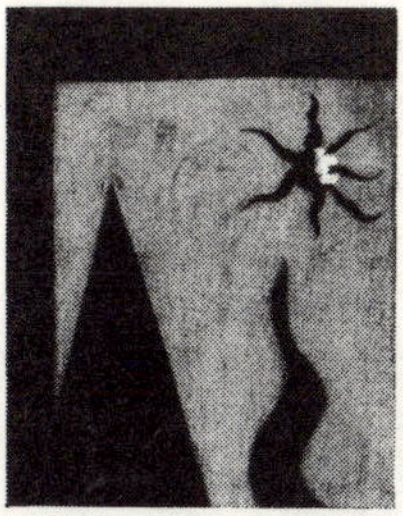

BECK & GLÜCKLER

Fernando Campos

Das Haus des Staubes

Roman

Aus dem Portugiesischen
von Maralde Meyer-Minnemann

BECK & GLÜCKLER

Titel der Originalausgabe:
A CASA DO PÓ

Deutsche Erstausgabe
1. Auflage 1990

Holbeinstr. 8, D - 7800 Freiburg
Übersetzung: Maralde Meyer-Minnemann
Umschlagdesign: Book Graphics
Satz: Barbara Herrmann, Freiburg
EP-Belichtung: Johannes Schimann, Pfaffenhofen
Druck und Bindung: May + Co, Darmstadt
Printed in West Germany

ISBN 3-924175-57-8

Inhalt

...«Dies ist das Haus, dessen Bewohner in der Finsternis leben; Staub ist ihre Nahrung und Schlamm ihr Fleisch. Sie sind in Flügelgewänder gekleidet wie Vögel, sehen kein Licht, sind im Dunkel. Ich trat ein in das Haus des Staubes und sah die Könige der Erde, die ihre Kronen auf immer abgelegt hatten, die Herrscher und Fürsten, alle jene, die einst Königskronen getragen und in der Vorzeit die Welt beherrscht hatten. Jene, die Stellvertreter Anus und Enlils waren, tragen nun Gebäck auf im Haus des Staubes, tragen gebratenes Fleisch auf und kredenzen kühles Wasser aus den Schläuchen. Im Haus des Staubes, in das ich trat, wohnen Hohepriester und Geweihte, Priester des Zaubers und der Ekstase: Tempeldiener waren dort und auch Etana, der König von Kisch, den der Adler in den Himmel der Vorzeit getragen hat. Ich sah auch Samikan, der Gott des Viehes, auch Ereschkigal, die Königin der Unterwelt war dort, und vor ihr kniend, Beleßêri, die Schreiberin der Götter ist und das Buch des Todes verwahrt. Sie las eine Tafel, die sie in den Händen hielt...»

(Aus dem *Gilgamesch-Epos*)

Εις εμαυτον

Unverbrüchlichstes und strengstes Stillschweigen wurde über die unseligen Ereignisse bewahrt, und lange schon waren alle Urkunden, alle damit zusammenhängenden Papiere verbrannt worden oder auf geheimnisvolle Weise verschwunden. Die Münder, die sie hätten verbreiten können, waren zum Verstummen gebracht, verschlossen worden durch das Siegel des Eides, des Beichtstuhls, der Angst, der Drohung, durch das Feuer der Autodafés. Tod und Blutvergießen säumten meinen Weg, doch ich, der von alledem nichts wußte, ging, dem Schöpfer Loblieder singend, die großen und kleinen Wunder des Lebens heiter und wohlgemut bestaunend und genießend, daran vorüber. Über alles dies habe ich einen Bericht geschrieben, in dessen Mittelpunkt meine Reise nach Palästina steht, weil während dieser Pilgerfahrt sich die tragischen Ereignisse rings um mich zu enthüllen begannen. Ich nutzte meinen Aufenthalt im Heiligen Land, um Aufzeichnungen für einen Reisebericht zu machen. Unversehens hatte ich bergeweise Material. Ich zeigte einigen Freunden diesen Teil meiner Niederschrift. Sie drängen mich, das Werk zu veröffentlichen. Ich lasse die Zeit verstreichen ... Was soll ich tun? ... Es widerstrebt mir, die vertraulichen Anmerkungen zu so vielen durchlebten Gefühlen, zu so vielen unzusammenhängenden, in Gedanken geführten Gesprächen aus dem Text zu entfernen. Vor einigen Tagen traf ich in den Straßen Lissabons den ehrwürdigen Bruder Luís de Sottomaior, den ich einen Heiligen nennen würde, verböte es mir die Heilige Mutter Kirche nicht. Wie es Hochwürden gehe, der so in sich gekehrt daherkäme. Es sei schon lange her! ... Ob ich wüßte, daß er um den Hals ein *agnus dei* mit einer der Reliquien trage, die ich ihm aus dem Heiligen Land mitgebracht hatte? Nun! Und das Buch, dieses Reisetagebuch? Es sei ein sträflicher Egoismus, es nur für mich behalten zu wollen, es achtundzwanzig Jahre lang zu hüten, ohne es zu veröffentlichen! ... Ob ich das nicht auch fände? Sicherlich doch, – und er schlug mir auf die

Schulter. Ich solle es mir überlegen! Warum widmete ich es nicht dem Erzbischof? D. Miguel de Castro sei eine unleugbare Gewähr für die Qualität des Werkes. Wollte ich nicht einen dieser Tage mit Seiner Eminenz sprechen? Seiner Wenigkeit würde es nichts ausmachen, mich zu begleiten ... Ja, ja, pflichtete ich ihm bei, Hochwürden hätten recht, und ich würde ob meines Egoismus Buße tun ...

Und so entschließe ich mich nun endlich, meinen Bericht von der Reise in das Heilige Land in den Druck zu geben. Die abgeschirmten Augen der Diener der Inquisition werden darauf ruhen, an welcher ich in meinem Leben so häufig in Momenten völliger Freiheit in Meinung und Gefühl mit harten Worten Kritik geübt habe. Doch um ihnen keinerlei Gründe zu liefern, mich zu tadeln, habe ich ihnen den Schmaus richtig zubereitet. Der Text, den ich ihnen schicke, wurde – ganz abgesehen davon, daß er von Gebeten, Antifonen, lateinischen Hymnen durchsetzt ist, die sich aufs Genaueste auf den Ablaß beziehen, welchen man an jenen heiligen Orten gewinnt, – von mir selbst gereinigt. Ich mache mich zum Zensor meines eigenen Werkes und sollte ich darin etwas von meiner Spontaneität und Ehrlichkeit hindurchschimmern lassen, so geschieht dies nur bei äußerlichen und unbedeutenden Dingen. Mag sein, daß ein scharfsinniger Leser, zwischen den Zeilen herumspähend, dort Spuren meiner Persönlichkeit zu finden glaubt. Ich hoffe jedoch, keine wichtigen Hinweise hinterlassen zu haben. Auch über mich soll Schweigen bewahrt werden! Ich tilge jede vertrauliche und persönliche Bemerkung aus dem Werk. Ich selbst ziehe mich mit derselben schützenden, väterlichen Geste aus dem Werk zurück, mit der mich eines Tages diejenigen, welche mir das Dasein geschenkt haben, aus ihrem Leben entfernten, um mich vor einem unheilvollen Schicksal zu bewahren. Das Original des Textes werde ich εις εμαυτον, für mich allein bewahren.

Enxobregas, A.D. 1591

I

Das goldene Medaillon

...«et tanquam navis quae pertransit fluctuantem aquam: cujus, cum praeterierit, non est vestigium invenire, neque semitam carinae illius in fluctibus... »

...«so wie von dem Schiff, das das flutende Wasser durchquert, sobald es vorüber ist, keine Spur zu finden ist in den Wellen, nicht einmal der Pfad des Kieles...»

(*Sap.*, 5.10)

Wirft der Wanderer einen Blick zurück, um die durchmessene Entfernung abzuschätzen, so werden die Umrisse und die Farben der Landschaft allmählich blasser und verschwimmen, bis sie schließlich auf der Netzhaut des Auges nicht mehr festgehalten werden können... Auch im Verlauf des Lebens wird die Kenntnis des Vergangenen mit fortschreitendem Alter immer undeutlicher und verschwindet allmählich auf der Netzhaut der Erinnerung. Ich bemühe mich, auf den Grund der Zeit zurückzugehen, meine Erinnerungen zu durchstöbern, versuche den Augenblick und die Umstände in meiner Kindheit herauszulösen, in welchen ich mir das erste Mal meiner selbst, dessen, daß ich ein Lebewesen mit einer eigenen Persönlichkeit war, bewußt wurde, – das heißt, einen eigenen Willen und Gedanken besaß, die nicht die der anderen waren, mir bewußt war, daß *ich meinen eigenen Schatten hatte*. Gerade diese Formulierung beunruhigt mich. Ich streiche um sie herum, versuche ihren Platz in der Zeit und im Raum herauszufinden, ohne daß es mir gelingt. Ich habe dennoch das Gefühl, daß jemand, der weise, vorausschauende Augen besaß, sie womöglich zu einem bestimmten Zeitpunkt in meine Seele eingeprägt hat, und sie ist unauslöschlich dort geblieben. Es ist wie eine Stimme, die von weit herkommt und die wiederzuerkennen mir nicht gelingt: Wer keinen Schatten hat, ist niemand; ich sollte doch sehen, daß selbst die kleinste Ameise ihren Schatten, an den Körper geheftet, mit sich schleppt...

Nicht genug, daß mein ganzes Leben hindurch geheime Kräfte, deren Existenz ich mir nicht hatte träumen lassen, ständig darauf aus waren, mich mit der Menge zu vermischen, sich anstrengten, mir meine Individualität, meinen Schatten, zu nehmen. Auch das Gedächtnis, welches Alter und zeitlicher Abstand geschwächt haben, läßt große Lücken klaffen bei der Wiederherstellung dessen, was meine Kindheit war. Während ich im Leben voranschritt, gab es immer jemanden, der – ebenso wie ich, der es gedankenlos tat –, die Spuren meiner Vergangenheit auslöschte. Wie die Überreste einer Naturkatastrophe, eines Schiffbruchs, einer Feuersbrunst blieben mir dennoch einige vereinzelte *reliquia* aus diesen Zeiten, die ich jetzt wie Scherben eines zerbrochenen Geschirrs auf dem grossen Gemälde meines Daseins zusammenzufügen versuche. Eine davon ist das unbestimmte Gefühl eines ständigen Wechsels von Orten und Personen in meinen frühesten Kindheitstagen, Veränderungen, welche, indem sie – absichtlich, wie ich glaube – meine gefühlsmäßigen Bindungen aufhoben, mir in der Seele und im Herzen ein ständiges Bedürfnis nach menschlicher Nähe schufen. Dies führte bei der Bildung meines Charakters dazu, daß ich das Zusammensein mit anderen Menschen suchte, und bewirkte zudem, daß ich mich ihnen gegenüber äußerst mitteilsam und zuvorkommend, oder wenn ich mich in einer Gruppe befand, sehr überschwenglich und sogar unbotmäßig verhielt. Mehr als einmal geschah es, daß ich durch einen betriebsamen Ort voller Leben und Lärmen kam, den ich das erste Mal besuchte. Plötzlich ensteht dann eine seltsame Stille in mir, und die Häuser, die Bäume, diese oder jene Einzelheit erlangen eine herausfordernde, fast schmerzliche Deutlichkeit und geben mir unmißverständlich das Gefühl, daß alles dies mir vertraut ist, daß ich dort, wer weiß wann, schon gewesen war. Es kommen mir da gewisse Stellen des weisen Platon in den Sinn, den wir Franziskaner so besonders schätzen. Sollte dies eines seiner berühmten Urbilder sein? Ich weiß nicht, wo ich in meiner frühesten Kindheit aufgewachsen bin, noch kenne ich den Ort, an dem ich geboren wurde. Ich bin wie ein Baum, der, kaum daß er in der Baumschule gekeimt hatte, sofort herausgerissen und umgepflanzt wurde, und der niemals seine ursprüngliche Landschaft kennen wird. Ich bin wie eine Pflanze, die in einem Wasserloch aus einem Samen gewachsen war, und, sobald sie Wurzeln bekommen hatte, in einen Blumentopf gepflanzt wurde, wo sie im Haus bald das Fenster nach Osten und bald das nach Westen schmückt. Sie haben mich sicher nicht zufällig in den Orden der «Wanderbrüder» gesteckt, als welche vielerorts und lange schon in ganz Europa die Brüder des Heiligen Franziskus bekannt sind. Mir waren die Mandelbäume des Landes im Süden vertraut, seine Feigenbäume, seine Johannesbrotbäume; die Korkeichen und Steineichen der verdorrten Ebenen des Alentejo mit seinen langen, engen Pfaden und Wegen, die, von den Fittichen der Pinien in Blau getaucht, sich in der Ferne verloren; seine kleinen Städte und Dörfer, deren niedrige Häuser sich weiß an die schützende Burg schmiegten; die Akazien und Mimosen der Serra de Ossa mit ihrem kühlen, tiefen Schatten; die Niederungen an den Ufern des Flusses von Santarém bis nach Lissabon, deren Felder sich, soweit das Auge reicht, grün und hügelig dehnen und von denen sich hier und dort die dunklen Flecken der weidenden Ochsen und das Relief der Dämme abheben, oder die trostlos vom Hochwasser überschwemmt sind. In meinen Augen trage ich die Dünen der Halbinsel Troía, die sanften bläulichen Buchten, zu denen die Höhenzüge der Serra da Arrábida jäh abfallen, die Kliffs des Cabo Espichel, die weite Mündung des Tejo, die heulenden Windstürme des Guincho, den majestätischen Wald von Sintra, wo wir ein kleines Kapuzinerkloster besitzen. Aber als blickte ich von der Höhe dieses großartigen Gebirges zum Horizont, der nach Norden verläuft und entschwindet, so verschwimmen und lösen sich in der Erinnerung auch die Linien auf, die Formen, die topographischen Einzelheiten der Berge und Täler, Wälder, Ortschaften, Flüsse bis hin zu den Weiden am Mondego.

Dieses ganze weitläufige Gebiet belebt sich mit einzelnen Szenen, bestimmten Arbeiten, zu jeder Jahreszeit gehörigen Tätigkeiten... Doch die Menschen haben weder ein Gesicht noch einen Namen, sie sind immer etwas Allgemeines – die Alten, die Jungen, die Kinder, ein Mann, eine Frau, ein Mädchen... Niemand ist eigens ausgewiesen, mir bekannt. Ich ergreife mit andächtiger Rührung dieses

Stundenbuch meines Lebens und blättere aufs Geratewohl in den fein ausgearbeiteten Miniaturen meiner Erinnerung. Die Bäume haben zumeist ihre Blätter schon verloren. In der Ferne, entlang eines Baches hebt sich von den dunkleren, bläulichen Flecken niedriger Berge eine Reihe schlanker Pappeln ab, deren Zweige in den blauen Himmel weisen, wo ein Schwarm Wildenten vorüberfliegt und ein Baumfalke ruhig seine aufmerksamen Kreise zieht. Ein Acker wird gepflügt. Das Ochsengespann beugt sich unter der mächtigten Anstrengung nach vorn, den Pflug zu ziehen, auf den sich der Bauer stützt, damit das Eisen richtig in die fruchtbare Erde einsinkt. Auf der anderen Seite, auf einem frisch gepflügten Feld, schreitet der Großknecht voran und wirft, den Sack über der Schulter, mit dem Arm und der Hand die rituelle Bewegung ausführend, das Saatgut aus, und um es zuzudecken, ebnet und zerkrümelt die Egge mit den spitzen Nägeln schon die Erde. Eine Stimme klingt von fern in meinen Ohren: Möge Gott es regnen lassen, denn der Boden braucht Wasser!

Auf einem schmalen Weg bewegt sich langsam unter dem weinerlichen Singsang seiner Achsen ein Ochsenkarren vorwärts, der zwischen den Rungen und Seilen bis obenhin mit Feuerholz bepackt ist. Ein junger Mann schlägt mit einem Stock die Eicheln von den Korkeichen. In ihrem Schatten laufen grunzend die Schweine herum und fressen die jungen Früchte. Von manchen Bäumen wurden schon große Korkstücke abgeschält, und der entblößte rote, blutende Stamm hebt sich vom Grau-Blau der Rinde ab. Wieviele Herbste, wieviele November wie dieser hier bevölkern meine Erfahrung! Schwester Natur!... Ich soll nicht zum klösterlichen Leben berufen sein? Das mag wohl stimmen. Aber eines ist dennoch gewiß: Ich bin von Grund auf Franziskaner, und die Erde, der Himmel, das Wasser, die Bäume, die Kornfelder, das Saatgut, die Vögel, die Tiere auf dem Felde, alles dies findet sein Echo in meinem Inneren und singt darin Gottes überschwenglichen Lobgesang.

Ich erinnere mich an andere Jahreszeiten, andere Arbeiten, andere Mühsal, deren Beobachter ich ob ihrer Eigentümlichkeit in anderen Gegenden war. *Martius habet dies xxxj...* Das Scheren der Schafe, den Schnitt der Reben, die Ankunft der Schwalben, den Gesang der Nachtigall, die Schwärme von Krammetsvögeln... aber wo war das?

Wo...? Und welches Haus war es nur, das in meiner Erinnerung immer noch zum Greifen nahe vor mir steht, das ich jedoch nur von außen sehe? Ein weiter Torbogen ohne Türflügel, eine düsteres Loch, das mich davon abhält, dort einzutreten... Oberhalb des Tores offen das quadratische Fenster, das auch für jenen dunkel ist, den es gelüstet wenigstens einen Blick, und sei es nur auf die Zimmerdecke, dort hineinzuwerfen. Darüber dann das pultförmige Dach. Das Laubwerk, das sich am ganzen vorderen Teil des Hauses entlangzieht, um einen Baldachin zu bilden, wird gerade von einem jungen Mann gestutzt, der auf einer Sprosse der Leiter sitzt, die an die glatte Wand gelehnt ist. Unterhalb des Brunnens, aus dem ein Mädchen Wasser schöpft, eine Reihe Obstbäume und eine Hecke, die den Weinberg vom Nutzgarten des Hauses trennt. Dann, weiter entfernt, nebeneinander aufgestellte Bienenkörbe, die jemand bewacht, Kaninchen, die frei darum herumlaufen und in der Ferne schroff aufragende Felsen, Wald, ein Fluß... Fieberhafte Betriebsamkeit. Überall Männer und Frauen, die in einem einzigen bedächtigen, fast mechanischen Rhythmus schweigend arbeiten. Hin und wieder der traurige Gesang eines Mädchens, während auf einem Ast der Gimpel seinen Amboß hämmert und klingen läßt.

Monate später werden die Früchte geerntet. *Augustus habet dies xxxj.luna xxx. nox habet horas xj.dies vo xiij...* Wohin haben sich meine Schritte verirrt, ist doch die Landschaft jetzt eine andere? Im Hintergrund liegt in einer Senke der blaugrünen Linie der Hügel, blank wie ein Spiegel, kupferfarben der Ozean. Zu unseren Füßen weizengelb und von Stoppeln schimmernd die weite Ebene, auf welcher die verschiedenen Lagerhäuser des betriebsamen Gutes mit ihren Strohdächern zu erkennen sind. Ein vierrädriger Wagen, von einem Ochsengespann gezogen, wartet im Hintergrund darauf, bis obenhin mit dem frischgeschnittenen Korn beladen zu werden, welches man überall in hohen, gewölbten Haufen herumliegen sieht. Ein anderer, bis an den Rand vollgeladener Wagen, den zwei Paare Maultiere ziehen, welche ein junger Mann mit einem langen Stock auf der Schulter führt, ist schon näher gekommen. Ein Ochsenkarren, der noch entladen werden muß, wartet, die Deichsel auf einer Stütze abgesetzt, während rundherum die Schweine unbeeindruckt von der Geschäftigkeit die Erde mit ihrem Rüssel durchwühlen und eine Entenfamilie in lockerer Reihe schnatternd herumspaziert. Vögel flattern um die Bäume, die voll farbenfroher Früchte hängen, und in einer Ecke schmausen ein paar Raben auf einem Getreidehaufen angesichts einer riesigen, bunten Eidechse, die faul in der Sonne liegt. Der Verwalter kommt auf einem Pferd vorbeigeritten, und in der Mitte des Innenhofes, auf der großen Tenne, reinigen, sieben und häufeln Männer und Frauen, die Köpfe von breitkrempigen Strohhüten beschirmt, das Getreide. Die erhitzten Körper haben sich schon einiger Kleidungsstücke entledigt, die über die Astgabel eines Baumes gelegt wurden. Die Sonne wird stärker. Ein Wasserkrug hängt an einem Zweig. Am Boden eine Kalebasse mit Wein, um die Kehle zu erfrischen und die Lebensgeister zu wecken, denn der Tagelohn schließt die Beköstigung ein.

Das große Ritual des Weins beginnt im September. *September hz dies xxx. luna xxix. Nox hz horasxij. dies uero xij...* Welch eine Betriebsamkeit herrscht im Weinberg! Ein Ochsenkarren mit einem großen Bottich darauf steht, von einem jungen Mann mit seinem eisenbeschlagenen Hirtenstab bewacht, in der Mitte: Junge Burschen und Mädchen kommen in Reihen von allen Seiten mit den Weinkiepen auf der Schulter und laden die Trauben ab. Im Weinberg – wo das Blau der Trauben sich gegen das Grün der Blätter abhebt – lesen Männer und Frauen den Wein. Körbe voller Trauben stehen überall auf dem Boden. Sie sind klein, damit man sie leichter tragen kann. Auf dem freien Platz um das Kelterhaus herum wird letzte Hand an die Behälter gelegt: Eine Reihe Fässer ist schon fertig, der Küfer zieht die Faßbänder des einen oder anderen Fasses ein letztes Mal an, während drinnen in den Mostbottichen Männer mit nackten Beinen die Trauben stampfen und unter dem Wetterdach die große Kelter mit Schraube und Gewicht quietschend den Saft aus den Trauben drückt. Blutrot läuft er über die Steintraufe in den Krug, welcher in einem Behälter aus Faßholz steht und ausgewechselt wird, sobald ein anderer gefüllt wird. Ich fühle noch den Geschmack und den Duft des neuen Weines, den meine Altersgefährten und ich so gern probierten, was immer heftiges Bauchgrimmen zur Folge hatte. Es dauerte nie lange, bis wir rennen mußten, um unsere Notdurft hinter einem Baum zu verrichten. Hastig wurden die Hosen heruntergelassen, und es sprudelte aus uns hervor, während wir unter Riesengelächter unsere Hintern und Schwänze betrachteten. Genauso war es mit dem ofenfrischen Brot. Ich höre noch die hohen Stimmen hinter mir herkreischen: «Heißes Brot bringt den Bauch in Not!» Doch wie gut mundete mir vor allem jenes Brot, das, so glaube ich, aus gemischtem Mehl gemacht wurde, welches sie Graumehl nannten, und das so köstlich schmeckte und duftete, halb wie das grobe Maisbrot, halb wie das feine, weiße Weizenbrot. Ich mache Empfindungen aus der Kindheit in der Zeit, nicht aber im Raume fest. Den Raum stahlen sie mir mit den ständigen Ortswechsel, konnten oder wollten sie mir doch die Zeit nicht wegnehmen. Der Geschmack gewisser Früchte, einer bestimmten Traubensorte, dieser Feigen oder jener Brombeeren oder Aprikosen («Magst du Aprikosen? Ich werde deinem Vater sagen, daß du schon kosten magst» – Gelächter unter den Jungen, daran erinnere ich mich gut), der Geschmack von Baumerdbeeren, der Duft einiger wilder Pflanzen, nach denen ich stets in den Bergen suche – von Rosmarin, Zistrosen, Thymian, Gamander, Oregano, Bergminze bis hin zur scharfen Raute, – ihr Geschmack und ihr würziger Duft besitzen noch heute die Zauberkraft, mich in die Zeit meiner Kindheit zu versetzen...

An den Tod erinnere ich mich nicht, zumindest nicht an den Tod einer Person, der mich besonders getroffen hätte. Ich wußte von ihm indirekt über die äußeren Zeichen, welche sein Vorbeikommen in den Menschen zurückließ: jene Gestalten in Trauergewänder gehüllt, aus welchen vom Weinen geschwollene und gerötete Augen hervorsahen, während sie an mir, der sich in den Toreingängen versteckte, vorbeigingen wie Nachtmahre, in feierliches Schweigen versunken, welches ein Echo zu haben schien. Das Jammern der Klageweiber, das ich von weitem hörte, das schluchzende Läuten der düsteren Bronzeglocken, deren lärmendes Rufen nur von der kalten, durchdringenden Stimme der Totenglocke unterbrochen wurde. Man könnte sagen, der Tod ging in der Ferne an mir vorbei, ohne Spuren in meiner Seele zu hinterlassen.

Nicht vom Tod her rühren meine ersten Erinnerungen an einzelne, durch einen Namen gekennzeichnete Personen, aber sie tauchen nur in Verbindung mit ihm auf. Ich glaube, ich lebte in einem Waisenhaus, das entweder unmittelbar neben einem Franziskanerkloster lag oder ihm, genau weiß ich es nicht, direkt angeschlossen war. Ich erinnere mich nicht daran, wie alt ich war. Genauso wenig weiß ich, wo ich geboren wurde und wann. Ich nehme jedoch an, daß es an einem siebenundzwanzigsten Juli war, sofern, wie ich bereits damals annahm, das Medaillon, welches ich auf der Brust trug, mit meiner Person etwas zu tun hatte. Seit ich denken kann, streichelte ich es häufig nachts im Bett und sann über seine Bedeutung nach, bis der Schlaf kam und meine Gedanken auflöste, die mit Erinnerungsfetzen aus meinem Leben vermischt waren, von denen ich nie wußte, woher ich sie nahm. Auch tagsüber versuchte ich immer wieder, es zu öffnen, aber meine kleinen ungeschickten Hände brachten es nicht fertig, und zudem gab es stets jemanden, einen alten Menschen, den ich immer neben mir, von den Füßen bis hin zum Kopf, hoch aufragen sah und der mich mit einer undeutlichen Stimme ermahnte, oder vielmehr mit einer Mischung aus heiseren, hohen und zittrigen, fernen und gleichzeitig nahen Stimmen, die wie ein Hall in leeren Fässern klang:

«Spiel nicht daran herum!»

Niemals sagten sie mir etwas darüber, bis eines Tages ein etwas jüngerer Mönch, der sich erst versicherte, daß man uns nicht belauschte, ins Ohr flüsterte: Psst! Ich solle nichts sagen! Das Medaillon sei ein kleines goldenes Kästchen, welches eine Relique des Heiligen Pantaleon enthielte..., doch darauf entfernte er sich, von weiß ich welchen Ängsten erfaßt, von mir und sagte hastig: um aller Heiligen Willen! Ich solle niemandem entdecken, daß er mir dies gesagt habe... In jener Nacht schlief ich fast nicht über dem Gedanken, welche Verbindung es wohl zwischen einem Heiligen Pantaleon und mir geben könnte. Ich beschloß, jenen Mönch am folgenden Tag zu fragen, was das für ein Heiliger sei. Ich suchte ihn verzweifelt, fand ihn aber nirgendwo, weder in der Kapelle, noch im Refektorium, noch in der Küche. Es war mir verboten, an seine Zellentüre zu klopfen, und daher fragte ich einen Novizenbruder, welchen ich im Klostergarten traf, nach ihm. Der Bruder, von dem ich redete, sei vom Abt in ein anderes Kloster versetzt worden. Welches? Mehr wisse er nicht, ich solle nicht weiter fragen.... und er bückte sich wieder, um die Erde um die Kohlstengel herum anzuhäufeln. Damals maß ich der Tatsache keine Bedeutung bei. An den darauffolgenden Tagen wurde ich in meiner Arglosigkeit äußerst zudringlich, denn ich fragte die Brüder, den Katecheten, die Tutoren, ob sie mir sagen könnten, wer der Heilige Pantaleon sei. Niemand wußte es, fast alle waren verlegen und einige kehrten mir nach einem kurzen Zögern den Rücken zu, ohne eine Antwort zu geben. Damals konnte ich nicht wissen, daß dies für Glaubensleute eine seltsame Wissenslücke und ein ungewöhnliches Verhalten war. Ich hatte also große Schwierigkeiten, herauszufinden, wer dieser Heilige war, und da die Schwierigkeiten und das Mißtrauen mein Interesse nur noch zu verstärken schienen, blieb es nicht aus, daß meine Besessenheit offenkundig wurde und ein Franziskanermönch mich an einen anderen Ort brachte. Heute kann ich unschwer die Gedanken dessen nachvollziehen, der mein Schicksal in seinen Händen hielt: Eine lebendige Umgebung mit viel Betrieb war die beste Wahl. Sie entsprach einer doppelten Erfordernis. Zum einen jener, mich mehr unter die anderen zu mischen und zum andern der, mich von den Gedanken, die mich beschäftigten, abzulenken. So mußten ihre Überlegungen ausgesehen haben, und so geschah es dann auch. Doch ohne das erwartete Ergebnis, denn mich konnte von nun an niemand und nichts mehr aufhalten. Der Prozeß war in Gang gesetzt worden und ich hatte mich aufgemacht zur Suche nach mir selbst. So fand ich mich denn in Setúbal wieder, einem angenehmen Städtchen, mit seinen Mönchskollegien, seinen herrschaftlichen Palästen, seinen schönen Kirchen und Plätzen, auf die die anheimelnden, von Händlern wimmelnden Straßen mündeten, das Flußufer mit dem emsigen Treiben der Fischer, die weite Mündung, in der bisweilen ein Großsegler des Königs vor dem Auslaufen nach den beiden Indien, von Fischerbooten umringt, ankerte. Mein Leben änderte sich nicht sehr: Die meiste Zeit verging mit der Vervollkommnung von Lesen und Schreiben, mit dem Studium des Katechismus, der Musik, des Gesangs. Damals begann ich Latein zu lernen.

Das unbestimmte Gefühl, daß meine Ortsveränderung mit den Fragen zusammenhing, die ich zum Heiligen Pantaleon stellte, ließ mich vorsichtiger werden. Ich beschloß, meine Neugier zu verbergen und so zu tun, als habe sich dieser Gedanke gänzlich aus meinem Kopf verflüchtigt: Ich erwähnte den Heiligen und berührte das

Medaillon in Gegenwart anderer nicht mehr, noch schenkte ich ihm irgendwelche Aufmerksamkeit. Ich fühlte, daß die Wachsamkeit um mich herum nachließ, doch meinerseits hatte ich nie aufmerksamer auf die winzigste Gelegenheit oder Möglichkeit gelauert, das zu erfahren, was ich wollte.

Eines Tages, ich war allein, versuchte ich das Reliquiar zu öffnen: Es gab hinten eine Art kleinen, runden Deckel und einen sehr einfachen Verschluß, der jedoch durch einen Tropfen Blei versiegelt war. Ein Stein würde das Problem lösen. Wohl hatte ich schon einen in der Hand, indes fürchtete ich, das Kästchen so zu beschädigen, daß der Eingriff bemerkt würde. Ich ließ einstweilen von meinem Vorhaben ab, entschlossen, auf eine bessere Gelegenheit zu warten.

Es fiel mir schwer, mich an die neuen Kameraden, an die neuen Lehrer zu gewöhnen. Je älter ich wurde, desto mühsamer war es für mich. Ich fühlte mich getrennt von den anderen, einsamer denn je, fühlte eine Einsamkeit und ein Abgetrenntsein, tief in meinem Innern, eine Abgeschiedenheit, die mich von der äußeren Welt entfernte, selbst wenn sich diese Welt ringsumher lärmend und betriebsam zeigte, ein «einsames Wandeln inmitten von Menschen», wie aus ganz anderen Gründen und in einem gänzlich anderen Lebensalter ein mir befreundeter Dichter gesagt hat, den Gott selig haben möge.

Ich schuf also meine eigene Welt, gab den Dingen Leben ein, sprach mit ihnen und ließ sie mit mir sprechen. «Brr», sagte ich zur eisigen Wasserflut im Winter, wenn ich frühmorgens in der Dämmerung mein Gesicht waschen mußte. «Du bist überhaupt nicht sanft. Wer hat dich so bös gemacht?» Aber in Stunden voll Hitze und Durst: «Wie köstlich du bist, meine Freundin! Laß mich dich küssen». Es gefiel mir «Laß mich dich küssen», zu sagen, indes kannte ich keine Küsse, außer wenn ich sah, wie einige Kameraden die Hände ihrer Mütter küßten und von ihnen geküßt wurden, wenn sie in die Ferien gingen... Ich sprach mit dem Brot, den Früchten der Bäume, den Ochsen auf dem Bauerngut – «He, Manso! He, Pintado», mit den Hunden, mit den Kaninchen und den Hühnern... Wenn ich über einen Stein stolperte, fuhr mir eines jener Schimpfworte heraus, die wir Kinder bei den Erwachsenen aufschnappten oder voneinander lernten und gern leise vor uns hin sagten, um uns als kleine Männer zu fühlen. «Mist! Scheiße! Himmel, Arsch und Zwirn!» Ach, schöne, überall gültige Worte, die der Zeit und dem Raum, den Moden und Vorurteilen die Stirn geboten haben! Die Fürsten und die Vasallen kennen sie, die Schenke und der königliche Hof, und die Seefahrer vergaßen sie nicht, wenn sie sich in den fernen Indien ihren kargen Wortschatz zurechtlegen mußten, um sich verständlich zu machen und selbst etwas zu verstehen... Alles, was mir mißfiel, wurde mit Schimpfworten bedacht. Und als Schelm, der ich war, amüsierte ich mich bei der Beichte aufs köstlichste – «*Mea culpa! Mea culpa*! Mit Gedanken, Worten und Werken sündigen...» – den Pater erröten zu sehen, und in meinem Innersten gab ich ihm, während er mir die Absolution erteilte, die Absolution für die Sünde böser Gedanken... Ich sprach auch mit den Büchern, der Feder und dem Papier. Doch das steht auf einem anderen Blatt. Sie waren meine besten Gefährten...

Indes fiel es mir leicht, die Menschen für mich einzunehmen und Freunde zu gewinnen. Neben meiner Freundlichkeit und meiner unverkrampften Art, welche es mir möglich machten, die anderen, selbst die gestrengsten, natürlich und freiheraus anzusprechen, trug dazu auch meine äußere Erscheinung bei, die auf den ersten Blick die Aufmerksamkeit auf sich zog. Ich fühlte dies wohl, und die jungen Mädchen ließen es mich durchaus fühlen, wenn ich auf der Straße vorbeiging: «He, Blondschopf» «Oh, welch ein Engelchen! Siehst du den, der da gerade vorbeigeht? Der wird einen feinen Ehemann abgeben!» Und Gott möge mir verzeihen, wenn mich dies eitel machte... Ich war gut gewachsen, mein Haar, das die Schere des Baders, ich weiß nicht aus welchem Grunde, verschonte, während sie erbarmungslos mit den anderen Jungen verfuhr, die sie fast kahl schor, war weizenblond und dicht gelockt, ich hatte regelmäßige Züge, welche helle Augen von durchsichtigem Blau-Grün belebten, und Lippen, in deren Winkel sich ein Lächeln abzeichnete, das in jedem Augenblick erblühen konnte, was mir die anderen von vornherein geneigt machte. Diese Charakteristika meines Äußeren hoben sich derart von denen meiner Kameraden ab – die zumeist mittelgroß, wenn nicht gar untersetzt, dunkelhäutig waren und schwarzes Haar hatten, das auf die eingeborenen, mediterranen, afrikanischen Rassen hinwies –, waren im Vergleich dazu dermaßen rar oder unerwartet, daß natürlicherweise ihr Vorhandensein oder ihr unvermitteltes Auftauchen in den Köpfen – selbst in meinem – Fragen weckten, die zu formulieren jemand vielleicht erst im Laufe der Zeit den Mut aufbringen würde.

Meine Altersgefährten scharten sich um mich, setzten sich gerne neben mich, kämpften um mich als Spielkameraden in den Pausen, wählten mich zu ihrem natürlichen Oberhaupt; die älteren fühlten sich besonders wichtig und im Innersten stolz, wenn sie mich unter ihre Fittiche nahmen; die Superiores behandelten mich mit Ehrerbietung und wenn sie mich wegen meiner Streiche bestrafen mußten, so taten sie dies mit einer Gutmütigkeit, welche der Strafe ein Großteil ihrer Härte nahm und sie für mich annehmbar machte, lächelnd ...

Unter meinen neuen Freunden gab es einen jungen Postulanten, welcher sich mir sofort in einer Mußestunde im Freien näherte und mich zu einem Spaziergang auf dem Gut des Klosters mit seinen vorzüglich ausgerichteten und genutzten Beeten mitnahm. Hier der Salat, dessen kräftiges Hellgrün von den bläulichen Kohlköpfen noch verstärkt wurde. Dort und weiter entfernt das Zwiebelbeet, das Bohnenbeet und das Petersilienbeet. Hinter dem Gemüsegarten ein weites duftendes Gelände mit Nadelbäumen, ein grüner, gelb gesäumter Fleck, wo Amseln und Lerchen sangen.

«Ein Franziskaner will keinen Reichtum», begann der Postulant belehrend. Es schien, als höre er sich gern reden. «Wie der Vogel vom Himmel trinkt er den Tropfen Wasser, den Gott ihm von der Wolke herabwirft, und der, vom Flügel des Windes getragen, in der kühlen Zisterne gesammelt wird oder auf die Erde fallend dieser den Durst löscht, in sie eindringt, dann aus einem Felsspalt quillt und als goldener Faden in der Sonne glänzend seinen langen Weg beginnt. Ein Franziskaner ernährt sich (hatte ich ihn recht verstanden?) von den prallen Früchten der Mutter Erde und dankbar singt er, als eines seiner niedrigsten Geschöpfe in der Natur aufgehend, Gott ein Loblied ob seiner Gaben...»

Die Besuche im Gemüse und Obstgarten des Klosters halfen mir, in diesem zarten Alter Gefallen an allem zu finden, was natürlichen Ursprungs und Frucht der Natur war, und an den Namen, die man ihnen gab. Dieses aufmerksame Betrachten der Einzelheiten und

Besonderheiten bildete sofort eine meiner Neigungen heraus: Ich erwarb früh eine Denkweise, die der Analyse zugetan war. Später ergänzte ich mit den Reisen und der Lektüre universaler Werke, die in einem breiten Panorama die wichtigen Geschehnisse in der Welt darlegten, diese meine Neigung mit einem rechten Schuß Synthese. Nachdem wir eine Zeitlang im Schatten der Apfelsinenbäume gesessen und den erfrischenden Nektar seiner gelben, saftigen Früchte geschlürft hatten, erzählte mir mein Freund, wie sehr er darauf wartete, daß die Superiores, das Kapitel, die Zustimmung zu seinem Eintritt in das Noviziat gäben. Es war dies ein erster schwerer Schritt in seinem Leben – ob ich das nicht sähe? –, beinahe so wichtig wie später, wenn er das Gelübde ablegen und Mönch werden würde. Ach! Aber er war fest entschlossen, seine Berufung – daran hatte er keinen Zweifel –, stand fest...

«Und willst du Franziskaner werden?» fragte er.

Und in mir klang und dröhnte, hämmerte dieses *willst du?* Mir wurde bewußt, daß ich mußte, und selbst, wenn ich nicht wollte, keinen eigenen Willen haben durfte. Ich fühlte, daß ich nicht wollte, und jäh überkam mich die Gewißheit, daß ich wollen mußte, was ich nicht wollte, daß ich nicht mein eigener Herr war, daß mein Leben von jemandem gelenkt und bestimmt wurde, den ich nicht einmal kannte, dem ich nicht zurufen konnte, daß ich nicht wollte. Ich fühlte mich von einem unsichtbaren Wesen abhängig. Wer verfügte über mich? Zu wem gehörte ich? Ich sah mich um. Zu wem gehörten sie, meine Kameraden?... «Zu jemandem gehören», war schließlich in jenem Alter nichts Unwichtiges. Auf meine Frage erzählte mir mein Freund, daß er sein Haus mit der Zustimmung und im Einvernehmen mit seinem Vater und unter den Tränen seiner Mutter verlassen hatte. Da seine Stimme für einige Augenblicke erstickte, schwieg er. Ich fühlte, daß diese Sache für uns beide heikel war, und lenkte das Gespräch auf einen anderen Punkt, welcher mich mehr interessierte, und fragte ihn, ob er den Heiligen Pantaleon kenne. Nein, er kenne ihn nicht, aber das Missal gäbe zu jedem Tag den Heiligen an und er könne es nachsehen oder in irgendeiner Hagiographie wie zum Beispiel in der *Legenda Aurea* von Voragine oder im *Flos Sanctorum.* Ich bat ihn, dies mit aller Vorsicht und Diskretion zu tun und berichtete ihm soviel über meine Befürchtungen, daß er es sich zu Herzen nahm. Ich solle mich nicht beunruhigen, er würde gleich ans Werk gehen!

Einige Tage darauf kam er zu mir. Größtes Erschrecken stand ihm im Gesicht geschrieben. Es gäbe keinen Heiligen Pantaleon! Weder im Meßbuch noch bei Voragine, noch in den *Flos Sanctorum!...* Ich war verblüfft. Wir sprachen eine Weile über diese unglaubliche Tatsache, daß ich auf der Brust die Reliquie eines Heiligen trug, den es nicht gab. Dann schwiegen wir aus einem Gefühl der Angst heraus, welche uns beklommen machte und Gänsehaut verursachte, weil wir uns offensichtlich auf gefährlichem Boden bewegten, Geheimnisse berührten, die nicht erforscht werden durften. Unsere Ängste waren nicht unbegründet, denn bald schon gab es Anzeichen dafür, daß eine so enge Freundschaft und der Umgang mit mir nicht erwünscht waren. Mein Freund wurde während der Stunden, in denen wir uns für gewöhnlich treffen konnten, plötzlich durch Aufgaben ferngehalten, die sich zufällig zu ergeben schienen, bis ich ihn schließlich überhaupt nicht mehr sah. Ich erhielt Kenntnis davon, daß man befunden habe, seine Berufung reiche nicht aus, um in das Noviziat einzutreten, weshalb er das Kloster verlassen mußte, ohne sich von mir verabschieden zu können.

Die Ereignisse nahmen gleichwohl einen unerwarteten Verlauf. Mit dem Beginn des Lateinstudiums fingen wir, die Kleinsten, an bei der Messe zu helfen. Jeden Tag war einer von uns an der Reihe, während die anderen den zarten Klang ihrer Stimmen mit den vollen, tiefen Noten der Älteren und Fortgeschritteneren vermischten. Es war Juli. Ein Angehöriger des Hochadels, Verwandter des Königs, Großmeister der Orden von Santiago und Avis, der neben reichen Lehnsgütern im Zentrum des Landes Herr über weite Ländereien war, welche sich von Setúbal, wo er seine Paläste hatte, bis nach Évora erstreckten, hatte dem Kloster ein neues Meßbuch geschenkt, ein kürzlich gedrucktes Buch, das in Leder gebunden, mit silbernen Schließen und silbernen Ecken beschlagen war. Die Franziskanerbrüder, welche in ihrer Bedürfnislosigkeit für gewöhnlich weder Kostbarkeiten, noch Zierat besaßen, und sich daher mit wenigem zufrieden gaben, waren um so glücklicher über ein derart kostbares Geschenk! Es war ein Vergnügen – selbst wir Jüngsten bemerkten es – die Freude zu sehen, mit welcher der Priester jene noch weißen Seiten durchblätterte, die mit den feinsten, farbigen Miniaturen geschmückt waren, und die klaren Buchstaben las, die noch nach frischer Tinte rochen. Und auch für uns junge Meßknaben war es eine große Lust, es in die Hand zu nehmen, wenn die Gelegenheit sich bot, es von der Epistelseite zur Evangeliumsseite oder umgekehrt zu tragen. Was mich betraf, so empfand ich eine tiefe Rührung, wenn ich bei der Messe assistierte. So nah dem zu sein, was für mich ein vielfaches Mysterium war! *Mysterium* war das Wort, welches ich täglich im Katechismusunterricht hörte und das mich im Innersten berührte. Aber gab es nicht auch in mir, um mich herum ein dunkles Geheimnis? Das Undurchdringliche zeichnete mich das ganze Leben lang, denn bald, sehr früh schon, und dann mit voranschreitendem Alter lernte ich, daß die Religion vom Mysterium lebt und die Enthüllung immer nur eine halbe Enthüllung sein darf. Ich hörte oder las irgendwo vom Mysterium des Elysiums, einem weiten von Zypressen umsäumten Tempel der Göttin Demeter, einer Gottheit, die die zyklische Wiederkehr der Jahreszeiten verkörperte. Ich wußte von den esoterischen Aufnahmeriten der Pythagoräer und von den Geheimnissen der orphischen Rituale und vom rätselhaften Kult der Isis an den Ufern des Nil, wo unter der sengenden Wüstensonne vor den großen Pyramiden zwischen Papyrus und Lotusblumen der sanfte Vogel Ibis umherlief, der Falke aufflog und die Brillenschlange kroch. Ich hatte das Buch von Marco Polo gelesen, das von den fremdartigen Gebräuchen und merkwürdigen Religionen der Völker berichtet, die das große China bewohnen. Menschen, die in großer Zahl aus dem Indien des Ostens kamen, erzählten die unerhörtesten Tatsachen über den Glauben jener Nationen. Alles dies waren Mysterien, wohlgehütete Geheimnisse. Die kleinste Indiskretion konnte das Leben kosten. In letzter Zeit wurde dieses Gefühl und diese Auffassung durch die vielen Kontakte und Gespräche bestätigt, die ich mit den unterschiedlichsten Menschen anderer Religionen hatte, vor allem mit portugiesischen Juden, die von hier geflohen über die Länder des Mittelmeers verstreut lebten. Die hebräische Religion fußt auf dem Glauben, daß der Messias *dereinst kommen wird.* Doch für uns ist er gekommen, nur sie haben ihn weder erkannt noch angenommen. Das war folgerichtig: Sie hätten ihren Glauben an die alten Mysterien verloren, so stark wirkte das Neue, das Er gebracht hatte. Viele meiner Franziskanerbrüder sagen, wenn sie mich so reden hören, daß ich gewagte Gedanken hätte, aber sie wüßten wohl, daß diese nicht über die Feststellung einer Tatsache hinausgehen, und meine Ablehnung falscher Ideen und der heidnischer Götter nicht antastete. Ich führe das nur an, um aufzuzeigen, wie sehr ich mich schon in sehr jungen Jahren daran gewöhnte habe, das Mysterium, welches die Religion durchtränkt und nährt, als etwas Offenkundiges anzusehen...

Damals fühlte ich also, wenn ich mich dem Altar näherte, auf der Haut das Mysterium, das von ihm aufstieg, das aus den Formen, den Symbolen, den hieratischen Ikonen, dem vergoldeten Holzschnitzwerk des Altarbildes, dem Baldachin, der Tür des Tabernakels, dem Geräusch des Schlüssel in dessen Tür, dem Gold und den Stickereien der Meßgewänder, den Spitzen der Paramente, dem reinweißen Linnen der Tücher, dem Duft nach Kerzen und Weihrauch ausging. Die Stille und das Halbdunkel der Kirche, oder das durch die bunten Fenster gefilterte Licht, das gemessene, gesammelte Schreiten der Menschen, das Flüstern der Stimmen verstärkten dies für mich noch...

Immer wenn ich an der Reihe war, bei der Messe zu helfen, tat ich dies mit größter Feierlichkeit, der eine gewisse Rührung nie fehlte, weswegen ich eines Tages auf den Stufen des Altars fast das Gleichgewicht verloren hätte. Ich stolperte. Das Meßbuch, das offen auf seinem Pult lag, schwankte, möglicherweise öffneten sich einige Buchseiten durch den Luftzug, der sich einen Augenblick lang zwischen sie gedrängt hatte, und ein kleiner Papierstreifen, welcher wahrscheinlich als Lesezeichen gedient hatte, löste sich und schwebte flatternd zu Boden. Ich hatte mein Gleichgewicht schnell wiedererlangt und legte das Meßbuch auf die linke Seite des Altars, und nahm meinen Platz stehend ein, während der Priester das Evangelium las. Als ich beim Credo wieder kniete, bemerkte ich das Papier, das dort neben mir auf eine Stufe gefallen war. Mit der unwillkürlichen Bewegung dessen, der zu äußerster Reinlichkeit und dazu erzogen worden war, kein Papier auf den Boden zu werfen, hob ich es auf, und da der Fortgang der Heiligen Messe meine Aufmerksamkeit verlangte, – es erfolgte das Offertorium, und die

Oblaten mußten dem Offizianten gereicht werden –, verwahrte ich es in einer Tasche unter dem Chorhemd. Nach der Messe, die früh zur Prima gehalten wurde, begaben wir uns wie immer in Reih und Glied- die Jüngsten vorneweg, gefolgt von denen, die im Studien- und im Grad der Hierarchie höher standen, in strengstem Schweigen zum Refektorium. Nach einem kurzen Gebet um den Segen Gottes für die Speisen, welche wir verzehren würden, wurden uns Milch und Brot gereicht, die wir zur großen Befriedigung unserer Mägen jedoch ohne Begierde zu uns nahmen: Wir waren schon häufig von unseren Tutoren mahnend darauf hingewiesen worden, daß dem Akt des Essens genug geistige Erhebung innewohnen muß, um ihm jedwede Spur des Animalischen zu nehmen – *non vivit homo ut manducet, sed manducat ut viat.* Ich habe immer an diesen Lehrsatz des Diogenes Laertius gedacht, von dem ich viel später in Venedig eine alte Ausgabe der *Vitae et Sententiae* von 1490 erwarb. Ich habe auch nie den Satz eines Lehrers vergessen, welchem wir wie eine Herde anvertraut waren. Es war ein junger Mönch, mit blassen, kantigen Zügen, einem hervorstehenden Kinn, blondem, gewellten Haar, das sich auf der Stirn in einer herabhängenden Locke kringelte, die er ständig um Daumen und Zeigefinger wickelte, und mit den wohlgeformten Lippen einer griechischen Statue, die sich mit mathematischer Genauigkeit öffneten und schlossen, während er mit seiner vollen melodischen Stimme in perfekter Aussprache jede Silbe eines Wortes artikulierte: Wir sollten immer ein wenig hungrig vom Tisch aufstehen, das sei die goldene Regel der körperlichen und geistigen Hygiene. Tatsache war aber, daß ich, wenngleich diese Gedanken sich in mir verankerten, nichtsdestoweniger dachte, wenn ich die Wirklichkeit um mich herum betrachtete, daß alles umgekehrt vonstatten ging. Der Mensch lebte ständig auf der Suche nach der unmittelbaren Befriedigung des Inbesitznehmens und Essens. Nur einigen wenigen, sehr wenigen, gelang es, sich vom Drängen des Fleisches zu befreien und die Instinkte zu überwinden, zu vergeistigen und zu läutern. In dieser Hinsicht hatte ich, wenngleich mir die Mahlzeit, die ich einnahm, sehr gut mundete – die dicke, sahnige Milch, das duftende Brot –, keine Schwierigkeiten, die geistige Einstellung meiner franziskanischen Superiores anzunehmen, deren Richtlinie die Armut und das

Beschaffen des notwendigsten täglichen Brotes im Sinne des Evangeliums war. Nachdem die Mahlzeit beendet und das Gebet gesprochen war, begaben wir uns in den großen Studienraum, wo wir uns für die Unterrichtsstunden vorbereiteten, die beginnen würden, sobald die kleine Glocke läutete. Die ganze an das Kloster angrenzende Schule war dann ein emsiger Bienenstock. Niemand war untätig, angefangen bei uns Kindern – einer Art Seminar oder Pflanzstätte – über die Fortgeschritteneren, die Postulanten, bis hin zu den Novizen. Die Lehrer wurden unter den gelehrtesten und erfahrensten Brüdern des Klosters ausgewählt, welche die modernsten und spezialisiertesten Fächer unterrichteten. Der Anfangsunterricht wurde von Brüdern erteilt, die erst kürzlich das Ordensgelübde abgelegt hatten und eine Neigung zur Lehrtätigkeit gezeigt hatten. Diese Lehrer haben mir immer einen tiefen Respekt eingeflößt, wenn sie mit ihren Büchern in der Hand oder unter dem Arm ruhig und mit dem leidenschaftslosen Gesicht von Menschen vorbeigingen, welche die entspannte Ruhe der Weisheit erreicht haben. Ihren Worten zu lauschen begeisterte mich, und ihre Lehren wurden von meinem dürstenden Geist ohne jeden Vorbehalt aufgesogen: Was sie sagten, war die Wahrheit. Damals wußte ich noch nicht, was eine Meinung war, damals war mir nicht bekannt, daß eine Angelegenheit von mehreren Seiten her betrachtet werden konnte und die Ideen der Menschen nicht immer übereinstimmten.

Als ich später voller Staunen an einigen Sitzungen des Konzils von Trient teilnahm, lernte ich, daß Männer, die als weise und gelehrt galten, die gelehrtesten und weisesten, die die Christenheit eigens dazu ausersehen und in diese italienische Stadt entsandt hatte, ein Problem aus den verschiedensten, nicht selten sogar entgegengesetzten Blickwinkeln, zu diskutieren und abzuhandeln vermochten. Ein schlüpfriger Boden sei es, auf dem sie sich bewegten, sagte man mir, und allein die große Frömmigkeit und Selbstverleugnung dieser Gelehrten und ihr vom Heiligen Geist erleuchteter Verstand ermöglichten es ihnen, der Gefahr die Stirn zu bieten, das verstünde ich doch? Unsicherheit und Kleinmütigkeit seien Waffen des Engels der Finsternis. Sie befielen die schlecht Gewappneten, und wehe dem, der schwankend würde und das Saatkorn des Zweifels in seinem Herzen keimen ließe. Die Schule hingegen habe, vor allem in den Eingangsjahren, die sakrosankte Aufgabe, den Verstand und die Seele zu formen, den Grundstein zu legen und den Stützbalken für die Wahrheit aufzurichten, welche zur Heiligung, dem höchsten Ziel der Scientia Humana, führen sollte. Sie müsse daher allgemein verbindlich und dogmatisch sein.

Also ließ ich still die Lehrer an mir vorüberziehen und dachte bei mir, daß auch ich eines Tages so klug sein wollte wie sie. Das befeuerte mich bei meinen Studien. Zu jener Zeit bekommen die Personen, die mich umgeben, in meiner Erinnerung einen eigenen Namen, eine eigene Persönlichkeit. Ich denke daran zurück und sehe es vor mir, als wäre es heute... Warum hat sich diese Szene so sehr in mein Gedächtnis eingeprägt, daß ich noch jetzt ganz tief in mir einen vagen Schmerz fühle?... Es war in einer Sakristei. Längs der Wand befand sich auf einem niedrigen Podest jenes riesige, lange und hohe Möbelstück aus schönem, warm und rosenfarben schimmerndem Nußbaum mit seinen großen Schubladen, in denen das Gerät und die Paramente verwahrt wurden, die nach Rosmarin und Spiekenarde dufteten. An der angrenzenden Wand war der mit silbernen Nägeln verzierte Schrank mit den Chorhemden, dann eine lange Bank und darüber ein gotisches Zwillingsfenster mit bunten Scheiben. Gegenüber, gleich rechts neben dem Eingang, das Weihwasserbecken, eine weit geöffnete Muschel aus weißem Marmor, deren Rippen mit dem Meißel fein herausgearbeitet waren und an deren Rand die meisten von uns nur auf Zehenspitzen reichten. Und wir waren jene kleinen Wesen, die in der Mitte des weiten Vierecks, auf ganz niedrigen Holzschemeln im Kreis um jenen jungen Mönch herum saßen, welcher in grobes Wolltuch gekleidet war, das von einer Kordel in der Taille zusammengehalten wurde, wodurch die Kutte reich gefältelt herabfiel. Die Kapuze hatte er zurückgeschlagen und mit einem Stock in der Hand, welcher uns keinerlei Angst einflößte, eine blonde Locke auf der Stirn, welche unsere Aufmerksamkeit auf sich zog, brachte er uns den Katechismus bei. Zu jener Zeit – es muß um 1534 gewesen sein – hatte sich das Konzil zu Trient noch nicht versammelt, um gegen den Protestantismus vorzugehen, der sich in Europa breitmachte. Noch gab es nicht die neue Formulierung der Doktrin, die Neuordnung der Unterrichtsmethoden, welche die verwirrten und leichtgläubigen Geister angesichts der sich ausbreitenden Häresie erleuchten sollten. Bald würden in der Tat als Ergebnis dieser gewaltigen, umfassenden Mobilisierung der gelehrtesten Köpfe der Christenheit die Thesen, Predigten, Homilien, neuen Missale, Kompendien und jene kleinen Bücher in ungeheurer Anzahl auf die Druckstöcke der katholischen Nationen gelangen, jene Wunder der Zusammenfassung der gesamten Doktrin, die Katechismusbändchen. Ich kann mich gut daran erinnern, diese Neuheiten auf den Auslagetischen der Buchhändler in den lärmenden Straßen Roms, Venedigs, Trients, in ganz Italien gesehen und darin geblättert zu haben. Ein wichtiger Förderer des Bemühens, die Ergebnisse des Konzils zu veröffentlichen, sie in die Praxis umzusetzen, war der Erzbischof von Mailand, Karl Borromäus, selbst Autor eines Katechismus, der 1566 erschien, und in unserem Portugal erinnere ich mich an den unermüdlichen Bruder D. Bartolomeu von den Märtyrern, den Herrn und Erzbischof von Braga, Primas der spanischen Länder, welcher neben anderen Werken christlicher Doktrin 1564 in jener Stadt auf Geheiß des Königs im Haus des königlichen Druckers António de Mariz einen Katechismus oder Christliche Doktrin und geistliche Praktiken herausgab, die nicht nur für den Gebrauch der Priester gedacht waren, welche für das Seelenheil der ihnen unterstellten Gemeinden zuständig sind, sondern auch für die Großmeister des Ordens von Santiago und Aviz, ein Werk, das später mehrfach in Coimbra und Lissabon wieder aufgelegt wurde.

Die Bücher und ich, wir verstehen uns. Wir sind Brüder in der Einsamkeit. Ich spreche mit ihnen und sie mit mir. Sie rufen mich. Einmal trat ich in das Haus des Druckers Marcos Borges, der eine Werkstatt dort hinter der Kapelle Nossa Senhora da Palma besitzt, und von einem Bord her, wo es neben anderen aufgereiht stand, rief es mich, als würde es mich am Ärmel zupfen, während ich andere Werke durchblätterte: Ob ich es denn nicht sähe? Sein Autor sei ein Bekannter von mir und Freund des Erzbischofs von Braga... Dort rief auch inständig der Brief zur Unterweisung im Lesen, mit den Mysterien Unseres Heiligen Glaubens nach mir, welches ein anderer Freund geschrieben hatte, der gelehrte Theologe Bruder D. João Soares, Bischof von Coimbra und Graf von Arganil. Ein handliches, leichtes Buch, welches man in der Tasche oder im Ärmel des Habits mit sich führen kann, und keines jener armen, gefesselten, schweren, dicken, unhandlichen Büchern, die man in den Bibliotheken an den Bücherborden angekettet vorfindet...! Ein anderer Katechismus, dessen Autor jetzt Unsere Heiligkeit Papst Pius V. ist, hat hinter mir hergerufen, als ich eines Tages in der Rua dos Espingardeiros an der Buchhandlung des João Lopes vorüberging. Es ist ein kleines Werk, das auf Geheiß von Hochwürden, dem Metropoliten und Erzbischof von Lissabon, D. Miguel de Castro von dem Doktor der Theologie, von Pater Cristóvão de Matos aus dem Lateinischen in das Portugiesische übersetzt wurde und aus der Werkstatt des António Alvares, des erzbischöflichen Druckers, stammt.

Diese Liebe zu den Büchern war eine meiner vielen Schwächen, aber es war so, daß immer, wenn ich zu meinen Streifzügen nach Lissabon aufbrach, jemand kam, der Abt oder der Bibliothekar, und mir den Auftrag gab, Bücher zu kaufen, welche die Bibliothek des Klosters bereichern sollten. Jetzt weiß ich, daß dies nicht zufällig geschah.

Die Doktrin wurde uns hingegen zu jener Zeit meiner Kindheit auf die alte, traditionelle Art gelehrt, die sich auf uralte Bücher gründete, wie zum Beispiel das Traktat unseres Vaters, des Heiligen Augustinus, *De catechisandis rudibus,* die *Discursos catequísticos* von Sankt Cyrillus, die *Oração Catequética* des Heiligen Gregor von Nyssa. Vieles aus der Tradition der mündlichen Lehre war bewahrt worden, wenngleich vieles sich auf heilige Texte stützte, die der Lektor uns vortrug und sinnreich auslegte. Die Früchte dieser neuen, wunderbaren Erfindung der Buchdruckerkunst wurden zunehmend sichtbar. Einige meinen indessen, es sei dies eine zweischneidige Sache: Die Feinde unseres Heiligen Glaubens schrieben auch und stünden nicht an, ihre falschen Ideen zu veröffentlichen und die Festung des Glaubens anzugreifen.

Ich habe sie in den Ländern, durch welche ich kam, sehr wohl gesehen, jene Werke, die aus der Feder eines Luther, eines Zwingli, eines Calvin und anderer Autoren stammten.

An jenem Tag hatte uns der Bruder die Bergpredigt aus dem Matthäusevangelium vorgelesen und kommentierte einen Satz der Seligpreisungen nach dem anderen. Während der Phase des Auswendiglernens mußten wir im Chor einstimmig die acht Seligpreisungen in einem langweiligen, einförmigen Singsang bis zum Überdruß wiederholen, bis wir fast einschliefen, während wir zerstreut entweder auf das Glasfenster und zur Sonne blickten, die durch die Scheiben in den Raum drang, oder zur Tür auf den Hof und es kaum erwarten konnten, draußen zu spielen und herumzulaufen.

– Selig sind die Sanftmütigen, denn sie werden das Erdreich besitzen.

– Selig sind, die da Leid tragen, denn sie sollen getröstet werden.

– Selig sind die Friedfertigen, denn sie werden Gottes Kinder heißen.

Ich kniff meinen Kameraden zur Linken.

– Bruder, der da hat mich gekniffen.

– Selig sind, die um der Gerechtigkeit willen verfolgt werden, denn ihrer ist das Himmelreich.

Und während ich zur Strafe mit dem Rücken zum Fenster knien muß, schickt der Bruder die anderen zum Spielen hinaus in die Sonne und geht selbst hinaus. Ich wende mich gleich zum Fenster, hocke mich auf die Fersen und vergesse alles um mich herum in der versunkenen Betrachtung des strahlenden Lichtes, der Polyphonie der Farben, der übernatürlichen Veränderung der Formen. Es ist nicht viel Zeit vergangen, seitdem ich entrückt dasitze, als ich Schritte höre und eine junge Frau in die Sakristei tritt, die beunruhigt wirkt. Ob ich Bruder Andrade gesehen hätte. Er sei dort mit den anderen hinausgegangen, antwortete ich. Warum ich nicht mit den anderen gegangen sei. Ob ich betete? Nein, ich müsse nachsitzen.

«Ach, mein Kleiner!» sagt sie und zieht mich auf ihren Schoß, während sie sich auf die Bank setzt. «Wie heißt du?» Ihre Augen lachen mich an, ihre warmen, weichen Lippen küssen mich, aber ihre Brüste sind es, die auf mich, fest und füllig und weiß wie Milch aus ihrem leichten Mieder hervorquellend, eine unaussprechliche Anziehung ausüben und in meinem Mund auf nie erlebte Weise das Wasser zusammenlaufen lassen.

«João.»

«João, und weiter?»

Niemals vorher, erst in diesem Augenblick war es mir aufgefallen, daß ich nur João hieß. Die anderen konnten sagen, daß sie Soundso hießen, die Söhne von irgendjemandem waren.

«João», antworte ich und zucke mit den Schultern. Sie versteht es. Sicher ein Waisenkind. Und was der kleine João denn gemacht habe, um so bestraft zu werden?

«Ich habe meinen Kameraden gekniffen.»

«Du bist mir ein Schelm!» ruft sie und lächelt mich an, während sie die Locken auf meinem Kopf zurechtrückt. So ein hübscher Junge! Ich solle ihr versprechen, so etwas nie wieder zu machen, einverstanden? Und dann lehnt sie mütterlich meinen Kopf an ihren Busen und streichelt mich.

«Ich verspreche es», antworte ich, und bleibe an sie geschmiegt sitzen, schließe für einen Moment die Augen und fühle in mir eine unbestimmte Müdigkeit, die von weither kommt, aus anderen Zeiten, ich weiß nicht woher, ein seltsames Wohlgefühl, das gewiß jenes ist, was die Engel im Himmel spüren.

«Braver Junge», sagt sie und gibt mir einen Kuß. Dann stellt sie mich wieder auf den Boden: Ob ich den Bruder holen könne? Sie müsse ihn dringend sprechen.

Ich mache mich gerade auf den Weg, als der Bruder hereinkommt.

«Was machst du da», ruft er verärgert, «habe ich dir nicht gesagt, daß du dableiben sollst?»

«Ich habe ihm gesagt, daß er Euch holen solle, Bruder», unterbrach sie ihn. Bertos Mutter sei gerade gestorben. Sie müsse ihn mitnehmen...

«Gott sei ihrer Seele gnädig!» Sie solle ihm folgen. Er werde den Jungen rufen.

«Amen», sagt sie und will dem Bruder folgen, aber ich berühre ihre Hand, lächle sie an. Sie beugt sich herunter, gibt mir einen Kuß und flüstert mir ins Ohr:

«Vergiß nicht, was du mir versprochen hast.»

«Das werde ich nicht vergessen», antworte ich und flüstere vollkommen selig zurück.

Sie ging hinaus. Ich habe sie nie wiedergesehen, aber auch mein Versprechen nie vergessen, und kniff nun alle anderen Kameraden – außer dem einen. Berto haben wir auch lange Zeit nicht wiedergesehen. Wir erfuhren, daß er unter dem Schock, den ihm der Tod seiner Mutter versetzt hatte, schwer erkrankt war. Er aß nichts mehr, weinte ununterbrochen, schlief nicht und magerte so sehr ab, daß er nur noch aus Haut und Knochen bestand. Damals wurde mir noch deutlicher, was ich längst beobachtet hatte, daß es nämlich in dieser Gruppe der «Katechumenen» zwei Sorten von Jungen gab, die Externen und die Internen. Erstere wurde am Ende der Schule von den Dienern ihrer Mütter und manchmal sogar von den Müttern persönlich abgeholt, die alle parfümiert, in Samt und Seide gehüllt waren, in kostbare Stoffe, die einem Gesetz aus der Zeit des Königs D. João II. zufolge nur erlauchte Damen und Herren tragen durften. Wir anderen indes zogen uns ins Internat zurück, wo strengstes Schweigegebot herrschte, die Stunden in geregelte Pflichten aufgeteilt waren, zu denen eine Glocke rief, wo es nicht enden wollendes Beten und Singen in der Kapelle gab, eiserne Disziplin im Studiensaal und im Refektorium, bis wir den Tag erschöpft im Dormitorium mit seinen weißen, einheitlichen, kalten, in Reihen nebeneinander aufgestellten Betten auf einem langen, ungemütlichen Dachboden beschlossen. In jener Nacht begann ich, kaum daß ich mich hingelegt hatte und eingeschlafen war, zu träumen. Verstreute, unvollständige, zerbrochene Bilder waren es, die auftauchten und sich veränderten, kamen und gingen, bald deutlich, bald schemenhaft oder verzerrt waren, aber immer wieder auf ein zentrales Thema zurückkamen: ein ungeheuer großes Weihwasserbekken unterhalb eines riesigen Fensters mit bunten Scheiben, in deren Mitte eine schlanke, hochaufgerichtete, stehende Madonna. Sie hielt das Jesuskind im Arm. Ich kauerte auf einer Wolke, von der ich nicht weiß, ob sie Teil des Glasfensters war, und vor meinen Augen begann die Jungfrau Maria mit den hübschen Zügen der jungen Frau in der Sakristei zu lächeln und mich auf den Arm zu nehmen... Ich war das Jesuskind, sie spielte mit ihren zarten Fingern mit meiner Haarlocke, und ich strampelte mit meinen nackten, runden, rosigen Füßchen und saugte zufrieden an einer ihrer prallen, fruchtbaren Brüste. Es schob sich dann das Bild Bertos dazwischen, der weinend an der Hand einer verschwommenen Gestalt ging, welche sich dann auflöste und mit ihr der ganze Traum. Als morgens die Glocke klingelte, wusch ich mich wie ein Schlafwandler, kleidete mich wie ein Schlafwandler an, machte wie ein Schlafwandler mein Bett und ging dann mit den anderen wie im Schlaf in die Kapelle, ganz erfüllt von dem, was am Vortage geschehen und was ich geträumt hatte. Allein, die göttliche Vorsehung hatte eine andere, noch sehr viel außergewöhnlichere Tatsache dazu ausersehen, diese zwar nicht in Vergessenheit geraten zu lassen, aber es doch zeitweilig in den Hintergrund zu drängen. Es geschah nämlich, daß ich, ganz unabsichtlich meine Hand in die Tasche steckend, jenen Papierstreifen berührte, der aus dem Meßbuch gefallen war, als ich bei der Messe assistiert hatte. Wir waren schon in der Kapelle. Ein Korridor trennte in seiner ganzen Länge die beiden Bankreihen in der Mitte voneinander. Eine doppelte Reihe weißer Chorhemden kam schweigend dahergeschritten und teilte sich nach beiden Seiten, und wir nahmen in den Reihen jener langen Sitze Platz, deren Rücklehnen den Dahintersitzenden als Armstütze des Betpultes diente. Mir kam es zu, als erster in eine Reihe einzutreten, so daß ich an der Wand zu sitzen kam. Ich hatte so nur einen Nachbarn zur Linken, was mich über die Maßen freute, denn just in diesem Augenblick wollte ich gern allein sein. Hinter uns hörte man die Schritte derer, die eintrafen und sich setzten. Während wir darauf warteten, daß sich die Bankreihen hinter uns füllten, blickte ich, ohne es recht zu wollen, auf den Papierstreifen, den ich in der Hand hielt. Er hatte sich, da ich ihn ein wenig zerknittert hatte, etwas geöffnet und ich bemerkte, daß es nicht ein Streifen, sondern ein senkrecht in der Mitte gefaltetes Blatt war. Ich öffnete es. Es war von oben bis unten mit einer winzigen, gleichmäßigen, steilen, wie mit einem Lineal gezogenen Schrift beschrieben. Gleich bei den ersten Worten begann mein Herz wie wahnsinnig zu schlagen, und alles um mich herum schien zu versinken. Ich faltete das Papier zusammen und verwahrte es wieder in der Tasche, aus Furcht, damit gesehen zu werden: Es bezog sich auf den Heiligen Pantaleon! Ich mußte allein sein, aber Alleinsein ist in einer Gemeinschaft ein schwieriges Unterfangen. Praktisch gibt es, die Zeit im Bad und zum Schlafen einmal ausgenommen, nur eine Gelegenheit, in der man allein sein kann. Ich ergriff sie, sobald ich konnte, und dort in der wenig bequemen Zurückgezogenheit des Abtritts, las ich, was auf jenem Bogen geschrieben stand.

Im Jahre 1453, am siebenundzwanzigsten Juli, strandete im Rio Douro bei Miragaia ein Schiff, dessen Besatzung aus armenischen Christen bestand, die dem Gemetzel Mohamets II. entkommen waren, welches jener in den fernen Ländern des Römischen Ostreichs und vor allem in Konstantinopel veranstaltet hatte. Als die Horden jenes ungläubigen Königs die Stadt plünderten, konnten jene Christen gerade noch fliehen und die Reliquien des Heiligen Pantaleon vor den wütenden Verheerungen durch die Ungläubigen retten. Dieser Heilige war ein berühmter Arzt aus Nikomedia in Bithynien gewesen, der Sohn des Heiden Eutrokius und eines christlichen Mädchens namens Eubula. Die Mutter hatte dem Knaben die Wahrheit Christi zu übermitteln verstanden, und zur Zeit des Kaisers Diokletian wurde er wegen seines Glauben festgenommen. Er errang die Märtyrerkrone um das Jahr 303 unserer Zeitrechnung und wurde aufgrund seiner außergewöhnlichen Wundertaten in der Griechisch-Orthodoxen Kirche verehrt. Die Reliquien des Wundertäters, die so nach Portugal gelangt waren, wurden in der Kirche S. Pedro de Miragaia verwahrt, bei der die Armenier um Asyl gebeten hatten, das ihnen mit der Vergabe von Wohnrecht in einer Straße gewährt wurde, wodurch sie dem Domkapitel der Kathedrale von Porto gegenüber zinspflichtig wurden. Noch heute heißt diese Straße Rua dos Arménios. Im selben Jahr wütete in der Stadt Porto auf das fürchterlichste die Pest, welche viele Leben auszulöschen drohte. Die Gläubigen wandten sich hilfesuchend an den Heiligen Pantaleon, und schon bald verschwand die Seuche. Ein derartiges Wunder mehrte den Ruhm des Heiligen von Nikomedia, so daß die Bürger der Stadt, an ihrer Spitze der Bischof, ihn dankbar zum Schutzheiligen Portos erhoben und nach Ablauf weniger Jahre der Bischof D. Diogo de Souza die heiligen Reliquien in einer feierlichen Prozession, in die sich alle Bewohner des Ortes und der Umgebung einreihten, in die Domkirche überführen ließ. Es geschah zudem, daß im Jahre 1482 – nach dem Tod D. Afonsos V. hatte dessen Sohn D. João den Thron bestiegen – die große Pest, aus Venedig kommend, das Königreich erfaßte, welche allein in der Stadt Lissabon sechzigtausend Opfer forderte. Der König, der von den Wundern hörte, welche Gott durch seinen Diener, den Schutzheiligen der Stadt Porto, vollbracht hatte, wandte sich an jenen wundertätigen Heiligen und gelobte, ihm ein Reliquiar aus Silber zu machen, welches die heiligen Reliquien in der ihnen angemessenen Weise beherbergen sollte. Die Einlösung jenes Gelöbnisses verzögerte sich indes, wurde aufgeschoben und geriet beinahe in Vergessenheit aufgrund der bewegten, aufwühlenden Geschehnisse, welche die Regierungszeit dieses Monarchen erschütterten: der Tod des Herzogs von Viseu in Setúbal durch persönliches Eingreifen des Königs; die Hinrichtung des Herzogs von Bragança auf dem Marktplatz in Évora; der tragische Unfall des Prinzen D. Afonso, welchen der König nur um weniges überlebte, wobei hinter vorgehaltener Hand gesagt wurde, daß sein unerwarteter Tod kein Zufall war... D. João II. gelang es nicht, seinen natürlichen Sohn, D. Jorge, Herzog von Coimbra, zu seinem Thronerben zu machen, doch der neue König, D. Manuel, adoptiert D. Jorge, vom Wunsch geleitet, seiner Regierungszeit das Siegel der Befriedung aufzudrücken, und behandelt ihn wie seinen eigenen Sohn. Dieser nutzt sein gutes Verhältnis zum König und bittet diesen um die Erlaubnis, das Versprechen seines Vaters einzulösen. Der König stimmt nicht nur zu, sondern gibt eigens den Befehl, das Werk auf seine Kosten anzufertigen, damit es einem königlichen Versprechen angemessen ausfallen möge. Als es vollendet ist und D. Manuel sich gerade zu einer Pilgerfahrt nach Santiago de Compostela aufmacht, übergibt er, als er in Begleitung D. Jorges durch Porto reist, der Stadt den kostbaren Reliquienschrein in der Domkirche anläßlich eines prächtigen, feierlichen *Te Deums*, welches der Bischof D. Diogo zelebriert.

Mehr sagte das Papier nicht, und ich war verwirrt. An jenem Tag wurde ich mehrfach ob meiner inneren Abwesenheit gemahnt und konnte erst nachts im Bett ruhig darüber nachdenken. Was hatte ich erfahren, das eine Antwort auf meine Fragen hätte geben können? Was sollten die Tatsachen, die über den Fall des oströmischen Reiches berichtet wurden, mit mir zu tun haben? Oder mit dem Martyrium des Heiligen Pantaleon im fernen Bithynien im fernen 4. Jahrhundert? Oder die Flucht der Armenier?... Offenkundig nichts. Es wäre lächerlich. Und Miragaia? Und die Stadt Porto? Oder der Bischof D. Diogo de Souza? Oder die während der großen Pest abgelegten Gelöbnisse? Oder König Manuel?... Ich bemühte mich, die Fragen ihrer Wichtigkeit nach zu ordnen und sogleich die unlogischsten und unsinnigsten auszusondern. Wer hatte mir ein Medaillon mit einer Reliquie des Heiligen Pantaleon um den Hals gelegt?... An diesem Punkt meiner Fragen angelangt, hielt ich inne.

Möglicherweise war es genau dies! Es war die einfachste, die plausibelste Erklärung: Irgend jemand, wahrscheinlich eine Frau, vielleicht jene, die mir das Leben geschenkt hatte, hatte dies getan, als sie mich, wer weiß warum, verlassen mußte, und mich dabei dem Heiligen anempfohlen, der so unvermittelt aus fernen Ländern gekommen war, um den Portugiesen zu Zeiten der Pest und des Leidens beizustehen!... Doch wer konnte Zugang zu einer Reliquie des Wundertäters haben, sei sie auch noch so klein, wenn doch allein der König und der Bischof jene heiligen Überreste feierlich, vor den Augen des Gottesvolkes in einem reichgeschmückten Reliquienschrein verwahrten? Und dieses kostbare Goldmedaillon? Nicht jedermann konnte ein solches Schmuckstück in Auftrag geben. Der Mehrheit waren durch Gesetz der Besitz und der Gebrauch edler Metalle verboten. Und was könnte der Grund für die Wahl eben dieses Heiligen gewesen sein? Sollte ich krank gewesen sein? Sollte es das Datum, ein bestimmter Tag eines bestimmten Monats sein? Aber warum hatte man in diesem Falle nicht für jenen Tag und jenen Monat einen Heiligen aus dem Kalender der Märtyrer gewählt? War es denn nicht so, daß der Heilige Pantaleon nicht in diesem Buch der Märtyrer und daher auch nicht im lateinischen Missal aufgeführt war?... Da ich keine Antwort auf die vielen Fragen fand, die mir in den Sinn kamen, dachte ich, ich müßte herausfinden, ob es im Medaillon irgendein erhellendes Zeichen gäbe. Es mußte unbedingt geöffnet werden, und von dem Augenblick an ruhte ich nicht, bis es mir gelang. Eines Tages löste sich vom vielen Reiben und Feilen mit all den Glasscherben oder scharfen Steinsplittern, welche in meine Hände gelangten, der Bleitropfen, der den Verschluß versperrte, und endlich konnte ich den kleinen Schrein öffnen. Darin lag ein Stückchen verschossenen Stoffes, der beinah zerfiel. Ich nahm es vorsichtig heraus. Auf dem Grund des Medaillons war eine geheimnisvolle Zeichnung eingraviert: ein Pelikan mit einem fünfzackigen Stern auf der Brust. Auf der Rückseite des Deckels konnte ich folgendes deutlich eingeritzt lesen:

XXVIJ IUL
LHO . M.D.
XXVJ.

II

Der Buchstabe des Pythagoras

...«bivium autem Y litterae a iuventute incipere...»

...«gleichwohl beginnt die Zweiteilung
des Buchstabens Y mit der Jugend...»

(Sérv. *Aen.*, VI,136)

«Sieh nur, Bruder Diogo», sage ich, «wie mein Leben in diesem Augenblick dieser Weggabelung gleicht!»

Unsere Füßen sind von der langen Wanderung zerschunden und unsere Kehle trocken vom Staub der Wege aus gestampfter Erde und der hochstehenden, sengenden Sonne. Am Horizont zeichnen sich schon die Umrisse von Evora ab, wo wir am Nachmittag zur Vesper einzutreffen gedenken. Wir kommen von weit her auf unserer Novizenwanderung. Seit über einem Monat sind wir in dieser Gegend unterwegs. Wir folgen einem Weg, der neben dem Aquädukt her läuft, welches gerade wiederaufgebaut wird. Der Gelehrte André de Resende hatte die Spuren des alten römischen Aquäduktes des Quintus Sertorius entdeckt, und König D. João III. hatte sich von der Nützlichkeit eines solchen Unterfangens überzeugen lassen.

Plötzlich teilt sich der Weg, und zögernd halten wir, seinen weiteren Verlauf erforschend, inne. «Am Scheideweg des Lebens? Wie das?» fragt mein Gefährte. Er besitzt das gütigste und gottesfürchtigste Herz, das ich je erlebt habe, aber einen etwas schwerfälligen und der Lektüre wenig zugetanen Verstand. Im Garten oder der Küche hat er nach der Pflicht, in der Kapelle zu beten, den seinem Wesen entsprechenden Platz, niemals jedoch in der Bibliothek. Wir setzen uns in den Schatten einer Steineiche auf eine große Wurzel, die gewunden aus der Erde herausragt. Dort liegen die beiden Wege vor uns: Einer führt nach links, der andere nach rechts, und wir kommen nicht umhin, einen von ihnen einzuschlagen. Der Wanderer stehe hier einem seltsamen Dilemma gegenüber, wollte er sich nicht verlaufen. Für mich sei dies symbolisch. Ich wisse nicht, was zu tun sei. Ob er, Diogo, den Mythos von Herakles am Scheideweg kenne?

«Nein.»

«Herakles war zu einem jungen Mann herangereift und folgte einem Weg, als er plötzlich an eine Gabelung kam. Unschlüssig setzte er sich nieder...»

«Genau wie wir.»

«Und dachte darüber nach, welchen er einschlagen sollte...»

«Genau wie wir...»

«Doch just da kamen, jede auf einem der Wege, zwei junge Frauen auf ihn zu. Diejenige, die links nahte, trug eine so durchscheinende Tunika, daß man ihren außerordentlich wohlgeformten, gut proportionierten Körper, die Hüften, die Brüste, die Beine, die rosige Haut, das Karminrot der Brustwarzen und den violetten Schatten der Scham sehen konnte...»

«Jesus, steh mir bei!» bekreuzigt sich Bruder Diogo.

«...die geschminkten Augen waren zwei Abgründe voller Versprechungen und die vollen, roten, sinnlichen Lippen ließen an Küsse denken, die...»

«...die...?»

«...für deren Beschreibung mir die Adjektive fehlen, Bruder Diogo. Und mit sanften Worten und einer warmen, einschmeichelnden Stimme wandte sie sich an Herakles, um ihm zu zeigen, wie gut und gesund seine Jugend sei, so trefflich geschaffen für die Genüsse des Lebens, für die Muße, den Reichtum, die Wollust... Und sie umschlang ihn mit ihren rundlichen warmen, duftenden Armen, in ihren Augen schimmerte das Verlangen, ihr Mund berührte seine Haut in unsagbar zarten Liebkosungen. Herakles war außer sich, verwirrt, fühlte die Versuchung, wollte sich gerade erheben, um dem jungen Mädchen zu folgen, als die andere Frau ihm bedeutete zu warten. Sie war ebenfalls jung, doch ihre Schönheit kam von innen, gleichsam als spiegelte sich in ihrem Antlitz die Schönheit der Seele wider, ihr Auftreten war zurückhaltend, es fehlten die

Kunstgriffe von Schminke und Duftwassern, das wonnige Sich-Wölben des Körpers, aufreizende Blicke, es gab kein zweideutiges Lächeln noch Herausforderung in der Stimme. Sie sprach mit jener ernsten und bedächtigen Zurückhaltung, welche den Klugen und Verständigen eigen ist, und zeigte ihm auf, wie trügerisch und eitel die Genüsse der Welt seien und wie die Tugend allein erlangt werden könne über den dornigen Weg der Herrschaft des Geistes über das Fleisch, durch Opfer und Entbehrung, durch Demut, Anstrengung und Arbeit. Am Ende dieser beschwerlichen Wanderung würde er dann den Preis vorfinden, welchen die Götter den Gerechten und Tugendsamen vorbehalten haben. Sie würde ihm, folgte er ihr, nichts als Mühen und Entsagung versprechen, doch letztlich würden die Mühsal und die Plagen des Lebens verdienterweise durch den Lohn gekrönt werden.

«Welchen Weg wählte Herakles?»

«Den zweiten,» antworte ich, während ich das Bild der sich gabelnden Straße in den Staub auf dem Boden zeichne.

«Gott sei Dank», sagt Diogo erleichtert.

«Pythagoras von Samos sah im Buchstaben Y das Symbol dieses Mythos des Herakles. Das Leben des Menschen verlaufe wie die Form dieses Buchstabens: Der anfänglich einzige Weg stelle den ersten Lebensabschnitt dar, ein ungewisses, nicht klar definiertes Alter, das weder dem Laster noch den Tugenden geneigt sei; dann komme das *bivium*, welches mit der Jugend beginne, wobei der rechte Weg der steinige Weg sei, der zum glücklichen Leben führt, während der linke Weg ein leichter Weg sei, der zu Schande und Verderbnis führe. Häufig haben jene, welche seiner Philosophie und Religion anhingen, die Gräber ihrer Toten mit Steinen verziert, die eine Abbildung des Bivium des pythagoräischen Buchstabens trugen. Genau wie heute erklangen, kaum war jemand gestorben, die öffentlichen Lobreden, ein Heiliger ist er gewesen!... Und so gut zu allen!... Er tat keiner Fliege etwas zuleide. Möge Gott im Himmel ihn aufnehmen!... Auch diese Grabsteine wollten sagen, daß der Verstorbene durchaus den Weg der Bitternisse und der Schwierigkeiten gewählt, den leichten Genüssen der Welt entsagt hatte und nun im Elysium den Preis seiner Tugend genoß...

Dann sollten wir doch den rechten Weg wählen, ruft mein Geführte aus und erhebt sich. Auch ich erhebe mich. Er solle indes in diesem Falle bedenken, daß der linke Weg nach Évora führe. Doch Diogo beharrt abergläubisch darauf, daß wir den rechten Weg einschlagen sollten, und das tun wir dann auch. Ohne Widerspruch meinerseits. Alles, was mich von Évora fernhält, bedeutet für mich einen willkommenen Aufschub. Unterwegs setzen wir unser Gespräch fort:

«Je näher der Tag kommt, an dem wir das Gelübde ablegen und endgültig in den Orden eintreten, desto mehr beunruhigt dieses furchtbare Dilemma meinen Geist. Wie Herakles befinde auch ich mich an einer Wegscheide und muß einen Entschluß fassen. Und es ist keineswegs eine Entscheidung zwischen Laster und Tugend, eine Entscheidung für die Welt oder die Entscheidung, ihr zu entsagen, eine Entscheidung zwischen Fleisch und Geist, zwischen Gut und Böse. Ich weiß wohl, daß man nicht Priester werden muß, um ein vollkommener Christ zu sein. Mein Zweifel hat tiefere Wurzeln. Ich fühle mich einfach nicht berufen, das weiß ich wohl. Ich weiß auch, daß die Tatsache, daß ich mich seit langem unter Mönchen aufhalte, von ihnen aufgezogen wurde und Novize bei den Franziskanern bin, nicht auf meine Entscheidung zurückzuführen ist. Gott ist mein Zeuge dafür, daß ich nichts gegen sie habe, die guten Franziskanerbrüder. Ich bin ihnen dankbar, denn ihnen verdanke ich alles. Ich schätze ihre Lebensweise, ihre Güte, ihre Einfachheit, ihre Demut, ihre Ektase angesichts der Werke unseres Schöpfers. Wenn es mir indes vergönnt wäre, einen eigenen Willen zu haben...

Was ich da sagte? Ich hätte keinen eigenen Willen? unterbricht mich Diogo. Ich will ihm direkt und klar antworten, aber nach einer kurzen Überprüfung all der Gedanken, die sich in mir überschlagen und mit unglaublicher Geschwindigkeit aneinanderprallen, beschließe ich, etwas weiter auszuholen, um auf den Punkt zu kommen:

«Du hast sicher die Freiheit bemerkt, welche uns gewährt wurde, und wie leicht es war, vom Abt die Erlaubnis erhalten, so lange dem Kloster fernzubleiben...»

Das habe er wohl bemerkt. Aber vor allem sei ihm aufgefallen – und es würde ihn noch heute verblüffen –, wie der Abt ihn gerufen habe, um ihm mitzuteilen, oder besser noch befohlen habe, sich bereitzuhalten, mich zu begleiten. Obgleich auch ich das Gelübde noch nicht abgelegt habe, solle er mir gegenüber so gehorsam sein, als hätte ich dies bereits getan. Er habe zustimmend den Kopf gesenkt, und der Abt habe davon Abstand genommen, ihm irgendeine Erklärung dafür zu geben. Sein Gewissen sage ihm, daß er in seinem Geiste keinerlei Neugier nähren dürfe, damit seine Gleichgültigkeit gegenüber der Welt vollkommener würde.

«Recht hast du. Wenn es einen Fehler gibt, den ein guter Franziskaner nicht haben darf, so ist es der der Neugier, wenn diese an Klatschsucht grenzt. Es gibt indes eine andere Form der Neugier, die dem menschlichen Geiste eingeboren ist, welcher selbstverständlich die Geheimnisse der Werke Gottes und dessen Ratschlüsse hinsichtlich des Schicksals des Menschen erkennen möchte.»

«Die Heilige Religion, die Kirchenväter haben schon das letzte Wort darüber gesprochen, João. Denk an unseren Heiligen Augustinus.»

«Aber der Heilige Augustinus mußte für sich selbst entscheiden, es war sein eigener Wille, der ausführte, was seine Gedanken ihm eingegeben hatten. Gott hat uns die Entscheidungsfreiheit gegeben, und ich habe sie, glaube ich, nicht. Hätte ich sie...»

«Lästere nicht.»

«...wäre ich in der Lage zu entscheiden, ob ich das Ordensgelübde ablegen will oder nicht. Indes bin ich neugierig und fördere diese Neugier: die Neugier, zu erfahren, was mein Schicksal ist; die Neugier, das Geheimnis zu lüften, welches mich umgibt und welches den Abt veranlaßt, über alles zu schweigen, was mich betrifft; die Neugier, herauszufinden, warum ich nicht entscheiden kann, ob ich will oder nicht; die Neugier...» Ach, aber das wüßte er doch wohl! Er, Bruder Diogo, wisse doch, warum er dazu ausersehen wurde, mich zu begleiten? Ob er sich nicht vorstellen könne, daß dies dem Abt und noch anderen viel Kopfzerbrechen bereitet habe?

«João, du bringst mich durcheinander.»

«Es galt, einen Novizen zufinden, aber nicht irgendeinen Novizen... einen ganz besonderen. Ich sehe sie vor mir: – Bruder Nédio, fragt der Abt, – Ich höre, antwortet Bruder Nédio, der keineswegs dick war, wie sein Name annehmen ließ. – Kennt Ihr einen Novizen, der nicht neugierig, ja, kein bißchen neugierig ist? – Ja, mein

Vater, den kenne ich. – Und sein Name? – Es ist Bruder Diogo, Ehrwürden. – Gott möge Euch danken, Bruder Nédio, Ihr könnt Euch zurückziehen... – Mit Verlaub, Ehrwürden, kennst du diese Fistelstimme? – Bruder Luis, kennt Ihr einen Novizen, den Bücher überhaupt nicht interessieren? – Überhaupt nicht, nicht im geringsten? Durchaus. Ich habe den Novizen, nach dem Ihr verlangt. – Und wer ist das? – Diogo, Ehrwürden, Diogo. – Möge Unser Herr Euch segnen, Bruder Luis. Ich brauche Euch nicht mehr. – Bruder Archer, kennt Ihr zufällig einen Novizen, der eine schöne Stimme für die Hymnen in der Kapelle hat und zudem gern Gärtner oder Koch ist? Die Antwort gibt eine rauhe Stimme: – Guter Sänger, guter Gärtner, guter Koch? Kein Problem, da gibt es nur einen: Bruder Diogo. – Seid bedankt, Bruder Archer. Ich werde Euch in mein Gebet einschließen. Ihr könnt gehen. Und der Abt seufzt erleichtert und läßt dich rufen.»

Diogo lacht schallend:

«Aber was haben denn die Kohlköpfe und die Salatköpfe damit zu tun, daß ich dazu ausersehen wurde, dich zu begleiten?»

Ich bleibe einen Moment stehen und sehe ihm in die Augen. Dann sage ich zu ihm:

«Weder die Kohlköpfe noch die Salatköpfe reden. Die Arbeit eines Gärtners ist eine stille, fromme, franziskanische Arbeit. Der Garten ist wie eine Kirche, und der Gärtner, der die Saat keimen und aufgehen sieht, betet.

Diogo murmelt mit kaum hörbarer Stimme ernst:

«Ich kann diese Dinge nicht so wie du ausdrücken. Aber genau so empfinde ich meine Arbeit im Garten.»

Er sieht mich lange an. Auch ich, der wenige Schritte vorangegangen war, bleibe stehen. Sein Gesicht leuchtet auf, als er sagt:

«Und du zweifelst, du, der du im Innern Franziskaner bist!...»

Wir schwiegen lange, dort mitten auf dem Weg, doch diese Worte hallen in mir wider, als wäre ich ein tiefes Tal oder eine leere Grotte, in die man eine Herausforderung ruft, die einem das Echo in Wellen zurückwirft. Täler, Höhlen, Grotten, Echo des Windes und des Meeres, trockene Ebenen, Wege der Seele und des Lebens!... Ich werfe einen Blick zurück auf die Straße, als wollte ich mit dem Auge zurückwandern und mich aller Wege entsinnen, die ich in den vergangenen Wochen zurückgelegt hatte. Und es waren ihrer viele gewesen!...

Wir waren bei unseren Streifzügen durch Ferreira, Odemira, Aljezur gekommen und die Meeresgestade verlassend hatten wir die Serra do Espinhaço überquert und die Stadt Lagos erreicht, deren Häuser sich in der Sonne blendend weiß schon bis jenseits der alten, geschwärzten, turmgekrönten Mauern erstreckten, was ihren Bürgermeister Diogo da Silva dazu veranlaßt hatte, eine weitere Mauer errichten zu lassen, welche den ganzen Ort umschloß und schützte. Nachdem wir bei der Kapelle der Senhora dos Aflitos und bereits in der Nähe der ersten Häuser an der Kapelle des Heiligen Johannes des Täufers vorbeigekommen waren, drangen wir in das Gewirr der engen Gassen ein, gingen am Aussätzigenspital und der Kapelle des Heiligen Lazarus vorbei, bis wir zur Ribeira dos Touros gelangten, wo gleich an den Stadtmauern das städtische Krankenhaus, das Rathaus, die Amtsgebäude der Verwaltung und des Brückenzolls lagen und wo der Pranger stand, und gelangten von dort durch das Stadttor in die Einfriedung, wo wir bald auf die Igreja de Santa Maria stießen, in der sich eine zeitlang das Grab des Infanten D. Enrique befunden hatte, bevor es in das Kloster Santa Maria da Vitória verlegt wurde, folgten dann der Fassade des Klosters São João de Deus der Spitalsbrüder, und gelangten, nachdem wir an der Kapelle der Nossa Senhora da Graça und der von Sankt Peter vorbeigegangen waren, in welcher der Corpo Santo, die Bruderschaft der Seefahrer, ihren Sitz hat, schließlich zum Kloster des Heiligen Franziskus unserer Kapuzinerbrüder, welches 1518 von Bischof D. Fernando Coutinho gegründet worden war. Dort wurden wir, nachdem Diogo sie unserer Verehrung versichert hatte, freudig und mit christlicher Ehrerbietung empfangen und verbrachten dort die Nacht. Am darauf folgenden Tage besichtigten wir nach dem Morgengebet die Stadt mit mehr Muße. Am Palácio dos Governantes, dem Regierungspalast, vorbei gelangten wir durch die Porta do Mar zur Ribeira das Naus, dem Hafen. Es war ein Vergnügen, die ganze Bucht mit Schiffen geschmückt zu sehen, von denen einige aus Mailand, Genua, Venedig stammten, und weiter vorn das geschäftige Treiben der Fischer, deren Boote vollbeladen mit dem Fang vom Meer zurückkehrten. Längs des Ufers erstreckte sich, an den Platz für die Fischauktion anschließend, der Markt mit seinem vielfältigen Warenangebot, den anpreisenden Rufen der Verkäufer, zumeist Juden. Ich sprach einige von ihnen an, die uns sagten, wie sehr sie die Verfolgung fürchteten, deren Opfer sie jederzeit werden könnten. Sie wollten sobald wie möglich das Königreich verlassen, um in anderen Länden Sicherheit für ihr Leben und ihren Besitz zu suchen. Auch an anderen Orten trafen wir Juden wie diese, welche sich beklagten, und vor allem waren angesichts anderer Anzeichen des Hasses und der Verfolgung auch die getauften Juden voller Angst, seit sie erfahren hatten, wie ihre Brüder unter der Herrschaft D. Manuels in Lissabon niedergemetzelt worden waren. Neben all den Kirchen, Kapellen und Häusern, welche wir am Abend zuvor kurz gesehen hatten, als wir in die Stadt gekommen waren, die wir nun mit Muße durchstreiften, bewunderten wir noch die uralte Kapelle des Heiligen Amaro, die Kapelle der Heiligen Barbara und die der Senhora da Conceição und das Gebäude des Karmeliterklosters. Die Seefahrer aus Genua und Mailand hatten sich drei Kapellen bauen lassen: die von São Brás, von São Roque und die von Porto Salvo, womit sie der göttlichen Vorsehung ihre Dankbarkeit dafür ausdrücken wollten, daß sie diesen sicheren Hafen immer wieder erreichten.

Am nächsten Tage brachen wir sehr früh im kühlen Morgengrauen nach Silves auf, das eine Strecke von sechs gelaufenen Leguas entfernt lag. Die Länge der Wanderung erschreckt einen Franziskaner nicht und mich sowieso nicht, den jedes Stückchen Landschaft, jeder einzelne Teil eines Baumes, der Gesang eines Vogels, die Farbe einer Blüte oder der Duft eines Busches in eine fast mystische Ekstase versetzen konnten. Manchmal war es der Berghang, der sich unter dem zarten Blütenschnee der Mandelbäume sanft zum Tal hin neigte. Manches Mal wanderten wir über einen Boden, den Ginster, Ziströschen, Rosmarin, Quendel, Raute und Thymian bedeckten, zwischen wildem Dornengestrüpp und Zistrosensträuchern hindurch, deren Blüten die fünf Wundmale Christi zeigen. Wir gingen im Schatten der Johannisbrotbäume und der Feigenbäume, kürzten den Weg durch einen Apfelsinenhain ab, in dem die Amseln sangen.

«Weiß du, was die Amsel sagt, Diogo?» fragte ich.

«Was denn?»

Und ich sagte, die Vokale betonend, mal flötend, mal pfeifend schnell: «Süße Kirschen, die lieb ich, die lieb ich. Saure Kirschen zerpick ich, zerpick ich.»

Diogo lachte:

«Wo hast du das her?»

Das stammte aus dem Volksmund. Wahrscheinlich hatte ich es gehört, als ich klein war, aber wo, wußte ich nicht...

Ein Kaninchen sprang vor unsere Füße, ein Hase stob wie ein Blitz über das Feld davon, ein Schwarm Fasane verschwand hurtig im Gebüsch. Ein unauffälliger Käfer, der langsam seinen riesigen Kotball vor sich her schob, ließ uns innehalten oder ein Ameisennest am Wegesrand oder ein bunter Schmetterling, der sich in unserer Nähe niederließ. Auf halbem Wege setzten wir uns am Berghang in den Schatten eines Mimosenbaumes, und während wir in der Ferne am Meeressaum den Ort Portimão sahen, erwiesen wir unserem Mundvorrat die Ehre, den uns die guten Brüder in Lagos für die Reise mitgegeben hatten. Dann nahmen wir unsere Wanderung wieder auf, die wir nur kurz noch einmal unterbrachen, um unseren Durst an einer Quelle zu stillen, die aus einem Felsen hervorquoll. Und so schritten wir, die Wunder der Schöpfung betrachtend, wakker aus und bemerkten kaum, daß der Tag sich neigte und wir müde waren.

Als wir auf dem Gipfel eines der vielen Berge angelangt waren, aus denen die Serra de Monchique besteht, und nunmehr bergab wanderten, erblickten wir die alte Stadt: Die Burg gekrönt vom violetten Abendschein der Hügel, in der Sonne rötlich schimmernde Mauern, welche die weißen Häuser feurig umschlossen. Es war ein Juwel aus Gold und Silber, dessen Fassung das purpurne Amphitheater der Berge war. Wir stiegen rasch den Hang hinab, sahen den Fluß, welchen die römische Brücke in rotgoldenem Bogen anmutig überspannte, ruhig zwischen schlanken Pappeln, üppigen Gärten, saftigen Obsthainen und Gärten voller Blumen dahinrauschen. Silves, die verzauberte Maurin!... Ich hatte über die Vergangenheit der Stadt gelesen und wußte, daß es vor diesem Silves ein anderes gegeben hatte, ein verlorenes Paradies der Araber, welches zartsinnige Dichter besungen hatten und das mit der Zeit, den Erdbeben, den Kriegen, den Plünderungen durch die Menschen fast gänzlich verschwunden war.

Wir folgtem dem Lauf des Kanals, der die Stadt mit Wasser versorgt, und gelangten zu einem großen, schönen Kreuz, das aus Kalkstein gehauen war, dessen Weiß vom Grün-Schwarz der im Kreis darum hochaufgerichtet herumstehenden Zypressen noch verstärkt wurde. Auf der einen Seite zeigte es das Bildnis des Gekreuzigten, auf der anderen Christus in den Armen seiner Mutter nach der Kreuzabnahme. Nachdem wir den Rio Arade bei der Brücke überquert hatten, kamen wir an der Ermida da Senhora dos Mártires vorbei, die aus der Zeit D. Sanchos I. stammte und bewunderten dann die mächtigen Mauern mit ihren Türmen und Wehrgängen, den Verzierungen der Schießscharten, dem Bergfried und auf dem Burghof schließlich die legendäre Zisterne der Maurin. Wir gingen durch die menschenleeren Straßen und die gewaltige Domkirche mit ihrer schönen, von seltsamen Wasserspeiern geschmückten Apsis, ihren schlanken Spitzbogenfenstern, ihren quadratischen Strebepfeilern, dem figurenbesetzten gotischen Portal lastete auf uns wie die Nacht, die nunmehr hereinbrach. Es hieß schnell eine Herberge zu finden, was nicht schwer war. Unsere Franziskanerbrüder sind überall verstreut.

Am nächsten Morgen brachen wir nach Tavira auf. Da es bis dort sehr weit war, machten wir in Loulé halt, das seit der Zeit D. Afonsos V. eine Grafschaft war, jedoch kürzlich an die Krone zurückgefallen war. Die Leute in der Stadt waren noch immer beeindruckt von den Ereignissen, die dazu geführt hatten. Sie redeten immer davon, wenn sie auf Fremde trafen, so wie wir es waren, die von jenem unerhörten Geschehen noch nichts wußten. So kam es, daß wir die seltsame Geschichte der Heirat des Infanten D. Fernando, des jüngsten Sohns des Königs D. Manuel mit der Gräfin de Marialva e de Loulé, D. Guiomar Coutinho, in mehr als einer Version hörten.

«Er hätte nicht heiraten sollen!» sagte eine Frau, die ihre Wäsche im Schatten eines dicht belaubten Feigenbaums in einem Wasserbecken wusch, bei dem wir Halt gemacht hatten, um unseren Durst zu löschen.

«Kein Wunder!» sagte die andere, einen bereits eingeseiften Rock unaufhörlich weiterwalkend. «Sie war doch schon mit dem anderen verheiratet!...»

Sie wollten uns zum Reden bringen, sehen, ob wir die Ohren spitzten, etwas fragten, denn was sie wollten, das war klatschen. Aber wir beiden Schlauberger schwiegen! Und sie redeten weiter:

«Meine Liebe, mich schaudert's, wenn ich nur daran denke!... Gott hat das nicht verziehen!»

«Nein, denn was Sünde ist, hat ER dort oben zu bestimmen!»

«Also, ich finde, die Strafe war zu groß. Sind doch die Kinder, der Mann und die Frau innerhalb eines Monats gestorben!...»

«Der arme Kerl!»

«Wer weiß, ob sie die Wahrheit gesagt hat und der andere gelogen hat, als er behauptete, er habe sie heimlich geheiratet?»

«Der Marquis de Torres Novas soll gelogen haben? Ein solcher Herr, ein Enkel des Königs? Na, hör mal. Das glaubst du doch selbst nicht! Ich will auf der Stelle erblinden, wenn das, was er gesagt hat, nicht die Wahrheit ist... Seht doch, wie es ihm geht! Er hat sich vom Hof zurückgezogen und die Jahre vergehen, und niemand kann ihn dazu bewegen, sich eine Frau zu nehmen...»

«Das ist allerdings wahr!»

«Das ist die geheime Leidenschaft, die ihm das Herz zerfrißt...»

«Mich überzeugt keiner davon, daß nicht sie die Verräterin war...», sagte die erste und wrang grimmig ein Hemd aus, als hätte sie den Hals der Unglücklichen in Händen.

Setzen wir die Bruchstücke der Unterhaltung der Wäscherinnen zusammen, so ergibt sich Folgendes: Als König D. João III. den Vertrag bestätigte, den sein Vater mit dem Conde de Marialva, D. Francisco Coutinho, hinsichtlich der künftigen Heirat des Infanten D. Fernando mit D. Guiomar Coutinho abgeschlossen hatte, erhob der Marquis de Torres Novas, D. João de Lancastre, der Sohn des Herzoges von Coimbra, D. Jorge, Einspruch und behauptete, die Heirat könne nicht vollzogen werden, da die Gräfin de Marialva e de Loulé schon mit ihm verheiratet sei. Aufregung und Bestürzung bei Hofe!... D. João III. sieht sich einerseits verpflichtet, das Wort seines Vaters zu halten und andererseits zur Freundschaft mit seinem Gefährten aus Kinderzeiten, D. João de Lancastre, des Enkels D. Joãos II., zu stehen. Er befiehlt daraufhin, den Fall einem kirchlichen Gericht zu übergeben, da es sich um ein Problem handele, daß unter dessen Gerichtsbarkeit fiele. Neun Jahre lang zieht sich der Fall hin, ohne daß eine Lösung gefunden wird, bis schließlich die Gräfin, als sie noch einmal angehört wird, leugnet, jemals den Marquis de Torres Novas geheiratet zu haben. Die Ehe D. Guiomars mit dem Prinzen D. Fernando wird darauf geschlossen. Aber sie steht unter einem unglücklichen Stern, denn vier Jahre später sterben die Kinder des Paares, dann auch der Mann und schließlich die Frau. Die meisten sagten, diese Todesfälle seien eine Strafe Gottes gewesen, und da die Ereignisse nicht lange zurücklagen, wurde von nichts anderem geredet, und immer wenn diese traurige Geschichte erzählt wurde, wurden ihr noch Einzelheiten hinzugefügt, die man um viele Ecken herum erfahren hatte: daß der Marquis aus Sehnsucht in seinem Palast von Azeitão dahinsiechte; daß es von ihm und D. Guiomar eine heimliche Tochter gäbe, die Nonne in Setúbal und ihrer Mutter wie aus dem Gesicht geschnitten ähnlich sei; daß der König selbst von Reue zerfressen werde, da er die Liebe zwischen dem Marquis und der Gräfin aus nächster Nähe miterlebt hatte...

Wir überließen die Frauen ihrer endlosen Schwatzerei und besichtigten die Stadt, die sehr malerisch war mit ihrer Burg, welche noch Teile einer alten maurischen Mauer besaß, neben der sich ein großes Kreuz aus Granit erhob, das im Laufe der Zeit dunkel geworden war; die typischen Häuser mit ihren fein gearbeiteten Fenstern und Türen, ihren Veranden und Dachterrassen, ihren eigenartigen Schornsteinen, welche die Form von Röhren, Maisspeichern, Kuppeln, Minaretten und Türmchen hatten; die Hauptkirche mit ihrem gotischen Portal, das Hospiz, den Pranger, die Kapelle der Senhora da Conceição, ihre Klöster, unter denen das der Augustiner das schönste und prächtigste war.

Wir blieben nur solange in Loulé, wie es nötig war, wieder zu Kräften zu kommen und neue Wegzehrung zu beschaffen. Am folgenden Tage machten wir uns frühmorgens wieder auf den Weg. Als wir am Santuário da Senhora da Piedade vorüberkamen, öffnete sich vor unseren Augen das Panorama einer weitläufigen bergigen Landschaft, die mit karger Vegetation bedeckt war.

«Wollt Ihr nicht euer Schicksal lesen, Jovencito?» Eine alte Zigeunerin näherte sich Diogo und sprach ihn in einem mit Spanisch durchmischten Kauderwelsch an. Diogo schüttelte den Kopf und winkte mit der Hand ab, doch die Alte war beharrlich. Eine schöne Zukunft würde er haben, zweimal heiraten, sehr reich werden und zehn Kinder haben. Wenn er sie die Hand lesen ließe, würde sie ihm noch mehr sagen.

Da jedoch mein Gefährte sich nicht überreden ließ, wandte sie sich an mich:

«Und Ihr, Blondschopf? Laß mich Euer Schicksal lesen.»

Ich ließ mich nicht lange bitten. Da ich von Natur aus leutselig bin und gern etwas ausprobiere, was ich im Leben noch nicht kennengelernt oder noch nicht erlebt habe, streckte ich zu Diogos Entsetzen meine Hand aus. Ich sollte das bloß nicht tun. Es sei eine Sünde, flüsterte er mir ins Ohr. Die Zigeunerin wollte gerade, ohne genau hinzusehen, mit ihrem unverständlichen Gemurmel beginnen, verstummte jedoch plötzlich, schwieg, als sie meine Handfläche genau ansah. Einige lange Sekunden verharrte sie so.

«Was ist los, Mütterchen?» fragte ich lachend. «Was seht Ihr in meiner Hand? Ist die Lebenslinie denn so kurz?»

«Wisset, mein Hidalgo», antwortete sie voller Zurückhaltung, «daß Ihr ein langes Leben haben werdet.»

Diogo kam neugierig näher. Sie murmelte derweil weiter unverständliche Worte und begann dann sehr schnell etwas herunterzuleiern, wobei deutlich wurde, daß sie eine Menge verheimlichte:

«Ihr liebt die Mädchen, und sie lieben Euch. Seit langem folgt Euch der böse Blick, aber es wird jemand auftauchen, der Euer Leben verändern wird. Ich sehe in Eurer Hand ein M, das Euch nichts Böses antun wird. Ihr seid mit Kopfschmerzen aufgewacht, und in den Linien Eurer Hand steht geschrieben, daß Ihr viel Glück und Wohlstand haben werdet. Sie sagen auch, daß Ihr ein H kennenlernen werdet, das Euch viel Glück und Zärtlichkeit geben wird. Hütet Euch, denn man will Euch betrügen, und hinter Eurem Rükken redet man schlecht über Euch, doch Ihr seid dazu gemacht, sie zu besiegen. Ihr seid ein fröhlicher Mensch und liebt das Vergnügen, Ihr werdet viel reisen und andere Länder und Völker kennenlernen. Ihr werdet über das Meer fahren, doch die Stürme werden Euch nichts anhaben. Es gibt eine sehr schöne und edle Frau in

Eurem Leben, aber Ihr werdet sie nie kennenlernen. Es gibt andere Frauen auf Eurem Weg... Ihr werdet allein sein und...»

Sie brach ab und betrachtete meine Hand sehr aufmerksam. Diogo und ich warteten gebannt.

«Nein, ich kann nichts mehr sagen...» schloß sie. «Verwirrte Linien... ein großes Geheimnis in Eurem Leben, Hidalgo. Viele Hände habe ich gesehen, indes nie eine wie diese hier. Die andere bitte.»

Ich streckte ihr die linke Hand entgegen. Und abermals deutete sie an: «Die Hand eines Edelmanns und die Linien des Geheimnisses...»

«Ich wünschte Euch, daß Ihr sehr glücklich werdet.»

«Werde ich es denn nicht?»

«Aber ja doch, ja doch!»

Ich gab ihr eine Münze, und sie küßte meine Hand. Wir wanderten weiter. Ich war nachdenklich. Es war nicht das erste Mal, daß ich über meine Hände nachdachte, sie mit denen meiner Kameraden, denen anderer Leute verglich. Irgend etwas schien ihre Linien klar zu machen, zu verfeinern, sie hatten irgendetwas Weibliches. Wenn ich vor einer Sammlung von Porträts stand, lenkten häufig weniger die Augen oder der Gesichtsausdruck als vielmehr die Hände meine Aufmerksamkeit auf sich. Bedachte man, daß die alte Zigeunerin gewohnt war, Hände aller Art anzusehen, dann war es nicht verwunderlich, daß sie sogleich bemerkt hatte, daß meine von besonderer Art waren. Ihr Zögern, als sie meine Handlinien las, deutete ich als den Wunsch, sie erst einmal zu beobachten, Hinweise von mir zu erlangen, bevor sie etwas sagte. Da ich indes schwieg und ihr keinerlei Winke gab, war sie unsicher. Ich dachte nicht weiter über die Sache nach.

Wir erreichten Tavira am Abend. Tritt man durch den Arco da Misericórdia, gelangt man in eine ruhige, wenig betriebsame Stadt und bemerkt gleich, daß an die Stelle der Veranden und Dachterrassen, welche für die Nachbarorte typisch sind, hier das maurische Walmdach tritt, neben den fast ständig geschlossenen Jalousien, die das Innere der Häuser schützen, fallen einem die vielen Kirchen auf, die über die ganze Stadt verteilt sind. Im Hafen liegen viele Schiffe vor Anker, die aus dem Ausland gekommen sind und sich in ihrer Größe von den kleinen Fischerbooten imposant abheben.

Unter den Arkaden des Rathauses wurden gerade die Marktstände abgebaut, und nur hier herrschte zu dieser Stunde noch Leben und Treiben. Wir suchten das Kloster des Heiligen Franziskus, und als der Ostiarius das Tor öffnete, sagte ihm Diogo, wer wir seien und fragte, nachdem er den Abt unserer Ehrerbietung versichert hatte, ob Bruder Gaspar dort sei. Er brächte eine Nachricht des Abtes des Klosters von Évora für ihn. Der Ostiarius ging hinein, und es dauerte eine geraume Weile, bis er von einem sehr alten Mönch begleitet wiederkam. Ich erkannte ihn trotz der Veränderungen, welche das Alter bewirkt hatte, sofort wieder.

«Ihr bringt mir eine Nachricht?»

Diogo reichte ihm einen versiegelten Brief, welchen der Abt von Évora ihm gegeben hatte, damit er ihn Frei Gaspar aushändigte. Der Mönch erbrach die Siegel, las ihn aufmerksam und blickte einige Male zu mir auf, senkte indes den Blick, wenn er auf den meinen traf. Er faltete die Papiere zusammen und sagte, uns offen anlächelnd und väterlich umarmend:

«Seid willkommen, meine lieben Brüder. Seine Hochwürden, der Prior, bittet mich, Euch zu beherbergen. Kommt. Zwei Dinge erwarten den Franziskaner, wenn er von seiner Pilgerfahrt zurückkommt: Wasser, um den Staub und den Schweiß des Weges abzuwaschen, und die Stärkungen der Küche. Ich werde euch führen. Kommt.»

Eine halbe Stunde später fanden wir uns sauber und erfrischt im hohen Gewölbe der großen Klosterküche ein. Absichtlich, wie jemand, der vergessen hatte, nach dem Bad einen Knopf am Hals zu schließen, ließ ich das goldene Reliquiar sehen. Frei Gaspar setze sich uns gegenüber, nachdem er uns eine Suppenschüssel mit Bohnen, Wurzeln, Kohl und Wurstscheiben, ein Stück Maisbrot, Oliven und einen Krug mit Rotwein auf den Tisch gestellt hatte. Er fragte uns, wo wir überall gewesen seien, und wir antworteten ihm ausführlich. Man merkte, daß ihm die Gegend sehr vertraut war und er Gefallen daran hatte, die Geschichte eines jeden alten Steines zu erfahren. Aufgrund dieser Vorliebe, die wir teilten, sprachen bald nur wir beide miteinander. Diogo erhob sich und fragte, ob er kurz in die Kapelle gehen dürfte. Frei Gaspar zeigte ihm den Weg dorthin, und wir blieben allein zurück. Die Steine der Wände und des

Gewölbes schienen kälter geworden zu sein, lasteten auf uns in ihrem bedrückenden Schweigen.

«Ich kannte Euren Namen nicht», sagte ich, «aber ich erinnere mich sehr gut an Euch. Ich dürfte höchstens neun Jahre alt gewesen sein, und wo es war, weiß ich nicht, als Ihr mir etwas von der Reliquie erzählt habt...»

Schweigend, reglos und mit einem Ausdruck tiefer Trauer, hörte Bruder Gaspar mir zu.

«Ich habe Euch am darauffolgenden Tage gesucht. Doch ich habe Euch nie wiedergesehen, noch von Euch gehört, bis zu diesem Augenblick... Später brachten sie mich nach Setúbal...»

«Von Enxobregas...» murmelte er. «Aber dies sind Dinge, über die man nicht spricht. Das letzte Mal tat ich dies unüberlegt.»

Was wäre denn schon dabei? Was bedeutete dieses Medaillon, das ich auf der Brust trug? Ich solle leise sprechen! Ich solle ihm diese Fragen nicht stellen, auf die er nicht antworten könne, und er erhob sich ungeduldig. Man hörte Schritte draußen auf dem gefliesten Boden. Auch ich war bereits aufgestanden, beharrte jedoch leise, mit erregter Stimme:

«Was wißt Ihr von mir?»

Diogo kam herein. Es sei Zeit für uns, uns zur Ruhe zu begeben, sagte Bruder Gaspar. Wir sollten ihm folgen. Er würde uns unsere Schlafstätten zeigen. Ich konnte lange nicht einschlafen. Fürchtete, Bruder Gaspar abermals nicht wiederzusehen, doch am Morgen, nach den Gebeten und der Heiligen Messe, wartete der alte Mönch auf uns, um uns zum Prior des Klosters zu bringen. Dieser war ein großer, kräftiger Mann mit einem herzförmigen Gesicht und einer langen Nase. Er trug das an den Schläfen bereits ergraute Haar, kurzgeschoren wie eine Bürste, und hatte lebendige, aufmerksame Augen und eine näselnde Stimme. Ihm ging der Ruf voraus, ein großer Philosoph zu sein. Er schwebte in den Höhen des abstrakten Denkens: Man bemerkte die Anstrengung, die es ihn kostete, von diesen Höhenflügen zu den unbedeutenden und vergänglichen Dingen herabzusteigen, wie wir es waren, aber da er weise war, kannte er auch sich selbst, und merkte daher die Anstrengung, die ihn dies kostete. Das ließ ihn demütig und einfach werden und scherzhafte Dinge sagen. Jene, die ihn näher kannten, sagten – und ich sah dies auch bestätigt –, daß dies die einzigen Gelegenheiten seien, an denen sich ein Lächeln auf seinem Gesicht zeigte und dessen strengen Ausdruck milderte.

Mit einem leichten Kniefall, es Diogo gleichtuend, küßte ich seinen Ring und fühlte dabei an dem Widerstand, den seine Hand in der meinen leistete, daß er sich dieses Brauchs nicht würdig erachtete. Selbst das hatte, so schien es, sein wacher Verstand prüfend überdacht.

«Gott segne euch. Wie gern hätte ich, Bruder Gaspar», und er wandte sich dabei an seinen alten Bruder, «die Jugend und das frische Blut dieser braven Novizen, des Bruder Diogo und des Bruder João, die sehr bald schon, so hoffe ich, ganz unsere Brüder sein werden. Aber meine Beine taugen nicht mehr für solche Wanderungen...!»

Ich weiß nicht warum, doch hörte ich mich plötzlich sagen:

«An der Stelle der Beine besitzen Eure Ehrwürden die Flügel der Gedanken, die den hohen Flug der Adler erlauben, während wir wie arme Würmer am Boden kriechen...»

Zu rhetorisch und künstlich war dieser Satz. Kindereien! Bruder Gaspar war sprachlos, Diogo wurde puterrot, der Prior sah mich mit einem strahlenden Lächeln an.

«Hast du in Metaphern gesprochen, mein Sohn? Möge Gott beweisen, daß du die Wahrheit sagtest. Jedenfalls danke ich dir für die liebenswürdigen Worte. Wer so redet wie du, ist mitnichten ein kriechender Wurm. Einen Rat will ich dir dennoch geben, den mir die Erfahrung eingibt. Du denkst und Denken ist der Beginn der...»

«...Unruhe.Ich weiß es wohl», beendete ich den Satz.

Er sah mir tief in die Augen, als wollte er meine geheimsten Gedanken erspähen.

«So jung seid Ihr und sprecht schon solchermaßen!... Das ist früh, sehr früh! *Sursum corda*, Bruder. Ich werde für euch beten. Bruder Gaspar, sorgt dafür, daß es ihnen an nichts fehle», sagte der Prior, als würden schon andere Gedanken nach ihm rufen. «Wann brecht Ihr auf? Bleibt solange Ihr wollt... Ich gebe Euch meinen Segen.»

Und mit der erhobenen Rechten zeichnete er ein Kreuz in die Luft, wobei der Ring aufblitzte und er mich fest anblickte: «*Benedico vos, in nomine Patris et Filii et Spiritus Sancti.*» Und als wir, nachdem wir mit einer Verbeugung das Amen gesprochen hatten, den Kopf hoben, sahen wir ihn mit dem Rücken zu uns bereits über die Schwelle einer Türe verschwinden. Wir blieben verlegen zurück und hatten, ich noch stärker als die beiden anderen, das unbestimmte Gefühl, daß etwas im Raum schwebte, was mit der Situation nicht im Einklang war, ihr nicht angemessen und mit ihr nicht vereinbar war. Bruder Gaspar durchbrach dies befangene Schweigen: Nun, wir hätten ja bereits den Segen des Priors. Sicher wollten wir die Stadt besichtigen. Sie sei einen Besuch wert. Er bedauere, uns nicht als Führer dienen zu können, aber er vermöge mit unserer raschen Gangart nicht mitzuhalten und würde uns nur einige jener Sehenswürdigkeiten zeigen können, deren Alter diese alten Steine bezeugten... Ich unterbrach ihn indes und hielt ihm entgegen, daß wir ihm, und Diogo sei doch auch dieser Meinung, sehr dankbar wären, wenn er uns begleiten würde. Was unsere Behendigkeit als Wanderer betreffe, so würden wir ihm versprechen, daß die Neugier sie bremsen würde... Bruder Diogo stimmte zu. Frei Gaspar wollte sich die Gelegenheit, ein wenig Freiheit zu genießen, nicht entgehen lassen – die Zeit sei stiefmütterlich mit ihm umgegangen, was das beträfe.

«Dies ist königlicher Besitz seit D. Afonso V.», erklärt er uns, während wir im Schatten der Weiden gehen, die den Asseca säumen.

Er nimmt uns mit zur Heilquelle, aus der das Wasser so heiß hervorsprudelt, daß man Häute darin gerben kann, und das darüber hinaus noch andere gute Eigenschaften besitzt, so zum Beispiel jene, das Wechselfieber des Magens und des Bauches zu kurieren, wenn man es trinkt, zudem aber auch wenn man darin badet, – das verstünden wir doch? – die Krankheiten der Gelenke zu heilen. Es gäbe auch noch eine Quelle mit vorzüglichem kalten Wasser... Frei Gaspar sprach gewählt, kostete die Worte aus, war er doch Portugiesischlehrer unzähliger Generationen junger Menschen gewesen... Die Einwohner des Ortes bedienten sich des Wassers für ihren täglichen Gebrauch. Es sei im Sommer höchst schmackhaft und bekömmlich und mild im Winter, förderlich zur Behebung von Hartleibigkeit bei Hypochondern, gut für Kraftlose und Wassersüchtige, heilsam für die Leber und bei Durchfällen. Es bekäme ihm sehr gut. Aber da sei schon das Haus von Meister Jacobus, eines äußerst kompetenten und weisen Arztes, eines alten Bekannten und Freundes, welcher uns besser als er in seiner Unwissenheit die Vorzüge der Wasser dieses Ortes erklären könnte, wollten wir ihm die Freude machen, ihn uns vorstellen zu dürfen.

Es war ein ebenerdiges, unauffälliges, blendend weißes und sauberes Haus. Er klopfte an die Tür und es dauerte nicht lange, da öffnete ihm eine etwa vierzigjährige Frau.

«Ach, Ihr seid es, Bruder Gaspar? Tretet ein, seid willkommen und eure Begleiter auch.»

Wir traten ein.

«Ist Meister Jacobus da?»

«Hier bin ich, Bruder Gaspar», sagte Jacobus, der aus dem Inneren des Hauses kam. «Ihr habt mich schon lange nicht mehr besucht. Seid Ihr krank gewesen?»

Der alte Mönch wollte die übliche Entschuldigung vorbringen, mit ihrem Nein und Aber, doch Jacobus fuhr fort: «Ich sehe, Ihr bringt Freunde mit Euch...»

«Ja, es sind zwei Novizen, Diogo und João, die aus Évora gekommen sind, um uns zu besuchen. Wir kamen gerade hier vorbei, nachdem wir die heißen Quellen und den Brunnen von Santa Clara besucht haben und als wir über die Tugenden jener Wasser sprachen, dachte ich an Euch, der Ihr als Arzt...»

«Noch dies und das sachkundig zu ihren Qualitäten sagen könntet.» Und er machte eine Verbeugung und umarmte uns zum Zeichen der Freude darüber, uns kennengelernt zu haben. «Seid willkommen! Es handelt sich wahrlich um wunderbare, wundertätige Waser, aber laßt mich in diesem Augenblick Euer Wirt sein und von der Güte des Roggenbrotes mit Ziegenkäse sprechen, das meine Frau Sara zubereitet hat, von einem guten Tropfen, einem vorzüglichen Muskateller aus meinem Weinberg, denn obwohl ich Arzt bin, bestelle ich in meiner freien Zeit die eigene Scholle.»

Sara hatte schon begonnen, ein schneeweißes Tuch aus Leinen auf dem Tisch auszubreiten, welches sie aus einer Schublade geholt hatte. Ich half dabei ohne weiter zu überlegen, und Diogo tat mir gleich. Sie fand diese Geste reizend und ungewöhnlich. Wir sollten uns keine Mühe machen, sagte sie lächelnd. Bruder Gaspar und Meister Jacobus zogen sich für einige Augenblicke in eine Ecke zurück und flüsterten miteinander. Der Mönch zeigte dem Arzt ein Papier, den Brief des Abtes aus Évora, wie mir vorkam. Jacobus sah verstohlen zu mir herüber. Sara stellte Brot, Käse, Wein, eigenen Honig und andere Köstlichkeiten auf den Tisch, von denen wir uns, um soviel Höflichkeit nicht zu kränken, trotz der frühen Stunde etwas nahmen, und während wir aßen, flüsterten der Mann und die Frau unter dem Vorwand, Oliven oder irgendeinen anderen Leckerbissen aus der Küche holen zu wollen, miteinander und sahen mich durch die halboffene Tür an. Da der Wein, das Brot, der Käse und der Honig vorzüglich schmeckten, beschloß ich, einstweilen den geheimnisvollen Blicken und dem unerklärlichen Flüstern nicht auf den Grund zu gehen, sondern mir dies für eine bessere Gelegenheit aufzuheben.

Es war ein herzlicher Abschied, mit Umarmungen und der Versicherung, sich bald wiederzusehen. Als Jacobus mich umarmte, wurden seine Augen feucht, und Sara strich mit einer zarten, unsagbar schmerzlichen Handbewegung über mein Gesicht. Es war, als würden beide sich von einem Sohn verabschieden, den sie nie wiedersehen sollten. Entweder bemerkte es Diogo nicht, oder er tat in seiner diskreten Art so, als habe er es nicht gesehen.

Während des restlichen Tages gingen wir durch die Stadt. Bruder Gaspar ließ uns vor jedem Denkmal, vor jedem Stein anhalten, dessen Geschichte er kannte. Er erklärte uns ein Detail des gotischen Portals der Kirche Nossa Senhora do Castelo, führte uns in die Kapelle des Senhor dos Passos, die in der neuen Manier der Architekten des König Manuel gebaut war, die aus dem Stein gern Gegenstände herausarbeiteten, die uns an unsere Entdeckungsreisen erinnern sollten, Schiffstaue, Meeresalgen, Wellen, Fische, Weltkugeln, Kreuze des Christusordens, und so einen Stil geschaffen hatten, der Bewunderung aufgrund seiner Neuartigkeit und Unabhängigkeit von ausländischen Stilen hervorrief. Zwei große Grabmäler zogen unsere Blicke auf sich. Es waren die in die Wand eingelassenen Gräber von D. Paio Peres und der Sieben Christlichen Ritter.

Gegen Abend kamen wir zu unserem Kloster zurück. Bruder Gaspar schien, obschon er sehr langsam gegangen war, jünger geworden zu sein, seine Wangen waren rosig, und er strahlte glücklich darüber, einen Tag in der Freiheit, fern des Klosteralltags erlebt zu haben. Und während ich dies noch feststellte und mit den Skrupeln verglich, die ich als ständig zweifelnder Novize hatte, hörte ich bereits die Stimme des alten Mönches:

«Ich sage Euch, meine Kinder, lange schon habe ich nicht mehr einen so herrlichen Tag erlebt und einen so gewaltigen Appetit gehabt wie jetzt.»

Unsere Bruderschaft hatte sich schon zurückgezogen. Es herrschte eine hohle Stille wie in einer Zisterne, voll stehenden Wassers, so daß unsere Schritte auf den Fliesen widerhallten und die leeren Säle ihr Echo zurückwarfen. Wir traten wieder in das Küchengewölbe. Ein dumpfes, langanhaltendes Grollen drang an unser Ohr.

«Wenn ich mich nicht irre, gibt es ein Gewitter», Bruder Gaspars Worte erfüllten den ganzen Raum, während er sich zur Speisekammer wandte. Mich dünkte es indes, als käme dieser Lärm nicht allein aus den Wolken. Er schien sich ebenfalls unter unseren Füßen zu befinden. Ich wollte dies meinen Gefährten gerade mitteilen, als ein Blitz die nackten Wände des Raumes plötzlich mit einem kalten Leuchten erhellte, dann ein trockener, fürchterlicher Donner losbrach und zwei heftige Erschütterungen den Boden erzittern ließen. Die Fliesen zerbarsten krachend, und das Gewölbe und die Wände begannen einzustürzen. Ohne zu überlegen sprang ich mit einem Satz unter den schweren Küchentisch, gerade noch rechtzeitig, um mich vor den Steinen in Sicherheit zu bringen, die während der nun folgenden, langsamen, nimmer enden wollenden Sekunden herunterfielen und rollten... Als alles plötzlich wieder ruhig war und der letzte Stein von den Trümmerbergen herunterkugelte, versuchte ich unter dem Tisch hervorzukriechen, allein, es gelang mir nicht. Ich war in einer kleinen Höhle gefangen , welche sich aus der Tischplatte und dem Schutt gebildet hatte. Es gab nur einen Spalt, durch den ich unter Mühe eine Hand strecken konnte. Ich rief:

«Diogo! Bruder Gaspar! Helft, hier!»

Glücklicherweise war Diogo unter dem Spitzbogen der Tür stehengeblieben, und wenngleich die Wand fast vollständig in sich zusammengefallen war, so hatte der Bogen doch standgehalten und ihn beschützt. Er kam sofort herbeigeeilt, und es gelang ihm, einige dicke Steine wegzuräumen, so daß ich herauskonnte.

«Bist du verletzt?»

«Nein, und du?»

«Ich auch nicht, Gott sei Dank!»

Der Name Bruder Gaspars drängte sich auf unsere Lippen. Wir suchten ihn. Aus einem Haufen aus Steinen und Kalkschutt ragten ein Fuß, und etwas höher ein Arm in einer merkwürdigen Stellung hervor, als sei er gebrochen. Ich kniete nieder, schob einige Steine zur Seite, und der blutüberströmte Kopf wurde sichtbar. Über ihn gebeugt, während das Medaillon um meinen Hals durch einen Riß im Hemd herabhing, hielt ich ihn und rief:

«Bruder Gaspar!»

Er öffnete die Augen. Er erkannte mich. Das Reliquiar pendelte vor seinem leichenblassen Gesicht hin und her. Man merkte, daß es ihn viel Mühe kostete zu sprechen. Es gelang mir nur, den Namen von Meister Jacobus zu verstehen. Sein Kopf fiel zur Seite, und er hauchte seine Seele aus, während ein feiner Blutfaden aus seinem Mundwinkel rann. Diogo, der auch kniete, betete:

«Requiem aeternam dona ei Domine...»

Weh mir! Ich dachte in diesem Augenblick nicht ans Beten. Indes riß mich Diogo aus meinen Sorgen, indem er, zupackend und praktisch, wie er war, sagte, wir könnten hier nicht untätig herumstehen, wo doch viele Menschen sicher unsere Hilfe bräuchten. Wir kannten das Ausmaß der Katastrophe noch nicht, dachten aber wohl, daß es groß sein müsse, indes hatten wir nicht einen so fürchterlichen, aus der Apokalypse stammenden Anblick wie jenen erwartet, der sich unseren Augen darbot, als wir hinaustraten: Unser Kloster lag in Trümmern, die schöne Stadt, welche wir noch am selben Tag besichtigt hatten, war nicht wiederzuerkennen. Wenige Gebäude nur waren stehengeblieben, und selbst die dicken, starken Stadtmauern waren zum Teil eingestürzt. Die Menschen begannen sich, orientierungslos und verschreckt, in den Straßen zu sammeln. Unter den Trümmern kamen Jammern, Weinen, Schreie, Hilferufe hervor. Gleichsam als hätten die Ruinen gespenstische Stimmen. Halbnackte Kinder irrten weinend durch die Straßen, suchten ihre Mütter in den Trümmern.

Man mußte unverzüglich die Angst lindern, kräftige Arme heranziehen und dazu einteilen, den Verletzten zu helfen, den Kindern und Alten beizustehen, die Toten zu begraben, damit die Geißel der Pest nicht über uns käme. Die folgenden Tage waren wie ein einziger Nachtmahr, und allein das Erbarmen gab uns Kraft, den grausigen Anblick geborstener Schädel, aus denen die Hirnmasse herauslief, Augen, die aus den Höhlen heraushingen, zerquetschter Brüste, aufgeschlitzter Bäuche, zerstückelter Arme und Beine zu ertragen. Die meisten arbeiteten still vor sich hinbetend, und oft liefen ihnen die Tränen über das Gesicht, andere mit streng zusammengepreßten Lippen. Gleich schon stellte man fest, daß skrupellose, gefühllose Leute die Gelegenheit wahrnahmen und die Stadt plünderten. Die Gerichtsvogte waren indes sofort zur Stelle, um den Übergriffen Einhalt zu gebieten, die dann auch abnahmen, sobald bekannt wurde, daß diejenigen schwer bestraft würden, die man beim Plündern erwischte, und einige schon an den Pranger gestellt worden waren... Unter den Arkaden, wo noch am Vortage der Markt abgehalten worden war, und in den Klostergängen, die noch stehengeblieben waren, wurden Spitäler eingerichtet. Nonnen halfen den Ärzten; Männer kamen mit Matratzen, Decken, Laken und Tüchern; Frauen machten auf den Plätzen Feuer unter freiem Himmel und kochten in großen Töpfen etwas zu essen, um allen zu helfen. Auf dem Friedhof brachen die Totengräber erschöpft zusammen und wurden von Bauern und Handwerkern abgelöst. Altäre waren dort errichtet worden und die Priester lasen unablässig die Messe für das Seelenheil der Toten.

Nach und nach begann das Leben wieder in den gewohnten Bahnen zu verlaufen, und man machte sich allmählich an die Arbeit des Wiederaufbaus. Erst als ich etwas weniger beansprucht war, dachte ich an Meister Jacobus, der als Arzt gewiß in diesen Tagen sehr viel zu tun gehabt hatte. Ich suchte in den verschiedenen improvisierten Spitälern nach ihm, aber nirgends wußte man etwas von ihm, niemand hatte ihn gesehen, seine Berufsgenossen fanden es ebenfalls befremdlich. Wir befürchteten das Schlimmste. Ich lief in die Straße, in der er wohnte: Das Haus war ein Trümmerhaufen. Ein Nachbar sagte mir, daß er und seine Frau Sara und Meister Jacobus vor zwei Tagen begraben hätten. Mir brach es das Herz. Ich streifte ziellos durch die in Trümmern liegende Stadt und gelangte an den Hafen. Ein Schiff aus Venedig holte gerade das Fallreep hoch, machte sich zum Auslaufen bereit. Man sah die Passagiere an Deck traurig auf den zerstörten Ort schauen. Wahrscheinlich hatten einige dort geliebte Menschen gelassen! Weiße Tücher wischten rote, vom Weinen verquollene Augen. Plötzlich war mir, als sähe ich in der Menge ein bekanntes Gesicht. Nein, es war kein Trugbild! Es war Sara, Meister Jacobus' Frau! Das Schiff glitt langsam an mir vorüber und ich sah ganz deutlich, daß sie mir einen Blick zuwarf, mir einen verzweifelten Abschiedsgruß herübersandte und bitterlich zu weinen begann. Ich kann mich nicht daran erinnern, vorher jemanden so sehr weinen gesehen zu haben. Wie kam es, daß meine Augen sich jetzt mit Tränen füllten, wo ich doch Meister Jacobus erst vor wenigen Tagen kennengelernt hatte?...

Schweigend legte mir Diogo, der mich in der ganzen Stadt gesucht hatte und nun meine Rührung bemerkte, die Hand auf die Schulter. Ich sah dem Schiff noch lange nach, wie es die Hafenausfahrt verließ. Wir gingen dann am Wasser entlang, und mein Gefährte, der nie viel Worte machte, sagte:

«Vielleicht interessiert es dich, das Papier zu lesen, welches ich, als ich den Körper Bruder Gaspars für die Beerdigung herrichtete, versehentlich in die Tasche gesteckt habe.»

Es war der Brief des Abtes unseres Klosters in Évora an unseren unglücklichen Freund. Das Erdbeben hatte ihn zerknittert und zerrissen. Der kurze Brief lautete:

> Von Bruder Agostinho de Jesus an seinen Bru... Gaspar von der Empfängnis. Seid ge... in Christo. Ich bitte Euch sehr, Bruder, nehmt die Novizen Diogo und João... die Euch diese Zeilen persönlich überbringen... ist die Person, von der Ihr seit langem wißt... Aufgrund seines besonderen Aussehens und des Namens... werdet Ihr gleich sehen, welcher es ist. Seid diskret wie immer... die Inquisition hier. Benachrichtigt Jacobus ... dringend... Die Feinde wollen ihn ergreifen... Der Herr sei... und segne Euch.

Ich sah Diogo verwirrt an, welcher mir wie gewohnt schweigend einen mitfühlenden Blick zuwarf. Meine Gedanken waren in heller Aufruhr: das erste Gespräch mit Bruder Gaspar, unser Besuch im Hause des Meister Jacobus, dazu das Geflüster mit dem Mönch und seiner Frau, der bewegte Abschied, den sie von mir genommen hatten, Bruder Gaspars letzte Worte. Saras schmerzliche Geste auf dem auslaufenden Schiff und jetzt die Lektüre jener Fragmente des zerrissenen Briefes, die alles miteinander in Verbindung brachte!...

Diogo rief mich in die Realität zurück. Er erzählte mir von seinen Sorgen in Bezug auf unsere franziskanische Familie in Évora und wie dringend es sei, daß wir uns auf den Weg machten, zumal es Gerüchte gab, die behaupteten, es gäbe unter den Ruinen noch Leichen, und Seuchen stünden bevor. Wir entschlossen uns also, ohne weiteren Verzug aufzubrechen und unser Vorhaben, auf vielen Umwegen zurückzuwandern, aufzugeben. Nachdem wir uns mit Proviant versehen hatten, machten wir uns beherzt auf den Weg, wobei wir die Ortschaften aus Furcht vor der Pest mieden und Wasser nur aus Quellen in den Bergen oder aus Brunnen unbewohnter Täler tranken.

III

Ein Blick unter vielen

...«Un verde praticel pien di bei fiori un rivolo che l'erba intorno bagni un augelletto che d'amor si lagni acqueta molto meglio i nostri ardori.»

...«Ein grüner Wiesenfleck in Blütenmeeren, ein Bächlein, das der Pflanzen Wurzeln netzte, ein Vöglein, das nach Amor seufzt im Neste, sie stillen besser unser heiß Begehren.»

(Lorenzo de' Medici, *Poesie*)

Die armseligste Hütte reichte uns zum Schlafen. Die erste Nacht rasteten wir in einem alten Stall, den wir auf einer Anhöhe vor Almodôvar leer vorfanden, und am folgenden Tag machten wir uns, kaum daß der Tag anbrach, wieder auf den Weg, den Johannisblumen, Narden, Ginster und Ziströschen säumten, deren Farben und Düfte mein Gemüt wieder in seine übliche Frohgestimmtheit versetzten. Manches Mal wurden die Wege unwirtlich, die Erde bot sich unfruchtbar, ausgetrocknet und geborsten dar, die Ödnis kochte in der Hitze, der glühende Südwind verbrannte die karge, kümmerliche Vegetation und und ließ unsere Haut und unsere Lippen rissig werden. Heiß war uns, und wir hatten Durst, doch wir gingen weiter, bis daß sich am Horizont der Schatten eines Baumes oder ein Wasserflecken abzeichnete. Daher entledigten wir uns in Windeseile unserer Kleider, badeten und löschten unseren Durst, als wir nach unserer Wanderung durch die Hölle auf einen spärlich fließenden Bach trafen, dessen Wasser die Erde gierig aufsog. Wir wuschen all unsere Kleidungsstücke und hängten sie an den Zweigen der Bäume und Büsche zum Trocknen auf. Nackt im Schatten der grünenden Pappeln am Ufer sitzend stellten wir dann unsre Kräfte wieder her, indem wir der Wegzehrung zusprachen – schmackhaftem Roggenbrot, Wurstscheiben, getrockneten Feigen – und das Wasser des Bächleins tranken.

«Wie gut würde jetzt ein Krug von dem guten Wein schmecken, den uns Frei Gaspar aufgetischt hat!» fiel mir ein.

«Den Gott selig haben möge», fügte Diego fromm mit vollem Mund hinzu.

Ich lege mich rücklings ins Gras und es dauert nicht lange, bis der Schlaf sich meiner annimmt. Diogo weckt mich nicht, barmherzig, wie er ist, und schläft bald selbst. Als ich aufwache, schnarcht er noch. Ich beginne zu singen:

Kamille pflücken ging ich
Camilla mein Mädchen

Das ist eines der Lieder, die in der Kindheit in den Ohren klangen und welche ich, wer weiß wo, lernte. Da geschieht etwas Seltsames mit mir. Mit den Augen fühle ich den Duft der Kamille und höre die Vögel trillern, tschilpen und zwitschern. Meine Sinne sind ganz durcheinander. Gewiß bin ich noch nicht ganz wach! Die Farbe eines Mohnfeldes, das auf dem anderen Ufer blüht, schaukelt sich grell in meine Ohren, der Geschmack eines großen Schinkenstückes kitzelt meine Geruchsnerven, ich ertaste den schwellenden, samtenen Duft der Zistrosen und die spitzigen, rauhen Rispen des Rautenduftes. Ich bestehe aus verrückt gewordenen Sinnen! Ich teile Diogo, der gerade aufwacht, meine Gedanken, meine Gefühle mit. Er hört geduldig dem zu, was er meine Spinnereien nennt, die er zuweilen lustig findet und über die erlacht. Ich glaube, er ahnt zum ersten Mal etwas von einer Welt, die ihm selbst im Traum nicht eingefallen wäre. Ich liege mit angezogenen Beinen auf dem Rükken, und meine Blicke verlieren sich dort oben zwischen den Blättern einer Ulme im blauen Himmel. Ich pflücke ein Kleeblatt und sauge an seinem bitteren Stengel, während ich mit Diogo spreche. Manchmal komme mir der Gedanke, eine Hymne nur aus Düften zu komponieren. Wie er das finde?... Ach, hätte ich doch die Werkstatt eines Parfümeurs!... Ich würde die Düfte der ganzen Welt in Flaschen sammeln, dann auf den höchsten Berg steigen und hier einen Korken herausziehen, dort einen Stöpsel hineindrücken, wie man es mit den Registern der Orgel in den Kathedralen macht, und die Düfte würden, wie Weihrauch sich kräuselnd, bis in den Himmel aufsteigen in einer unendlichen Symphonie aus Tönen und Halbtönen, mehrstimmig in Sechsunddreißigstel- und Achtelnoten, mit «b» und Kreuzen in einer kunstvollen Kombinaton aller Figuren des gregorianischen Gesanges, dem absteigenden *climacus*, dem *prorectus* mit seinen Tonschritten vom höheren über den tieferen wieder zum höheren Ton, den umgekehrt verlaufenden *torculus*.

Unvermittelt fange ich an zu singen:

Megallium und Kampfer aus Indien
Zimmetöl und Benzoe
Lobet den Herrn!

Malobathrum aus Persien
Jasmin und Hartriegelöl
Lobet den Herrn!

Safran aus Assyrien und Chaldäa
Sandelholz und Aloe
Lobet den Herrn!

Wo ich das denn gelernt hätte, Diogo richtet sich nun, hellhörig geworden, auf und stützt sich auf die Ellenbogen.

Rosen aus Babylon
Reseda und Lilien
Lobet den Herrn!

Moschus und Amber aus Arabien
Myrthe und Calamus
Lobet den Herrn!

Von diesem Augenblick an rezitiert Diogo, der sich geschlagen gibt, den Refrain, während ich im Wechselgesang dazu die beiden ersten Verse singe:

Harze aus Sidon und Tyrus
Olibanum und Myrrhe
Lobet den Herrn!

Dufttragender Onyx aus Judäa
Galbanum und Storax
Lobet den Herrn!

Zibet aus Ägypten
Psagdas und Metopian
Lobet den Herrn!

In einem nahen Gebüsch stimmten die Amseln mit ihren Flöten ein, und der Dompfaff schlug die Triangel.

Origanum aus Zypern
Ingwergras und Baccaris
Lobet den Herrn!

Panathenaikum aus Hellas
Heu und Fenchel
Lobet den Herrn!

Balsam aus Karthago
Duft nach Honig und Zitrone
Lobet den Herrn!

Parmaveilchen und Neroly aus Italien
Verbene und Cassie
Lobet den Herrn!

Sandelholz aus Gallien
Zeder und Vetivert
Lobet den Herrn!

Nelken aus Spanien
Geranie und Lavendel
Lobet den Herrn!

Ich halte mit dem Singen inne, um Diogo aufzustacheln.

«Und wir?» fragt er.

«Willst du nicht den Schluß machen?» fordere ich ihn heraus. Er kenne keine so seltenen Düfte wie ich, klagt er.

«Wir sollten die einfachen Wohlgerüche aussuchen, die uns umgeben, das wäre am schönsten:

Rosmarin und Alecrim aus unseren Landen
Narde und Jonquille
Lobet den Herrn!

«Das ist schön», ruft Diogo aus. Unserem Vater Franziskus würde es ganz sicher gefallen.

Wir schwiegen eine geraume Weile und bewegten die Gedanken und Gefühle, welche die Verse geweckt hatten, in unserer Seele. Unsere Sinne seien nicht alle gleichermaßen edel, brach ich das Schweigen. Wie das? Nun, die bedeutendsten Künste seien die Malerei, die Musik, die Bildhauerei, das heißt die Äußerungen des Lebens, welche durch die Augen, das Gehör und den Tastsinn erfaßt werden: die Formen der Dinge, Licht und Schatten, Helligkeit und Dunkelheit, die Farben und ihre Schattierungen; die Töne, die Geräusche, Ganz- und Halbtonschritte, die menschliche Stimme, das Schwingen einer Darmsaite, das Blasen eines Bambus- oder Metallrohrs, das Trommeln auf einer getrockneten Rinderhaut, die über einen Resonanzkasten gespannt ist, das Klingen von Metallen, der vielstimmige, vielgestaltige Gesang der Vögel: die Fläche und der Raum, das Rauhe und das Glatte, das Harte und das Weiche, die gewölbten Umrisse der Dünen oder eines Frauenkörpers, der Marmor und die Bronze, das Stecheisen, welches dem Holz die drei Dimensionen einer geträumten Form entreißt... was weiß ich... Es könne auch Kunst in der Mathematik der Bewegung geben, brachte Diogo fast ängstlich hervor. Ja, das sei richtig. Die himmlische Harmonie, die *concinnitas* der himmlischen Sphären, von denen Cicero in seinem Buch «Scipios Traum» spricht und welche, Pythagoras zufolge, eine Sternenmelodie hervorbringt. Bewegung und Symphonie! Zwei Künste waren dies, welche sich im Tanz vermählten. Oder besser noch: drei Künste waren es, welche sich im Tanz vermählten: die Bewegung, die Musik und die Bildhauerei. Er solle nicht vergessen, daß die Tänzer gleichsam wie Standbilder seien, welche ihrer statischen Bewegungslosigkeit entrissen seien und nicht stünden, sondern sich bewegten... Ob er das nicht auch so sähe? Er könne noch eine weitere Kunst hinzufügen, sei doch das visuelle Element ebenfalls gegenwärtig. Er habe vollkommen recht. Indes gäbe es wie in der Gesellschaft auch bei den Sinnen die Edlen und... Die Esel, schloß mein Gefährte lachend: die edlen Sinne seien das Gesicht, das Hören und der Tastsinn... Die Esel... Die armen Esel der Geruchssinn und der Geschmack. Ich würde diese armen Sinne gern aufwerten und zum Beispiel eine solche Duftsymphonie schaffen...

«Sag bloß, du willst ein *Gloria Patri* mit den Geschmacksnoten eines Eintopfs, eines Kaninchens nach Alentejo-Art machen...»

Doch ja, genau das hätte ich vor. Das sei doch klar. Man müsse vor allem den Geschmack auf die Höhen der Kunst und des Genies erheben. Ein *Gloria* stellte ich mir nicht gerade mit der Geschmacksnote einer Zwiebelschwitze vor, sondern ein Kaninchen im Tontopf würde unglaublich gut dazu passen, wenn er, Diogo, es am Vortage in eine Weinbeize einlegen würde, welche mit einem Lorbeerblatt und vielen duftenden Kräutern wie Thymian, Pfriemenkraut, Oregano, Minze und Petersilie gewürzt wäre. In diesem Augenblick hätte ich es gern vor mir stehen, eine Verherrlichung des Schöpfers würde es sein, der uns so wunderbare Dinge schenkt!...

«Amen!»

Zwei Tage später waren wir vor den Toren Évoras angelangt und sprachen von meinen Bedenken, die Kutte zu nehmen, von meinem Zögern, von Herakles und dem Scheideweg, dem pythagoräischen *bivium*, und der Wahl Diogos folgend schlugen wir den falschen Weg ein, welcher uns von der Stadt wegführte, ohne daß ich meinerseits Einspruch erhob, sah ich doch darin den Aufschub einer endgültigen Entscheidung. Das Aquädukt, das uns den Weg nach Évora wies, war nicht mehr zu sehen. Diogo bemerkte dies nicht einmal.

Es dämmert. Hinter einer Wegbiegung taucht ein kleines Haus im Schatten von Pinien auf, die einen blaugrünen Flecken in die diesige, von den letzten Sonnenstrahlen vergoldete Landschaft zeichneten. Ein Mädchen von etwa achtzehn Jahren holt Wasser aus einem Brunnen, als wir uns nähern. Gott möge ihr beistehen! Ob sie ihm einen Becher Wasser geben könne, fragt Diogo. Wortlos taucht sie einen Becher aus Kork in den Bottich und reicht ihn Diogo. Er trinkt langsam, genüßlich. Sie beobachtet ihn, sieht mich dann an.

«Hast du auch Durst?»

«Den hatte ich wohl», antworte ich ihr, «aber seit ich dich ansehe, ist mein Durst ein ganz anderer.»

Verblüfft hört Diogo auf zu trinken. Sie nimmt ihm ruhig den Becher aus der Hand, schüttet den Rest Wasser weg, füllt ihn erneut, während sie mich aus den Augenwinkeln ansieht und reicht ihn mir mit einem kecken Lächeln.

«Nach diesem Wasser dürstet dich, hübscher Blondschopf!»

Ich trinke zufrieden und sehe ihr dabei lächelnd in die Augen. Sie erwidert ohne Verstellung den Blick und das offene Lächeln, das so klar ist wie ein Wasserlauf ohne Schlamm.

Es wird allmählich dunkel. Wir seien Novizen aus dem Kloster São Francisco in Évora, sagt Diogo in seiner einfachen Art. Ob sie zufällig einen Stohschober hätten, in dem wir schlafen könnten. Das Mädchen erhebt sich sofort. Sie werde mit der Mutter sprechen. Wir sollten einen Augenblick warten. Sie geht hinein und es dauert nicht lange, da erscheint die Mutter, eine noch frische, ganz schwarz gekleidete Frau, die erst kürzlich Witwe geworden war. Ihr Mann war in Nordafrika in einer Schlacht gegen die Araber gefallen. Wir treten näher. Sie mustert uns vom Kopf bis zu den Füßen.

«Ihr seid aus dem Kloster São Franscico?» fragt sie.

«Ja, das sind wir», antwortet Diogo.

«Ihr tragt keine Kutte», bemerkt sie.

«Wir sind Novizen. Wir werden in ein paar Tagen oder Wochen das Habit nehmen.»

Ich schwieg und schaute weiterhin nachdenklich das Mädchen an. Hinter der Mutter hob sich ihre Gestalt vor der dunklen Tür ab, ein feingliedriger, schlanker, wohlgeformter Körper, der sich unter der engen Kleidung abzeichnete, während das Mieder die Wölbung der Brüste hervorhob. Sie sah mich an und lächelte. Ich fühlte plötzlich eine Verwirrung, wie ich sie schon manchmal verspürt hatte, wenn ich andere Mädchen angesehen hatte. Das war ein weiterer Grund für mich zu glauben, ich sei nicht zum Priester berufen.

«Wir haben einen Schuppen hinter dem Haus. Dort gibt es gutes Stroh. Es ist sauber. Ihr könnt dort bleiben. Kommt hier entlang.»

Sie führte uns um das Haus herum zu den rückwärtigen Gebäuden. Ein riesiger Hund begann zu bellen und an der Kette zu zerren. Das Mädchen lief hin, um ihn zurückzuhalten.

«Ruhig, Pastor!» schalt sie ihn halblaut und drohte mit erhobener Hand.

Aber Pastor beschloß nur, das Register seiner Drohlaute zu ändern und begann zu knurren. Es sei alles nur Angabe, sagte mir das Mädchen. Er sei lammfromm. Während die Mutter, von Diogo gefolgt, zum Schuppen ging, näherte ich mich dem Hund und streichelte seinen Kopf. Er war ruhig und leckte meine Hand. Das Mädchen machte die Kette los, und der Hund begann nun ungehindert mich zu beschnuppern, genauestens zu untersuchen und kam zu dem Schluß, daß ich *persona grata* sei. Sie ging zu ihrer Mutter, und ich blieb stehen und sah sie an. Der Hund legte sich nieder und ich bückte mich, um ihn zu streicheln, während ich das Mädchen anschaute, das sich zurückgewandt hatte. Unsere Blicke begegneten sich.

Sie war knallrot geworden und ernst. Ich verspürte eine ungeheure Beklemmung in der Seele. Was geschah mit mir?

Die Mutter zeigte auf einen Platz in einer Ecke, den sie geschützt und auf seine Weise einladend fand. Diogo dankte. Ob wir nicht etwas essen wollten? Sie solle sich keine Sorgen machen. Wir hätten noch unsere Wegzehrung und wollten keinerlei Umstände machen.

«Dann bis morgen. Ich hoffe, ihr schlaft gut.»

«Bis irgendwann und herzlichen Dank. Wir werden morgen sehr früh aufbrechen und uns wahrscheinlich nicht mehr sehen. Wenn wir eines Tages Mönche sind, werden wir wieder hier vorbeikommen und Euch unsern Dank besser erweisen.»

«Bis morgen», wiederholte die Frau.

«Bis morgen», sagte die Tochter mit erstickter Stimme an mich gewandt.

«...so Gott will!» fügte Diogo hinzu, der die Arme über der Brust gekreuzt hatte.

In jener Nacht begann ich zu frösteln und kalter Schweiß brach mir aus. Am frühen Morgen glühte ich im Fieber. Als Diogo aufwachte, sagte ich ihm, wie es um mich stand. Er legte seine Hand auf meine Stirn. Oh! Mein Gott, wie ich glühte. Das mußte ein teuflisches Fieber sein. In dem Zustand könne ich nicht aufstehen. Er werde die Hausfrau darum bitten, ihm eine Decke zu leihen, damit er mich besser zudecken könne, und wolle sehen, ob sie nicht einen heißen Aufguß aus Fingerhut oder Tamarinde machen könnte. Anschließend werde er nach Évora gehen, um einen Apotheker zu holen. Er hoffe nicht lange fort zu bleiben. Er ging hinaus, ums Haus herum. Ich hörte, wie er an die Tür klopfte und wie sie eine Weile miteinander sprachen. Es dauerte nicht lange, da erschienen alle drei. Die Mutter wollte nicht, daß ich im Schuppen bliebe, nachdem sie erfahren hatte, wie es mir ging. Sie habe ein freies Zimmer im Haus und dort müsse ich bleiben, bis der Apotheker oder ein Arzt kämen. Ich war nicht in der Lage, irgendeine Meinung zu äußern, geschweige denn wegen der Ungelegenheiten zu protestieren, welche ich bereiten würde. Diogo dankte und sie halfen mir hinüber zum Haus zu gehen und legten mich dort ins Bett. Mein Gefährte machte sich umgehend auf den Weg nach Évora, auf einem Eselchen, welches ihm die gute Frau geliehen hatte. Doch ihre Mildtätigkeit hatte hiermit keineswegs ein Ende, denn kurz darauf kommt sie mit ihrer Tochter ins Zimmer. Sie trägt eine Schale in ihren Händen. Dies werde mir guttun. Es sei ein Melissentee. Er werde das Fieber senken. Ein in kalten Essig getränkes Tuch auf der Stirn, bis zum Kinn in Decken gewickelt. Sie dunkelten das Zimmer ab, als sie mich mit geschlossenen Augen daliegen sehen. Ich schlief ein. Als ich nach einer Weile, ich weiß nicht wie lang sie gedauert haben mag, wieder aufwache, sitzt das Mädchen auf der Bettkante und nimmt mir das Tuch von der Stirn. Ich war schweißnaß und mir war schwindlig.

«Wie fühlst du dich?» fragt sie mich, als sie sieht, daß ich die Augen öffne.

Ich setze eine trostlose Miene auf. Sie berührt meine Hand.

«Du schwitzt. Du brauchst trockene Kleider. Ich will mal sehen, ob ich etwas finde.»

Sie geht hinaus, kommt jedoch bald wieder und bringt ein langes Flanellnachthemd mit. Sie heißt mich im Bett aufsitzen, zieht mir geschwind die Kleider aus – ein schönes Medaillon trägst du da – trocknet mich mit einem wunderbar kühlen Leinentuch ab, reibt mir die Brust und den Rücken, zieht mir das saubere Hemd über, bettet mich hin, deckt mich zu, tupft mir die Schweißperlen vom Gesicht – und schönes Haar – und legt mir ein frisches, in Essig getränktes Tuch auf die Stirn.

«Nun schlaf. Ich komme später wieder.»

«Danke. Wie heißt du?» stottere ich mühsam.

«Margarida.»

«Vielen Dank, Margarida», sage ich und liebkose ihre Hand.

Gegen Mittag hörte man das Heranrollen einer Kutsche oder eines ähnlichen Gefährts. Es war der Arzt, den der Abt geschickt hatte, und der nunmehr eintraf. Er kam, um mich abzuholen. Ich will nicht weg von hier, dachte ich. Die Tür wurde geöffnet, und man führte ihn zu mir. Als er mich sah, zog er sofort die Stirn in bedenkliche Falten und murmelte etwas. Ich werde mich extra leidend stellen. Und ich setzte die traurigste und schmerzlichste Leidensmiene auf, die mir zur Verfügung stand. Er hob meine Augenlider, untersuchte meine Zunge, bat um einen Löffel, um in meinen Hals zu schauen – es tut weh, log ich mit dem Löffel im Mund – er setzte sich aufs Bett und preßte sein Ohr, um mich abzuhorchen, darauf, nachdem er ein feines Tuch mitten auf meine Brust gelegt hatte, hieß mich husten, tat dasselbe auf dem Rücken, an den Lenden... In einer Ecke standen die beiden Frauen und beobachteten alles mit angehaltenem Atem und weitaufgerissenen Augen, als ginge es um Leben oder Tod. Diogo traf derweil mit dem Esel, den er wieder zurückbringen mußte, etwas verspätet ein, denn der lief nicht so schnell wie die beiden Maultiere, die den Wagen gezogen hatten.

«Es ist nicht ratsam», sagte der Arzt an Diogo gewandt, der gerade ins Zimmer trat, «ihn in diesem Zustand von hier wegzubringen, wie es der Abt wünscht.»

«Aber es muß sein!» entgegnete Diogo. «Der Abt hat darauf bestanden. Wir müssen das Risiko eingehen.»

Ein Arzt würde solche Risiken nicht eingehen. Sie würden beide ohne ihn nach Évora zurückkehren. Er selbst werde mit dem Abt sprechen, während Diogo in der Apotheke des Kloster das Medikament holte, was er verschreiben würde, und an die Frauen gewandt, sie sollten mir weiterhin essiggetränkte Tücher auf die Stirn legen und sehen, ob es im Brunnen Blutegel gäbe... die würden mit guttun...

Erst nach zwei Wochen begann die Krankheit zu weichen. Diogo, der anfangs nicht von meinem Bett wich, ging dazu über, mich alle zwei Tage zu besuchen, aber im Kloster zu schlafen, als er sah, wie gut mich die zwei Frauen des Hauses pflegten. Dann wurde sein Kommen noch seltener, doch gewann er in dem Eselchen einen Freund, der ihn mit sich nahm und wiederbrachte und für den er immer eine handvoll dicker Bohnen als Leckerbissen bereithielt. Wenn er kam, dann waren die Satteltaschen voller Fleisch, Eier und Milch, und auf Drängen des Abtes zwang er die Witwe zu ihrem großen Verdruß, für die Belastung durch die Arbeit und die Unterbringung Geld entgegenzunehmen.

Margarida – «warum denn unsere Augen und unsere Hände sich so anziehen?» – leistete mir, seit ich erkrankt war, Gesellschaft und ging nicht mit ihrer Mutter in die Stadt, um Obst und Gemüse zu verkaufen. Sie setzte sich mit ihrem Nähzeug zu mir und begann zu singen:

Je größer der Wald
desto mehr gibt es Bäume
je ferner der Liebste
desto heißer die Träume.

«Und du wirst wirklich Pater?» fragte sie mich.

«Ich weiß noch nicht recht. Sing weiter.»

«Gefällt es dir?»

Ich nickte zustimmend.

Sie schwieg, als wollte sie im Gedächtnis nach etwas suchen, und begann darauf mit leiser klarer Stimme zu singen:

Liebste Wäscherin, wäschst du am Fluß,
so nimm den Stein in der Mitten.
Findest du Blumen dort liegen,
Gedenk meiner Bitten...

Doch als habe sie in Gedanken das begonnene Gespräch nicht abgebrochen, sagte sie:

«Das ist schade. Wenn du es doch wirst, sag es mir, denn dann will ich bei dir beichten.»

«Sei doch nicht närrisch. Welche Sünden hast du denn schon begangen?»

In Gedanken habe sie gesündigt. Sie habe mich von Gott entfernen wollen. Wenn das nicht eine riesige Sünde sei: mich Gott rauben zu wollen.

Sie legte sich neben mich und begann mich zu küssen und zu kosen, und bereitwillig antworteten ihr meine Hände und meine Lippen.

Margarida war berauschend: dichtes, pechschwarzes Haar fiel in Wellen über ihre Schultern: in ihren tiefen Augen sprühten Funken des Begehrens; ihre vollen Lippen verlangten andere Lippen; pralle, feste Brüste; unter der schmalen Taille runde Hüften. Ihr ganzer Körper war braun. Ich liebte es, meine Hände in die ihren zu legen: meine weißen schmalen Hände bildeten einen Kontrast zu ihrer dunklen Haut.

«Wer sind deine Eltern?»

«Das weiß ich nicht.»

«Du machst dich über mich lustig. Ein Bankert hat nicht solche Hände. Du bist der Sohn von jemand Besserem. Die Edelleute zeugen Kinder überall und wie's gerade kommt und stecken sie dann ins Kloster, damit sie Bischof werden.»

Bei mir dachte ich, daß sie durchaus Recht haben könnte... Manchmal kam sie hinzu, wenn ich irgendein Buch las. Sie setzte sich dann still ans Bett, die Hände mit dem Stricken eines Wollhemdes beschäftigt, dessen Maße sie von meinem Körper genommen hatte. Was ich dort läse. Ich erklärte es ihr ganz genau. Margarida seufzte: dies sei ihre Sache nicht...»

Abends, bevor sie sich zurückzogen, leisteten mir beide Frau im Licht einer Öllampe etwas Gesellschaft, während ich eine heiße Hühnerbrühe zu mir nahm, in der Fettaugen und gelbe Eierchen schwammen.

«Eine köstliche Brühe!»

«Die ist zum Essen da!»

«Sie ist zu heiß!» Ich sollte pusten und langsam essen. Und die Brühe verschwand, während mich die beiden ansahen, als wäre ich ein Heiliger auf dem Altar.

«Braver Junge», sagte Elsa und nahm mir die Schale aus der Hand. Margaridas Mutter ist eine schöne Frau von etwa fünfunddreißig Jahren. Wenn sie sich über mich beugte, um die Decken zu richten, spürte ich den starken Duft, der von ihr ausging, und wie ihre vollen Brüste mich streiften. Mein ganzer Körper erwachte. Ich schlang die Hand um ihre Taille und sie sah mir, ihr Gesicht ganz nah an dem meinem, tief in die Augen, lächelte sanft und sagte, während sie mich auf die Stirn küßte:

«Schlaft ruhig, damit es Euch morgen wieder gut geht.»

Indes merkte ich, daß auch sie zitterte. In jener Nacht konnte ich nicht einschlafen, kämpfte mit meinen widersprüchlichen Gefühlen, haderte mit mir, während mir mein Gewissen sagte, daß ich mich nicht richtig verhielte, als ich spürte, daß jemand leise in mein Zimmer geschlichen kam, die Decken lüftete und sich zu mir ins Bett legte.

«Psst! Macht keinen Lärm!»

Es war Elsa. Margarida duzte mich. Ich fühlte ihren nackten, bebenden, verlangenden Körper. Und ließ mich nicht lange bitten. Am Morgen erwachte ich spät. Margarida drängte, daß es Zeit wäre, den Sirup einzunehmen, den mir der Arzt verschrieben hatte, und heiße Milch mit eingebröckeltem Brot zu essen.

«Faulpelz! Das ist doch keine Zeit zum Aufwachen!»

Während ich der Milchsuppe die Ehre erwies, dem Sirup hingegen nicht, sagte ich dem Mädchen, daß ich mich kräftig genug fühle, um aufzustehen und nach einem Bad etwas in die Sonne zu gehen, wenn sie so gut sein wolle, mir heißes Wasser zu bereiten. Sie machte sich sogleich an die Arbeit, und ich ging, in eine Decke gewickelt, in die Küche und schaute ihr zu.

«Wie ich sehe, bist du wieder gesund.»

«Ich fühle mich nur noch etwas schwach auf den Beinen», sage ich zu ihr und denke bei mir, daß der Grund für diese Schwäche sich ganz in der Nähe befindet und keinesweg von der langen Krankheit herrührt... und setze mich auf einen Hocker.

Während in der Feuerstelle das Wasser in großen, schwarzen, auf Dreifüße gestellten Töpfen heiß wurde, begann Margarida zu singen:

Wo ich gehe, wo ich stehe,
denk ich immer nur an dich,
João, mein João.

Laß mich doch nicht länger warten,
faß dir'n Herz und freie mich,
João, mein João.

Wir lachten beide. Auch ich begann zu singen. Lebten einst zwei kleine Hasen... Ob sie das Lied kenne. Sie kannte es und stimmte ein:

Lebten einst zwei kleine Hasen
an des grünen Waldes Rain.
wollten nicht alleine bleiben
morgen soll die Hochzeit sein.

Ach Liebste mein, ach Liebste mein
qui tollis qui
tollis qui tollis
agnus dei, miserere
miserere nobis

Das Lied endete in großem Gelächter und damit, daß sie auf meinem Schoß saß, die Arme um mich schlang und mich küßte.

Wir besaßen einander anfangs schnell, stürmisch, dann lange Zeit ruhig und genußvoll. Anschließend nahmen wir ein reichliches Mittagsmahl zu uns, welches ein guter Wein begleitete, den sie aus einem Versteck holte. Am Nachmittag, als die Mutter kam, räumte sie die Küche auf, während ich meine Kräfte in einer ausgedehnten, seligen Siesta wiedergewann.

In den darauf folgenden Tagen wurde ich zusehends wieder gesund, tags liebte ich die Tochter und nachts die Mutter, ich aß mit Appetit, und der gute Wein stellte meine Energien wieder her, erhitzte mein Blut und gab mir meine gewohnte gute Laune zurück. Plötzlich jedoch legte sich die Glut der beiden Frauen und ich begriff, daß sie ganz naturverbundene, instinktiv handelnde Wesen waren, deren Hitze wie die der Tiere an bestimmte Zeiten gebunden war. Der Horizont ihrer Interessen war sehr eng: er beschränkte sich auf die Befriedigung der für das Überleben notwendigsten Bedürfnisse – die des Magens, um das Leben zu erhalten, die des Geschlechtes, um die Art zu erhalten. Berufung zu Geistigem gab es keine: sie gingen aus Gewohnheit zur Kirche und aus Angst vor etwas, was sie nicht benennen konnten, sie glaubten an Gott, beteten, aber in all dem vermischte sich der Glaube mit Aberglauben und die Religion war eher ein Mittel, den Ewigen in die Dienste persönlicher Interessen zu stellen, es Gott und den Menschen gleichermaßen recht zu machen. Ich begriff damals, daß es sinnlos war, mit Menschen wie ihnen über die Sünde zu sprechen. Was mich betrifft, so hat vielleicht nie jemand besser als ich je den berühmten Spruch des Ovid in seiner *Ars amatoria* verstanden: *Post coitum omne animal triste.* Wo waren die Verzückungen der Seele, die Geistesflüge, die flüchtigen Subtilitäten makelloser Gefühle? Weh mir, denn was mich betraf, so war von Sünde zu sprechen mehr als berechtigt. Ich fühlte ein großes Bedürfnis nach einem inneren Läuterungsbad, das die letzten Winkel der Seele erreichte, und wenn mich auch jene Frauen in ihrem Hause aufgenommen, meine Krankheit gepflegt, ihre Liebe, so gut sie es vermochten, gegeben hatten, so war es vor allem deshalb, weil sie mir gezeigt hatten, daß dies nicht mein Weg war, weshalb ich sie nimmermehr vergessen würde. Als meine Gesundheit vollständig wiederhergestellt war, verabschiedete ich mich von ihnen, und sie weinten, während sie mich umarmten und mich unter Küssen nötigten, ihnen zu versprechen, daß ich sie hin und wieder besuchen würde, was ich mehr als einmal tat, wiewohl wir unsere Liebesbeziehungen nie wieder aufleben ließen. Trotz ihrer Einfachheit und mangelnden Bildung besaßen sie für jene heiklen Fragen des Gewissens ein feines Gespür: sie haben nie wieder versucht, mich zu verführen und waren mir in einer jener seltenen Freundschaften zugetan, jenem Duft der Seele, welcher alles um sich herum mit Wohlgeruch erfüllt und reinigt.

Diogo holte mich ab.

«Wie geht es dir?»

«Gut. Hat die Stadt unter dem Erdbeben sehr gelitten?» fiel mir ein.

«Man hat es kaum bemerkt.»

«Alles in Ordnung?»

«Ja, dort, fast alles. Ich erzähle es dir noch. Und du?» fragte er und sah mir bewußt in die Augen.

«Alles in Ordnung», antwortete ich mit einem Lächeln.

«Jetzt ist alles gut.»

Er atmete tief durch und unterwegs erzählte er mir, was in Évora vor sich ging, das zu jener Zeit nicht allein im Zentrum des Interesses der Nation stand, weil dort der Hof seinen Sitz genommen hatte, sondern vielmehr aufgrund von Ereignissen, welche große Veränderungen ankündigten. Der Bischof von Ceuta, Bruder D. Diogo da Silva, welcher vier Jahre zuvor dort jenes Monitorium veröffentlicht hatte, in welchem die Verbrechen aufgezählt wurden, welche unter die Gerichtsbarkeit der Inquisition fielen... ob ich mich daran erinnerte. Ich erinnerte mich wohl daran: jüdische Regeln befolgen, Lutheraner, Mohamedaner zu sein, Hexerei und Zauberei betreiben... Nun, er sei in seinem Amt als Großinquisitor, ich sollte mal raten von wem, abgelöst worden. – Von wem? – Vom Erzbischof von Braga, D. Henrique. Der König hatte seinen Bruder zum Großinquisitor ernannt. Ob ich wüßte, was das bedeutete?... und ob ich das wüßte. Das bedeutete, daß D. João III. in seinem Bemühen Erfolg gehabt hatte, bei Papst Paul darauf zu beharren, in Portugal eine zentralisierte und ebenso allmächtige Inquisition wie in Spanien einzurichten. Warum sie einzurichten? Sie bestehe doch bereits. Die Bischöfe, die bislang mit der Sache betraut gewesen seien, spielten längst keine Rolle mehr. *In nomine* sei alles in Rom zentralisiert; *in facto* liege alles beim König und den Männern seines Vertrauens, bei D. Henrique.

«Ich nehme an, daß nun vor allem die getauften Juden Befürchtungen hegen.»

Befürchtungen? Sie seien in Angst und Schrecken versetzt! Der Exodus aus dem Land werde von Tag zu Tag deutlich zunehmen. Die erste Maßnahme, die D. Henrique ergriffen habe, sei die Schaffung eines Generalrates gewesen. Ich sollte mir die Namen mal ansehen: Bruder João Soares, Dr. Rui Pinheiro, Dr. Rui de Carvalho, Dr. João de Melo. Jener schien in Lissabon bereits damit zu drohen, in die Häfen zu gehen und dort aus den Schiffen, welche gerade den Anker lichten wollten, alle Flüchtlinge herauszuholen, um sie bei lebendigem Leibe zu verbrennen...

«Das wird er sicher tun. Die armen Leute!»

«Ich verstehe dieses Wüten gegen sie überhaupt nicht... Während seiner Regierung soll König Manuel nichts unversucht gelassen haben, um die Vertreibung der Juden zu hintertreiben, zu der ihn eine

Klausel im Heiratsvertrag mit der spanischen Prinzessin D. Isabel, einer Tochter der Reyes Católicos, zwang. Er hatte sie gezwungen, sich taufen zu lassen und ihnen die Ausreise aus dem Lande erschwert... Er wollte nämlich, daß sie blieben... Und jetzt dieser ganze religiöse Eifer von D. João III...

«Der ist eifriger als der Papst, wie man sieht.»

«Ich verstehe überhaupt nichts mehr.»

«Ja, das ist auch schwierig. Aber eines ist gewiß: hinter dieser Fassade der Inquisition, die sich zur Zeit aufbaut – und Gott allein weiß, wohin der Fanatismus der Menschen führen wird – gibt es geheime Kräfte, die Macht des Geldes, das Streben nach Hegemonie, Befehlsgewalt, Privilegien, die das Anwachsen einer jüdischen Bürgerschicht und deren Bestrebung, ihr Blut mit dem der Alten Christen zu vermischen, mit Argwohn betrachten. *Qui tyrannidem affectant, alienis dissidiis suas augent vires* – lautet eine Sentenz des kaum auszusprechenden Erasmus von Rotterdam: Jene, welche zu unterdrücken suchen, lassen ihre Kräfte durch die Uneinigkeit der anderen anwachsen. Gefällt dir das?»

Um Gottes Willen, Erasmus! Wo ich denn das ausgegraben hätte. Eine heimlich kursierende Ausgabe sei dies, ohne Genehmigung der Inquisition, welche auf der Titelseite nur die Angabe des Buchhändlers Germão Galhardo trüge... Eines Tages werde er auf dem Scheiterhaufen landen, nur weil er mir zuhörte!

Ich begann zu lachen. Ihm fiel ein:

«Ausgerechnet heute wird in der Stadt ein Autodafé stattfinden. Es heißt, es soll zum ersten Mal auch jemand dabei sein, dem vorgeworfen wird, der Fleischeslust gefrönt zu haben.»

«Ich spüre, wie etwas sich in mir gegen diese Verfolgungen heftig auflehnt,» sagte ich. «Christus hätte sie nicht gutgeheißen.»

Sie behaupten, es geschehe um der Läuterung der Religion willen, gegen die sich ausbreitende Ketzerei und zur Errettung der Seelen. Von wegen! Jeder einzelne besitze doch, wo Gott uns schon die freie Gewissensentscheidung gegeben habe, das Recht auf seinen eigenen Glauben. Einen ehrbaren Menschen festnehmen, ihn allen Schutzes und jeder Möglichkeit zur Verteidigung berauben und ihn zwingen, wenn nötig unter der Folter, Verbrechen zu gestehen, die er nicht begangen hat, einen Glauben zu bekennen, in welchem er nicht erzogen wurde, nur weil er ein Messer am Daumennagel geschärft, am Sonntag gearbeitet oder am Freitag Fleisch gegessen habe... Ich solle aufpassen, was ich da sagte. Genau das meinte ich aber! Ihnen die Augen öffnen und sie dazu zu bringen, die Wahrheit Christi anzunehmen, das sei nur über das Beispiel, welches vorgelebt werde, und das überzeugende Wort möglich. Nicht mit dem Pranger, der Verstümmelung, der Garrotte, dem Vierteilen und dem Scheiterhaufen. Verbrecher vor Gott seien allerdings jene, welche jene Praktiken anwenden.

Wenn mich die Herren der Inquisition so reden hörten, würden sie sagen, ich spräche wie Luther oder jener Erasmus, von dem ich gerade einen Satz zitiert habe. In der Stadt sollte ich meine Zunge im Zaume halten, denn inzwischen hätten schon die Steine Augen und Ohren.

«Warum denunzierst du mich dann nicht bei einer Inquisition, welche den Sohn dazu anhält, den Vater, die Ehefrau ihren Mann, den Freund seinen Freund zu verraten...?»

«João!»

Er solle entschuldigen. Ich könne es einfach nicht lassen zu scherzen, selbst wenn es um ernste Dinge ginge. Ich wisse wohl, daß er der einzige sei, dem ich solche Ungeheuerlichkeiten sagen könne. Ich würde schon auf mich achten, er solle sich keine Sorgen machen. Ich sei schon lange daran gewöhnt.

«Ich mache mir aber wohl Sorgen. In deinen Meinungen und deinem Verhalten gibt es für jene blutrünstigen Herren Anlaß zur Befriedigung genug: du hast Umgang mit Juden, bist ihr Freund, tolerierst sie, läßt dir von Zigeunerinnen aus der Hand lesen, zitierst Erasmus und stellst Behauptungen auf, die mir die Haare zu Berge stehen lassen, du verkehrst mit Frauen... Wenn sie das wüßten!»

«Glaub nicht, daß du der einzige bist, der das weiß. Ich habe nicht den leisesten Zweifel daran, daß zum Beispiel der Abt, selbst wenn du ihm auch nicht das geringste gesagt hast, über alles Bescheid weiß, was in Tavira geschehen ist und jetzt im kleinen Haus im Tal, als ich krank war.»

«Glaubst du, daß du ausspioniert wirst?»

«Aber natürlich!» und ich breche in Lachen aus: «Was aber niemand außer dir wissen kann, das sind unsere Hymnen zu Ehren

Gottes, am Ufer des Baches, als wir nackt waren und unsere Wäsche trocknete. Es sei denn, die Vögel im Himmel sind auch Spione oder ein Windhauch bläst jenen etwas ins Ohr, oder ein Wassertropfen aus dem Fluß schwingt sich in die Lüfte und läßt als Regen die Geheimnisse auf die Glatzen jener fallen, die ein Interesse an mir haben...»

Als wir durch das südliche Tor in die Stadt kommen, ist Évora voll erregter Erwartung, an einem Autodafé teilzunehmen. Die Glocken kündigen düster läutend das Strafgericht der Büßer an. Menschen rennen zuhauf, um rechtzeitig einen Platz einzunehmen, welcher ihnen eine gute Sicht auf das Schauspiel erlaubt. Da kommt auch schon aus der Misericórdia-Kirche die Prozession heraus. Ein Mann in weitem schwarzen Mantel geht mit der Fahne voran, ihm zur Seite zwei weitere, ebenso gekleidete Männer mit brennenden Fackeln. Alle drei haben furchterregend verhüllte Gesichter. Der Fahne folgt ein Bruder der Inquisition mit dem Stab. An beiden Seiten tauchen aus dem dunklen Tor mit gefalteten Händen in zwei langen Reihen die Kaplane auf, welche von einem weiteren Mitglied der Bruderschaft angeführt werden. Darauf erscheint, am Ende dieses Zuges, das Kruzifix. Es wird von dem Bruder getragen, der die Totenmesse zu lesen pflegt, und den vier Männern begleitet, welche ebenfalls weite schwarze Mäntel und Kapuzen angelegt haben, die ihre Gesichter verhüllen. Hinter dem Kruzifix schreiten feierlich die vier Brüder des Kollegiums mit Stäben und die Kerkermeister, welche die Büßer mit den angemessenen Tröstungen versehen und sich bemühen, sie zu ermuntern. Ein Meßdiener trägt ein Weihwasserbecken und einen Sprengwedel. Einige Leute, auch wir, bleiben stehen, um dem Zug zuzusehen, allein die meisten beschleunigen ihre Schritte, um schnell zum Hauptplatz zu gelangen, auf dem das Ereignis stattfinden soll. Der Prozessionszug wird länger, denn es schließen sich nun die Franziskaner, Trinitarier und Dominikaner in ihren Kutten an. In tiefem Schweigen, das durch das klagende Läuten der Glocken noch hervorgehoben wird, biegt der lange Zug in eine enge Straße ein und bewegt sich zum Gefängnis, um dort diejenigen zu holen, die gerichtet werden sollen. Wir folgen ihm und suchen uns einen Platz, von dem aus wir aus nächster Nähe erleben können, was nun geschehen wird. Das Tor des Gefängnisses öffnet sich und die Büßer erscheinen, angeführt vom Gerichtsdiener und anderen Kerkermeistern: als erster kommt, mit einer gelben Kerze in der Hand ein gealterter Mann, mit einem Überwurf aus weißem Leinen angetan. Ich erkenne ihn sofort und mir schwindelt:

«Sieh!» sage ich zu Diogo, «Es ist Meister Nicolaus!»

«Ich weiß. Nicolas von Chanterenne, der Bildhauer. Er wurde von João Rombo denunziert, einem Steinmetz, der mit ihm zusammen arbeitete.»

«Was wird ihm vorgeworfen?»

«Wir werden es sehen, aber das Urteil wird nicht hart sein, da er an der Spitze geht.»

Es folgen zwei Frauen, welche ebenfalls weiß gekleidet sind und Kerzen tragen, deren Flammen ihre blutleeren Züge mit einem wächsernen Schimmer überziehen. Sie weinen hemmungslos und es ist unmöglich, ihrem Weh und Ach und ihren Verzweiflungsschreien Einhalt zu gebieten. Der Gerichtsdiener übergibt sie dem Gerichtsvogt mit seinen Bütteln, welche sie vor dem Kruzifix niederknien lassen und es ihnen dortselbst zum Küssen darbieten. Ihnen wird darauf der Platz in der Prozession zugeweisen, welcher ihnen zukommt: Vor dem Kruzifix. Dahinter stellen sich einige andere Gerichtsdiener, welche einen Sarg mit den Gebeinen eines zum Tode verurteilten Sünders tragen, der den Kerker nicht überlebt hatte. Zwei Gerichtsdiener tragen die Bildnisse zweier getaufter Juden, die in voller Größe dargestellt sind. Einem war es gelungen, ins Ausland zu fliehen, der andere war gestorben. Es folgt ein noch junger Mann, welcher indes so hinfällig und von der Folter zerstört ist, deren Spuren an den blutigen, verdrehten Fingern der Hand deutlich zu sehen sind, daß ihn zwei Gerichtsdiener stützen müssen, jeder an einer Seite, und ihn zwingen, unter Qualen zu gehen. Der Klang der Glocken scheint nun, da die Kaplane an einer Seite das *Kyrie eleison* anstimmen und auf der anderen mit dem *Christe eleison* geantwortet wird, in den Hintergrund zu treten. Die Glokken, der Gesang, alles summt in meinen Ohren, verwirrt meinen Geist, macht mich derart schwindelig, daß ich mich für einen Augenblick auf Diogo stützen muß, der meine Benommenheit nicht bemerkt. Die Prozession setzt sich in derselben Reihenfolge wieder in Bewegung, in der sie dort angelangt war, mit dem einzigen Unterschied daß die vier Brüder, welche hinter dem Kruzifix gegangen waren, nun davor gehen, und ihren Platz den Letzten, den zum Tode verurteilten Sündern, überlassen haben, welche der Fleischeslust beschuldigt wurden. Aber von diesem Augenblick an gelangt alles nur noch wie ein nichtendenwollender Nachtmahr in mein Bewußtsein, in dem sich die Formen, die Farben, die Klänge ständig verzerren, sich in Zeit und Raum vermischen, sich auflösen und mir einzeln oder in wirren Verbindungen erscheinen...

«*Christe, audi nos*», singen die Stimmen der Patres, und dann tritt aus diesem Amalgam von Menschen von Kerzen und Fackeln eine Grimasse des Schmerzes hervor und trifft meine Netzhaut wie ein Stein, unmittelbar gefolgt von Fetzen aus Farben und Formen von Überwürfen, blauen, weißen Kutten, schwarzen Skapulieren, Chorhemden aus Spitze, goldenen Stolen, schwarzen spitzen Kapuzen, die Gesichter verhüllen, von rot eingefaßten Sterbekleidern der Inquisitionsopfer... «*Christe exaudi nos*», von Wehgeschrei, Händen von Mönchen, welche mit erhobenem Kruzifix die Verurteilten trösten, haßerfüllten Fratzen und Geschrei des aufgebrachten Pöbels: «*Santa Maria ora pro eis...*»

«*Ora pro eis!*» wiederhole ich, zu Diogo gewandt, wie im Traum. «Bete für sie und nicht für uns, für uns und unseren Wahnsinn. Laß uns gehen, Bruder, dieser Anblick dreht mir den Magen um.»

Ich solle noch ein wenig warten. Es wäre unklug, wenn ich mich jetzt zurückzöge.

Der Albtraum geht weiter. Alle knien nieder, als sie am Tor einer Kirche vorbeikommen, und der mächtige, angstvolle Schrei erschüttert die Stille und hallt in meinen Ohren wider: Gott unser Herr, erbarme dich! Die Füße des Kruzifixes und die blutleeren Lippen eines Elenden, welcher sie mit Schaum vor dem Mund küßt; der große Platz voller Menschen; die Ehrentribüne mit dem Großinquisitor, welcher den Vorsitz innehat, neben ihm die strengen, unbeweglichen Gesichter der Inquisitoren; die Stimme eines Ausrufers: «Auf Geheiß unseres Herrn, des Königs, wird das Abbild des getauften Juden Jacob, Arzt aus Tavira verbrannt, denn er ist ohne Reue und rückfällig...»; Diogo stützt mich, damit ich nicht ohnmächtig zu Boden sinke, während ich sehe, wie auf dem Platz die Bildnisse der Juden von den Flammen verschlungen werden; an einen Pfosten gebunden mitten auf dem Platz ein zum Tode Verurteilter, dessen Kopf auf die Brust gesunken ist; loderndes Feuer, Rauch, der Geruch von geröstetem Fleisch, verbrannten Knochen; die Glocken läuten klagend; Satzfetzen aus dem Munde eines Mönchs, welcher von einer improvisierten Kanzel herab gegen die Hölle wettert; Augen, die vor Entsetzen aus den Höhlen treten angesichts des Mannes, welcher sich in eine brennende Fackel verwandelt; Folterknechte, die unter der schwarzen Vermummung durch Schlitze hindurch die Opfer haßerfüllt anblicken; die Stimme des Bruders Cosmeus, der Ausschnitte aus den Urteilen verliest: ...wird beschuldigt, die Bibel gelesen zu haben und im Hause eine Mandragora zu besitzen... verurteilt, büßend abzuschwören... wird der Zauberei beschuldigt... auf unbestimmte Zeit zum Kerker verurteilt... jüdischer Praktiken beschuldigt... rückfällig... der Fleischeslust ergeben... Mönche, welche tränenüberströmt vor den Scheiterhaufen knien, mit versteinerten, verzerrten Gesichtern und zusammengebissenen Zähnen beten, um ihren Protest nicht laut herauszuschreien, und die Glocken, die Glocken, die Glocken... die bronzenen Glocken der Kirchen läuten grauenhaft, klagend, schluchzend, düster jammernd... und plötzlich liegt der Platz verlassen da, als sei nichts geschehen, als gäbe es dort in der Mitte nicht die langsam vor sich hin rauchenden Reste der Bildnisse und die schwarze Kohle, in die sich ein Geschöpf Gottes verwandelt hatte... und Diogo, der mich erschreckt fragt:

«Komm. Was ist mit dir? Bist du krank? Alle sind schon gegangen. Du bist wie ein Schlafwandler. Ich rufe dich schon eine ganze Weile...»

Ich sehe ihn traurig an, während mir die Tränen über das Gesicht laufen, und ohne ein Wort zu sagen, gehe ich neben ihm her, die lodernden Flammen der menschlichen Fackel in den Augen, die Schmerzensschreie in den Ohren, mit blutender Seele...

An jenem Tage erhielt ich Dispens vom gewöhnlichen Tagesablauf, denn ich war so erschüttert von den Szenen, denen ich beigewohnt hatte, ins Kloster zurückgekommen, daß sie mich noch für rekonvaleszent hielten. Man gab mir ein Bett im Hospizium und ich bekam eine Krankenmahlzeit, welche immer etwas reichhaltiger war. Ich legte mich sogleich nieder, denn ich wollte nur allein mit mir sein und die Augen schließen, in diesem Augenblick für mich die einzige Möglichkeit, in mich selbst hineinzuschauen. Es tat dies auch Not, denn die Stunde der endgültigen Entscheidung stand bevor. Doch welche Zweifel hegte ich noch? War die Erfahrung mit Margarida und Elsa nicht erhellend genug für mich gewesen? Was mich jetzt schwanken machte, war der Eindruck, den jene Szenen des Autodafés auf mich gemacht hatten, das ich erlebt hatte, jener Fanatismus, jene Intoleranz, jenes Barbarentum... im Namen Christi! Ich konnte mit dem Geist der Inquisition nicht übereinstimmen und das hieß, daß ich nicht katholisch war und deshalb auch nicht mit reinem Gewissen Priester werden konnte...

Ich quälte mich mit Zweifeln, als Diogo am späten Nachmittag kam, um nach mir zu sehen. Ich schüttete ihm mein Herz aus. Er hörte mir die ganze Zeit wortlos, mit ernster Miene, zu. Als ich schwieg, sagte er:

«Ich dachte, es sei beschlossene Sache. Ich besitze weder die Zungenfertigkeit noch die Geistesschärfe, um deine Zweifel auszuräumen. Sprich morgen mit dem Abt. Berichte ihm von deinen Zweifeln. Ich zumindest weigere mich daran zu zweifeln, daß du ein geborener Franziskaner bist, weil ich dir zugehört habe, wie du die Hymnen zur Ehre Gottes gesungen hast. Erinnerst du dich noch daran? und er trällerte:

Rosmarin und Alecrim aus unseren Landen
Narde und Jonquille

Und ich fiel schluchzend ein:

Lobet den Herrn!

Am folgenden Tage schickte der Abt nach mir, noch bevor ich mich an ihn wandte, da er wußte, daß ich nicht mehr bettlägerig war und mich anschickte, am gewöhnlichen Klosterleben teilzunehmen. Er empfing mich mit einer väterlichen Umarmung und im Anschluß an die förmlichen Fragen nach meiner Gesundheit kam er zur Sache:

«Nun, hast du dich schon entschieden?»

Ich berichtete ihm von meinen kürzlich aufgetauchten Zweifeln und daß die alten derzeit nicht mehr bestünden. Meine Zweifel seien grundlos – antwortete er mir mit einem Lächeln – dachte doch der Papst selbst letzlich wie ich, indem er sich der Bitte des Königs gegenüber unnachgiebig zeigte, indem er mit der päpstlichen Bulle, welche den getauften Juden vergab, dieselben schützte, indem die Ankunft der apostolischen Nuntien, die aus Rom kommen sollten, immer verschoben wurde...

«Wie ich?» fragte ich erschreckt.

«Wie du und ich!» antwortete der Abt. «Und sei gewiß, sie würden, wenn sie könnten, auf dem Scheiterhaufen der Inquisition Christus, den Papst, mich und dich verbrennen.» Und er begann zu lachen, da er glaubte, mich überzeugt zu haben und die Angelegenheit für erledigt hielt.

Fast ohne Widerstand – falls es in jenem Augenblick noch einen gab, so behielt ich diesen mein ganzes Leben lang – ließ ich mich überzeugen.

«So bist du also entschlossen?»

«Ja... ich glaube schon.»

«Gott sei Dank, Bruder! Darf ich der erste sein, der dich so nennt?»

«Das ist zu gütig von Euch, Vater...»

«Aber was denn, João!... Ich habe indes noch ein Frage...»

Er schwieg eine Weile und suchte meinen Blick.

Ich verhielt mich ernst, ruhig und abwartend. Darauf fragte er:

«Welchen geistlichen Namen willst du annehmen?»

Das war nun etwas, worüber ich schon häufg nachgedacht hatte. Mehr noch, ich hatte bereits einen Entschluß gefaßt. Ich antwortete sofort:

«Pantaleon, Pantaleon von Miragaia!»

Er starrte mich vollkommen sprachlos an: Pantaleon!? Wußte ich es etwa?...

«Was ich weiß... ich weiß es nicht. Ich glaube sogar, ich weiß überhaupt nichts. Ich weiß, daß das Medaillon, welches ich um den Hals trage, eine Reliquie des Heiligen Pantaleon enthält, der in Bithynien als Märtyrer gestorben ist, und einige Armenier, die vor der Zerstörung Konstantinopels geflohen waren, dessen sterbliche Überreste nach Miragaia gebracht hatten. Ich weiß auch, daß seine Reliquien in einem kostbaren Schrein in der Domkirche zu Porto liegen. Vielleicht ist nunmehr der rechte Moment gekommen, daß Ihr mir in dieser für mein Leben so entscheidenden Stunde etwas darüber sagt, wer ich bin...»

Lange herrschte Grabesstille. Sein Gesicht nahm einen angstvollen Ausdruck an, er machte mit der Hand eine zögernde Geste und sagte endlich:

«Beichtgeheimnisse dürfen nicht gelüftet werden und auch solche nicht, die ihnen gleichen, ohne indes welche zu sein. Alles, was ich getan habe, und alles, was ich tun werde, wird zu deinem Besten sein... Laß mich dir einen Vorschlag machen. Es ist eine Art, dir eine Antwort zu geben, ohne die Schweigepflicht zu verletzen. Pantaleon ja, aber nicht von Miragaia: Pantaleon von Aveiro...» und er wiederholte es, indem er die Silben betonte: «von Aveiro... von Aveiro... Frage mich nichts weiter, denn dies muß mit mir sterben...» Und er umarmte mich weinend.

Ob ich dort geboren sei? Er solle mich doch dorthingehen lassen, bevor ich das Habit nähme.

Er sah mich sehr unruhig an, sein Blick wanderte, als wollte er die Gedanken ergreifen und festhalten, die in ihm durcheinanderwirbelten, und er antwortete:

«Niemals! Schwör mir, daß du nie dorthin gehst, es nie versuchen wirst...»

Angesichts seiner Seelenpein, versprach ich es ihm:

«Schon gut! Sorgt euch nicht. Ich werde nicht dorthin gehen.»

Zwei Wochen später fand in der Kathedrale mit einem gesungenen Hochamt in Anwesenheit des Hofes und vieler Adliger der Umgebung eine prächtige Feier statt. Die große Kirche war bis auf den letzten Platz besetzt, als wir, von der Sakristei kommend, vor dem Zug der Priester einzogen und uns an die Plätze stellten, welche uns beim Altar zugewiesen worden waren. Der Dechant mit den Domherrn und den Meßdienern schritt hinunter und ging den vom Volk gesäumten Gang entlang zum Portal, um den Prälaten, und nachdem jener gekommen war, gemeinsam mit ihm den König zu erwarten, welcher jeden Sonntag mit der Königin an der Heiligen Messe im Dom teilnahm. Seine Anwesenheit war für die bedeutendsten Adligen der Gegend der Grund, ebenfalls zu kommen, und diese hochgeborene Teilnehmerschaft ließ das Volk weniger aus

Frömmigkeit denn aus Neugierde in die Kirche eilen. Der König kam an und wurde zum Ehrenplatz am Hochaltar neben dem Evangelium geleitet, und nachdem er mit der Königin einen Augenblick auf dem mit rotem Samt bezogenen, goldgefaßten Betschemel niedergekniet war, nahmen beide auf den besonderen, hochlehnigen Stühlen Platz, welche dahinter auf sie warteten. Zwei Stufen höher saß der Bischof auf seinem Thron. Da wir, die ordiniert werden sollten, einen gesonderten Platz längs der Wand auf der Epistelseite einnahmen, konnten wir die Personen, welche sich am Hochaltar befanden, ganz genau beobachten und hatten, das Mittelschiff hinunter, auch das Publikum im Blickfeld. Vor allem sah ich mir, aufgrund meiner neugierigen Art und – weh mir, – sehr zum Nachteil von Konzentration und Andacht, welche eine so ernste Feier von mir verlangte, alles ganz genau an. In der Nähe des Königs war ein edler Herr mit schneeweißem Haar und stolzer Haltung zu sehen, den ich nicht kannte. *Gloria in excelsis Deo!* Die Orgel und der Chor füllten mit ihrem Schall die Kirche bis in das hohe Gewölbe... Ich nutzte die Gelegenheit, um Diogo neben mir zu fragen:

«Wer ist das?»

«Das ist der Großmeister von Santiago und Avis, D. Jorge, Sohn des Königs D. João II. und Herzog von Coimbra. Er könnte der König sein, aber Gott hat es nicht gewollt.

«*Agnus Dei...qui tollis peccata mundi miserere nobis qui tollis peccata mundi suscipe deprecationem nostram...*» sang der Chor. Ich dachte an Margarida und an unser närrisches Lied. Ich warf einen Blick in die Versammlung und ich hatte kein Herzklopfen, als ich sie in einer Lücke zwischen den Köpfen in der Menge ausmachte. Sie hatte rotverweinte Augen und sah mich unverwandt an. Hinter ihr befand sich Elsa, die ebenfalls bewegt war. Ich lächelte ihnen zu. Diogos Ellenbogen stieß mich an:

«Der da neben D. Jorge ist sein Sohn, der Marquis de Torres Novas und Herzog von wer-weiß-noch-was, der von der heimlichen Heirat, von der wir in Loulé gehört haben.»

Ich sah ihn an. Er war groß, im Gegensatz zum Vater. Er wirkte in sich gekehrt und traurig. Sein Blick wanderte hin und wieder über den Altar, verharrte aufmerksam bei den Dingen, den Menschen, bei uns und verlor sich daraufhin in der Menge im Mittelschiff, um dann wieder zurückzukehren, zur Orgel hochzuwandern, zum höchsten Punkte der Gewölbe, zum achteckigen Vierungsturm und erneut auf den Altar zu fallen. Es war deutlich zu sehen, daß die Gefühle jenes Mannes in andauerndem Aufruhr waren. Weitere Angehörige des Hochadels befanden sich dort: der Herzog von Bragança, D. Teodósio, und in seinem Benediktinerhabit, sehr bedeutend, sein Bruder D. Fulgêncio; D. Rodrigo de Melo, Marquis de Ferreira und Conde de Tentúgal, ein Vetter des Königs; D. Francisco de Portugal, Herzog von Vimioso, Verwalter des Staatsschatzes und Mitglied des Königlichen Rates... und viele andere Namen, die weder Diogo noch ich kannten. Was doch einige dieser Personen alles wieder ins Gedächtnis riefen! D. Rodrigo war Neffe von D. Fernando, jenes Herzogs von Bragança, welchem König João II. in Évora den Kopf abschlagen ließ; D. Teodósio und D. Fulgêncio ihrerseits waren Söhne des anderen Herzogs von Bragança, D. Jaime, an den sich jedermann erinnerte, weil er aus unbegründeter Eifersucht in seinem Palast in Vila Viçosa seine Frau erstochen hatte. Von D. Fulgêncio wurde behauptet, daß ihn, obgleich er Mönch war, Abt von São Salvador de Travanca, Prior von Santa Maria de Moreira, leitender Kanonikus des Kollegs von Barcelos und Inhaber der Pfründe von Santa Maria de Guimarães, sein Ordensstand nicht davon abgehalten hatte, einen Sohn zu bekommen, welcher irgendwo Mönch war... Auch war – Gott möge mir verzeihen – die Schönheit der Damen und Jungfrauen, Gemahlinnen und Töchter dieser hochadligen Herren eine Augenweide, die in Samt, Seide und Brokat gekleidet waren, mit reichen Kleinodien geschmückt, welche bei der geringsten Bewegung der schönen Hälse und Köpfe winzige Funken sprühten.

Die Zeremonie schritt voran. Mein Blick wanderte umher. Ich richtete ihn abermals auf die Stelle, an welcher ich Margarida und Elsa gesehen hatte. Sie waren nicht mehr dort. Ich verstand ihr Feingefühl und wandte mich nunmehr ganz dem feierlichen Akt zu, welcher seinen Fortgang nahm. Mit einem Mal hatte ich das Gefühl, daß Augen auf mir ruhten. Wir, die wir die Weihen erhalten sollten, waren sehr einfach, mit langen engen schwarzen Hosen und einem kragenlosen Hemd bekleidet, um im rechten Moment die Kutte überstreifen zu können, so daß das Medaillon, welches ich um den

Hals trug, gut sichtbar war. Für einen Moment hatte ich, ich weiß nicht warum, Angst, den Blick zu heben, indes gab es dafür keinen Grund, und so schaute ich auf und sah viele Blicke auf mich geheftet, vor allem die der Frauen. Wohl hatten mich auch schon der König, der Bischof, der Großmeister von Santiago und sein Sohn und andere Adlige und Leute aus dem Volk angesehen. Doch wessen Blicke waren es, welche die Macht besaßen, mein Gehirn zu durchdringen, als wären sie etwas Materielles? Ich fühlte, daß es nicht allein an meinem auffälligen Aussehen lag, zum einen wegen des Medaillons – ich war der einzige, auf dessen Brust ein solcher goldener Gegenstand glänzte – zum anderen wegen meiner Gestalt, meiner Züge und der Farbe meines gelockten Haares: etwas anderes noch war es, das die Luft durchschnitt und darin gleich einem unbestimmbaren Fluidum schwebte. Meine Aufmerksamkeit wurde indes zurückgelenkt, da die Messe zu Ende ging und der Bischof sich bereit machte, zur wichtigsten Zermonie dieses Tages zu schreiten, der ersten Tonsur, der ersten Stufe auf dem Weg zum Priestertum. Wir waren nun mit der braunen Kutte des Heiligen Franziskus bekleidet. Ein jeder trug über dem linken Arm ein weißes Chorhemd und trat einzeln, nachdem er vom Bischof von der Mitte des Altars her bei seinem Namen gerufen worden war, vor, begab sich dann, eine Kerze in der rechten Hand in den Halbkreis und kniete auf den Stufen nieder.

«Bruder Álvaro von Santarém!» rief der Bischof.

Álvaro ging zum Altar und kniete neben dem Gefährten nieder, welcher vor ihm aufgerufen worden war. Diogo und ich waren die letzten.

«Bruder Diogo von der Läuterung!» fuhr der Prälat fort, und Diogo, welcher es kaum erwaren konnte, hatte sich schon auf den Weg gemacht.

«Bruder Pantaleon von Aveiro!»

Seit dem Beginn der langen, monotonen Zeremonie war eine gewisse Unruhe spürbar geworden, welche sich im Rascheln der Kleider, Räuspern, Schnupfen und dem ungeduldigen Scharren von Füßen kundtat. Hinter mir hörte ich, als ich kniete, ein erschrecktes Flüstern, ein kaum hörbares Murmeln:

«Von Aveiro!»

Der Prälat intonierte nunmehr stehend den Psalm *Conserva me, Domine, quoniam speravi in te*, den der Chor weitersang, und nahm die Schere, um denen, die die Tonsur erhalten sollten, das Haar in Kreuzform zu schneiden, während jene «*Dominum pars haereditatis meae et calicis mei: tu es que restitues haereditadem meam mihi*» murmelten. Die schwarzen und braunen Haarbüschel wurden von dem silbernen Becken aufgefangen, welches der Meßdiener hielt, und es herrschte vollkommene Stille, als meine goldenen Locken fielen. Obgleich ich kein Bedauern fühlte, spürte ich in meinem Inneren, daß ich mich von der Welt noch nicht genügend gelöst hatte. Der Bischof warf nun den Tonsurierten das Chorhemd über, nachdem er vom Chor begleitet gesagt hatte: «*Induite novum hominem qui secundum Deum creatus est in justitia et sanctitate.*» Als die letzten Hymnen gesungen waren, wandte sich der Prälat um und erteilte den Segen, und als wir auf unsere Plätze zurückgingen, schickte er sich mit seinen Meßdienern an, den König, gefolgt vom Adel, zum Tor der Kirche zu geleiten. Der Hochaltarraum war leer, und sobald der königliche Zug die Kirche verlassen hatte, gingen wir hintereinander zur Sakristei, nach uns die anderen Priester, die am Altar geblieben waren, und der Domherr der Domkirche, welcher zurückkam, um vom Bischof Abschied zu nehmen. Das Volk strömte auch schon heraus, die Kirche leerte sich, die mit dem Duft von Wachs, Weihrauch und Schweiß geschwängerte Luft war drükkend. Doch auf der Netzhaut meiner Augen, in meinen Ohren blieben Bruchstücke von Empfindungen zurück, welche ich nicht erklären konnte: ein Gesicht, eine Stimme, ein Detail der Orgel, des Chors, das flüchtige Bild von Margarida und Elsa, und vor allem das ganz konkrete, auf der Haut spürbare Gefühl, daß irgend jemand mir mit seinen Augen eine besondere Botschaft sandte.

IV

Das Tor der Welt

«Welch große Orte?
Welch große Könige? Welche Reichtümer?
Welche Gebräuche? Welche Fremdartigkeiten?
Welche Leute und welche Nationen?»
(Garcia de Resende, *Misc.*)

Ich weilte noch einige Jahre in Évora, bevor ich nach Enxobregas kam. Während jenes Lebensabschnittes durchstreifte ich die ganze Umgegend, wobei ich diese Stadt zum Mittelpunkt meiner Wanderungen machte, welche mich jetzt indes vornehmlich in den Norden führten. Ich streifte umher, ich möchte fast sagen, ich vagabundierte, denn eigentlich war dies meine Art des Umherschweifens, mußte ich doch in meinem Innersten zugeben, daß dies, wenngleich die Leute es dafür halten mögen, nicht das Wandern eines Franziskanermönches, sondern ein verlorenes Umherschweifen ohne Orientierung war, eine Suche nach etwas nicht klar Definiertem, ein Aufspüren all dessen, was meine Augen, meine Ohren, all meine Sinne gierig aufnahmen. Ich war ein Sammler von Bildern, die ich auf meiner Netzhaut verwahre ...Teile von Orten, Menschen, winzige Dinge, die niemand sonst ansieht: Jener weite, luftige Hof der Paläste von Almeirim, der Bergfried aus schwarzem Granit im Zentrum der Burg von Avis, der sich vom Weiß der Häuser dunkel abhebt; die Pracht des reichen Hauses der Herren von Bragança in Vila Viçosa: Lehnsgüter und Herrenhäuser im Ribatejo und im Alentejo, die ich so häufig besuchte, daß ich allen dort vertraut war, wenngleich niemand wußte, wer dieser Mönch war, der nirgendwo blieb, von Dorf zu Dorf, von einem Ort zum anderen zog... Ich sammelte Bilder, welche häufig Bruchstücke der Erinnerung an weit zurückliegende Dinge waren: Der Türdrücker oder die Schwelle eines Haues, der zahnlose Mund jener Frau, die ich eines Tages in Sesimbra um Wasser bat, die Form eines Kruges aus ziegelrotem grobkörnigem Ton auf dem Markt von Nisa... Ich nahme Töne in mir auf und bewahrte sie in meinem Ohr: Den Gesang eines Vogels, das Murmeln eines Flusses, die Stimme eines Menschen... Ich saugte Gerüche und Aromen auf, die auf den Flügeln eines Windhauchs vorbeizogen oder von der Bewegung eines Körpers ausgingen. Mit wachen Sinnen bemühte ich mich immer wieder herauszufinden, ob die neuen Orte, welche ich besuchte, mit anderen Orten übereinstimmten, die ich in meiner Erinnerung an Vergangenes verwahrte, ob Stimmen von Menschen, welche ich nunmehr traf, dieselben Stimmen waren, die ich in meiner Kindheit gehört hatte. Warum aber war es für gewöhnlich so, beinah immer so, daß ich forschende Augen auf mich gerichtet sah, doch stets nur verschlossene Lippen vorfand? Um die vergangene Zeit wieder auferstehen zu lassen, gibt es nichts Besseres als Düfte und den Geschmack: der Duft der Erde nach dem ersten Regen oder der starke Duft des vom Vieh durchmisteten Heus, der aromatische Geschmack der Pflaumen von Elvas und saftiger Apfelsinen aus der Gegend von Setúbal... Keiner der Orte jedoch, durch die ich kam und die ich wie meine eigene Hosentasche kannte, keiner kam der Serra de Ossa mit ihrer köstlichen Frische gleich, in deren Schatten ich mich gern flüchtete, wenn mich die klösterliche Schwermut überfiel, ein Gemütszustand, in welchen ich, sehr zu meinem Leidwesen, immer häufiger verfiel. Mein Leben schien keinen Sinn zu haben und, wenn ich dieser ständigen Ortswechsel müde wurde, verbrachte ich lange Zeit über den Büchern, las und studierte alles, was in meine Reichweite kam, und das war viel, denn Évora war zu einem sehr geschäftigen und wichtigen Mittelpunkt der Herstellung von Neuerscheinungen geworden, welche hochgelehrte Männer ständig in Druck gaben.

Diogo erlebte ganz im Gegensatz zu mir eine Phase apostolischer Begeisterung und hatte um die Erlaubnis gebeten, unser Westindien missionieren zu dürfen. So verlor ich einen Gefährten für meine Wanderungen und einen unersetzlichen Vertrauten für meinen Schmerz, meine Skrupel und einen aufmerksamen, barmherzigen und verständnisvollen Zuhörer für meine Verrücktheiten und meine Respektlosigkeiten. Als wir das letzte Mal zusammen einen Spaziergang machten, kamen wir durch eine Straße der Stadt und die Glocken der verschiedenen Kirchen läuteten. Er sagte zu mir.

«Ich werde deine Verrücktheiten, deine Poesie, deine gute Laune ebenso vermissen wie diese Glocken und unser Kloster.»

«Nichts ist endgültig», entgegnete ich in meiner Art, drohende Gefühlsausbrüche durch eine launige Bemerkung abzuwenden. «Du wirst ein anderes Kloster finden und andere Brüder, die genauso liebenswert sind wie ich. Und was die Glocken betrifft, so unterhalten sie sich auf der ganzen Welt, wo immer du auch bist, immer über dasselbe.»

Auch ich verließ Évora auf immer, um mich in unser Kloster von Enxobregas zu begeben... Évora und Diogo! Ein wichtiges Kapitel meines Lebens war abgeschlossen, aber ein nicht weniger bedeutsames begann. Ich richtete es so ein, daß meine Abreise mit der Diogos zusammenfiel, und an einem Morgen, an dem Akazien, Glyzinien und Apfelsinenblüten die Luft mit ihrem Wohlgeruch erfüllten, nahmen wir Abschied vom Abt, welcher uns gerührt in die Arme schloß und mich eindringlich darum bat, indem er sagte, es sei zu Diensten Gottes, meinen Weg über Arrábida zu nehmen und eine Nachricht für unsere Kapuzinerbrüder zu überbringen, welche dort ihre Einsiedelei haben. Ich ging freudig darauf ein und begleitete Diogo bis nach Setúbal, wo der Großsegler auslief, welcher ihn mit sich forttragen sollte. Ich wanderte dann am Flußufer entlang in Richtung auf das Gebirge und konnte lange Zeit hindurch dem Schiff mit den Blicken folgen, bis es am Horizont verschwand. Ich hatte vor, im Kloster zu übernachten, aber die göttliche Vorsehung sollte den Dingen einen anderen Lauf geben, denn sein Gründer und Schutzherr, D. João de Lancastre, der sich dort zu Besuch aufhielt, drängte mich, ihn zu seinem Palast in Azeitão zu begleiten, wo ich ihm am folgenden Tag, einem Sonntag, die Freude machen solle, in der Dorfkirche, welche gleich nebenan läge, die Messe zu lesen. Da ich einem so hohen Herrn die Bitte nicht abschlagen konnte, ritt ich auf einem Saumtier, welches Seine Hoheit für mich ausgeliehen hatte, die Serra in seiner Begleitung hinunter. Unterwegs hatte er die Güte, an meiner Seite zu reiten, wann immer die

Pfade es zuließen, welche zumeist sehr schmal und von dichter Vegetation gesäumt waren, und mir viele Fragen zu meiner Person zu stellen. Er erinnere sich gut daran, nun wo ich es ihm ins Gedächtnis zurückgerufen habe, an meiner Tonsur teilgenommen zu haben, und wollte wissen, weshalb ich einen so seltsamen Namen gewählt hätte.

«Warum Pantaleon?» fragte er.

Ich sagte es ihm, wobei ich ihm bis in alle Einzelheiten erzählte, wie die Reliquien des Heiligen Märtyrers aus Nikomedia nach Portugal gekommen seien, und ihm das Madaillon zeigte, welches ich um den Hals trug. Der Weg wurde enger, wurde zu einem schmalen Pfad zwischen wildem Gebüsch und brombeerumrankten Baumerdbeersträuchern. Wir ritten eine zeitlang in gewissem Abstand hintereinander her.

«Und warum *von Aveiro*?» fragte er, die Stimme erhebend und sich zurückwendend.

«Ich nehme an, ich bin dort geboren», antwortete ich, fast schreiend.

«Ihr nehmt es an? Wißt Ihr es nicht genau?»

«So merkwürdig dies auch erscheinen mag, es ist wahrhaftig so. Jemand hat es mir angedeutet...»

Zum Abendessen bat er mich an seinem Tisch. Ich solle ihm Gesellschaft leisten. Wie ich ja sehen könne, habe er niemanden. Er sei ein unverbesserlicher Hagestolz, so sehr der König ihn auch dränge zu heiraten. Aber was wollen sie denn, fragte er abwesend, als würde er ein Selbstgespräch führen, man könne das Herz eines Menschen doch nicht von einem Augenblick zum andern ändern.

Ich hörte den Schmerz aus seiner Stimme heraus und dachte bei mir, daß dieses Herz noch immer tief betroffen sei von der Leidenschaft, welche es bezwungen hatte.

«Und Ihr, Bruder Pantaleon, was meint Ihr?» fragte er, «Meint Ihr, daß ich heiraten soll?»

«Wer bin ich denn, um Euer Hoheit Ratschläge zu geben?» antwortete ich. «Und zudem noch in einer Sache von so großer Bedeutung!...»

Aber er beharrte: Ich solle ihn als einen Freund ansehen, der Hilfe bedürfe, sagte er, zum ersten Mal lächelnd. Ich würde einem Freund doch nicht die Hilfe verweigern, nicht wahr?

«Euer Hoheit ist zu gütig», rief ich aus und beschloß, mich mit einem meiner Scherze aus der unangenehmen Lage zu befreien: Wenn er einen falschen Greisenbart zur Hand hätte, dann könnte ich ihm wohl einen Ratschlag geben.

Er lachte vergnügt, und während er mir meinen Becher mit dem vorzüglichen Wein seines Gutes füllte, antwortete er:

«Das habe ich leider nicht. Aber Eure Phantasie und Euer guter Wille mögen Euch behilflich sein: Tut so, als hättet ihr ihn, und sagt mir: soll ich heiraten oder nicht?

Ich räusperte mich, setzte eine sehr ernste Miene auf und antwortete feierlich in Versen:

Ein Haus ohne Söhne
ist wie Musik ohne Töne.
Ein Haus wie Eures,
zumal ein so teures
darf stumm nicht bleiben.

Er lachte herzlich über meinen Einfall. Ich hätte ihn aufgeheitert. Lange schon habe er nicht mehr gewußt, was Lachen sei. Meine Antwort stimme, abgesehen davon, daß sie in Versen gekleidet sei, genau mit der des Königs überein. Er danke mir von ganzem Herzen. Ich besäße für ihn mehr Autorität als Seine Hoheit. Ihm bliebe nun nichts anderes übrig, als meinem Rat zu folgen.

«Möget Ihr sehr glücklich werden!» antwortete ich ernst.

Ich solle für ihn beten, murmelte er gerührt.

Am folgenden Tage nahm er sehr gesammelt an meiner Messe teil, wobei er die Gebete in seinem Stundenbuch mitlas, welches einen schönen Einband mit goldenen Lettern hatte und dessen Text mit wunderbaren Miniaturen versehen war. Bei der Kommunion kniete er auf der unteren Stufe des Altars nieder und als ich die Heilige Hostie an seine Lippen führte, bemerkte ich, wie sich eine Träne aus seinem Augenwinkel stahl und im blonden Bart verschwand. Mir fiel die Geschichte ein, welche die Wäscherinnen erzählt hatten, und ich fühlte mit ihm in seinem Schmerz. Als die Messe beendet war, schickte ich mich an, meinen Weg nach Lissabon fortzusetzen, aber Seine Hoheit hatte schon zweien seiner Diener angeordnet, ein Pferd für mich zu satteln und mich bis nach Almada zu begleiten, wo ich ein Schiff besteigen sollte, um über den Fluß zu setzen. Er umarmte mich zum Abschied sehr herzlich und schenkte mir ein Exemplar seines Buches «*Paixão de Cristo*», welches er geschrieben hatte und das gerade erschienen war. Er bat mich inständig, ihn häufig zu besuchen, und hatte, ohne mein Wissen, in meinen Futtersack eine Geldkatze voller Goldreale stecken lassen, wobei er vergaß, daß ich Franziskaner war.

Der Anblick des Tejo, welche Begeisterung! Auf dem Fluß wimmelte es von tausenden von Schiffen aller Art, Naus, Karavellen, Galeonen, Barken, kleine Lastkähne, welche zum Teil bis über die Toppen mit bunten Fahnen geschmückt waren! Im Hintergrund die Häuser der Stadt, welche sich schon jenseits der Fernandinischen Mauern ausbreitete. Niemals zuvor hatte ich wie in diesem Augenblick das Gefühl gehabt, wie sehr doch Lissabon der Hafen der ganzen Welt war, und ich beschloß auf der Stelle, meinen Aufenthalt in Enxobregas zu nutzen, das Treiben in dieser großen Stadt auf das Genaueste zu erforschen. Bereits während der Überfahrt bemerkte ich, daß selbst bei den geringsten Dingen deutlich wurde, daß der Maßstab der Geschäftigkeit der ganze Erdkreis und nicht der winzige Punkt war, den diese Nation darin darstellte. Jene Kiele hatten das Wasser weit entfernter Meere durchpflügt, die Haut der Seeleute war von anderen Sonnen verbrannt worden, ihre Augen waren von exotischen Landschaften erfüllt, in ihren Ohren klang anderes Stimmengewirr, ihre Hände fühlten noch den Druck von Händen anderer Hautfarbe, ihr Geist war erfüllt von der Vielfalt neuer Horizonte, die sich ihnen mit der Kenntnis anderer Gebräuche, anderer Denkweisen, anderen Glaubens und der entsprechenden Toleranz eröffnet hatten. (Und die Gefolgsleute, die Henker der Inquisition? stichelte mein Verstand). Es kamen Naus aus den beiden Indien an, welche an Bord nie gesehene, die Menschen verwirrende Schätze mit sich brachten; eine Flotte wurde vor dem Auslaufen mit Proviant aus Zwieback und Eingesalzenem versehen, als gelte es, die Welt zu umsegeln. Das kleine Boot, auf welchem ich mich befand, fuhr im Zickzack zwischen den dort vor Anker liegenden hochbordigen Schiffen hindurch. Sie alle, sowohl diejenigen, welche aus den verschiedensten Nationen und Orten, aus Flandern, England, Frankreich, Venedig, Genua, Mailand, und Spanien stammten, sowie unsere eigenen, welche aus den beiden Indien gekommen waren, zeigten sich elegant herausgeputzt mit ihren bunten Farben und trugen am Bug stolz ihren Namen. Es war vor allem der Name, welcher ihnen eine so starke eigene Persönlichkeit verlieh, daß ich mir vorstellte, was sie sagen würden, fingen sie zu sprechen an, was mich keineswegs gewundert hätte. Sie würden von ihren Reisen erzählen, von den durchstandenen Gefahren, von den wunderbaren Buchten, Fjorden und geschützen Ankerplätzen, an welchen sie Rast gemacht hatten, von den merkwürdigsten Phänomenen, welche sie gesehen, von den Ängsten und Schrecken, den Freuden und Leiden, den Stürmen, den drohenden Schiffbrüchen, dem Feuer an Bord, von Meuterei und Kaperung durch Freibeuter... Die getragenen Lieder der dösenden Seeleute klangen zu mir herüber oder ihre hitzig streitenden Stimmen beim Kartenspiel, aber stärker noch waren die Stimmen der Schiffe, die ich innerlich hörte, was mir die düstere, einsilbige Art meines Ruderers erträglicher machte. Mein Blick wanderte forschend an dem schweren Ruder einer Nau hoch, welche wir umschifften, ich bemerkte die kalfaterten Fugen zwischen den gewölbten Planken der Bordwand und las, dort ganz oben, in gotischen Lettern, welche sich rot vom blauen Untergrund abhoben und gelb umrandet waren, den Namen «Brügge». Es war ein Schiff aus den Niederlanden.

«Wir sind angekommen!» sagte der Fährmann nachdrücklich, weil er bemerkte, wie geistesabwesend ich war, während er bereits nahe am Ufer ein Hindernis umschiffte und das Boot zum Festmachen an die Kaimauer manövrierte.

«Bruder Soundso», tönte vom Rand einer Mauer die heisere Stimme eines rotnasigen Seemannes mit faulen Zähnen herunter, «Ihr kommt gerade recht, Vater, denn nach all dem, was meine Augen gesehen und meine Ohren gehört haben, brauche ich Euren Segen nicht mehr!» Und er grunzte ein weinseliges, gurgelndes Lachen, welches Erbrechen ankündigte.

Und ich dachte weiterhin, daß es für Unbotmäßigkeiten, welche sicher die natürlichen Früchte einer Zeit der Umwälzungen und Neuheiten sind, hier auch genug Raum gab.

Ich ging an der Ribeira neben den Werften an Land, auf welchen in brodelnder Betriebsamkeit Schiffe gebaut und wieder instandgesetzt wurden. In meiner Nähe befestigten die Zimmerleute bereits die von den Böttchern vorbereiteten, gewölbten Planken einer Bordwand. Ein Stück weiter arbeiteten die Kalfaterer geschickt mit dem Kalfatereisen daran, das Werg in den Fugen einer alten Karavelle gegen neues auszutauschen, das sie zuerst in einen Topf mit Pech tauchten und dann in die Fugen zwischen den Planken stopften. Eine bereits fertige Nau, deren rohes, helles Holz noch gestrichen werden mußte, erinnerte an ein Neugeborenes – welch ein Wunder! Weiter vorn wurde eine weitere Nau mit einem Anstrich versehen und bis zur Wasserlinie mit dicken Schichten aus Pech überzogen, das in riesigen, rauchenden Töpfen kochte.

Auf der Rampe wartete eine lecke Galeone darauf, daß sie an der Reihe war, ihre Wunden behandeln zu lassen, welche ihr die heimtückischen Syrten geschlagen hatten...

Während meiner Streifzüge durch die Stadt ging ich häufig dorthin zurück, um die Arbeit zu beobachten, um zu sehen, wie eine geschmückte Nau das erste Mal die Rampe der Werft hinunterschaukelnd ins aufspritzende Wasser glitt. Es war dies eine Art Taufe, und genauso verstanden es auch die Handwerker, denn dieser Akt war für sie ein Fest, das sie ausgiebig feierten, indem sie das Schiff schmückten und Wein zu seinen Ehren tranken. Es traf sich, daß ich eines Tages das Auslaufen einer Flotte am Restelo-Strand erlebte, eine Zeremonie, welche die Anwesenheit des Königs außergewöhnlich feierlich gestaltete. Eine gesungene Messe wurde in dem kürzlich erbauten wunderschönen Hieronymitenkloster zelebriert, und darauf zogen alle in einer Prozession zum Strand, wo die Seefahrer die Boote besteigen würden, welche sie zu den in der Ferne liegenden flaggengeschmückten Naus bringen sollten. Der König und sein Gefolge hatten schon auf dem mit Maßwerk verzierten Altan des Wehrtums von Belém Platz genommen, von dessen abgeschrägten Zinnen aus der Bischof der Flotte und den auf dem unteren Hof versammelten Seeleuten den Segen gab. Das war der schmerzlichste Augenblick! Herzzerreißende Szenen voller Tränen, Schreien und Ohnmachten! Mütter, Ehefrauen, Kinder, die aus den Armen derer gerissen werden mußten, die abreisten!...

Wohl bemühten sie sich zu lächeln, sich sorglos zu zeigen... An ihren glänzenden Blicken, der erstickten Stimme merkte man indes, wie es in ihrem Inneren aussah. Einige blickten den Ihren, um die in diesen Umständen so notwendige seelische Stärke zu bewahren, nicht ins Gesicht, sondern taten so, als seien sie geistig abwesend und verabschiedeten sich kaum, sie drehten ihnen den Rücken zu und bestiegen das erste auslaufende Boot. Als alle eingeschifft waren, entstand eine große Stille in der Menge am Strand, und selbst jene, welche durch ihre Reden gezeigt hatten, daß sie nicht einverstanden waren, verstummten. Tief im Innern verwahrten die Zurückgebliebenen ihre Argumente gegen diese Unternehmung und würden sie erst dann herausschreien, wenn die Zeremonie beendet wäre und die Flotte, nachdem sie die Reede verlassen hatte und ganz allmählich vom Küstenstreifen verdeckt wurde, nicht mehr zu sehen sein würde. Die Menge zerstreute sich dann in kleine Gruppen, welche durch ihre Haltung, ihr Handeln und ihr Aussehen unterschiedliche, manchmal sogar auseinandergehende Gefühle und Meinungen zeigten: Trauer, Schmerz, Angst, Niedergeschlagenheit, ohnmächtigen Zorn, Euphorie, kaum verhohlenen Stolz, ruhige Zustimmung – so groß war die Ungewißheit über den Ausgang dieses Unternehmens. Viele machten sich unter Wehklagen auf den Heimweg, schmerzlich schweigend, wie wenn man nach einer Beerdigung vom Friedhof zurückkehrt; andere gingen eilig davon und schwatzten miteinander, als kämen sie von einer Kirmes.

Ich ging zwischen den Menschen am Ufer entlang. Eine Gruppe etwa zehn bis zwölf Jahre alter Jungen spielte Bockspringen, und wenn einer über den anderen sprang, rief er «Vasco da Gama nach Indien!» und duckte sich ein Stück weiter vorne. So daß ich bei mir dachte, der Einfluß der Neuen Zeit würde selbst in den Spielen der «Putos» merkbar (*putti*, wie die Italiener sagen, und wie ich sie so häufig in Venedig, Trient und anderen Orten die kleinen Jungen habe nennen hören und wie ich es selbst einmal in einem Buch – ich weiß nicht mehr in welchem gelesen habe, in dem das Jesuskind so genannt wurde: «Als Unser Herr noch ein «putto» war). Ich blickte zurück, um gleichzeitig die massigen Gebäude des Hieronymitenklosters, dessen weißer Stein in das dichte Grün der Hänge der Serra de Monsanto gebettet war, und die anmutige Silhouette des

Wehrturms vom Restelo im Blick zu haben, welcher, dem Tejo die Stirn bietend wie eine stolze Nau mit ihrem Bug und ihren Aufbauten, sich wachsam vom Blau des Himmels abhob. Diese beiden großartigen Bauwerke bildeten den westlichen und die Kirche Madre de Deus den östlichen Endpunkt der sich ausbreitenden Stadt. Überall war das Baufieber ausgebrochen: da waren die neuen königlichen Paläste von Enxobregas, der von S. Cristóvão, der an der Ribeira, welche in gewisser Hinsicht den alten Residenzpalast den Rang abliefen; da waren die Gebäude des Hospital de Todos-os-Santos und des Hospital da Misericórdia, die Herrenhäuser der Adligen, die Speicher, die Casa da India und die Werkstätten der Handwerker und Läden der Kaufleute, welche, einst innerhalb der Mauern ordnungsgemäß in bestimmten Straßen gelegen, so, wie es der gute König D. João, der erste dieses Namens, verfügt hatte, sich nun nach Belieben außerhalb der Mauern ausbreiteten. Dennoch war es gerade diese Vielfalt und diese Vermischung von Handwerk und Handel, die der neuen Stadt, die größer wurde und sich ausbreitete wie mit Benzoe getränktes Öl, eine vorher unbekannte, besondere Note gaben, spürte man doch hinter all dieser Geschäftigkeit und dieser Prosperität den aus Übersee gekommenen Reichtum. Die Wohnhäuser reihten sich in neuen Vierteln hügelauf und hügelab rund um die alte Mauer aneinander. Neue, breite Straßen wurden angelegt, die luftiger und sauberer waren als die dreckigen, übelriechenden Gassen und Gäßchen, in denen die Krankheit hauste und häufig Seuchen ausbrachen. Es wurden mehr Türen und Fenster in die Wände gebrochen, noch ein Stockwerk, ein Walmdach daraufgesetzt, im Hof dahinter ein Garten für Obst und Gemüse angelegt, wo neben dem Wasserbecken ein Brunnen gebaut wurde. Die Veränderung der Dinge drückte offenkundig die Veränderung der Menschen aus. Einige königliche Verordnungen wiesen auf das Bemühen hin, für die Einheimischen bessere Lebens-und Arbeitsbedingungen zu schaffen. Da viel Geld im Umlauf war und der Handel prosperierte, gab es weniger Mangel, der Luxus war eine natürliche Versuchung, und auf längere Sicht erwuchs daraus folgerichtig und notwendigerweise eine Lockerung der Sitten, wenn nicht gar Zügellosigkeit. Die Straßen wimmelten von Menschen vieler Nationen, was man an ihrer Statur, an der Art sich zu kleiden und an ihrer Sprache merkte. Zeichen dieser Zeit waren nie zuvor gesehene Dinge, welche die Vorübergehenden verblüfft stehenbleiben ließen, *arrectis auribus oculisque*! Ein dunkelhäutiger Eingeborener saß auf einem riesigen Elefanten, welcher gerade ausgeladen worden war, und führte den schweren, schaukelnden Mastodonten, das Geschenk eines Vizekönigs von Indien für den König, durch die Straßen der Stadt. Am Fenster eines palastartigen Hauses entzückte ein Papagei mit herrlich buntem Gefieder auf seiner Sitzstange – Oh, alter Catull!... Oh, Weihe des Imperiums ... – Erwachsene und Kinder, zu denen er «Olé» sagte. Im Schatten einer Laube schwirrten Colibris aus Brasilien in einem Käfig. Ein Mann kam mit einem Seidenaffen auf der Schulter vorbei, welcher den Leuten, denen er begegnete, die Zähne zeigte und Fratzen schnitt, wie ein ungezogenes Kind. Ich ging weiter an einem langgestreckten Schuppen mit einem Spitzdach entlang und blieb stehen, um die Steinmetze des Meister Boitaca zu beobachten, welche mit Hohlmeißel und Meißel in den vom feinen Staub des Ançã-Steines weiß gepuderten Händen ihre Steinblöcke bearbeiteten: Schöne Dachtraufen und teuflisch finster aussehende Wasserspeier, schlanke Turmspitzen, Maßwerk von Fensterrosen, Säulenschäfte, Laubwerkkapitelle und viele andere Wunderdinge, welche mich auf den Gedanken brachten, daß man auch aus Stein Poesie machen konnte. Es folgten die geschäftigen, lärmenden Werkstätten der Zimmerleute und Küfer, die alle Hände voll zu tun hatten. Von einem Ochsenkarren wurden Bretter seltener Hölzer abgeladen, Mahagoni, Teak, Ebenholz, und auf einem Hof gestapelt, auf welchem man unbearbeitete Baumstämme liegen sah. Anderswo schnitzte ein Handwerker einen Altaraufsatz, und etwas weiter gab ein Goldschmied einem silbernen Schmuckteller mit Jagdszenen aus dem afrikanischen Busch, Elefanten, Palmenhainen, Bananenstauden und trommelschlagenden Negern den letzten Schliff. Drüben wurden ein Astrolabium zusammengebaut, ein Sextant, ein Jakobsstab vollendet. Hier schlug ein Kesselschmied einen großen Kupfertopf, während neben dem Eingang der Blechschmiede Eimer, Laternen aus Weißblech, Trichter, Töpfe und Pfannen hingen. Auf dem Largo de Pampulha, vor einem Pranger mit einer korkenzieherförmig gedrehten Säule, welche von einer Armillarsphäre mit einem Kreuz des Christus-Ordens gekrönt ist, paßten Steinmetze die Steine eines Brunnens ineinander. Ein Tapetenwirker stellte kostbare Perserteppiche aus, welche von den Naus aus dem östlichen Indien hergebracht worden waren, und in einem anderen Teil seines Ladens verkaufte er Wandbehänge, welche aus Guimarãesleinen und Seide aus China zum Teil in Goa, Malakka und Bengalen gearbeitet und mit Szenen wie der des Richtspruchs Salomons oder der Arbeiten des Herakles oder mit Vögeln und Pferden bestickt waren.

«Die Königin», sagte er mir, «besitzt einen großen Saal, in dem indische Frauen und Mädchen so kostbare Decken wie diese hier weben und besticken. Es sind sehr geschickte Stickerinnen, die die Kapitäne mitbringen.»

In einem Möbelladen gab es feinste Möbelstücke, unter denen auch Neuartiges zu finden war: zwischen Tischen, Betten, Stühlen, Truhen und Truhen mit Schubladen, sah ich dort einen Ebenholzschrank aus Goa mit Intarsien aus Perlmutt, Elfenbein und Edelsteinen.

Eine Druckerwerkstatt zieht meine Aufmerksamkeit auf sich. Ein Mann erscheint in der Tür und betrachtet ein soeben gedrucktes Blatt Papier: die in akkuraten Zeilen angeordneten gotischen Lettern und die roten Verzierungen fallen mir auf.

«Wenn Ihr es euch anschauen wollt, kommt herein Bruder!» sagt er, meine Neugierde bemerkend. «Das Haus steht zu Eurer Verfügung.» Als er ein wenig zur Seite tritt, um mich vorbeizulassen, gehe ich dankend hinein:

«Euer ergebenster Diener, mein Herr.»

«Germão Galhardo, Euch zu Diensten.»

Ich nenne ihm meinen Namen und lasse meinen Blick durch den Raum schweifen, während er mit äußerster Sorgfalt das Blatt auf eine Leine neben andere Blätter hängt, welche dort bereits trocknen. Ein weitläufiger Saal, in den das Licht von links durch ein großes Rundbogenfenster fällt. In dessen Leibung («Bringen Euer Vater ein Werk zur Veröffentlichung mit?») befindet sich, in den Raum ragend, ein hohes Regal, in welchem zu beiden Seiten die schräg gestellten Kästen mit dem Lettern stehen («Schriftsteller? Ich?»). Am oberen Rand jeder dieser Kästen ist auf der durch das Bord gebildeten Trennwand eine handgeschriebene Buchseite befestigt («Aus dieser Papiermasse werden sie gemacht...!»), auf der zwei Gesellen, die davor sitzen, den Text lesen, um dann die entsprechenden Lettern auszuwählen und die Druckform zu gestalten, («Falls Ihr eines Tages etwas schreiben solltet, so habt Ihr hier Euren Buchdrucker, so Gott mir Gesundheit schenkt.») Sie arbeiten flink, wie jemand, der seit langem sein Handwerk ausübt.(«Ich danke Euch sehr, Meister Germão.») Aber Meister Germão legt bereits ein weiteres Blatt in die Druckerpresse und bewegt dann mit beiden Händen einen mit einer großen Holzschraube verbundenen Hebel, wobei sie ächzend angezogen und die Druckform auf das Papier gepreßt wird. In der Mitte des Raumes arbeiten weitere Handwerker vor Kästen, welche Initialen mit phantasievollen Formen, Vignetten, Einfassungen, Kreuzblumen, Figuren, Muster, Titelblätter und viele weitere Elemente dieser Kunst enthalten. Hinter Meister Germão steht ein Drucker, der einen mit Druckerfarbe getränkten Lederballen in jeder Hand hält, die er beide auf eine Marmorplatte schlägt und darauf kreisend bewegt, um die schwarze, zähe Flüssigkeit im Druckerballen gleichmäßig zu verteilen, um dann eine neue Druckform sorgfältig einzufärben. In der gegenüberliegenden Ecke befindet sich der Bereich des Buchbinders, und man sieht auf einem Tisch bereits einige Bände, welche frisch aus der Presse kommen und dort ihr ledernes Wams angezogen bekommen haben. Auf einem schönen, mit Schnitzwerk und einem gedrechselten Fuß versehenem Pult liegt als Augenweide aufgeschlagen ein kostbares, mit Gold und Silber ausgeschmücktes Stundenbuch.

«Fertig!» ruft Meister Germão fröhlich aus und lockert die Schraube, nimmt das letzte Blatt aus der Presse, hebt es in die Höhe und liest die letzten Zeilen des Impressums:

> «Gedruckt in der höchst edlen und immer getreuen Stadt Lissabon von dem Drucker Germão Galhardo am dreiundzwanzigsten Tag des Monats April, im Jahre des Heils eintausendfünfhundertdreiundvierzig.»

Es ist das *Repertório dos Tempos em Linguagem Português* von Valentim Fernandes, doch Meister Galhardo nimmt schon meinen Arm und zieht mich in einen Nebenraum, seine Bibliothek, welche aus den in vielen Jahren seit seiner Niederlassung in Portugal in seiner Werkstadt herausgegebenen Editionen besteht. Die bereits gebundenen Bände stehen dort ordentlich aufgereiht in den Borden.

«Dort seht Ihr es, Vater», und Zufriedheit strahlte aus dem Gesicht des Druckers, während er mit seinem rechten Arm weit ausholte und über die Buchrücken fuhr. «Ein ganzes Arbeitsleben.»

«...und hoffentlich», füge ich hinzu, «läßt Gott es noch lange währen.»

«Amen!»

Ich trete näher. Da ist der *Tratado da Esfera* des Claudius Ptolemäus Alexandrinus, aus dem Lateinischen in das Portugiesische übertragen von Dr. Pedro Nunes, dem Kosmographen des Königs. Ich erinnere mich daran, *De Amicitia* und *Somnium Scipionis* des Marcus Tullius Cicero gesehen zu haben, Bücher, welche ich bereits bei einem Büchhändler in der Stadt gekauft hatte, ebenso wie eine Grammatik des Portugiesischen, die vom edlen Herrn D. Fernando de Almada in Druck gegeben worden war, eine *Prática Arismética* des Lizentiaten Rui Mendes, und Theaterstücke von António Ribeiro Chiado und viele andere Bücher mehr, so viele, daß es unmöglich ist, alle zu nennen... Meister Germão blättert in einigen herum und fordert mich auf, die Ornamente auf der Stirnseite und im Inneren seiner Editionen zu würdigen, zeigt mir mit natürlichem Stolz seine Druckermarken, welche in einigen Werken eine Armilarsphäre und in anderen, da er Drucker des Königs ist, das königliche Wappen mit einem Greif ist. Er nimmt die *Crónica do Imperador Clarimundo donde os Reis de Portugal Descendem* und weist auf einen Stich, welcher den Kaiser neben einem Thron stehend zeigt, aus dem die Wurzeln des Stammbaums der portugiesischen Könige aufsteigen. Da ich Franziskaner bin, sucht er aus dem Bord ein Bändchen heraus und zeigt es mir:

«*Wie der Heilige Franziskus möge er die Armut suchen*», liest er, «von einem Franziskaner der Provinz Piedade. Lissabon, 1529.»

Er besteht darauf, daß ich darin blättere. Der Titel ist von einem säulengeschmückten Tor mit einem Tympanon umrahmt, welcher in der Mitte auf einem Nest voller Junger mit aufgerissenen Schnäbeln einen Pelikan zeigt, der mit dem Schnabel in seine eigene Brust hackt.

«Warum ist da ein Pelikan?», frage ich, an mein Medaillon denkend.

«Wenn eine Werkstatt wie diese wegen des Todes ihres Besitzers oder aus anderen Gründen aufhört zu bestehen, führen die Erben entweder das Werk weiter oder sie verkaufen den gesamten Hausrat. Ich habe einiges Druckmaterial auf diesem Wege erstanden. Ihr werdet zugeben, daß der Pelikan ein schönes Symbol ist.»

«Kennt Ihr das Bild eines Pelikans mit einem fünfzackigen Stern auf der Brust?»

Mit einem Stern?!... Da müsse er überlegen... sagt er, streicht sich übers Kinn und rollt die Augen. Mit einem Stern, nein, das habe er vermutlich nie gesehen. Der Stern oder Sterne fänden sich häufig in den Wappen bestimmter Adliger. Er glaubte, sie seien das Zeichen für den Sieg über die Mauren...

«Und der Pelikan?»

Der Pelikan?... Einen Augenblick... er habe dort wahrscheinlich ein Buch... Und er tritt auf der Suche nach einem Buch an ein Bord. Er fand es nicht gleich. Er nimmt eines, öffnet es, zeigt mir unbefangen Vignetten, den Wechsel von Schwarz und Rot, eine Miniatur, die eine Initiale umrankt...

«Ja, Hier ist es! *Regra e Estuatutos da Ordem de Santiago*... Seht hier.» und er zeigt mir das Frontispiz. Die gotischen Lettern des Titels sind von ornamentalen Rändern eingefaßt, welche Vögel zwischen Blumen und Früchten zeigen. In der Mitte, unten, ein L, dessen Schaft in einer Krone steckt. Als er das Blatt wendet, ein Wappen und im Wappen... ein Pelikan!...

«Das ist», erklärt mir Meister Galhardo auf meine fragenden Blikke hin, «das Wappen des Großmeisters von Santiago und Avis, des Herzogs von Coimbra... Dieses L bedeutet Lancastre, D. Jorge de Lancastre, Sohn von D. João II. Er behielt das Emblem seines Vaters bei, den Pelikan.»

Es widerstrebte mir, diese beiden Tatsachen als Indizien für etwas zu akzeptieren, was mich anging, und fand es lächerlich, einfache Zufälle ernst zu nehmen. Der Pelikan auf der Titelseite und das Wappen von D. Jorge hatten ebensowenig mit mir zu tun, wie das Tuch meiner Kutte nicht aus demselben Stück wie das Franziskanerhabit der alten Königin D. Leonor war. Als ich mich von Meister

Galhardo verabschiedete, hatte dieser Zwischenfall nicht die geringste Spur in mir hinterlassen, und meine Aufmerksamkeit wurde erneut vom Treiben und Lärmen der Stadt gefangengenommen, welches immer stärker wurde, je mehr ich mich dem Zentrum näherte. Man hörte die Rufe der Wasserträger, der Fischfrauen, der Kohlenhändler, Bruchstücke von Unterhaltungen, in welchen man häufig fremde Sprachen ausmachte. Zwei Männer übten Kritik an dem Aufblühen des Reichtums, der, ohne daß man wußte wie, entstanden war:

«Und den ganzen Nutzen», sagte eine, «ziehen jene daraus, die für all diese Waren ein Alleinverkaufsrecht ausüben und von einem Augenblick zum anderen reich werden.»

«Das kennt man doch! Das sind die ganz feinen Diebe!» entgegnete der Gefährte. «Die kaufen im voraus alles Feste und Flüssige zu einem niedrigen Preis auf und machen dann ganz nach ihrem Geschmack neue Preise für alles, was eingeführt wird: Bücher, Holz, Seide, Flanell, Leinwand, Kuchen und Tierhäute von den Inseln, Zimt, Indigo, Bezoarstein und andere Waren aus Ceylon, China und Persien. Und hier im Mutterland sind es die Rosinen, die Mandeln und der Thunfisch aus dem Algarve. Das habe ich Euch ja gesagt. Die Aufkäufer fahren ins Ursprungsland und kaufen die Waren alle insgesamt auf, um sie dann viermal so teuer oder noch teurer zu verkaufen.»

«Ich bleibe dabei. Wenn sie ein Alleinverkaufsrecht auf Quecksilbersublimat, Pfeffer, Perlen und Diamanten, Spielkarten, Parfüm und andere Luxusgüter vergeben, meinetwegen. Auf all diese Sachen kann man gut verzichten. Aber daß auch die lebensnotwendigen Dinge aufgekauft werden, Nahrungsmittel und Kleidung, selbst das Brot, und erlaubt wird, daß skrupellose, raffgierige Reiche dicke Geschäfte auf Kosten des Volkes machen, das ist etwas, was entschieden eingeschränkt werden müßte...»

Es müßte vielmehr für alle Waren ein Preis festgelegt werden. Dann würde man für ein Paar Schuhe, die vor kurzen nicht einmal fünf Vintens kosteten, heute nicht über zehn bezahlen!»

«Ich will Euch mal was sagen, Gevatter. Es reicht nicht aus, daß die Marktvogte die Bäckersfrauen, Marktweiber, die Gasthäuser und Tavernen überwachen, wenn die Dinge für einen angemessenen Preis verkauft werden...»

Wenn er was zu sagen hätte, würde er ein Gesetz erlassen, welches eine Höchststrafe für all diejenigen vorsieht, welche mehr als den festgelegten Preis verlangten...

Ich setzte meinen Weg fort. Ein Blinder pries mit monotoner Stimme einige unbeholfen gedruckte Blättchen an, welche er an einer Leine aufgehängt hatte:

«Seht hier die wunderbare Geschichte der Kaiserin Porcina, der Gemahlin des Kaisers Lodonius von Rom, worin beschrieben wird, wie besagter Herrscher jene Frau ermorden ließ...»

Die Leute liefen zusammen, um mit offenem Munde zu lauschen:

«Und hier die lustige Geschichte von den drei Buckligen aus Setúbal: Lucrécio, Flaviano und Juliano! Nur einen halben Vintem das Heftchen!» sagte die Frau, welche den Blinden begleitete.

«Lest den wundersamen Fall vom Teufelsrobert, der zu Gottes Robert wurde, oder den der Prinzessin Magalona, welche, von ihrem Geliebten ins Verderben gestürzt, ungezählte Widrigkeiten und Hindernisse überwinden mußte, um schließlich das Glück in den Armen ihres Ehemannes wiederzufinden...»

«Helft dem blinden Dichter Baltasar Dias», rief die schrille Stimme der Frau, «welchem unser Herr, der König, aus Barmherzigkeit das Privileg verliehen hat, seine «Autos» und kurze Heldengedichte zu drucken. Hier das *Auto de Santo Aleixo*, Sohn des römischen Senators Eufemianus, und das *Auto de Santa Catarina*, der jungfräulichen Märtyrerin, und das Stück über König Salomon und das über den Diebesmarkt. Alles Werke des blinden Dichters Baltasar Dias, welcher hier anwesend ist! Kauft, kauft, es ist alles billig! Alle vier Stücke kosten zusammen nur einen Vintem... Seht hier das Mysterienspiel von Christi Geburt und die Tragödie des Marquis von Mantua und das über die Arglist der Frauen... Wer kauft, wer kauft? ...

Baltasar Dias war ein Mann von etwa vierzig Jahren. Seine Züge prägten sich ein wegen der wachsbleichen Haut, des sanften Lächelns, das seine blutleeren Mundwinkel umspielte, und wegen der inneren Ruhe, die er ausstrahlte und die durch das Fehlen von Glanz und Lebendigkeit in seinen Augen noch unterstrichen wurde, denn seine Lider waren vollkommen geschlossen. Obschon er bei weitem nicht den Witz und den Erfindungsgeist des Meisters Gil Vicente besaß, so schrieb er doch «Autos», Possen und kleine Geschichten, die in ihrer Einfachheit dem Volke gefielen und die er eigenhändig mit seiner Frau auf den Straßen und unter den Arkaden Lissabons verkaufte. Sie verkauften auch Fliegende Blätter und Werke anderer Autoren, einige davon Übersetzungen von Werken, welche im Ausland verbreitet waren, und verdienten so ihren Unterhalt. Er und seine Frau priesen weiterhin die Schilderungen der merkwürdigsten Fälle und phantastischsten Begebenheiten von Werwölfen und Drachen, Nixen und Tritonen und wer weiß noch was an. Viele Leute kauften und gewährten so den heiseren Stimmen der Verkäufer eine Ruhepause. Ich war, von meiner Neugierde und meinem Lesehunger getrieben, stets ein ausgezeichneter Kunde. Ich kehrte ihnen mit meiner Ware bereits den Rücken zu, als die Litanei weiterging:

«Seht hier den wahren Bericht von dem traurigen Schiffbruch der Nau *São Gabriel*, die aus dem östlichen Indien zurückkam, und was den Überlebenden im Urwald des Kaps widerfuhr!» schrie die Frau, während die ruhige, langsame Stimme des Blinden die «wohlbekannte und anmutige Ekloge» ankündigte, «welche *Crisfal* heißt und die unglücklichen Liebschaften des Cristóvão Falcão erzählt, auf den der Name der Ekloge hinzuweisen scheint.»

Ich kaufte auch diese zwei Heftchen und während ich meinen Weg wieder aufnahm, öffnete ich letzteres. Es begann so:

Zwischen dem hochgeschätzten Sintra
und dem Gebirg im Ribatejo,
das Arrabida genannt,
unweit der Stelle, wo der Fluß
ins salzige Wasser sich ergießt,
lebten einst ein Hirt und eine Hirtin,
die so sehr sich liebten,
wie die Liebe Schmerzen brachte,
jene Liebe, die nicht sein durfte,
was sie indes nicht kümmerte.

Es war die Geschichte einer heimlichen Heirat gegen alle weltlichen Konventionen, welche im Interesse von Namen und Reichtum das Mädchen zwangen, sich in das Kloster von Lorvão zurückzuziehen und ihrer ersten Liebe zu entsagen, was den armen jungen Mann todunglücklich machte.

«Nun ja», seufzte ich, von der Vorstellung betrübt, daß so viel Engherzigkeit Menschen ins Unglück stürzte, von ebendiesen Schmerzen leben die Dichter!...»

Ich warf einen weiteren Blick auf diese Verse, und der Zufall, daß diese Liebe sich zwischen Sintra und Arrábida abgespielt hatte, rief mir jenen anderen Fall vom Gründer des franziskanischen Kapuzinerklosters in diesem Gebirge ins Gedächtnis... Und hier nun ganz plötzlich eine Anspielung darauf in diesem Text! Mittels eines außergewöhnlichen Kunstgriffs wurde alles erzählt, als handelte es sich um eine Traumreise des Dichters durch die Lüfte, welche die Berge und die Täler, die Flüsse und die Bäume, Wege und Häuser, Menschen und Vieh von oben gesehen beschreibt als kleine Punkte, Miniaturen dort in der Tiefe. Dies war nicht neu für mich. Hatte ich doch den Bericht einer Reise auf den Mond gelesen, welche der Grieche Lukian von Samosata im 2. Jahrhundert unserer Zeitrechnung in seinem *Icaromenippus* gemacht hatte. Der Zyniker Menippus beschließt, aus dem Wunsch heraus, zu erfahren, wie das Universum gestaltet ist, dort hinzureisen, um mit eigenen Augen zu sehen, wie die Dinge sich abspielen. Er verschafft sich die Flügel eines Geiers und eines Adlers, befestigt sie gut an seinen Schultern, und schon fliegt er über den Hymettos, den Akrokorinth, den Erymanthos und den Taygetos, fliegt höher als der Olymp, bis er zum Mond gelangt. Von dort blickt er durch den Sternenstaub, in dessen Mitte er die Erde nur unter Schwierigkeiten am Koloß von Rhodos und dem Leuchtturm von Alexandria erkennen kann, stellt abgeklärte Betrachtungen über die Kleinheit und Unbedeutsamkeit des Menschen im Herzen des Kosmos an und darüber, daß es sich nicht lohnt, das kurze Leben mit Traurigkeiten und Mitleid mit den anderen zu vergeuden. Ich hatte auch etwas über die Geschichten aus *Tausendundeiner Nacht* gehört, in der wunderbare Reisen auf fliegenden Teppichen erwähnt werden. Zum anderen hatte ich bei Cicero in dessen *Traum des Scipio* über eine Sicht der Welt von einem erhöhten Punkt aus gelesen, und ich kannte sie sehr gut aus dem Evangelium, aus der Szene der Versuchung Christi, als der Teufel ihn auf den Gipfel eines hohen Berges trägt... Aber unmittelbar beeindruckte mich bei der Lektüre der Reise des *Crisfal*, daß jener, als er einmal, über Azeitão an den Hängen der Serra da Arrábida hinwegfliegend, nach unten schaut und dort einen gewissen Natónio in Trauerkleidern eine gescheiterte Liebe wie die seine beweinen und die Treulosigkeit der Geliebten beklagen sieht und hört, wie dieser schluchzend «Ach, Guiomar! Guiomar» ausruft.

Es fiel mir nicht schwer, jenen Natónio wiederzuerkennen. Ob er bereits beschlossen hatte zu heiraten, wie ich es ihm in Versen geraten hatte, als ich in seinem Hause weilte? Gebe es Gott, und auch der arme Cristóvão Falcão möge seinen Schmerz überwunden haben, denn obgleich fremder Schmerz den eigenen lindert, so scheint es mir doch höchst ungesund, von vergeblich gehegten Gefühlen nicht loszukommen... Die Zeit übernahm es, mir eine Antwort auf diese Frage zu geben, denn zwei Jahre später, als ich mich im Kloster von Enxobregas ruhig dem Studium widmete, erfuhr ich, daß der Herr von Azeitão eine Dame des Hochadels geheiratet hatte, D. Juliana de Lara, und ihn der König, aus dem Wunsch heraus, alte Wunden zu heilen, abgesehen davon, daß er ihn ständig bei Hofe haben wollte und ihm den Titel eines Herzogs verliehen hatte, ihn mit wichtigen Geschäften betraute, wie zum Beispiel dem, das Gefolge anzuführen, welches an der Grenze zu Spanien die Prinzessin D. Joana, die Braut des Prinzen D. João, empfangen wollte. Ich erfuhr auch von den Torheiten des alten Herzogs von Coimbra, D. Jorge, welcher im Alter vom siebenundsechzig Jahren ein wunderhübsches sechzehnjähriges Mädchen, eine Zofe der Königin, heiraten wollte oder es sogar geheiratet hat, was seine Kinder und selbst den König verärgerte und vom Volk belustigt kommentiert wurde. Im Strudel der Zeit geschahen im Königreich viele Dinge, welche ich erst sehr viel später erfahren sollte, da auch in meinem Leben, in einem Augenblick, in welchem mir alle Wünsche danach fern lagen, unvermittelt Veränderungen eintraten – etwas, was mir seit langem ungewohnt war – und mich aus meiner Heimat wegführten. Und zwar ließ der Abt eines Tages nach mir rufen und sagte zu mir:

«Ich habe für Euch eine wichtige Nachricht, Bruder Pantaleon. Sie kommt von unserem Provinzial, welcher sie seinerseits von unserem Ordensgeneral erhalten hat. Ihr müßt sehr diskret und verschwiegen sein, um Eure Vertrautheit und Euren Umgang mit einflußreichen Personen so gut verbergen zu können, denn was ich Euch sagen werden, kommt sicher von höchster Stelle.»

«Ich verstehe Euch nicht, Vater», sagte ich ganz aufrichtig und wußte nicht recht, was ich davon halten sollte.

Er lächelte mir zu mit einer Miene, welche das Gefühl vermittelte, daß er meine Diskretion sehr wohl verstand, was mich unangenehm berührte, denn ich war keineswegs in irgendeiner Hinsicht diskret, da ich nicht einmal wußte, worum es ging.

«Ihr seid», sagte er langsam, die Silben betonend, als wollte er die Nachricht verlängern und spannender machen, «als Adjutant des Generalsekretärs unseres Ordens bei der römischen Kurie detachiert... und müßt so bald wie möglich aufbrechen.

Anfangs verstand ich es nicht und mein Gesichtsausdruck muß Bände gesprochen haben, denn er fügte hinzu:

«Das heißt, Ihr geht nach Rom. Gefällt Euch die Nachricht nicht?»

«Nach Rom? Ich?» fragte ich überrascht und verwirrt, und ohne zu wissen, was ich dazu sagen sollte, ließ ich mich unter den lächelnden Blicken meines Superiors auf einen Stuhl fallen...

V

Rom... Venedig... Trient...

...«ταυτα χαι τα τοιαυτα αναπολων χαδημαι ορων επι οινοπα ποντον χαι την σην φιλην Σχυλλην χαι Χαρυβδιν χαι τον επιχινδυνοτατον τουτον πορδμον αλγϖν μεν τϖ μενειν, δαχρυων δε τϖ μη δυνασθαι πλευσαι, απορϖν δ'οτι ποιειν χρη η οποι γης ιω.»

...«und während ich jene Dinge in meinem Geiste wieder und wieder vorüberziehen ließ, saß ich dort auf dieses weinfarbene Meer blickend und dessen geliebte Scylla und Charybdis und diese höchst gefährliche Meeresenge, litt, weil ich blieb und weinte, weil ich nicht abreisen konnte, wußte nicht, was ich tun oder an welchen Ort dieser eitlen Welt ich sollte.»

(J. Lascaris, in Iriarte,
Regiae Bibliotheca Matritensis Codices Graeci.)

Ich erinnere mich nicht mehr genau daran, ob mich in Rom oder Venedig die unerhörte Nachricht erreichte, daß Meister Jacobus irgendwo in einem Land am östlichen Mittelmeer lebte, ganz im Gegensatz zu dem, was man in Portugal vermeinte und ich selbst auch dachte. Die Nachricht erhielt ich von einer alten Jüdin..! Ach ja, jetzt erinnere ich mich... Es war auf der Insel Korfu, in einer Synagoge, in welche Bruder António Zedillo und ich hineingegangen waren, um... Nein, es war weder in Rom noch in Venedig gewesen. In Rom konnte es ja nicht gewesen sein. Rom bedeutete mit Ausnahme einiger Begebenheiten, von welchen ich nur kurz berichten werde, allein bürokratische Routine und einen Übergang zu all dem, was nachher geschah.

Ich erreichte die leoninische Stadt, welche heute Vatikan heißt, nach einer mühevollen, dreimonatigen Reise durch die spanischen, französischen und italienischen Lande, auf die ich hier nicht weiter eingehe, da ich gleich zur Sache kommen und mich nicht verzetteln will. Dennoch möchte ich meine unvergeßliche Einreise nach Italien erwähnen, wohin ich über Avignon kommend und die Alpen in einem dichten Schneegestöber überschreitend gelangte, das über alles, selbst über die Ohren meines Esels, seinen weißen, stillen Mantel legte. Es ist gewiß kein unbeträchtliches Privileg, daß ein einfacher portugiesischer Franziskaner, der Geringste der Geringen, als Gefährte des Generalbevollmächtigten, Bruder Antónius von Padua, zur Kurie abgestellt wird, welche dort ihren Sitz hat, um für den Orden wichtige Geschäfte wahrzunehmen. Es ist um so größer, als dieser Generalbevollmächtigte Sekretär von Bruder Francisco Zamora ist, dem Generalkomissar des gesamten Ordens. Solche Namen und Persönlichkeiten verwirrten mich über die Maßen und machten unerklärlich, weshalb ausgerechnet ich für diesen Posten ausgewählt worden war. Bruder Francisco Zamora war einer der gelehrtesten Theologen Spaniens, den Pius IV. gerade zum Pater des kürzlich nach Trient einberufenen Konzils ernannt hatte, wo er der Kongregation der Theologen vorsitzen sollte. Bruder Antonius von Padua, mein Landsmann und Sohn eines berühmten Ritters des Ordens des Heiligen Jacobus, war Theologielehrer an der Universität von Padua und nunmehr Generalsekretär. Diese Tatsachen machte mich unverdientermaßen und ohne mein Zutun bekannt, ebensowie sie es mir ermöglichten, viele meiner Mitbrüder kennenzulernen, denn ich war zuvörderst damit betraut, sie zu empfangen und anzuhören. Sie rechtfertigten meiner Meinung nach indes nicht den Eifer, mit dem berühmte Mitglieder anderer Orden, der Dominikaner, Augustiner und anderer, mich persönlich aufsuchten, um die Angelegenheiten zu bereden, welche ihre Vertreter ebenso wie die Unsrigen bei der Kurie zu regeln hatten, noch rechtfertigten sie, daß just ich kurze Zeit darauf ausgewählt wurde, den Guardian für das Heilige Land nach Jerusalem zu begleiten.

Man zählte das Jahr einundsechzig und von überall her kamen die Konzilsväter, die hervorragendsten Theologen, Botschafter und Diener der Christenheit. Die einen trugen prunkvolle Größe zur Schau, ließen sich von einem fürstlichen Gefolge begleiten, die anderen verbargen Größe und Heiligkeit der Seele, die Weisheit des

Geistes, indem sie sich nur von wenigen, den allernotwendigsten Gehilfen unterstützen ließen. Was die Portugiesen betraf, so waren der Bischof von Coimbra, Bruder D. João Soares, auf der einen Seite und Bruder D. Bartolomeus dos Mátires, der Erzbischof von Braga, Primas beider Spanien, auf der anderen Seite Musterbeispiele dafür. Ersteren kannte ich bereits, so daß ich sofort wußte, wer er war, als er zu meinem großen Schrecken, während ich sorglos einige Papiere überprüfte, zur Tür hereinkam. Ich erinnerte mich daran, ihn, als er noch nicht Bischof war, als Mitglied der Inquisition in Évora gesehen zu haben. Er hatte auch der Zeremonie meiner ersten Tonsur beigewohnt. Es war ein Mann von feinem, angenehmen Aussehen, dessen soigniertes Äußeres sofort erkennen ließ, daß es ihm wichtig war, sich zu pflegen. Als ich mich verbeugte, um seinen Ring zu küssen, spürte ich den Parfümduft auf seiner Hand.

«Euer Hochwürden hier? Der General-Kommissar ist schon nach Trient aufgebrochen!...»

«Euretwegen komme ich, Bruder Pantaleon!» sagte er lächelnd.

Er sprach sanft und gekünstelt, und seine Worte waren gewählt:

Er wolle es sich nicht entgehenlassen, mir, der gewiß voller Heimweh sei, wie dies bei allen geschehe, welche in der Verbannung lebten, ein Stückchen unseres Portugal zu bringen! Und er tat dies mit guten portugiesischen Worten, wohlgeformten Sätzen und seiner Art zu blicken, zu lächeln und zu fühlen. Er brachte mir Nachrichten aus der Heimat, doch kannte ich einige bereits. Die wichtigsten betrafen, wie es bei einem so höfischen Bischof nicht anders zu erwarten war, den Hof: der plötzliche Tod D. Joãos III., die Regentschaft seiner Witwe D. Catarina während der Minderjährigkeit des Sohnes D. Sebastião, die Unentschlossenheit, was diese Regentschaft und die Erziehung des Prinzen betraf, die Ernennung D. Constantinos de Bragança zum Vize-König von Indien... Man sah, daß er Vergnügen daran hatte, aus einer vornehmlich narzistischen Haltung heraus seinen persönlichen Umgang mit den Großen des Königreiches zu zeigen, und als er sagte, daß D. Jorge, der Herzog von Coimbra, Sohn D. Joãos II., verstorben sei, dachte ich, daß just diese Tatsache es mir noch schwieriger machte, mir jenen Besuch zu erklären. Ich möge dem General-Kommissar seine Grüße entrichten, sagte er, als er sich zurückzog. Ich trat ans Fenster.

Ich sehe noch heute das Bild jener höchst eleganten roten Soutane, das glänzende Priesterkäppchen auf dem wohlfrisierten Kopf, die blasse Farbe seines Gesichts und seiner Hände, der funkelnde Ring an seinem Finger, und wie sich all dies vom schwarzen Leder des Sitzes abhob, in den er sich in der schönen, von zwei Schimmeln gezogenen Kutsche mit Kutscher und Lakaien in Livree zurücklehnte, wie sich die Tür schloß und das Wappen sichtbar wurde und alles zu sagen schien: «So bewegt sich ein gräflich-portugiesicher Bischof in Rom!»

Der zweite Besuch einige Zeit später – das Konzil hatte bereits die ersten Klauseln diskutiert und die ersten Beschlüsse gefaßt – war nicht minder außergewöhnlich. Wahrlich, wer hätte gedacht, daß jener bescheidene Dominikanerbruder, welcher dort vor mir auftauchte, niemand anderes war als der vielgerühmte Erzbischof Primas Bruder D. Bartolomeus dos Mártires? Wenn die Kutte, welche er trug, aus neuem Stoff war, so nur, weil seine Diener sie ihm ganz gegen seinen Willen aufgezwungen hatten. Um dies zu bewerkstelligen, hatte Bruder Johannes von Leiria eine List angewandt, der Bruder D. Bartolomeus nicht entgehen konnte: Er wußte nämlich, daß der Erzbischof aus Bescheidenheit nur alte, abgewetzte Kleider trug und wenn man ihm neues Tuch schenkte, heimlich einen ihm bekannten Schneider den Auftrag gab, daraus Kleider für seine Armen zu machen. Daher ließ er, bevor sie nach Italien abreisten, Kutten für ihn schneidern, ohne es ihm zu sagen und vorher Maß zu nehmen, und befahl denjenigen, welche für seine Kleiderkammer zuständig waren, die neuen gegen die alten auszutauschen. Eben jener Dominikaner, der sich in neuen Kleidern nicht wohl fühlte, war es, der nun vor mir stand und den ich nicht erkannte, obgleich ich vieles über ihn wußte: er war Magister Artium des Kollegiums von Lissabon gewesen und Lehrer der Theologie in Batalha; er hatte den Magistergrad der Theologie in Salamanca erworben; er war aufgrund seines Wissens und seiner Tugend vom Infanten D. Luis dazu ausersehen worden, Präzeptor seines Sohnes, D. António, des zukünftigen Priors von Crato, zu werden; er wurde zum Prior des Klosters S. Domingos von Benfica gewählt und nach dem Tode von Bruder Baltasar Limpo, dem Erzbischof von Braga, schlug ihn die Königin, D. Catarina, auf Anraten von Bruder Luís von Granada für das Erzbischofsamt vor. Ich wußte zudem, daß er diese Würden abgelehnt hatte und nur aufgrund des Druckes seitens des Provinzials, da er das Gelübde abgelegt hatte gehorsam zu sein, diese annahm, und daß er zu jener Zeit krank geworden und nach Azeitão gegangen war, um sich dort zu erholen, wo ihn aus Rom die Briefe erreichten, welche ihn als Erzbischof bestätigten. Ich wußte dies alles, kannte ihn indes nicht, denn unsere Wege hatten sich bislang nie gekreuzt. Er war groß und mager, gut gewachsen, hatte einen großen Kopf, ein langes, hageres Gesicht, welches sich zur Stirn hin verbreiterte, die eine Glatze betonte. Sein Nase war lang und leicht aufgeworfen, der Mund voll, die Unterlippe und das Kinn standen hervor und dies alles belebten auf überraschende Weise kleine, tiefliegende schielende Augen.

Er umarmte mich und bat mich um den Segen, als wäre er ein einfacher Laie, und ich bat ihn meinerseits um den seinen.

«Ich weiß nicht, mit wem ich die Ehre habe zu sprechen, Bruder», sagte ich.

«Ich bin Bartolomeus dos Mártires, Bruder Pantaleon.»

Meine Verblüffung war so groß, daß ich für eine geraume Weile nichts sagen konnte. Ich holte ihm einen Stuhl und blieb stehen. Er hieß dies nicht gut, sondern stand sofort auch wieder auf.

«Euer Hochwürden hier! Und Ihr kennt mich! Wißt, wer ich bin!» rief ich aus, und bemerkte erst, als ich den letzten Satz ausgesprochen hatte, wie zweideutig er war.

Es wurde damals viel über die heftige Direktheit seiner Antworten geredet, welche er ohne Ansehen der Person gab, und über einige liefen bereits Gerüchte, aus welchen die Unerschrockenheit hervorging, mit der er im Konzil über die Notwendigkeit sprach, gewisse Kardinäle in den Ruhestand zu versetzen oder mit der er in Gesprächen mit dem Papst sich über den Pomp äußerte, mit welchem sich die Kirche umgab. Indes war niemand – erschien er auch auf den ersten Blick jenen, die ihn nicht kannten, spröde und unnahbar – im Gespräch sanfter, ungekünstelter und auf einfache Weise menschlicher und christlicher als er.

«Ich werde Euch sagen, weshalb ich gekommen bin, Bruder», sagte er, «und Ihr werdet entschuldigen, wenn ich Euch eure Zeit stehle.»

Noch ganz verwirrt und verlegen, stammelte ich eine unzusammenhängende Antwort, in welcher ich mich darauf bezog, welch großes Ungemach und welche Unannehmlichkeiten es einer so außerordentlichen Persönlichkeit wie ihn bereitet haben mochte, seine Zeit dafür zu opfern, einen so einfachen Franziskanerbruder wie mich aufzusuchen. Er antwortete mir, indem er seine Gedanken von weither nahm: Wir Patres wüßten wohl, daß der Gottesdienst bedeute, vieles zu verschweigen oder einem Menschen in seiner Not still zu helfen. Jemand habe ihn gebeten, zu mir zu gehen und mir dessen Botschaft zu überbringen. Ich solle ihm keine Fragen stellen und die Tasche dort nehmen, welche alles enthielte, was ich während einer Pilgerreise ins Heilige Land zur Befriedigung meiner Bedürfnisse brauchte.»

«Aber ehrwürdiger Vater, ich bin gar nicht im Begriff, ins Heilige Land zu reisen», rief ich aus.

«Wolltet Ihr es nicht gern?»

«Bei Gott, ja! Wer wünschte dies nicht?»

«Auch ich täte es gern, aber ein Hirte darf seine Herde nicht verlassen, und die bereitet mir Tag und Nacht Sorgen. Sobald ich kann, werde ich nach Braga zurückkehren. Ihr habt freilich keine Herde. Ihr könnt ins Heilige Land reisen. Ihr werdet es doch gewiß tun, nicht war?»

«Schön wär's!»

«Ihr werdet reisen.»

Wieder einmal spürte ich, daß mein Lebensschiff von einem unsichtbaren Steuermann gelenkt wurde und daß mich Personen umgaben, welche um meine Identität wußten. Welcher Art war die Schweigepflicht, die ihre Lippen versiegelte? Ich ging in Gedanken alle Schweigepflichten durch, welche ich kannte: die der Beichte, die gewisser Berufe, wie der des Arztes, des Advokaten, die der Staatsräson, gewisse moralische, kasuistische Schweigepflichten... Und was sollte diese vorweggenommene «Gewißheit» besagen, was meine Pilgerfahrt ins Heilige Land betraf?... Zwei Tage später bestätigte sich «die Gewißheit» und auf welche Weise! Eine Reise, welche ich für mich für völlig unmöglich gehalten hatte, wurde mir zuteil. Unser Hochwürden, der Generalminister, Bruder Francisco von Zamora, ernannte den apostolischen Prediger und Lektor der Heiligen

Theologie, den vortrefflichen Pater Bonifazius von Aragusa, zum Guardian des Berges Zion, und zudem mußte die Familie der Brüder im Heiligen Land abgelöst werden, damit selbige in ihre Heimatprovinzen zurückkehren konnten. Bruder Bonifazius suchte mich in der Kurie auf. Er war ein hochgewachsener Mann, ehrgebietend und von würdigem Aussehen. Seine Augen waren groß und schön. Der Bart sehr lang und fast weiß. Im Gespräch aufmerksam und zuvorkommend, war er gleichwohl furchteinflößend, wenn er sich ernst zeigte. Er wurde von fast allen geliebt, von vielen gefürchtet. Ich erinnere mich daran, daß ich später, wenn er durch die Straßen ging, häufig im Vorübergehen Leute sagen hörte: «Was für ein schöner Mönch!»

Er drängte mich, sein Begleiter bei seinem Auftrag zu sein, welcher ihn, um eine neue Familie von Mönchen zusammenzustellen, in die Franziskanerklöster Italiens führen würde. Vorher, sagte er, sollten wir uns den Segen Seiner Heiligkeit des Papstes Pius IV. holen, welcher gewiß Empfehlungen für uns hätte. Ich würde ihm doch nicht etwa nein sagen, nicht wahr?

«Bruder Bonifazius», antwortete ich, «ich weiß nicht, wem ich eine so unverdiente Aufmerksamkeit verdanke und halte Eure Aufforderung für eine ganz besondere Gunst, wie jede einzelne, welche ich von der Göttlichen Majestät empfangen habe.»

Seine Heiligkeit empfing uns mit der Bezeugung innigster Zuneigung und gab uns seinen Segen, und als wir von ihm Abschied nahmen, legte er Bruder Bonifazius vertraulich die Hand auf die Schulter und meinte, es sei dies nicht das erste Mal, daß dieser die Aufgaben eines Guardians des Berges Zion übernommen habe. Er wisse, wie sehr er auf sein Wissen und seine Erfahrung und auf seine Diplomatie im Umgang nicht nur mit den Türken vertrauen könne, welche zu unserem Unglück jenen geheiligten Boden in ihrem Besitz haben, aber auch, was häufig schwieriger sei, im Umgang mit den anderen christlichen Gemeinschaften, welche ihren Sitz am Grabe Christi haben. Er gemahnte ihn daran, allein sehr edle und berühmte Personen zu Rittern des Heiligen Grabes zu ordinieren.

Nachdem er ihm alle Befugnisse bezüglich des Christentums im Heiligen Land übertragen hatte, fügte er seinerseits noch große Geschenke hinzu und befahl, man möge uns reiches Zierwerk für die Feierlichkeiten der Karwoche übergeben. Mich machte er zum apostolischen Beichtvater.

Der März des Jahres fünfzehnhundertzweiundsechzig begann, und die gütige Natur hub an, den Frühling anzukündigen. Es galt, keine Zeit zu verlieren. Wir brachen von Rom auf und bereisten einige der nächstgelegenen Franziskanerprovinzen, um Fratres zu suchen. Die Wahl gestaltete sich nicht leicht aufgrund des besonderen Inhalts der Mission, zu welcher sie bestimmt waren. Es mußten die frömmsten, tugendsamsten und ruhigsten sein, die zu finden waren. Daher wurden ihr Charakter und ihr Verhalten einer heimlichen Prüfung unterzogen, was das Gewissen der lokalen Prälaten und der alten Mönche in den Klöstern auf das Äußerste belastete. So bekamen wir etwa sechzig Mönche zusammen. Wir gaben ihnen Briefe, die ihnen erlaubten, das Kloster zu verlassen, und hießen sie in Venedig auf uns warten, wo das Pilgerschiff vorbereitet wurde, welches ins Heilige Land reisen sollte. Es ist ein alter Brauch der Signoria von Venedig, eines ihrer besten Schiffe auszurüsten, um die Pilger mitzunehmen, die nach Jerusalem wollten, während sie selbst in den Ländern des Orients ihren Geschäften nachging. Gewöhnlich steht dieses Schiff gegen Himmelfahrt bereit, doch meistens läuft es nicht vor dem Fest des Heiligen Johannes aus. Mit diesem Schiff sollte in diesem Jahr auch die Familie der Franziskaner reisen, die Bruder Bonifazius und ich zusammengestellt hatten.

Der gute Empfang, welchen die Signoria den Pilgern bereitet, soll hier nicht übergangen werden. Jedes Jahr reihte sie jene in die triumphale, feierliche Fronleichnamsprozession mit ein. Im Jahre zweiundsechzig machten wir uns, nachdem wir die Franziskanerfamilie ausgewählt hatten, nach Venedig auf, um sie dort einzuschiffen. Wir nahmen dann an der prunkvollen Zeremonie teil, welche auf den vierten Mai fiel. Der Eindrücke, welche diese festliche Stadt auf meine Sinne machte, waren so viele, daß es mir schwerfiel, alle Einzelheiten zu erfassen. Sie schienen lebendig zu werden und mich zugleich zu bedrängen, mich zu rufen, mich am Ärmel zu zupfen, sich in meine Ohren und meine Nase zu schmeicheln und mir zuzurufen:

«Sieh mich an! Hör mich! Würdige meine Form, meine Farbe, meinen Geschmack, meinen Glanz, meinen Klang, mein Aroma...!»

Anmutig ist jenes Venedig der Paläste mit den durchbrochenen Fassaden und Altanen, auf denen sich edle, schöne Frauen in den Wellen der schwarz-grünen Kanäle spiegeln, in welchen schlanke Gondeln dahingleiten; das Venedig der eleganten, dienstfertigen Brücken, auf denen ineinander verschlungene Verliebte seufzen; das der arkadengesäumten Plätze, der hochmütigen Türme, welche auf das Adriatische Meer und die in der Lagune verstreuten Inseln blicken; das der Glocken, welche silbern in der feuchten Luft erklingen; das Venedig des murmelnden Wassers in stillen Vollmondnächten! Doch während des Festes putzt es sich bis ins Letzte heraus, bis hin zur verschwenderischen Orchestrierung der Formen. Das liturgische Fest erhielt so einen heidnischen Charakter, wird heidnisch, was es doch keinesfalls sein dürfte. Aus meinem franziskanischen Gefühl heraus ist dies eine Zurschaustellung von Prunk und Reichtum, welche die christliche Demut und Armut beleidigen, obgleich Bruder Bonifazius mich mit Argumenten vom Gegenteil zu überzeugen suchte, die den Prunk sogar als Notwendigkeit anführten, der Kirche und ihren Dienern Würde zu verleihen

«Mein Vater», sagte ich zu Bruder Bonifazius, den ich sehr verehrte, «meint Ihr nicht, daß all dieser Prunk und all diese Pracht nichts mit unserem Herrn Jesus Christus zu tun haben? Mein Verstand sagt mir, daß all dieser Luxus, dieser Pomp, dieses Gepränge und dieses Protzen mit äußerem Reichtum die Seelen vom wahren Geist einer so heiligen Zeremonie ablenken.»

Ich solle doch sehen, daß die Kirche ein so erhabenes Bild von sich präsentieren müsse, welches – wenn das nur möglich wäre! – der Erhabenheit der göttlichen Majestät entspräche.

«Christus war arm... und war Gott...»

Der Ring, welchen der Kaiser, der König, der Fürst seiner Braut schenkt, ist nicht so wie der aus Flittergold oder Messing, welchen der Handwerker, der Bauer seiner Liebsten übergibt, und er kann es auch nicht sein. Christus ist der Bräutigam der Kirche. Wen wundert's also, daß sie, seine Braut, selbst in den entlegensten Winkeln der Welt nach dem seltensten Juwel, dem weißesten Elfenbein, dem vollkommensten Marmor sucht.»

«Unser Vater, der Heilige Franziskus, hat nicht so gedacht...»

«Unser Vater, der Heilige Franziskus, hätte eine Hymne komponiert, in welcher der Saphir mit dem makellosesten Blau, der Rubin, dessen Rot röter als Blut, dessen Größe ungewöhnlich ist, der orangenfarbene Topas, der grüne Smaragd, der Peridot, der Diamant, der Opal, der Onyx, der Achat, der Carneol das Lob des Schöpfers singen und somit dem HERRN diese wunderbaren Gotteswerke überantworten würden.»

Bruder Bonifazius' Argumentation fing mich gleichsam wie in einer von mir selbst gebauten Falle. Ich schwieg. Mein Verstand war zwar nicht ganz überzeugt, doch die Idee gefiel mir, da sie meinem Wesen so sehr entsprach.

In jenem Jahr lief das Pilgerschiff aufgrund einiger Verzögerungen, zu welchen hauptsächlich die Tatsache zählte, daß es auch die Franziskanerfamilie mitnehmen sollte, erst Ende Juli aus, denn es war schwierig gewesen sie zusammenzustellen, da ihre Mitglieder aus verschiedenen Provinzen kamen. Gleichwohl brachen dieses Mal fünfundfünfzig Fratres auf. Die restlichen kamen zu spät und würden mit dem nächsten Schiff fahren. Bruder Bonifazius und ich nahmen an der Abfahrt des Schiffes teil und brachen anschließend beide nach Trient auf, wo wir drei Monate lang bleiben würden, um mit dem Generalminister wichtige Angelegenheiten zu besprechen, die verschiedene Orte im Heiligen Land und unsere Reise betrafen. Wir reisten über Padua, jenes Padua der bewässerten, üppigen Weiden, wo wir die gewaltige Basilika des Heiligen Antonius besuchten. Als wir die Kirche verließen, entwickelte sich zwischen Bruder Bonifazius und mir ein kurzes Gespräch. Nach unserem Vater, dem Heiligen Franziskus, der ein Mystiker und Poet gewesen war, verehre er, sagte Bruder Bonifazius, diesen italienischen *poverello* und ersten Doktor der Theologie unseres Ordens, welcher ein ungeheures Wissen und die Gabe besaß, den Mystizismus mit der Theologie zu verbinden, indem er scholastische Strenge und franziskanische Menschlichkeit miteinander verband... Ob er italienischer *poverello* gesagt habe, frage ich ihn.

«Ja, Antonius von Padua...»

Er möge meine Unwissenheit verzeihen, aber ich hätte irgendwo gehört oder gelesen, daß Bruder Antonius kein Italiener sei.

«Er war kein Italiener?!»

«Die Theologie und die ganze reiche Gelehrsamkeit, die alle Orte und Nationen, in welchen er gepredigt, so sehr in Erstaunen versetzt hatte, hatte er sich im Kloster Santa Cruz in Coimbra angeeignet...»

«Coimbra? Ist das nicht die Heimat Eures Bischofs, Bruder D. João Soares, über den so viel geredet wird?

Ich stellte mich dieser Frage gegenüber taub, denn mir waren auch Gerüchte zu Ohren gekommen, denen zufolge Ehrwürden dem weiblichen Geschlecht zugeneigt sei, und fuhr fort:

«Den Mystizismus hat er, abgesehen davon, daß er ihn in sehr jungen Jahren von Gott empfangen hat, als Frühverwaister am bischöflichen Sitz der Kathedrale von Lissabon und während der Meditationen vor den verstümmelten Körpern der Heiligen Märtyrer aus Marokko in sich aufgesogen.

Verblüfft rief Bruder Bonifazius aus:

«Sagt nur nicht, mein bester Pantaleon, daß der Heilige Antonius ein portugiesischer Heiliger ist!»

«Ja, mein Meister», sagte ich lächelnd und ohne Arg, «der Heilige Antonius von Padua ist der Heilige Antonius von Lissabon.»

Und mit franziskanischer Natürlichkeit legte mir Bruder Bonifazius einen Arm um die Schulter:

«Noch ein Grund mehr, Bruder und was für einer, um in Euch einen trefflichen Freund zu sehen.»

Nach Padua kam Verona, eine schöne, alte Stadt, durch welche in einer langen Schleife die Etsch fließt. Wir überquerten sie auf der Brücke zur Altstadt, folgten den engen Straßen bis zu einem Platz, welcher einst das römische Forum gewesen und von prächtigen Palästen mit schönen, freskengeschmückten Fassaden umgeben war, wir besuchten großartige Kirchen und setzten unseren Weg am üppig bewachsenen Ufer des Flusses fort und, vom atemberaubenden Blick auf den Gardasee zu unserer Linken bezaubert, kamen wir hinauf bis Trient.

Es lag auf der Hand, daß ich mich mit den äußeren Eindrücken betäubte, doch die alte Stadt trat in den Hintergrund angesichts des allgegenwärtigen Geistes des Konzils, die Gedanken waren auf die Dispute über Kirchenfragen gerichtet, welche, über die Glaubensfragen hinaus, politische Reichweite besaßen. Gleichwohl habe ich nie, obschon Trient der Tempel des Dogmas war, den Zweifel so stark in mir wachsen fühlen wie dort, denn wenn ich an den langen, gelehrten Streitgesprächen über gewisse Glaubenssätze teilnahm, erlebte ich den Triumph einer These über die andere und kam nicht umhin zu denken, daß unter anderen Umständen oder mit anderen Theologen oder Doktores die unterlegene These die siegreiche gewesen wäre, welche nun mit jener Abstimmung zum Dogma erhoben wurde und möglicherweise aufgrund der anderen nicht dazu geworden wäre. Das Dogma besaß demnach keinen absoluten, ökumenischen, unfehlbaren, göttlichen Wert. Beim Anblick all dieser mitragekrönten Häupter, welche zumeist weißhaarig und greisenhaft waren, kamen mir verrückte Gedanken, welche mich dann in Gewissensnöte brachten: Daß Christus niemals eine Mitra, eine Tiara getragen haben kann; daß das Erscheinen eines Franziskus von Assisi ein Zeichen für die Notwendigkeit der Kirche war, sich periodisch zu reinigen und dem göttlichen Urquell zu nähern; daß die Reform, welche die Kirche brauchte, nicht jene war, die gerade durchgeführt wurde, sondern eine im Geiste der Verständigungsbereitschaft, nämlich, wie es auch geschehen war, unsere protestantischen Brüder einzuladen, um gemeinsam zu versuchen, die große, gespaltene christliche Familie zu vereinen.

Von beiden Seiten hätte es ein wenig mehr Demut und Nächstenliebe bedurft! Aber all dies schlug nun fehl...!

Die innere Prüfung meiner Zweifel brachte mich dazu, mich erneut meiner Seele, meinem Leben und meinen eigenen Problemen zuzuwenden, welche geraume Zeit von all dem Neuen, das die Reisen brachten, den Orten, den Menschen und der Arbeit beschwichtigt worden waren. Ich ging in mich. Was machte ich hier? Und plötzlich fühlte ich mich allein in der Welt, die Menschen und die Dinge, welche mich umgaben, wurden seltsam fremd und bedrohlich. Ich hatte Sehnsucht, ich wußte weder nach wem, noch nach welchem fernen Land, eine maßlose, schmerzliche Sehnsucht.

In Trient machte ich eine Bekanntschaft, welche zu einer Freundschaft wurde und mir in dieser geistigen Verfassung sehr geholfen hat. Bruder António Zedillo gehörte zum Gefolge des hochgelehrten Bruder Francisco Orantes, welcher in Vertretung des Bischofs von Palencia zum Konzil gekommen war. Er war in den Dreißigern so wie ich. Er war mittelgroß, mager in seiner baumwollenen Franziskanerkutte, hatte einen kleinen, zu dem spitzen Kinn hin schmaler werdenden Kopf, wenn man ihn von vorn ansah; eine schmale Hakennase, eine merkwürdige Art, die Oberlippe über die Unterlippe zu schieben; einen schütteren Bart und riesige Ohren, welche noch vom kurzgeschorenen Haar betont wurden. Er sprach wenig und hörte viel; eine weise Haltung! Als Theologe steckte er noch in den Anfängen, da er gerade sein Studium abgeschlossen hatte. Sein Wissen war ein Buchwissen, und er zeichnete sich eher durch ein gutes Gedächtnis denn durch gewandtes Denken und Reden aus. Als er erfuhr, daß ich mich anschickte, Bruder Bonifazius von Aragusa ins Heilige Land zu begleiten, äußerte er den, wie er pompös sagte, schon lange im Schrein der Hoffnung gehegten Wunsch, die Heiligen Stätten zu besuchen. Ich stellte ihn Bruder Bonifazius vor und es wurde vereinbart, daß er, sobald er die Erlaubnis von seinen Oberen erhielte, mit uns nach Venedig gehen würde, um sich dort mit uns einzuschiffen, da zudem Bruder Francisco de Orantes nicht in Trient bleiben wollte und beschlossen hatte heimzureisen.

In Venedig verbrachten wir die Zeit bis zur Abreise damit, uns mit Dingen zu versorgen, welche die Reise für den Körper etwas bequemer machen: mit einer Matratze, einem Kopfkissen, einer Bettdecke, einer Baumwolldecke, Bettüchern, alles Gegenstände, welche man billig erstehen und leicht und sogar mit Gewinn wieder verkaufen konnte. Erlaubt es der Geldbeutel, ist es ratsam, sich mit einigen andern notwendigen Dingen auszustatten: Leibwäsche und etwas Eßbarem wie Zwieback, Käse und anderen Leckereien, denn obgleich man am Tisch des Schiffsherrn ißt, so kommt es doch häufig vor, daß die Mahlzeiten nicht nach unserem Geschmack sind oder der Körper zwischen den Mahlzeiten etwas verlangt oder man dem Nächsten etwas Gutes tun möchte oder der Proviantmeister wenig mildtätig oder gar etwas geizig ist. Ich selbst wollte auch einige andere Dinge mitnehmen wie Papier und Tinte, denn ich hatte die Absicht, so viel wie möglich von dem aufzuschreiben, was ich auf einer so außergewöhnlichen und bedeutenden Pilgerreise erfahren würde. Ich suchte in den Läden, was ich zu kaufen beschlossen hatte, und trat schließlich in den eines alten Juden, bei dem es so gut wie alles gab. Als er mich jene Dinge kaufen sah, merkte er, daß ich mich ins Heilige Land einschiffte und bat mich, ihm, wenn ich in

Korfu vorbeikäme, den Gefallen zu tun, einem jüdischen Freund, dessen Namen er nannte, ein kleines Geschenk mitzubringen. Ich antwortete, daß ich dies sehr gern tun würde und fragte:

«Und dieser Isac Beiçudo, wo werde ich ihn finden?»

Der Jude lachte vergnügt und sagte mir in reinstem Portugiesisch, ganz ohne Akzent:

«Er heißt nicht Beiçudo. Bensaúde, Isac Bensaúde.»

«Sagt ihm, ihr kämet von Joseph. Und vielen Dank, ich bin Euch sehr verpflichtet, Bruder Pantaleon.»

«Ihr kennt mich?...» rief ich aus, von einer Überraschung in die andere fallend, hatte doch schon das Papier, welches er mir gegeben hatte, in einer Ecke die Zeichnung eines fünfzackigen Sterns getragen...

Er sei, erzählte er mir, ein portugiesischer Jude, der wie viele Brüder seiner Religion und Rasse vor den Scheiterhaufen der Inquisition geflüchtet sei. Eine traurige und schmerzliche Realität, die aufgrund ihrer Häufigkeit zu einem Faktum geworden sei, über das sich niemand mehr wunderte. Er habe mich viele Male in Évora gesehen und einer seiner Söhne sei mit mir zur Schule gegangen, als er sieben Jahre alt war. Vielleicht erinnerte ich mich noch an ihn, den Joaquim...

Ich erinnerte mich sehr wohl an ihn. Wir seien befreundet gewesen. Was aus ihm geworden sei?

Er sei Arzt in Setúbal. Doch er sei unzufrieden. Sobald er könne, würde er Portugal verlassen und zu ihm kommen... Ich sei wahrscheinlich der einzige Mensch und ganz sicher der einzige Pater, dem er dies ohne Furcht sagen könne... Und wenn ich nicht zufällig hereingekommen wäre, hätte er mich aufgesucht, denn er habe gewußt, daß ich hier sei...»

«Weshalb vertraut Ihr mir so sehr?»

«Ich kenne Euch sehr gut und weiß, daß Ihr ein Freund der Juden seid.»

«Wieso kennt Ihr mich so gut?»

Ich bemerkte, daß er das Gespräch in eine andere Bahn lenkenwollte. Nun, er kenne mich eben! Ich solle unbedingt nach Korfu reisen! Nach Korfu!

Joseph schwieg und trotz meines Drängens legte er nur seinen

Daumen auf die Lippen, als Zeichen dafür, daß sie versiegelt seien. War ich Jude? fragte ich mich... Wortlos geleitete Joseph mich zur Tür, als wolle er mich zum Gehen auffordern...

Schwierigkeiten tauchten auf. Es war ein von den Römern überkommener Brauch, nicht zwischen dem fünfzehnten November und dem achttägigen Epiphaniasfest zu segeln. Wer dies ohne Erlaubnis tat, wurde schwer bestraft, ich glaube sogar mit der Exkommunion, und es wurde nur eine Ausnahme gewährt, wenn der Schiffsherr einen äußerst dringlichen Grund dafür hatte, wie es beim Eigner eines der Schiffe der Fall war, welches schon zum Auslaufen bereit war und auf welchem Bruder Bonifazius, Bruder Zedillo und ich uns einschiffen sollten. Dennoch rief die Signoria zu meinem großen Verdruß Pater Bonifazius zu sich und befahl ihm unwiderruflich, sich nicht einzuschiffen, da es bereits Winter und das levantinische Meer sehr gefährlich sei. Der Guardian von Jerusalem war darüber sehr verärgert, doch welche Gründe er auch immer anführte, es wurde keiner akzeptiert, obwohl die venezianischen Herrscher ihn wegen seiner großen Tugend und Weisheit liebten und verehrten, zumal weil er schon einmal für sieben Jahre Guardian des Berges Zion gewesen war, zum großen Nutzen der Heiligen Stätten und als lebendes Vorbild. Hatte auch das Drängen Bruder Bonifazius' bei der Signoria keinen Erfolg, so durfte zumindest das meine bei ihm nicht fehlschlagen. Ich hatte es eilig, war ungeduldig und suchte daher nach einem wahrhaft schwerwiegenden Grund. Drei Jahre lang sei die franziskanische Familie im Heiligen Land doch nun schon ohne Beistand, sähe Bruder Bonifazius das denn nicht? Man müsse unbedingt so bald wie möglich aufbrechen und ihnen Unterstützung und Trost bringen. Ich würde mein Leben dafür hergeben... Das war nicht ehrlich gemeint und mir selbst klang meine Stimme falsch. Glaubte Bruder Bonifazius es? Ich weiß es nicht. Er dankte mir sehr für die Beweise meines guten Willens und versuchte, mich von diesem Vorhaben und den damit verbundenen Mühen abzubringen, indem er mir die Bestrafung vor Augen hielt, mit der ihn die venezianische Signoria bedroht hatte, und versprach, daß wir, sobald das Wasser getauft wäre, alle mit dem Schiff abreisen würden, das als erstes den Anker lichtete. Die Taufe des Wassers waren bestimmte Zeremonien, welche bei den

Taufbecken während der Epiphaniasvigilie in der dritten Messe mit Gesang und vielen diesem Anlaß entsprechenden Gebeten und Bitten am Ostersamstag während der österlichen Brunnenweihe durchgeführt wurden. Dennoch gab ich nicht auf, und schließlich willigte er auf mein inständiges Bitten hin ein und befahl, mir die Ausrüstung und den Mundvorrat zu übergeben, welche für ihn und die anderen vorbereitet worden waren. Sobald ich in Zypern ankäme, sollte ich unserem Syndicus die für das Heilige Land bestimmten Vorräte übergeben und ihn am Schiff erwarten, welches nach der Taufe des Wassers aus Venedig auslaufen würde... Die Triebfeder meines Handelns war indes eine andere, und ich ruhte nicht, bis ich fühlte, daß der Anker gelichtet wurde und wir in See stachen. Am Hafen, in Malamoch, winkten mir neben Bruder Bonifazius bedeutende Persönlichkeiten nach, welche eigens aus Trient gekommen waren, um sich von mir zu verabschieden. Da war der verehrte und hochgelehrte Pater Bruder Luís de Sottomaior aus dem Predigerorden, ein berühmter Theologe, Lektor im flandrischen Löwen, welcher nach Trient gerufen worden war, um seinen Ordensbruder Pater Pinheiro zu ersetzen, welcher vor Beginn der Sitzungen plötzlich in Rom verstarb.

«Bruder Pantaleon», umarmte er mich, «möge der Herr Euch heil nach Portugal zurückführen...»

«Ich weiß: Ihr hättet gern eine Reliquie aus dem Heiligen Land.»

«Nein, nur ein kleines Stückchen Erde oder einen Stein, welchen Ihr auf den Straßen oder Wegen findet, denn der ganze Boden, bis hin in die tiefsten Schluchten ist von den Fußspuren Christi geheiligt.»

«Ich werde es tun, Bruder Luis.»

«Es fällt mir doch schwer, nicht mit Euch zu reisen, aber zur Zeit erlaubt es meine Gesundheit nicht.»

Bruder João Soares überreichte mir für den Inhaber des Guardiansamtes dreißig Goldstücke in Erinnerung an die dreißig Silberlinge des Judas.

«Bald werde auch ich meine Pilgerreise machen und Euch in Jerusalem besuchen.»

Der Erzbischof von Braga, Bruder D. Bartolomeus dos Mártires, war auch zugegen neben Bruder Bonifazius von Aragusa. Auch er werde aufbrechen, sagte er und umarmte mich, aber in die entgegengesetzte Richtung, zu seiner Diözese. Seine Herde, seine Schäfchen, ich wisse doch.

Ich war bereits an Bord und blickte von der Decksbrüstung herunter auf die Menge, welche mit Tüchern winkte. Gute Reise! Gott möge Euch geleiten! Paßt auf Euch auf! Pater Bonifazius' starke, volle Stimme war es, die unten vom Kai herauftönte. Zwischen den vielen Köpfen entdeckte ich Josephs neugierige Blicke. Es war im Morgengrauen des Tages der Heiligen Barbara, Freitag, der vierte Dezember 1562.

VI

Der Sturm

...«παντων δε το ξην απογνοντων, οφϑη γαρ εμπροσϑεν αυτῶν ο συνηϑως χαλονμενος σιφων, φοβερῶς την ϑαλασσαν υπελιατων χαι Ψαμμον εξ ατυων α ειπες τῶν μυχων ανελχων της γης, χαι το πλοιον αυτονδρον προς αυτον επισπῶμενος.»

...«als alle schon an einer Rettung zweifelten, erschien vor ihnen das gemeinhin *Siphon* genannte Phänomen, welches die Meeresoberfläche in einem Strudel aufwirbelt und den Sand aus den Tiefen der Erde hervorschleudert und das zerstörte Schiff vor sich herträgt.»

(*Vita MS. S. Pauli Latrensis*)

«Nun geht's also los!» murmelte Bruder Zedillo bewegt, in seinen Fingern den Rosenkranz mit den großen Kugeln.

Wir hatten uns an die Decksbrüstung gelehnt, an der sich die Leute drängten. Um uns herum standen die sechs Franziskanerbrüder, welche sich verspätet und daher mit uns eingeschifft hatten. Die Küste begann sich zu entfernen, entschwand, ihre Farben und Umrisse verwischten sich, bis sie zu einem undeutlichen bläulichen Flecken wurden. Es war indes die innere Landschaft, welche mich beschäftigte. Bei der Abfahrt hatte ich, anstatt Heimweh nach einem Land zu empfinden, welches nicht das Meine war und sich im Dunst des heranbrechenden Tages entfernte und immer blasser wurde, die Augen hoffnungsvoll darauf gerichtet, daß nun endlich sich jenes Unbestimmbare nähern würde, welches ich hungrig suchte, seit ich mir meiner selbst bewußt war.

«Nun geht's also los!» flüsterte auch ich.

Es wehte ein günstiger Wind von Osten, und das stattliche, schöne Schiff mit dem Namen *Sanuda* durchpflügte schnell und leicht die Wellen. So segelten wir an Istrien fast ganz vorbei, doch als wir uns der Küste Dalmatiens näherten, kam ein so rauher, starker Wind auf, daß wir gezwungen waren, einen Hafen zu suchen. Wir taten dies an einem Ort namens San Pedro, an der Italien gegenüberliegenden Küste. In der Adria gibt es auf zweihundert Meilen nur sehr wenige Häfen, welche man in Italien anlaufen kann – nur Ancona, Brindisi und Otranto bieten Sicherheit, doch selbst dann suchen sie die Schiffe nur auf, wenn sie in ihnen Handel treiben.

Der Wind frischte auf, wurde bei Anbruch der Nacht zu einem Wirbelsturm. In meine Decke eingewickelt hörte ich, wie er in den Ritzen fauchte, im Takelwerk pfiff. Das Schiff stampfte ächzend und stöhnend. Mir begann übel zu werden. Ich stand auf, verließ tastend meine Kabine und stolperte über die Matratzen meiner Reisegefährten, welche unter Deck schliefen. Ich stieg die Treppen zum Oberdeck hinauf: ich mußte mich erleichtern. Draußen peitschte der Wind und ich war gezwungen, mich an den Wänden und allem festzuklammern, was es dort gab, um nicht weggeweht zu werden. Es war dunkel, aber zwischen den Wolken, welche gleichsam entfesselt über den Himmel fegten, blitzte manchmal der Mond. Die Übelkeit stieg mir in die Kehle, ich gelangte zitternd, von kaltem Schweiß bedeckt, an die Decksbrüstung. Nachdem ich mich übergeben hatte, blieb ich eine Weile schwer atmend stehen. In meiner Nähe hörte ich ein unruhiges, ängstliches Keuchen. Ich dachte, es könnte vielleicht jemand anderem ebenso übel sein wie mir. Ganz allmählich erlangte mein Körper sein Gleichgewicht zurück, wurde die Atmung normal und ruhig, das Unwohlsein verschwand. Ich richtete mich auf und spitzte die Ohren. Das Keuchen ging weiter, inzwischen schneller, doch plötzlich bemerkte ich, daß es zwei Rhythmen und zwei verschiedene Stimmen in diesem schmerzlichen Seufzen gab. Da geht es mehr als einer Person schlecht, dachte ich und versuchte, im Dunkeln zu sehen. Für wenige Augenblicke brach der Mond durch, und ich konnte neben einer Taurolle zwei Gestalten erkennen, die sich umarmten. Aus Erfahrung den Liebenden gegenüber tolerant, schickte ich mich an, mich zurückzuziehen, als ein stärkerer Blitz die Formen erkennbar machte: ein Jüngling lag bäuchlings auf den Tauen und ein Mann nahm ihn von hinten! ...Ich rannte zur Treppe, legte mich so gut ich konnte ins Bett und versuchte einzuschlafen. Wo war die Decksbrüstung, an der man sich von der Übelkeit der Seele erleichtern konnte?...

Am folgenden Tag ließ die Wut des Sturmes nach, und wir segelten an der Küste Dalmatiens, an Argentina, Zara, Meleda und Curzola vorbei, alles Orte, welche teils Venedig, teils Ragusa untertan waren. Ich erinnerte mich an Bruchstücke früherer und neuerer Lektüren: Dalmatien war die Heimat des Heiligen Hieronymus und auch des Märtyrerpapstes, des Heiligen Caius, aus der Familie des Kaisers Diokletian; Aragusa oder Ragusa, das alte Epidaurus, gehörte zur Zeit den Türken und hieß Dobronica, eine riesige, reiche, in jener Gegend berühmte Stadt, ein wichtiger Handelsplatz, an dem viele Schiffe gebaut werden, die größten und kräftigsten der gesamten Levante. Von hier stammt unser Guardian, Pater Bonifazius. Wir segelten immer an der Küste entlang, was die Reise angenehmer machte, da unsere Augen so etwas Kurzweil hatten.

«Welche Berge mögen das sein?» fragte Bruder Zedillo.

Ich sah in mein Handbuch und brauchte nicht lange, um sie bestimmen zu können: es war das berühmte akrokeraunische Gebirge der Antike

«Ach ja! Der Heilige Hieronymus spielt im zweiten Prolog der Bibel auf sie an», kommentierte mein Theologe.

Es folgte die Küsten von Epirus, welche mit Mazedonien verbunden ist, der Heimat Alexanders des Großen, von dessen Heldentaten die griechischen und römischen Autoren so vieles berichten. Die Sprachen all dieser Orte unterscheiden sich voneinander, doch die Leute aus Ragusa und die Dalmatier verstehen einander ob des ständigen Umgangs sehr gut. Die Albanier und die Leute aus Epirus bedienen sich des Griechischen, doch da sie zur Zeit unter türkischer Herrschaft stehen, sprechen die einflußreichen Leute und die Adligen Türkisch. Diese Informationen erhielt ich von einem griechischen Seemann namens Perides, den wir häufig fragten, wenn wir etwas wissen wollten. Er litt sehr darunter, daß sein griechisches Heimatland von den Türken regiert wurde. Er stand oft allein an der Decksbrüstung und blickte auf den vorbeigleitenden Küstenstreifen, die Berge und Täler, und dabei liefen ihm Tränen übers Gesicht und er sang leise, allein für sich sehnsüchtige Lieder, welche er als Kind gelernt hatte. Er konnte den Tag nicht erwarten, an dem sein geliebtes Griechenland die Unabhängigkeit wiedererlangte. Damals konnte ich noch nicht ahnen, daß mir hinsichtlich meiner Heimat die gleiche Erfahrung zuteil werden würde!... Er erzählte uns unerhörte Dinge. Überall, in allen Provinzen und vor allem in Epirus, Mazedonien und Albanien mußten jedes Jahr bestimmte Kinder dem Sultan als Tribut übergeben...

«Dem Türken Kinder übergeben?» fragte Bruder Zedillo entsetzt.

«Weshalb?» setze ich nach.

Er würde sie äußerst sorgfältig aufziehen, im Sinne der rohen, verdammten Sekte des Betbruders Mohammed indoktrinieren und in allen militärischen Künsten ausbilden lassen: im Reiten, im Kämpfen mit den unterschiedlichsten Waffen.»

«Und wozu?»

Sie würden so eine Elitetruppe schaffen, auf welcher die ganze Schlagkraft des Sultans beruhe. Mit ihnen bekriege er alle Welt...»

«...und eroberte er so viele Königreiche und Provinzen, wie er sie zu unserem Unglück den Christen abgenommen hatte», fuhr ich fort und erhitzte mich an dem, was ich sagte, «und aufgrund des Ehrgeizes und der Begehrlichkeit einiger katholischer Fürsten, wenn man sie überhaupt so nennen durfte, welche in ungerechten Kriegen fremden Besitz zu erlangen suchten und dem eigenen verloren...»

Jene Krieger waren die sogenannten Janitscharen. Aber nicht nur in den Kriegen bediente der Sultan sich ihrer. Er brauchte sie auch zur Verwaltung seines Hofes und seiner Königreiche und Provinzen. Je nach dem Eifer, der Umsicht, der Tapferkeit und Tugend, die jeder einzelne bewies, übertrug er ihnen Ämter und Würden, verlieh er ihnen Ehren und Preise, welche ihnen seiner Meinung nach angemessen zu sein schienen: einige machte er zu Paschas, eine Art Vize-König von Reichen und Provinzen, andere zu Sandschakbeys, die Gouverneure der Städte waren, andere zu Beylerbeys, Tschauschs, Kadis, die so etwas wie Oberrichter waren.

«Das sind hohe Herren!» sagte Bruder Zedillo.

Ja, das waren sie. Aber dennoch blieben sie Sklaven des Sultans, und wenn sie seine Ämter und Gouverneursposten nicht so ausfüllten, wie sie sollten, jagte er sie ohne viel Federlesen aus dem Amt und ließ sie ohne weiters töten, wenn es ihm gefiel, und es gab niemanden, der ihm zu widersprechen wagte. Dienten sie ihm indes treu und lobenswert, beförderte er sie. Für gewöhnlich verlieh er diese Ämter für nicht mehr als drei Jahre und es war klar, weshalb...

Wir hatten Albanien mit seinen vielen Häfen, Städten und Orten hinter uns gelassen, unter ihnen das berühmte Castoria, welches wie das reiche Venedig ins Meer hineingebaut war, und das uneinnehmbare Valona, wo der Sultan zur Zeit seine aus Galeeren und großen Schiffen bestehende Flotte stationiert hatte, welche ihm für seine Seeschlachten diente.

Perides, dessen Blicke gewohnt waren, den Horizont zu erforschen, sagte, als eine Insel wie ein dunkler Fleck allmählich auftauchte:

«Ich muß Euch verlassen. Wir kommen in Korfu an.»

Mein Herz schlug schneller und ich verspürte plötzlich eine große Furcht vor dem, was ich auf dieser Insel vorfinden würde. Es dauerte nicht lange, da sahen wir sie deutlich mit ihren auf den nackten Fels gebauten Mauern, und bald darauf fuhren wir in den engen Kanal ein, welcher zwischen der Insel und dem Land der Türken verläuft und so eng ist, daß die dort einlaufenden Schiffe kein Wendemanöver ausführen können und einen bestimmten Wind für die Einfahrt und einen anderen für die Ausfahrt benötigen. Daher werden sie dort häufig aufgehalten, ohne weiterreisen zu können, es sei denn, ihnen kommen die Galeeren zur Hilfe, welche die Signoria von Venedig dort ständig zum Schutz und zur Verteidigung der Insel liegen hat. Die Nähe des Festlandes in der Hand der Türken macht, daß diese die Insel begehren und mehr als einmal versucht haben, sie einzunehmen, doch ohne Erfolg, denn Venedig hatte es immer verstanden, sie mit der Garnison der beiden mächtigen Felsburgen über dem Meer und mit seinen dreißig Galeeren zu verteidigen.

In der Stadt, welche denselben Namen wie die Insel trägt, begaben wir uns zuerst zu einem Franziskanerkloster der dortigen Observanz. Nachdem wir von unseren Brüdern empfangen, auf das freundlichste aufgenommen und bewirtet worden waren, erklärten sie uns auf meine Bitte, wie wir uns in der Stadt zurechtfinden könnten. Wir erfuhren, daß es außer ihrem Kloster noch eines mit griechischen Mönchen vom Orden des Heiligen Basilius gäbe, Mönche, welche im Orient und ganz Griechenland «caloiros» genannt wurden, χαλογεροι (von χαλος, gut, heilig, tugendsam und γηρος, alt, männlich), so wie wir unsere Mitbrüder Fratres nennen. Es gibt auch zwei Kathedralen: eine, in welcher die Messe auf die lateinische Art zelebriert wird; die Venezianer und alle angesehenen und adligen Griechen besuchen sie, welche sich als die besseren Christen und getreueren Untertanen der venezianischen Signoria zeigen wollen. In der anderen wird die Messe nach griechisch orthodoxer Art gefeiert: Dorthin gehen die einfachen Leute. Die anderen Kirchen der Stadt folgen dem griechischen Ritus. Ob es nicht auch Juden in der Stadt gebe, fragte ich eingedenk meines persönlichen Anliegens. Natürlich gebe es welche, nicht nur in der Stadt, sondern überall auf der ganzen Insel.

«Portugiesische?» fragte ich.

«Spanische?» fügte Bruder Zedillo hinzu.

Es seien weder portugiesische noch spanische Juden, sondern griechische, italienische und Juden aus der ganzen Levante. Sie besäßen eine große Synagoge, in der sie sich am Sabbat und den anderen Festen des Alten Bundes versammelten...

Ich dachte bei mir, daß es wahrscheinlich sinnvoll sei, dort in der Synagoge nach Isac Beiçudo zu suchen, und so lenkte ich meine Schritte am folgenden Tag, als wir die Stadt besichtigen wollten, dorthin. Mein Freund kam mit mir, und obgleich ich meine eigenen Belange nicht offenzulegen gedachte, wollte ich auch nicht, daß er meinen Wunsch bemerkte, allein zu sein, wenn ich den Juden träfe... es könnte ihn kränken. Aber alles fügte sich aufs Beste, denn in einer Straße trafen wir auf eine große Gruppe von Juden, welche irgendwo hingingen, und wir schlossen uns ihnen an.

«Geht Ihr zu einem Fest?» fragte ich.

Sie waren auf dem Weg zur Beschneidung eines jüdischen Knaben im Hause seines Vaters.

«Dürfen wir mit Euch gehen und an der Zeremonie teilnehmen?»

Fröhlich antworteten sie, sie würden sich sehr freuen und fügten hinzu, während alle durcheinander redeten:

«Kommt mit uns, kommt.»

Wenn wir noch nie etwas Ähnliches gesehen hätten, sollten wir unbedingt diesem Akt beiwohnen, es sei dies eine sehr schöne Zeremonie!... Wir sollten nicht daran zweifeln!... Die Franziskaner seien die einzigen Fratres, die sie verstünden...

«Nun übertreibt doch nicht!» wiegelte ich ab.

So gingen wir bis zum Haus des Knaben, der beschnitten werden sollte. Es war voll von Leuten, Männern und Frauen, mehr als hundert feierlich gekleideter und gestimmter Personen. Ich kam nicht umhin, einen Vergleich zu der schlichten Taufe anzustellen, welche die Christen ihren Kindern angedeihen lassen, bei der es, wenn das Kind nicht gerade einer angesehenen fürstlichen Familie angehört, nur wenige außer den Paten begleiten. Juden, aber auch Mauren und Türken begehen hingegen dieses Fest, das für sie unserer Taufe gleichkommt, feierlich und mit großem Jubel. Mein Wissen über den Akt der Beschneidung war natürlicherweise ungenau. Ich kannte einige Anspielungen aus der Bibel und erinnere mich daran, eine Darstellung auf einem Altarbild in der Kathedrale zu Évora gesehen zu haben: Ein langer Tisch in der Mitte, mit einem weißen Tuch, auf das die Gevatterin das Kind legt; ein reichgewandeter, mitragekrönter Rabbi streckt seine Arme aus, um es von der Gevatterin in Empfang zu nehmen; rundherum in Gruppen, Männer und Frauen, deren Häupter Turbane, Hauben und Tücher bedeckten... Die Realität war weniger prächtig und reich, wiewohl feierlich und würdig.

Der Gevatter setzt sich an einen Tisch, und die Gevatterin bringt ihm das acht Tage alte Kind, das er auf den Schoß nimmt und von den Windeln zu befreien beginnt, während die Leute Lieder anstimmen. Der Rabbi wärmt seine Hände über einem Gefäß mit Holzkohle, welches dort bereitsteht, und neben ihm hält ein Gehilfe eine Schale und eine enghalsige Flasche voller Wein. Der Hauptteil der Zeremonie rückt näher, und alle Anwesenden folgen der Operation in tiefem Schweigen. Wir standen ganz vorn, denn die Juden hatten uns liebenswürdig den Platz freigemacht, so daß wir alles gut beobachten konnten.

Einige jüdische, sehr ansehnliche junge Mädchen stellen sich hinter uns. Ich fühle die festen Spitzen ihrer Brüste, als sie sich, um besser sehen zu können, über meine Schulter beugen. Einen Augenblick lang erinnere ich mich an Margaridas Körper, aber die Mädchen folgen ohne Arg den Gesten des Rabbi. Der Pate hält das Kind und lehnt dessen Kopf an seinen Körper, während der Priester mit einer Hand das Glied des Knaben ergreift und die Vorhaut nach vorn zieht, mit der anderen die Eichel und das Glied nach unten drückt. Ein silbernes Instrument hält diese Haut und erlaubt, sie rundherum mit einem Messerchen aus Stein abzuschneiden, ohne das Fleisch des Penis zu verletzten ... Mit den Händen entfernt er die zarte Haut, welche die Eichel umschließt, und legt jene ganz frei, indem er die restliche Haut zurückzieht. Durch sein Weinen zeigt der Knabe sehr wohl, daß es um sein Fleisch geht, was uns tiefes Mitleid einflößt. Ein Kelch mit Wein wird dem Rabbi gereicht, der, ein wenig davon in den Mund nehmend, das Blut an der Eichel absaugt und es dann ausspuckt. Er macht dies dreimal, dann bestäubt er die Wunde mit einem roten Pulver. Anschließend umwickelt er das Glied des Knaben mit äußerst reinlichen Tüchern.

«In fünf Tagen bist du geheilt, meine Kleiner!» höre ich eines der Mädchen hinter mir flüstern.

Der Priester segnet nun auf seine Art mit Gebeten den Wein, nimmt einen Schluck, steckt einen Finger in den Mund und führt dann den tropfnassen Finger an den Mund des Knaben, damit er daran sauge. Auch dies tut er dreimal. Der Rest des Weines wird der Mutter gebracht und den Frauen zum Trinken gegeben. Ein Gehilfe bringt einen silbernen Weihrauchbehälter und tritt an den Priester heran, der mit noch immer blutigem Mund den ausströmenden Duft auf Brust und Haupt empfängt. Anschließend werden das Kind und der Gevatter mit dem Weihrauch bedacht. Wer mehrmals eine Beschneidung vorgenommen hat, dessen Lippen werden im Grabe nicht verwesen, so sagen die Juden.

Wie mir jene Zeremonie gefallen habe, fragte mich ein Jude, der uns hinausbegleitete. Ich antworte ihm, daß dem Alten Bund zufolge, welchen Gott mit den Kindern Israels geschlossen habe, die Beschneidung ein heiliger Akt sei. Und heute, fügte Bruder Zedillo schroff und unhöflich hinzu, sei es eine Veranstaltung verblendeter, niederträchtiger Leute. Doch ungeachtet der deutlichen Ablehnung in den Worten meines Gefährten überhäuften uns die Juden mit Freundlichkeiten, als wir uns von ihnen verabschiedeten. Während mein Freund vorausging, blieb ich etwas zurück und fragte den Juden, welcher mit uns gesprochen hatte und hinter uns ging:

«Kennt Ihr einen Juden namens Isac Beiçudo oder Bensaúde?»

Er kenne ihn wohl. Aber er hielte sich zur Zeit nicht auf der Insel auf. Er glaube, er sei nach Zypern oder Ägypten gereist, genau wisse er es aber nicht. Er sei immer auf Reisen. Unter uns gesagt, meinte er vertraulich, da er ihn niemals Handel treiben gesehen habe noch jener vorgebe es zu tun, nähme er an, daß er so etwas wie ein geheimer Unterhändler im Dienste von irgendjemand sei. Denn woher solle sonst das Geld kommen? Er wisse über alles Bescheid, was vom östlichen bis zum westlichen Indien, einschließlich des Persischen Golfes, dem Roten Meer, der Türkei bis hin zu allen Ländern Europas, Asiens und Afrikas geschehe...

«Wißt Ihr, wann er zurückkommt?»

Das könne man bei ihm nie wissen. Er könne jeden Augenblick zurückkommen... Ob ich eine Nachricht für ihn habe.

«Ich möchte ihm ein Geschenk überbringen. Falls er nicht vor meiner Abreise zurückkommt, muß ich es in seinem Hause hinterlassen.»

Wenn ich wolle, würde er mir sagen, wo es sei.

«Ich wäre Euch sehr dankbar», sagte ich, und zu Bruder Zedillo gewandt, er möge schon vorausgehen, ich hätte noch etwas zu erledigen.

Wir gingen durch einige Straßen und Gassen, bis der Jude vor einer Tür hielt und klopfte. Eine alte Jüdin öffnete, und keineswegs überrascht oder neugierig wartete sie schweigend.

«Ich komme von Joseph und bringe Isac ein Geschenk.»

Ich holte das Geschenk aus dem Ärmel, welches von seinem Umfang her zu urteilen ein kleines Buch zu sein schien. Die Jüdin nahm wortlos das Päckchen entgegen und riß die Hülle auf. Es war in der Tat ein Buch mit hebräischen Buchstaben. Sie las etwas auf der Titelseite, was ich nicht verstand, da es in eben jener Sprache war, sah dann auf und übersetzte mir: «Lissabon, 1526.»

Jenes Datum! Ich kannte es wohl! Ohne meine Überraschung zu beachten, unterbrach sie mich, der schon den Mund zum Sprechen geöffnet hatte:

«Sagt nichts, Bruder Pantaleon (sie sagte: «Fra Pantaleone», denn sie war Italienerin). Tretet ein. Du, Ibraim», sagte sie zu dem Juden, der mich begleitete, «steh nicht neugierig herum und steck deine Nase nicht in Angelegenheiten, die dich nichts angehen. Geh.»

«Ich danke Euch dafür, daß Ihr mich hierhergebracht habt, Ibraim!» sagte ich, von der schroffen Art der Jüdin etwas betroffen.

Ich trat ein. Mir wurde klar, daß das Buch nichts als ein Zeichen war. Kaum hatte die Jüdin die Tür geschlossen, wandelte sich ihr Verhalten vollkommen. Sie lächelte freundlich, bat mich, Platz zu nehmen, holte Gebäck. – Sie solle meinetwegen keine Umstände machen – Rosinen, Feigen, Käse, schenkte mir von ihrem Wein ein, während sie weiter redete. Es sei schade, daß Isac nicht da sei, er hätte mich unbedingt sprechen wollen! Aber er habe nach Zypern reisen müssen und von dort in den Libanon, um einige besondere Informationen zu erlangen, welche Jacob, der über Ormuz aus Indien gekommen war, ihm übermitteln wolle.

«Jacob?» wunderte ich mich. «Etwa jener Meister Jacobus?»

«Jacob, ein Portugiese, Arzt aus Tavira. Ja, genau dieser.»

«Aber der ist doch bei dem Erdbeben umgekommen!»

Es sei notwendig gewesen, daß alle dies dachten, wie sich später herausstellen sollte... Im übrigen sei dies ein Teil dessen, was Isac mir von Jacob ausrichten wollte: daß er lebe und mit Sara in Damaskus wohne. Er fühle sich alt und krank und wolle nicht sterben, ohne mich vorher gesprochen zu haben, um seine Seele von einer schweren Bürde zu befreien, welche sie immer bedrückt habe. Isac habe vorgehabt, mich dorthin zu bringen, aber er habe unverhofft fortgehen müssen und mir die Nachricht hinterlassen, daß er mich in Zypern oder Jerusalem aufsuchen würde oder an irgendeinem anderen Ort. Ich solle mir keine Sorgen machen: Er werde mich schon finden...

Wir verweilten drei Tage in jener Stadt, da Waren ausgeladen werden mußten, welche dort verkauft und andere eingeladen werden mußten, welche gekauft wurden. Doch dies bedrückte mich nicht weiter, denn das vergebliche Warten ließ mich in eine Art Apathie und müde Gleichgültigkeit verfallen, von der ich wußte, daß sie vorübergehen würde. Ich nutzte dies, um meiner natürlichen Neigung nachzugeben, fremde Länder, Riten und Gebräuche zu beobachten. Ich konnte daher die große Fülle der hervorragenden Öle und Weine Korfus besser kennenlernen, die in alle Welt ausgeführt werden, die reichen Viehherden, welche fettes Fleisch liefern, die Güte und Vielfalt der Früchte, vor allem der Zitrusfrüchte, welche besser sind als unsere, und die Fülle an Fischen, wo doch sonst im levantinischen Meer vielerorts Mangel daran herrscht. Ich besuchte sogar eine große Fischzucht, welche die Venezianer an einem Punkt der Meeresenge auf der türkischen Seite betreiben, wo sie riesige Mengen Fisch züchten, welcher der Signoria viel Geld bringt: Zumeist sind es Meeräschen, die keine besonders guten Fische sind, weil sie in den Fischweihern mit Schlangen und dergleichen widerlichem Getier zusammenleben, indes gibt es viele, die sie mögen. Das wichtigste an ihnen ist der Rogen, den vor allem die Griechen und die Italiener mögen: sie nehmen ihn heraus und trocknen ihn an der Sonne. Er wird in der ganzen Levante geschätzt und zahllose Händler kaufen den Fisch und verschenken ihn, nachdem sie den Rogen, welchen sie *buturgas* nennen, herausgenommen haben. Viele essen den Fisch auch ausgenommen und getrocknet, mit Knoblauch gewürzt, andere machen indes nicht so viel Umstände damit.

Nachdem in Korfu alles Notwendige erledigt war und sich günstiges Reisewetter bot, lichteten wir den Anker und setzten zur Freude aller die Segel. Am folgenden Tag passierten wir die Insel Cefalonia mit ihren hohen Bergen, welche steil ins Meer abfallen.

«Köstlicher Wein!» das war unser üblicher Gewährsmann, Perides, der wie mein Gefährte und ich an der Decksbrüstung lehnte. «Die Inselbewohner machen aus vielen Trauben Rosinen, welche sie nach Italien und in andere Länder bringen. Sie haben große Viehherden und feinste Wolle...»

Der gute Perides war besonders glücklich, weil er, sobald wir vor Anker gehen würden, zu seiner Braut eilen würde, welche von dort stammte. Er würde ihr tausende von Küssen geben und ein wollenes Hemd anprobieren, welches sie ihm gerade aus der Wolle ihrer Schafe machte (Margarida hatte mir auch eines gewebt, erinnerte ich mich!) Seine sehnsüchtigen Augen schienen das Land heranziehen zu wollen, welches indes keinen Deut näherkam. Wir segelten ganz offensichtlich daran vorbei. Perides war untröstlich, sein Schmerz unbeschreiblich. Er verließ uns, und wir sahen ihn erst am nächsten

Tag wieder, als wir im Hafen der Insel Zante einliefen. Hier gingen nur wenige an Land: nur der Schreiber des Schiffes, zwei oder drei Kaufleute und ich, nachdem ich den Schiffsherrn um Erlaubnis gefragt hatte, um meine Neugier zu stillen... und Perides!

Es gibt auch hier eine uneinnehmbare Burg mit einer ständigen Garnison und ein Kloster von Franziskanern, die, obwohl sie Griechen sind, der Kirche Roms unterstehen.

«Seid willkommen! Seid willkommen! Ihr kommt zur rechten Zeit!» begrüßten uns die Fratres voll Zuneigung und Güte. Zuerst einmal müsse man sich um die Seele kümmern, meinten sie und führten uns zum Beten in die Kapelle. Dann gibt es etwas für den Körper zu tun, und es folgte der vorgeschriebene Besuch der Küche.

Dieses Kloster wird von allen Vornehmen der Insel besucht, und es finden dort auch Beerdigungen statt. Die restlichen Kirchen folgen dem griechischen Ritus und haben ihren orthdoxen Bischof. Die Venezianer zahlen jährlich für diese Insel Tribut an die Türken und für die Insel Cefalonia eine bestimmte Anzahl Falken, indes habe sie wegen der türkischen und maurischen Seeräuber, welche jene Meere heimsuchen, Wachen zu Fuß und zu Pferd stationiert. Gute Weine und Öle, viele Rosinen und köstliche Früchte gibt es dort, wie überall am Mittelmeer, in solchem Überfluß, daß das Land einen verweichlicht mit seinem Klima und seiner Luft.

Es war schon fast dunkel, als wir zum Schiff zurückkehrten. Ich traf Perides, der auch zurückkam, strahlend und mit einem neuen wollenen Hemd bekleidet, welches ich am Morgen, als wir aufbrachen, nicht an ihm gesehen hatte.

«Nun, Perides, mein Freund», fragte ich ihn, «ist Eure Braut von hier oder aus Cefalonia?»

«Diese hier ist Crisida», antwortetet er mir mit gespielter Schlichtheit und Unschuld, «die andere war Melania.»

«Ach so! Ich verstehe! Ihr sammelt... Hemden!...»

Wir setzten unsere Route fort und segelten an Morea vorbei, welche viele Negroponte und andere Peloponnes nennen, kamen an den beiden kleinen Estriva vorbei, wo einige griechische Bettelmönche von Almosen leben. Sie fahren mit ihren Booten zu den Nachbarinseln zum Betteln und besitzen einen Turm, in dem sie sich verschanzen, wenn sie Galeeren oder kleine Segelboote der Seeräuber sichten. Zur Vesperstunde überraschte uns ein widriger Wind, so daß wir unbedingt einen Hafen aufsuchen mußten, welcher notgedrungenermaßen türkisch, das heißt ein feindlicher Hafen sein würde. Der Schiffsherr und die Seeleute, welchen der Hafen und die Art seiner Bewohner bekannt war, zeigten sich besorgt, was mir und Bruder Zedillo nicht entging.

«Gibt es Schwierigkeiten?» frage ich Perides, als das Schiff bereits in den Hafen einlief und sich anschickte, vor Anker zu gehen.

Er blickte uns ernst an und sagte:

«Es ist an der Zeit, daß Ihr mit der Kraft Eurer ganzen Frömmigkeit betet.»

«Oh, mein Gott», seufzte Bruder Zedillo erbleichend und kniete, sogleich seinen Rosenkranz zur Hand nehmend, nieder.

Doch bevor noch der Anker geworfen wurde, drehte der Wind wieder in die Richtung, in die wir fahren mußten, blies kräftig fauchend die Segel auf und pfiff in der Takelage.

Segelte man immer an der Morea entlang, gelangte man ins Ionische Meer, welches andere die Ägäis nennen, und das einst Ikarisches Meer genannt wurde. Wieviele Erinnerungen an die Lektüre, an das Studium heidnischer wie auch christlicher Autoren riefen in mir jene Orte, jene Inseln, jenes Meer wach! Wieviele Sagen und wieviel Geschichte enthielt das riesige Amphitheater, welches die im Halbkreis um dieses Meer angeordneten Länder bilden. Dieses *orchestra* aus flüssigem Gold und Silber, in dem kleine Inseln wie Trittsteine verstreut liegen, um die Verbindung der Menschen untereinander, der Sprache, des Glaubens und der Bräuche aufrechtzuerhalten, wird von der großartigen Bühne der Insel Candia abgeschlossen, die ihren Rücken der anderen, unbekannten, geheimnisvollen Welt, Afrika, zuwendet. Wo sind die Götter und die Göttinnen, die einst jene blauschimmernden Berge bevölkerten? Wo die Dryaden und Faune, die auf den Lichtungen der anmutigen Wälder herumliefen und tanzten? Die Najaden, die in den murmelnden Quellen lachten und badeten, in den klingenden kristallklaren Bächen und Seen im Schatten des rauchgrauen Olivenbaums oder der zarten Weiden? Wo die Nymphen und die Nereiden? Die Musen, die so große Dichter inspirierten? Die Helden, die liebten und litten und beim Klang der siebensaitigen Kithara in den königlichen Palästen von einem blinden Sänger besungen wurden? Diese durchscheinende Luft zitterte nun nicht mehr unter dem Sprechgesang zu Orpheus' Lyra, noch evoziert der Dithyrambische Chor die Qualen des Dionysos, noch vollführt der trunkene, rasende Gott beim Klang von Flöten und Schellentrommeln von toll gewordenen Bacchantinnen und obzönen, blätterbekränzten, Myrthenzweige tragenden Satyrn begleitet, welche sich mit blutrotem Wein beschmieren und bespritzen, einen orgiastischen Tanz... Im alten Korinth, im prächtigen Venustempel hört man die Seufzer, den keuchenden Atem der tausend Jungfrauen nicht mehr, welche die Lüsternheit der reichen Reisenden und Kaufleute befriedigen. Das sehnsüchtige Ithaka bleibt zurück mit den Schatten des Odysseus und der sanften Penelope. Die Statue des olympischen Zeus – Elfenbein und Gold auf kostbarem Holz, eines der sieben Weltwunder – verbrannte irgendwo in der Nähe Konstantinopels bei einer Feuersbrunst und beschirmt nicht mehr die Siege der Athleten, deren harte, gedrechselte Muskeln von Schweiß glänzen. Nichts mehr ist von der Schönheit Helenas und der Jugend des Paris geblieben, welche den Zorn der Helden und der Götter entfachten. Die rätselhafte Orakelpriesterin verfällt nicht mehr in den Tiefen ihrer Höhle in Trance, die Sphinx hält vor den Toren Thebens in Böotien keinen Wanderer mehr auf, noch irrt schwankend und stolpernd der Geist des blinden Königs Ödipus auf fremden Wegen umher, die weißen Schwäne der Artemis schwimmen längst nicht mehr gelassen im Schatten der Zypressen auf den stillen Wassern des Eurotas bei den Marmorstufen ihres Tempels in Ephesus... Eines Tages starben die ewigen Götter und mit ihnen die antike Welt. Ein neuer Geist wehte und vorher niemals Gesagtes wurde vernommen. Der Schatten Paulus von Tarsus hinterließ hier seine Spuren, die Steine sind geborsten und in den Ritzen sprießt Gras, Wände und Säulen stürzen ein und dieses Amphitheater öffnet sich, mit Rom als Mittelpunkt, zum gesamten Mittelmeer. Erneut fallen Kaiserreiche und Königreiche und wieder einmal weitet sich in der heutigen modernen Welt die Bühne, und das Theater umfaßt die ganze Welt. Das Ionische Meer hat lange schon seine Größe verloren und ist nun zu einem kleinen Amphitheater geworden, in dem sich neben der menschlichen Gier nach Macht und Reichtum der Kaiser und Tyrannen, der Kaufleute der Levante und des Abendlandes, Christus und Mohammed um jeden Zentimeter des von ihnen betretenen Bodens kämpfen. Kalte, grausame Länder einer tatsächlich existierenden Welt, deren Wirklichkeit einen erschaudern läßt. Die Erinnerung an die Poesie und den Schleier der Sanftheit, mit welchem die Menschen der Antike sie veredelten, machen die begeisterte Ergriffenheit verständlich, mit der die Künstler unserer Zeit – Bildhauer, Maler und Dichter – jenen liebenswerten Geist wiedererstehen lassen.

Wir hatten die Insel Candia noch im Blick, als eines Tages in der Abenddämmerung sich der Himmel mit schwarzen, schweren Wolken bedeckte. Ein kalter Wind begann die Wasseroberfläche und unsere Haut zu kräuseln, so daß wir bald fröstelnd die Kleider fester zusammenhielten. Von oben brach krachend das Gewitter mit fürchterlichen Blitzen los. Regenfluten stürzten aus den Wolken, die Wellen türmten sich grünlich auf, spuckten weißen, fahlen Schaum. Die Erfahrensten unter der Besatzung begannen das Unwetter zu fürchten. Die Matrosen rannten von den Befehlen des Lotsen gehetzt von einer Seite zur anderen, holten schnell die Segel ein, richteten die Takelage so, daß die Böen sie nicht zerfetzen konnten, und warfen Taue vom Bug bis zum Heck, von einer Bordseite zur andern, um sich daran festzuhalten und dort zu Hilfe zu eilen, wo es von Nöten war. Anders konnten sie sich nicht auf den Füßen halten. Wir Passagiere mußten in den Kabinen oder im Unterdeck ganz ruhig jeder auf seinem Platz bleiben. Manche jammerten, andere schrien, wieder andere beteten und nicht wenigen verursachte die Angst eine so große Übelkeit, daß sich ihnen der Magen umdrehte und sie selbst das von sich gaben, was sie nicht gegessen hatten, denn während des ganzen Sturmes dachte niemand daran, irgend etwas zu sich zu nehmen. Die Lage spitzte sich so zu, daß der Schiffsherr wie auch die Vornehmsten, welche auf dem Schiff mitsegelten, im Glauben, der Tod sei nahe, unter Tränen um die Beichte baten. Wir mitreisenden Patres hatten alle Hände voll zu tun. Sogar der arme Bruder Zedillo! Dieser Mann, der sein ganzes Leben lang nie das Meer gesehen hatte, lag wie tot auf seiner

Matte. Kaum kehrten seine Lebensgeister zurück, da hieß es schon für ihn die Beichte abzunehmen, so gut es eben ging.

Ich wagte es hin und wieder, mich bis zur Treppe zu schleppen, welche an Deck führte, und spähte, da die Luke verschlossen war, damit das Wasser nicht eindrang, durch die Ritzen nach draußen. Die Wellen fegten über das Schiff, peitschten lärmend von einer Bordwand zur anderen und türmten sich bald so hoch wie Mauern auf, daß wir glaubten, uns auf dem Meeresgrund zu befinden. Dann wieder öffneten sie sich wie Schluchten, und wir gerieten ganz außer uns. Drei Tage und Nächte dauerte dies grausame Unwetter, und während der ganzen Zeit trieben wir auf dem Meer, hielten uns vom Land fern, ohne es indes aus den Augen zu verlieren, und versuchten irgendwo auf der Insel einen Hafen zu finden, vergeblich, denn in jenem Teil gab es keinen, und wegen des widrigen, heftigen Winds, welcher in der Takelage pfiff und heulte, konnten wir es nirgendwo anders versuchen.

Nachdem wir unter solchen Mühen und Gefahren segelten und auf Gottes Barmherzigkeit hofften, um die wir ständig mit der ganzen Kraft unserer Seelen flehten, brach, just als der Sturm nachzulassen schien, der Mast des Focksegels. Dieses Unglück erfüllte uns mit großem Schrecken, welcher bald von einem seltsamen Geräusch noch verstärkt wurde, von einer Art mächtigem Schlürfen, das ängstliches Seufzen, Pfeifen und Muhen begleiteten und welches umso seltsamer war, als das Stampfen des Schiffes aufgehört hatte. Ich öffnete die Luke und trat an Deck, zögernd gefolgt von einigen Gefährten. Wir folgten dem Blick der Seeleute, die starr vor Schrecken dastanden. Der Himmel begann sich zu lichten, Wolken zogen in der Ferne vorbei, aber unweit des Schiffes bot sich eine außergewöhnliche Erscheinung. Aus einer dunklen, dichten Wolke, welche in der Luft schwebte, hing so etwas wie ein dünnes Rohr aus Dampf herunter, das sich in sich selbst drehte, und wie eine Schlange sich windend auf den Wellen aufsetzte und mit jenem lärmenden Schnaufen das Meerwasser ansaugte. Es schien von einem geheimnisvollen Leben und Bewußtsein erfüllt zu sein und der Schrecken, den es einflößte, ließ viele aufschreien.

«Ein Drache! Ein Drache!» riefen einige griechische Seeleute, während unsere Franziskaner, die junge unerfahrene Menschen waren, mit hervorquellenden Augen einander in den Armen liegend, nichts hervorbrachten als: «Der Dämon! Der Dämon!»

«Σιφουνας» (Sifonas), murmelte ruhig neben mir ein Offizier, während einige Pilger aus Rom lauthals «Ein Ungeheuer! Ein Ungeheuer!» brüllten.

Was es auch immer war – zweifellos ein physikalisches Phänomen – es trank weiter in großen Schlucken die Wellen des Ozeans, wurde zusehens dicker und, nachdem es zunächst durchsichtig gewesen war, ganz schwarz und ließ die Wolke, welche darüber anschwoll, noch schwärzer erscheinen.

«Was heißt Sifonas?» fragte ich den Offizier, nachdem ich erst Perides mit den Blicken gesucht und nicht gefunden hatte.

«Sifonas heißt Siphon, das Rohr, das Wasser schluckt. Es ist ein auf diesen Meeren häufiges atmosphärisches Phänomen, welches schon die alten Griechen kannten – Aristoteles berichtet in seinen *Meteoros* davon. Sie nannten es einst, σιφων (Siphon).»

«Die Wasserhose!» übersetzte ich, mich an kürzlich gelesene portugiesische Berichte über das Meer erinnernd. «Ist sie gefährlich?»

«Manchmal schon, und das Schiff kann dann in große Gefahr geraten. Es gibt Fälle, in denen versucht wird, das Rohr mit Kanonenschüssen abzutrennen, doch meist ohne Erfolg. In diesem Fall wird wohl, so scheint es, nichts gesehehen.»

Als die darüberliegende Wolke mit Wasser gesättigt war, hörte das Rohr auf zu saugen, löste sich von der Wasseroberfläche und zog sich in die Luft zurück, während es auf uns zukam. Einige, die das sahen, gerieten in Panik. Das Geschrei war ohrenbetäubend, zügellos die Flucht zur Treppe, welche unter Deck führte, viele wurden achtlos umgerannt, manche fielen in Ohnmacht. Das Ding zog mit einem hohlen Geräusch vorbei, einer kräftigen Wind- und Regenbö, welche uns aufgelöst und klatschnaß zurückließ, doch all dies so schnell, daß es für einen Augenblick so schien, als erwachten wir aus einem Alptraum, wie wir alles so ruhig, still und reglos vor uns liegen sahen, dort, weit in der Ferne, der flüchtende, entschwindende, sich auflösende Schatten einer dunklen Wolke mit einem kleinen Anhängsel. Von der Erscheinung blieb uns noch eine Überraschung: Auf den Deckplanken zappelten, im Todeskampf nach Luft schnappend, hunderte von kleinen silbernen Fischen. Ein so großer, müheloser Fischzug erfreute uns sehr, hatten wir doch drei Tage lang nichts gegessen. Aber unsere Heimsuchung war noch nicht beendet. Als das Schiff mit dem Seitenwind längs der Insel segelte – bei günstigem Wind wollten wir einen Hafen suchen, um uns zu erholen und auszuruhen – sahen wir in den Wellen die Leichen einiger Seeleute treiben, welche die Wogen während des Sturmes über Bord gespült hatten. Ihr Anblick traf uns sehr, mich aber ganz besonders, als ich nah am Schiff die aufgetriebene, bäuchlings mit ausgebreiteten Armen und mit dem Gesicht im Wasser liegende Leiche eines Seemannes bemerkte. Er trug ein wollenes Hemd, welches ich nur zu gut kannte.

«Perides!» murmelte ich tief berührt.

Mein Gefährte betete und ich erinnerte mich wie ein Heide an den Vers des Vergil: «Nudus in ignota, Palinure, iacebis arena...»

Die Bordtrompete ertönte. Es war der Schiffsherr, der uns zusammenrief. Wir beteten drei Vaterunser und drei Ave-Maria für die Toten und sange das *Salve Regina* zum Dank dafür, daß wir aus so großer Gefahr errettet waren. Indes, das Leben ging weiter und um die Kraft unseres Körpers wiederherzustellen, wurde ein schmackhafter Eintopf aus dem Fisch zubereitet, welchen die Wasserhose für uns gefischt hatte und dem wir alle mit Appetit zusprachen.

VII

Das Brevier

…«Ut quondam Creta fertur Labyrinthus in alta / parietibus textum caecis iter ancipitemque / mille viis habuisse dolum, qua signa sequendi / falleret indeprensus et irremeabilis error.»

… «Wie das Labyrinth vordem im bergigen Kreta, heißt's, in dunkle Wände verwirrt, auf tausend und tausend Wegen den Wanderer bannte mit wechselndem Trug und des Rückwegs Zeichen ihm wieder verwischte in nie zu entwirrende Wirrsal.»

(Vergil, *Aeneis*, V, 588-591.)

Auf die Decksbrüstung gestützt schreibe ich eine kurze Notiz: «Neunzehnter Dezember. Neun Uhr morgens. Wir laufen einen Hafen im Süden der Insel Candia an.»

«Critas! Critas!» brüllt ein Seemann, damit die Passagiere sich bereit machen, um an Land zu gehen. Bruder Zedillo, der neben mir steht, bemerkt:

«Hört Ihr, wie sie die Insel nennen? Critas!»

«Nur die Griechen nennen sie so. Die romanischen Völker sagen heute noch Kreta, sofern sie sie nicht Candia nennen wollen.»

Wir fahren unweit eines anderen Hafens, dem Porto Seguro, welcher von den aus Zypern und Alexandria kommenden Schiffen sehr gern angelaufen wird, in den Hafen eines Ortes namens Cauda Leonis ein, was Löwenschwanz heißt. Besatzung und Passagiere sehen voller Freude das Land näher kommen, und während erstere sich schon daranmachen, die Segel einzuholen und lärmend die Anker zu werfen, drängen wir uns alle in der Erwartung festen Boden zu betreten, an der Decksbrüstung. Etwa zehn Meilen nach Süden hin erkennt man den nebligen Schatten der Insel, welche auch Cauda genannt wird. Diese Insel und auch Porto Seguro sind bekannt, weil Paulus von Tarsus dort verweilte, als er in einem Sturm Schiffbruch erlitten hatte. Der Hafen, den wir anlaufen, liegt geschützt. Auf der einen Seite schirmen ihn einige kleine Inseln oder Syrthen ab, auf der anderen die rauhe, gebirgige Küste mit ihren dichten Zypressenwäldern.

Die Erholung und die Erlösung von den kürzlich überstandenen Unbilden sind Grund genug dafür, daß wir sehnlichst wünschen, unser Schiff zu verlassen. Doch als wir uns gerade anschicken, dies zu tun, werden fünf Schiffe – zwei französische aus Marseille und drei weitere aus Slowenien –, welche sich im Hafen befinden, von uns mit Salutschüssen begrüßt. Jene antworten mit ihren Salutschüssen und alsbald eilen Leute in Booten herbei und kommen an Bord unseres Schiffes, um uns zu helfen. Eine andere Art der Hilfe erhalten wir kurz vor Sonnenuntergang von einem zwei kleine Meilen von hier entfernten Kloster, das, als dort die Schüsse gehört wurden, zwei Mönche schickte, die dem Schiffsherren einen Mundvorrat an weichem Brot, Gemüse und Zitrusfrüchten bringen, von denen es auf der Insel viele gibt. Sie werden von uns allen herzlich und mit Freundschaftsbezeugungen und der Versicherung empfangen, daß ihr Besuch uns äußerst genehm sei. Beim Abschied versprechen sie, am nächsten Sonntag wiederzukommen, um uns zu einem Besuch im Kloster mitzunehmen.

Wir erhalten noch einen weiteren Besuch, der allerdings merkwürdig und ungewöhnlich ist. In jenen dichten Wäldern, die man dort auf den Bergen sieht, hausen auf den kargen Hängen und in dem dichten Buschwerk, in Grotten und Höhlen, barbarische und tierähnliche Menschen, die gemeinhin auf der Insel für Wilde gehalten werden, da sie abgesondert von der menschlichen Gemeinschaft leben, nie in die Dörfer hinuntersteigen und ein primitives Leben führen. Sie ernähren sich von der Jagd und kämpfen häufig gegen die kleinen maurischen Segelboote oder Galeoten, welche von Rhodos, Karpathos und anderen benachbarten Orten der Insel kommend, auf Raubzügen dort auftauchen. Sie zeigen sich indes liebenswürdig und den Venezianern wohlgesonnen, soweit ich es verstand, entweder weil jene die Herren des Landes waren oder weil sie sie brauchen, wenn sie an jenen Orten einen Hafen aufsuchen oder weil sie vor ihnen den Respekt haben, den gemeinhin so wohlbewaffnete Schiffe wie jene Venedigs einflößen. Während der Tage, in denen wir uns dort aufhielten, erlebte ich, mit wieviel Vorsichtsmaßnahmen und Schutz die Angehörigen der Mannschaft an Land gingen, die immer von Büchsenschützen begleitet wurden, wenn sie Brennholz oder Wasser holten.

Drei jener Leute kommen an Bord, um Fleisch aus den Bergen zu verkaufen. Sie sind mit Hirtenwesten aus rohem Hirschleder bekleidet. Darunter ein rauhes, grobes Hemd. Sie tragen keine Hosen, sondern Stiefel aus rohem Rindsleder, welche so hoch sind, daß sie sie mit einem Lederriemen an der Taille befestigen. Auf dem Haupt, dessen Haar die Schulterblätter halb bedeckt, sitzt eine Art maurischer Kappe ebenfalls aus rohem Leder, welche ihnen gleichermaßen als Kopfbedeckung wie auch, wenn notwendig, als Verteidigungswaffe dient. Sie benutzen Pfeil und Bogen, welche sie nie aus der Hand legen, wenn sie das Haus verlassen. Sie bringen Fasane, Zicklein, Spanferkel, Hirsche. Sie verkaufen alles so billig, daß vier Fasane einen Marcelo kosten, was so viel wie ein portugiesischer Silberreal ist, und für denselben Preis verkaufen sie auch die Zicklein und die Spanferkel.

Mit diesen Leuten kommt auch einer, welcher außergewöhnlich mitteilsam und kurzweilig ist, mit Namen Argiropolos. Er will mit allen scherzen und spaßen, bemüht sich, alles was auf dem Schiff ist, anzusehen, läuft von Deck zu Deck, von unten nach oben, und obgleich einige ihn dazu auffordern, Pfeil und Bogen abzulegen, haben sie damit keinen Erfolg. Als er an mir vorbei geht, fällt ihm mein Brevier auf, – ein Geschenk des Abtes in Évora aus Anlaß seiner Ordination oder, wie ich vermutete, im Auftrag von irgendjemandem –, welches sich aufgrund seines braunen Schafsledereinbandes, der getriebenen silbernen Ecken und goldenen gotischen Lettern von denen der anderen Mönche unterscheidet. Er bedeutet mir, daß er es gern in die Hand nehmen möchte, was ich gestatte, und bringt einige Worte hervor, welche mir wie eine Frage vorkommen. Wenngleich ich das Schauspiel seiner Lebhaftigkeit und seines Witzes schätze, so verstehe ich ihn doch nicht. Ich spreche kein Griechisch. Indes verstehen ihn viele der griechischen Passagiere und die Schiffsoffiziere, die fast alle Griechen sind. Es ist dies ein

Nachteil der venezianischen Schiffe: sie haben griechische Lotsen, welche in den vielen Orten und Inseln Griechenlands angeheuert wurden, die Venedig unterstehen und deren Bewohner sich einer Tradition gemäß, welche aus uralten Zeit herrührt, dem Seefahrerhandwerk widmen.

«Was sagt er?» frage ich einen Offizier namens Constantino, der sich in der Nähe befindet.

«Er fragte nach Eurem Namen», antwortet er.

«Pantaleone», rufe ich auf italienisch, da es mir klangvoller und für die Ohren eines Barbaren verständlicher vorkommt.

«Pantaleone», wiederholt er erstaunt, wobei er lachend mit den Augen rollt und einen mir unverständlichen Wortschwall hervorbringt, den Constantino, der sich zum Dolmetscher macht, mir indes eilfertig übersetzt:

«Er sagt, daß Pantaleone ein griechischer Name ist, und daß Ihr ein ganzer Löwe seid, mutig wie ein Löwe, und daß er Männer mag, die mutig wie Löwen sind.»

Alle lachen sehr über diesen Scherz und ich desgleichen. Er äfft mich inzwischen nach, indem er mit dem offenen Brevier langsam auf und ab geht und so tut, als würde er darin lesen. Er bewegt die Lippen und versprüht dabei kleine Speicheltröpfchen. Während alle lauthals lachen, nähert er sich mir mit sehr ernster Miene und sagt, mir das Brevier überreichend:

«Pantaleone!»

Wie kommt es, daß mir in diesem Augenblick jener lateinische Satz einfällt, *cretenses mendaces*, alle Kreter sind Lügner? Wer war es, der mir gesagt hatte, daß diese Menschen nach außen hin häuslich, freundlich und mitteilsam seien, in ihrem Innern jedoch böse, verlogen und heimtückisch...?

Die Mönche hatten nicht vergessen, uns am Morgen des folgenden Sonntags zu einem Besuch ihres Klosters abzuholen. Wir begrüßten einander freundschaftlich und nahmen in unserer Kabine eine Mahlzeit ein. Nachdem wir gespeist hatten, gesellten sich vier zypriotische und fünf griechische Passagiere zu uns und wir baten zusammen mit meinem Gefährten, Bruder Zedillo, den Schiffsherren um Erlaubnis, mit den Mönchen gehen zu dürfen, um das Kloster anzusehen. Signor Niccolò gestattete uns dies sehr artig. Wäre der Hafen vor Piraten sicher, würde er uns nur allzu gern begleiten. Aber diese tauchten sehr häufig an diesen Gestaden auf und überfielen alles, was sie schlecht gesichert vorfanden. Wir sollten alsbald wieder zurückkommen, bat er uns.

Wir verließen das Schiff und waren schon einen guten Bogenschuß weit gegangen, als ein Venezianer, mit dem wir freundschaftlichen Umgang pflegten, hinter uns hergelaufen kam.

«Fra Pantaleone! Fra Zedillo!» rief er atemlos noch von weitem. «*Aspettate*!»

«Was ist los, Francesco?»

Er habe von unserem Aufbruch nichts gewußt, flüsterte er uns zur Seite nehmend. Er sei zufällig an Deck gekommen und habe uns davongehen sehen. Er habe Signor Niccolò gefragt, und sobald er erfahren habe, wohin wir uns begaben, sei er uns gefolgt.»

«Aber was ist los, Francesco?» drängten wir.

«*Per amor' di Dio*, geht nicht weiter! Kehrt zum Schiff zurück. Geht nicht mit diesen Griechen.»

«Warum, Francesco? Warum?»

«Große Gefahr, womöglich kehrt Ihr nicht zurück...!»

«Niedertracht! Heimtücke! Arglist! Finstere Lüge!...» rief plötzlich zornig einer der zypriotischen Edelleute, der sich genähert und einige der Worte verstanden hatte, welche Francesco uns sagte, und Verdacht geschöpft hatte. In so erlauchter Gesellschaft wie der seinen und der seiner Gefährten gäbe es nichts zu befürchten!...

Die anderen griechischen Edelleute waren durch den Lärm aufmerksam geworden, kamen näher und wollten wissen, was los ist.

«Francesco flüstert ihnen ein, daß sie nicht zurückkehren, wenn sie mit uns gehen.»

«Ein verdammter Schuft!»

«Wir könnt Ihr so etwas sagen!»

«Verrat! *Per la Madonna*! Wer kann so einer Verleumdung glauben?»

Mir schien es ratsam einzugreifen und so sagte ich zu Francsco gewandt:

«Teuerster Francesco, wir, Bruder Zedillo und ich, danken Euch für Euren Eifer. Indes übertreibt Ihr wohl etwas, denn Ihr könnt doch nicht das Verhalten so edler Herren, welche uns begleiten, mit jenem der Straßenräuber aus den Bergen vergleichen. Kehrt beruhigt auf unser Schiff zurück, denn Ihr könnt gewiß sein, daß wir unseren Weg in allerbester Gesellschaft fortsetzen werden.»

«Ich habe dies nur aus guter Absicht getan!» entschuldigte sich Francesco beschämt.

Mir wurde ein trauriger Sachverhalt hinsichtlich der Beziehungen der lateinischen und der griechischen Christen deutlich. Die einen wie die anderen haben, nichteingedenk der Tatsache, daß sie sich beide zum Glauben an Christus bekennen, anstatt brüderliche Gefühle füreinander zu hegen, eine Abneigung entwickelt, die zum Haß wird, wenn, wie im Falle Kretas, griechisches Gebiet unter der Herrschaft einer lateinischen Macht, der der Venezianer, steht.

«Verfluchte Venezianer!» zischte mir einer der griechischen Mönche, der uns begleitete, ins Ohr.

«Warum?» fragte ich.

«Sie sollten in ihr eigenes Land zurückkehren! Dies hier ist unseres! Unsres!...»

Er erzählte mir, daß der Haß der Kreter auf die Lateiner, von denen sie sich unterjocht und unterworfen sehen, so groß ist, daß die Griechen, wenn sie auf einen einzelnen Romanen träfen und kein Zeuge zugegen sei, nicht den geringsten Skrupel empfänden, ihn ohne Zögern zu töten. Aber wir seien doch Romanen und uns gegenüber zeigten sie keinen Haß! Er erklärte mir, daß der Haß den Venezianern gelte und wir jedoch Pater des Franziskanerordens seien, welche sie über die Maßen schätzten. Darüberhinaus bewunderten und verehrten sie die Portugiesen und die Spanier, deren Heldentaten weltbekannt seien... So machten wir auf unserem Wege die Erfahrung, daß Francescos Warnung nicht für die Zyprioten galt, die uns begleiteten. Jene griechischen Herren ließen es nicht zu, daß wir uns auch nur einen Augenblick lang von ihnen entfernten. Diese Gegend sei sehr gefährlich! Es gäbe viele Diebe, die wie jene wilde Männer, welche wir auf dem Schiff gesehen hatten, gewöhnlich an den Wegen auf Beute lauerten.

Der Tag verlief indes friedlich, und erfreut erreichten wir noch vor Sonnenuntergang das Kloster der griechischen Mönche. Einen Steinwuf davon entfernt erwartete uns der Abt, umringt von einigen Mönchen. Demütig warf er sich uns zu Füßen und bat um den

Segen, wie es bei ihnen Sitte ist, wenn sie andere Ordensbrüder treffen. Wir baten ihn um den seinen und umarmten und küßten einander in italienischer Manier auf die Wangen, so wie es dort und im ganzen Orient üblich ist. Anschließend geleiteten sie uns zum Gebet in die Kirche. Da bemerkte ich, daß ich aus Versehen ein Brevier mitgenommen hatte, welches nicht mir gehörte. Nach dem Gebet brachten sie uns zu einer Art Gästehaus, wo sie uns ein Mahl aus Datteln, gerösteten Kichererbsen und anderen landesüblichen Dingen bereitet hatten. Angesichts einer so liebevollen Bewirtung schien mir der Augenblick günstig, dem Abt und den Mönchen ein Holzkästchen mit Quittenpaste zu schenken. Ich hatte es zusammen mit anderen Vorräten in Venedig gekauft und es in den Ärmel gesteckt, da man mir auf dem Schiff dazu geraten hatte, nicht mit leeren Händen zu gehen. Sie kosteten wieder und wieder davon.

«Wie wohlschmeckend! Noch nie hat es in diesem Teil Griechenlands eine so köstliche Leckerei gegeben, Fra Pantaleone!»

Sie führten uns dann in den Obstgarten des Klosters, in dem die verschiedenartigsten Zitrusfrüchte überreichlich wuchsen, deren goldene Äpfel im Grün der Blätter leuchteten und deren Anblick und Duft uns Erholung und Kraft spendeten nach den auf dem Meer erlittenen Unbilden. Zum Kloster zurückgekehrt, begaben wir uns in ein großes Refektorium, in dem ein anheimelndes Feuer angezündet worden war, um die Kälte zu mildern, die nach Anbruch der Nacht spürbar wird. Ein reichhaltiges Mahl erwartete uns! Wenn sie auch arm waren, so verbot es ihnen die Mildtätigkeit, dies uns gegenüber zu zeigen. Der Abt und zwei alte Mönche setzten sich an unseren Tisch. Er hatte, da Adventszeit war und er wußte, daß wir unseren Ordensregeln gemäß in dieser Zeit kein Fleisch essen, Fisch zubereiten lassen. Auf vielerlei Art gedünstet wurde er uns mit den abwechslungsreichsten Beilagen von Fastengerichten vorgesetzt. An einem anderen Tisch saßen unsere Laiengefährten, denen vielerlei Fleischsorten serviert wurden, welche das Land gerade zu dieser Jahreszeit reichlich hervorbringt. Und wie gut und kräftig war dieser *Candia* Wein, den sie uns einschenkten und der mir und Bruder Zedillo in der Nacht einen erholsamen, erquickenden Schlaf spendete. Es war ein hoher Raum. Sie hatten uns die Betten nicht aus weichen Matratzen bereitet, sondern aus ihren eigenen Kutten und Überwürfen. Als Überdecken dienen Pilgermäntel, lange grobe Umhänge aus großen, weißen Wollfilzdekken. Sie werden in Slowenien hergestellt und sind in der ganzen Levante verbreitet. Das gemeine Volk benutzt sie, welches nicht viel sein Eigen nennt, doch sie sind besser und weicher als die unsrigen aus dem Alentejo, die im Winter zu kalt und im Sommer zu warm sind.

Bruder Zedillo und ich wickelten uns ein, so gut es ging. Die griechischen Gefährten verbrachten den größten Teil der Nacht singend und musizierend, wozu sie zwei Violen und eine Laute mitgebracht hatten. Diese Leute sind der Musik und dem Zeitvertreib sehr zugetan, wenn ihnen auch die guten Stimmen fehlen, die es in unserem Portugal gibt.

Am darauffolgenden Tag brachen wir, nachdem uns der Abt den Segen erteilt hatte, vom Kloster auf einem andern Weg mit zwei Mönchen auf, welche uns führen sollten. Ich sah meinen Eindruck vom Vortage bestätigt, daß das Gebirge hier wie unsere Serra da Arrábida war, nur war alles größer. Die Vegetation, der Duft und die Reinheit der Luft, die Köstlichkeit des Wassers, die Güte des Wildbrets, das Blau des Himmels, die Klarheit des Meeres – all dieses gemahnte mich an mein Gebirge. Wir schritten aus, über dies und jenes plaudernd, denn die Verständigung war einfach, da alle Adligen der Venedig unterworfenen Länder gut Italienisch verstehen, da sagte einer jener griechischen Herren zu uns:

«Ihr habt gewiß Gefallen daran, etwas Besonders zu sehen... Wollt Ihr Euch nicht die Mühe machen, ein berühmtes Denkmal der Antike anzusehen, welches nicht weitab von unserem Wege liegt?»

«Und was ist das für ein Denkmal?»

«Das Labyrinth des Minotaurus.»

«Das Labyrinth! Aber das ist ja wunderbar!» rief ich aus und dankte ihm überschwenglich für diesen Einfall.

Auf dem Wege dorthin gelangten wir in ein Dorf, in welchem wir nur Frauen und Kinder vorfanden, die ob unseres Erscheinens verschreckt und verängstigt waren. Von Männern keine Spur. Die Mönche, welche bekannt waren, sprachen sie an. Wo ihre Männer denn wären.

Ach so, es seien nur wir! Als sie Leute auf dem Weg laut reden hörten, hätten sie geglaubt, es seien maurische Seeräuber! Eine noch junge Frau mit einem sehr dreckigen Kind auf dem Arm sagte dies.

«Und sind deshalb die Männer alle verschwunden?»

«Die Mauren», mischte sich eine andere ein, «wollen nur die Männer zum Rudern. Frauen? Nur um sie in entfernte Länder des Sultans zu verkaufen!... Aber vor allem hätten sie Angst wegen der grausamen Strafen, die er über sie verhängte.»

«Wenn die Frauen jung sind», sagte die Erste, «machen sie das, was Ihr wohl wißt, und scheren sich nicht um sie.»

Allmählich erschienen einige der Männer, die sich versteckt hatten, und versuchten verlegen und beschämt, ihre Flucht in der gleichen Weise wie die Frauen zu entschuldigen.

«Wie weit ist es von hier zum Labyrinth?» fragte einer unserer Gefährten einen der Männer.

«So etwa vier Meilen...»

«Ich kenne den Weg sehr gut», tat sich ein anderer hervor. Und bot sich an: «Wenn Ihr wollt, gehe ich mit Euch.»

Nachdem dieser Vorschlag angenommen und der Zeitpunkt für den Aufbruch festgemacht worden war, nahmen wir eine kurze Mahlzeit ein, da es gerade der rechte Augenblick dazu war. Wir verabschiedeten uns von den Mönchen. Sie sollten dem Abt unsere Grüße ausrichten und ihn bitten, einige Mönche zu unserem Schiff zu schicken, damit wir uns mit einem Geschenk für all jene Gaben erkenntlich zeigten, welche er uns in seinem Kloster hatte zuteil werden lassen.

Wir erreichten den Ort fast zur Vesperstunde. Er lag in der Nähe eines Dorfes, welches größer war als das erste. Sie stellten uns einen älteren Mann vor, welcher gemeinhin als Führer diente, wenn man ihn für seine Arbeit entlohnte. Nachdem wir gezahlt hatten, machten wir uns auf den Weg und gelangten bald zum Eingang des Labyrinths. Der Führer räumte mit der Hilfe eines Jünglings, der mit ihm zusammen gekommen war, zwei große Steine weg von einem Loch, durch das wir hineinkriechen sollten, eine Art Höhleneingang. Sie gingen zuerst hinein, beide mit einer brennenden Fackel in der Hand, und wir folgten ihnen auf allen Vieren, so eng war der Eingang. Wir wanderten eine große Meile unter endlosen

Gewölben, welche alle aus dem Felsen gehauen waren, ohne daß es irgend etwas Besonders gegeben hätte, außer dem Gewirr ineinander übergehender Räume und dem Heulen eines heftigen Windes, der durch sie strich, ohne daß man erkennnen konnte, woher er kam. Wir gelangten schließlich zu einem weitläufigen Raum. An der Wand hing ein Ring aus Bronze, der so dick war, daß er einen guten Quintal wiegen mochte. Dort, so erklärte uns der Führer – sei der Minotaurus festgebunden gewesen.

In einem Teil dieses Raumes befand sich ein kleiner Eingang, so wie jener am Anfang. Von dort aus, sagte der Mann, verliefe das Labyrinth bis zum Meer, auf der anderen Seite des Archipels... Und er forderte uns auf, die Besichtigung fortzusetzen.

«Nein», trat ich vor, weil mich diese Lügenmärchen und die Tatsache, daß nicht Besonderes zu sehen war, verstimmten.

«Es war ein langer Tag und es ist schon ziemlich spät. Das Wichtigste haben wir gesehen und ich fühle mich äußerst müde.»

Alle stimmten mit mir überein, und wir gingen wieder dort hinaus, wo wir hineingegangen waren. Es war zwei oder drei Uhr nachts, als wir im Dorf ankamen. Wir ruhten bei einem großen Feuer, welches die Frau unseres Führers angezündet hatte, da es keine Betten gab, denn in jenen Dörfern herrscht bitterste Armut. Sobald der Morgen graute, machten wir uns auf den Weg zu unserem Schiff. Kaum daß wir das Meer erreicht hatten und von Bord aus gesehen wurden, da hatte der Schiffsherr schon ein Boot bestiegen und kam, um uns freudig mit allen zu empfangen. Nachdem wir unseren Führer und seinen Begleiter entlohnt hatten, verabschiedeten sich jene zufrieden mit unserer Bezahlung. Doch als wir das Boot bestiegen, um zum Schiff zurückzukehren, fragte der Schiffsherr, welcher die Gruppe eingehend betrachtete, als wolle er nachzählen, ob alle dort seien, Bruder Zedillo und mich:

«Habt Ihr die Brüder Pietro und Bertino gesehen?»

«Nein, warum?»

«Vor zwei Tagen baten sie mich um Erlaubnis, an Land zu gehen, und sie sind noch nicht wieder zurückgekehrt. Ich dachte, sie hätten sich Euch angeschlossen.»

«Nein, wir haben sie nicht gesehen. Wollt Ihr, daß wir sie suchen?»

«Die Frage ist, wo wir sie suchen sollen.»

«Wahrscheinlich», meinte Bruder Zedillo, «haben sie uns verfehlt. Denn wir sind auf einem anderen Weg zurückgekommen... Sie sind gewiß im Kloster.»

«Ich werde anordnen, daß jemand sie holt», sagte der Schiffsherr.

Wir verbrachten eine erholsame Nacht, in der wir nicht müde wurden, zum Staunen aller von all dem Wunderbaren zu erzählen, was wir gesehen hatten. Das Wetter war klar und das Meer ruhig. Dennoch machten sie keine Anstalten, die Segel zu setzen.

«Meister Theodorus», fragte Bruder Zedillo den Lotsen, «warum lichten wir bei so günstigem Wetter nicht den Anker?»

«Aus zwei Gründen», antwortete er ihm. «Erstens würde der Schiffsherr nie abreisen, ohne Eure beiden Gefährten an Bord zu haben...»

«Oh, mein Gott! Wie konnte ich das vergessen! Verzeiht meine Frage.»

«Wenn es diesen Grund nicht gäbe, so wäre da ein anderer, nämlich nicht vor dem Vollmond abzureisen, und das wäre erst in zwei Tagen. Wir müssen abwarten, ob mit dem Vollmond sich das Wetter ändert. Geschieht dies, so können wir diesen Hafen nicht so bald verlassen. Von hier aus müssen wir durch eine Meerenge, mit der nicht zu spaßen ist. Viele Schiffe sind dort schon untergegangen.»

Am nächsten Tag, es war der Tag vor Weihnachten, erschienen, als Signor Niccolò sich anschickte, nach den zwei Franziskanern im Kloster zu schicken, von dort zwei Mönche, die der Abt gesandt hatte, so wie wir ihn gebeten hatten. Sie brachten Stachelfrüchte und andere Erfrischungen.

«Waren zwei Franziskanerbrüder in Eurem Kloster?» fragte der Schiffsherr.

«Ja, die waren da», antworteten sie, weil sie dachten es handelte sich um Bruder Zedillo und mich. «Aber sie sind einen anderen Weg gegangen, um antike Dinge zu besichtigen.»

Im Augenblick waren alle in Hochstimmung. Geschenke wurden ausgetauscht, wobei wir nun den beiden Mönchen Gaben überreichten und unter anderem eine Kollekte für sie machten, bei der jeder etwas von dem gab, was er besaß. Niemand bemerkte daher das Mißverständnis und den Irrtum, in dem wir uns befanden, und unsere Gemüter waren ruhig. Die Mönche verabschiedeten sich sehr zufrieden, und wir blieben fröhlich bei den Vorbereitungen des Weihnachtsfestes und in Erwartung unserer Abreise zurück.

Als es zu dunkeln begann, unterbrach ein Lärmen von Cavaquinhos, Violas, Schellentrommeln, Flöten und Trommeln und was weiß ich noch für Instrumenten, welche alle durcheinanderspielen, die Monotonie an Bord, und ein festlicher Zug bewegte sich über alle Decks des Schiffes. Es waren die Schiffseigner und Offiziere der anderen Schiffe, die sich auch wartend im Hafen befanden. Sie feierten singend und musizierend die Geburt Christi. Hin und wieder hielten sie inne und machten ruhig ab, welche Gruppe als nächste singen sollte. So konnte man schöne französische, italienische und griechische Weichnachtslieder hören. Bruder Zedillo wollte sich auch nicht lumpen lassen und stimmte, seine angeborene Schüchternheit ein wenig überwindend, bald von den Instrumenten begleitet, ein spanisches Lied an, welches folgendermaßen begann:

In Bethlehem kam ein Kind zur Welt,
So wunderschön wie ein Seraphin...

Sie drängten mich, auch ein Lied auf Portugiesisch zu singen. Ich ließ mich nicht lange bitten. Unter den vielen Liedern, die ich kenne, suchte ich ein lebhaftes aus, welches die geheime Kraft besitzt, daß alle mitsingen:

Ihr Hirten! Ihr Hirten!
Kommt mit nach Bethlehem
das Jesuskind anbeten
in seiner Mutter Arm.

Wir bereiten uns für die Messe vor. Gott möge mir beistehen, doch während ich mit all den Weihnachtsliedern im Ohr die Gewänder anlege, fällt mir jenes Sprichwort ein, das lautet: «Itali ululant, Hispani plangunt, Galli cantunt» – «die Italiener jaulen, wenn sie singen, wie die Hunde, die Spanier weinen, denn alles ist Gefühl und religiöse Feier, aber die Franzosen zeigen in ihrem Gesang Lust und Freude, so wie es allen Hähnen seit jeher und überall gemein ist...»

Es fiel mir zu, die Messe zu lesen, auch wenn es eine Messe ohne Brot und Wein sein sollte, da wir uns auf dem Meer befanden, wenn auch vor Anker und in einem sicheren Hafen. Sie wurde von

Violen, vom Spinett und vom Monochord begleitet. Der Rest der Nacht verging mit Musizieren und Singen. Der Weihnachtstag brach mit den Salutschüssen der beflaggten Schiffe festlich an. Mein Gefährte las die *Missa in Albis*, und was die Messe am Tage betraf, so schlug jemand vor, sie an Land in einer kleinen Kapelle zu feiern, die etwas weiter vom Hafen entfernt lag, doch die griechischen Edelleute, welche auf unserem Schiff mitreisten, verhinderten dies:

Wir sollten es nicht tun! Dort in der Nähe gäbe es Dörfer und Wälder, deren Bewohner, als sie das Donnern der Salven gehört hatten, wahrscheinlich herbeigelaufen seien, um zu erfahren, was los sei, und wenn sie sähen, daß die Messe in einer griechischen Kirche gelesen würde, gäbe es sicher Unannehmlichkeiten.

So wurde die Messe an Deck des Schiffe festlich gefeiert, und ein maronitischer Priester namens Georg, Erzbischof von Damaskus, der sich mit uns in Venedig eingeschifft hatte, gab uns den bischöflichen Segen. Moses, der Patriarch der Maroniten des Berges Libanon, hatte ihn nach Rom geschickt, damit er am Konzil zu Trient teilnehme. Pius IV., der ihn mit allen Zeichen väterlicher Liebe empfangen hatte, war indes nicht damit einverstanden gewesen, ihn zum Konzil zu schicken, da er er kein Latein konnte und die italienische Sprache nur schlecht beherrschte. Er machte den Erzbischof hingegen zum Überbringer eines Briefes vom vergangenen September an den Patriarchen Moses, in welchem er dies alles erklärt und darlegt, daß es ausreiche, wenn der Patriarch so schnell wie möglich eine Erklärung darüber verfaßte, daß er, seine Suffragane und sein Klerus, so wie es der assyrische Patriarch Abdissu, welcher kürzlich in Rom gewesen war, getan hatte, die aus dem Tridentinischen Konzil hervorgegangenen Beschlüsse bezeugen und annehmen, wobei sie alles, was das Konzil gutheißt, gutheißen und alles verdammen, was es verdammt. Das heißt, Seine Heiligkeit, die nicht allzu großes Vertrauen in die Bildung ihres Patriarchen vom Berg Libanon hatte, übersandte ihm mit dem Schreiben den Entwurf des Briefes, den jener ihm eigenhändig schreiben sollte.

Ich war mit Bruder Georg vertraut geworden, da ich ihn kennengelernt und ihm geholfen hatte, als er bei der Römischen Kurie gewesen war. Daher ist es nicht verwunderlich, daß ich all diese Einzelheiten kannte und den ganzen Morgen damit verbrachte, dem

Bischof beizubringen, wie er uns seinen heiligen Segen auf unsere Weise in lateinischer Sprache geben müsse, wobei ich ihm riet, sich jene reichen Gewänder anzulegen, welche ihm Seine Heiligkeit zum Geschenk gemacht hatte.

«In nomine Patris...», wiederholte ich zum hundertsten Male.

Aber er wiederholte, schwerhörig wie er war:

«Mè nè Pàtros...»

«In nomine Patris et Filii...»

«Mè nè Fílios...»

Geduldig brachte ich es ihm bei, so gut es ging, doch da ich merkte, daß nichts zu machen war, schickten wir uns an, die Messe zu zelebrieren. Als sie beendet war, stellte er, den ich im Bischofsornat und mit Mitra erwartet hatte, mit einem grossen Turban anstelle der Mitra angetan, sich vor den Altar und gab uns ohne weiteres *adiutorium nostrorum* mit einer weit ausholenden Geste seinen feierlichen Segen, indem er laut sagte:

«Ménòs Pátras, Ménó's Fílios, Ménòs Spíritòs Sanctòs.»

Prustend unterdrücktes Gelächter und einige freche Lacher gab es, doch der Erzbischof war so glücklich, daß er nichts bemerkte.

An diesem Tage gab der Schiffsherr für alle Mitreisenden und auch für die Schiffsherren und Lotsen der anderen Schiffe an Bord ein Festmahl. Am Tage zuvor waren die Männer aus den Bergen zum Schiff gekommen und hatten viel Wildbret verkauft. Bruder Zedillo hatte, ohne daß ich es gemerkt hätte,vier oder fünf Spanferkel bezahlen lassen, denn der Zahlmeister hatte den Befehl, alles zu bezahlen, was wir vor dem Auslaufen aus Zypern benötigen würden. Er ließ Wasser heißmachen, um die Borsten zu entfernen, und mit einem jungen Mann, welcher uns an Bord zu Diensten war, begann er unüberlegt und aus der festlichen Stimmung heraus, den Unschuldigen die Kehle aufzuschlitzen – obgleich wir, wenn wir uns auch auf dem Meer befanden, seit zwei Monaten fasteten, da Adventszeit war, und unsere Regeln uns dies vorschrieben. Die Griechen fasten ebenfalls, und daher erregten sich einige, die sich unter den Passagieren befanden, über die Maßen, da sie abergläubisch sind. Es gab ein solches Gemurmel und soviel zornige Worte, daß Bruder Zedillo bekümmert in Tränen ausbrach. Ich befand mich derweil unter Deck in der Kabine und las eine Predigt des

Heiligen Vincente Férrer, den ich, obwohl ich kein Prediger war, ob seiner so frommen *o bona gens* schätzte, als mein Gefährte in Tränen aufgelöst bei mir erschien.

«Was ist los, Bruder?»

Mit erstickter Stimme erzählte er mir nun, was vorgefallen war. Ich lief sofort an Deck, um die Griechen zu schelten:

«Was soll diese abergläubische Frechheit und unbesonnene Dummheit?» schoß ich noch ganz unter dem Eindruck der beredten Lektüre der Predigten los. «Töten Eure Priester nicht auch die Flöhe und Läuse, wenn sie von ihnen gebissen werden?»

«Natürlich!»

«Was ist dann aber der Unterschied zwischen der Seele eines Flohs oder einer Laus und der eines Schweines?»

Diese einfache Frage, auf die es keine Antwort gab, verschlug ihnen die Sprache und sie baten schließlich Bruder Zedillo um Vergebung und zogen sich zurück.

«Bruder Zedillo», sagte ich zu ihm, als wir allein waren, «was unter Katholiken nicht redlich ist, sollte man auch unter Schismatikern und anderen so voll Vorurteilen steckenden Griechen nicht tun.»

«*Mea culpa*, Bruder Pantaleão!»

Das Festmahl verlief fröhlich, mit Gelächter, angeregten Gesprächen, und alle waren hochgestimmt, als von Land ein Boot kam, welches einige Männer brachte, die so etwas wie Büttel oder Gerichtsdiener des Ortes waren. Sie suchten sogleich den Schiffsherrn auf und sprachen im Vertrauen mit ihm. Ein Bursche kam zu mir: Der Schiffsherr ließe mich rufen. Ich erhob mich umgehend und folgte dem Burschen. Der Schiffsherr saß in seiner Kajüte an einem Tisch. Er hatte den Kopf in die Hände gestützt und weinte. Die beiden Gerichtsdiener standen neben ihm. Nachdem mich einer von ihnen mit einer knappen Verneigung begrüßt hatte, fragte er mich:

«Seid Ihr Bruder Pantaleon?»

Ich nickte zustimmend.

«Könnt Ihr mir Euer Brevier zeigen?»

«Ich kann euch dasjenige zeigen», antwortete ich und zog das Brevier aus der Tasche, welches ich irrtümlich eingesteckt hatte, «das ich bei mir habe und das ich mit dem eines Gefährten aus Versehen vertauscht habe.»

«Wie sieht eures aus?»

«Es hat einen ungewöhnlichen Einband aus braunem Schafsleder, silberne Ecken, goldene Lettern. Hab Ihr etwas darüber erfahren? Es handelt sich um ein Buch, an dem mir viel liegt, und es würde mich sehr schmerzen, es zu verlieren.»

«Ist es dieses hier?» und er zeigte es mir.

«Mein Gott!» rief ich aus und ergriff es, während sich in meinem Kopf finstere Gedanken, Befürchtungen und Vermutungen überschlugen. «Wo habt Ihr es gefunden?»

Ein Buchhändler in der Stadt Candia im Norden der Insel, Candia, wie der Name der Insel, andere nennen sie auch Iraklion, vom antiken Namen Heraclion, habe sich an das Gericht gewandt, weil es ihm verdächtig erschien, daß ein Fischer in seinem Laden aufgetaucht sei, um einige Breviere und andere religiöse Bücher auf Latein zu verkaufen. Sein Verdacht sei begründet gewesen, denn nachdem der Fischer festgenommen worden war, habe er nach der ersten Anwendung der Folter gestanden, was geschehen war, und seine drei weiteren Komplizen verraten. Mein Gott! Noch heute zittere er vor Entsetzen und Mitleid, wenn er daran denke! Jemand habe diese Männer gedungen, damit sie einen gewissen Franziskanerbruder töteten, der in der Hand ein Brevier mit einem Ledereinband, silbernen Ecken und goldenen Lettern zu tragen pflege, Pietro und Bertino, wer von den beiden aus Versehen mein Brevier eingesteckt hatte, wisse er nicht. Es habe mir dies das Leben gerettet und ihres gekostet, denn nachdem sie, da sie vom Meer genug hatten, an Land gegangen waren, um sich zu erholen, hatten jene Männer sie dazu überredet, einige Höhlen zu besichtigen, von denen es heißt, sie seien besonders schön und besäßen ein Bildnis unseres Vaters, des Heiligen Franziskus, das, lange bevor er zur Welt kam, in den Fels gehauen worden sei. Ein derart großes Wunder habe ausgereicht, um die armen Fratres in ihrer Gutgläubigkeit zu überzeugen. Kaum daß sie in den versteckten Höhlen angelangt waren, da hätte man sie an Händen und Füßen gefesselt, sie totgeschlagen und mit großen Steinen beschwert ins Meer geworfen, damit ihre Leichen nie wieder zum Vorschein kämen... Aber die menschliche Justiz wolle ein so großes Verbrechen nicht ungesühnt sein lassen! Dabei wies der Gerichtsdiener auf einen weit von uns entfernt liegenden Hügel an der Küste, auf dem man vier Gehenkte schaurig an ihren Galgen im Wind schaukeln sah. Nur einen, der der Anführer zu sein schien, müsse man noch fangen, einen gewisen Argiropolos. Aber niemand habe ihn seither gesehen...!

Ich gesellte meine Tränen zu denen des Signor Niccolò und verließ tagelang meine Kajüte nicht, noch nahm ich eine Mahlzeit ein, so niedergeschlagen war ich. Ich tat dies nicht aus Angst um mich. Daran hatte ich überhaupt noch nicht gedacht, so blind machte mich der Gedanke an meine beiden armen toten Gefährten. Der Schiffsherr persönlich kam unter Deck, um mich an seinen Tisch zum Essen zu holen, und er zwang mich fast gewaltsam: Sich selbst zu töten sei eine Todsünde. Und das sei es doch, was ich gerade täte. Ich solle für die Seelen meiner Brüder beten, doch während meiner Wanderung durch dieses Jammertal meine Mission freudig erfüllen.

Viele Stunden verbrachte ich selbstvergesen, allein, geistesabwesend und schläfrig an der Decksbrüstung, blickte ich auf den Kiel des Schiffes, welcher gleichförmig das Wasser durchschnitt. Wir hatten uns schon weit vom Land entfernt, Candia lag hinter uns, wir segelten an Karpathos vorbei und schifften glücklich mit günstigem, freundlichen Ostwind durch den großen Golf von Satalia, weswegen wir Gott immer wieder dankten, denn, wie uns gesagt wurde, gelang es den Seeleuten insbesondere im Winter selten, ohne Unbilden dort hindurchzukommen und häufig schon waren Schiffe gesunken.

«Einst», sagte ein griechischer Mitreisender zu mir, der sich neben mich gestellt hatte und dem die Bemühungen der anderen nicht entgangen waren, mich aus meiner Niedergeschlagenheit zu reißen. Auf einem Schiff bleibt nichts geheim, und diese Tragödie verlieh mir, ganz abgesehen davon, daß sie die Leute auch traurig machte, eine besondere Aura, welche dem erahnten Mysterium, das mich umgab, eine vage Furcht und respektvolle Ehrerbietung hinzufügten. «Einst war diese Meerenge noch gefährlicher als heute, denn zu dem Sturm kam noch ein riesiger, schrecklicher Meeresdrachen hinzu, der die Schiffe zum Kentern brachte.»

«Den gab es hier wohl», das war auf der anderen Seite neben mir die Stimme Bruder Zedillos, der auch gekommen war, um mich mit seiner Gesellschaft zu zerstreuen, «bis zur Zeit der Heiligen Helena, der Mutter des Kaisers Konstantin. Doch als sie eines Tages hier vorbeikam, warf sie einen der Nägel ins Meer, mit welchen der Erlöser ans Kreuz geschlagen worden war, und seitdem ist der Drache nie wieder aufgetaucht.»

«Land in Sicht», rief oben vom Mastkorb ein Seemann und sofort kamen von allen Seiten die Leute herbeigeeilt, um in der Ferne einen dunklen Fleck zu betrachten, welcher am Horizont sich abzuzeichnen begann.

«Das ist Zypern!» sagte jemand in meiner Nähe.

Bald konnte man den Berg Troodos deutlich erkennen, welcher aufgrund seiner großen Höhe jenen Teil der Insel beherrschte und von dem fächerartig unzählige Vorgebirgszüge ausgingen, in die schattige, üppige Täler geschnitten waren.

Ganz nahe der Insel kam ein rauher, feindseliger Südwind auf, welcher uns alle bekümmerte und betrübte, denn so enden schließlich alle Dinge im Leben. Doch wir konnten uns da heraushelfen, weil wir, auf unsere gerade Route verzichtend, nah am Land entlangsegelten, und weniger als eine halbe Meile von Paphos entfernt in einen Hafen einliefen.

Nachdem der Anker geworfen war, gingen einige Mitreisende, welche von hier stammten, an Land. Bruder Zedillo und ich leisteten ihnen Gesellschaft und begaben uns in die Stadt. Wir hatten es nicht eilig. Wir sahen, daß die Seeleute begannen, sich an den Kisten und Säcken zu schaffen zu machen, welche sie aus Venedig mitgebracht hatten, und wußten gleich, was das bedeutete: Aufenthalt im Hafen, um die Waren zu verkaufen. Mit uns gingen auch zwei adlige Griechen, welche unsere besonderen Freunde geworden waren, und auch der maronitische Bischof. Bruder Georg kannte den Ort und seine Menschen. Er sprach Griechisch. Daher war er uns von großem Nutzen und wir ihm unsererseits, denn um seinen Geldbeutel war es schlecht bestellt. Er besorgte uns höchstpersönlich alles, was wir brauchten, ohne sich um seinen hohen Rang zu kümmern, was allerdings nicht verwunderlich ist, da in jenen Gegenden fast alle Bischöfe arm sind und auch so leben. Er trug einen tödlichen Groll auf die Griechen in sich.

«Wenn ich alle Griechen der Welt in mir haben könnte», sagte er wiederholt, «so würde ich gern zustimmen, daß man mich mit einem Schlage tötete.»

«Warum denn, Bruder Georg?»

«Weil mit mir alle Griechen sterben würden.»

Seine Halsstarrigkeit ging so weit, daß er, als seine Mutter vor einigen Jahren gestorben und in einer griechischen Kirche begraben worden war, sie niemals mit Weihwasser besprengt hatte, ... «um nicht in die Kirche eintreten zu müssen!» rief er mit zusammengebissenen Zähnen aus.

Dies hörten wir von ihm, während wir unsere Einkäufe in der Stadt machten, nachdem sich die Griechen, von ihren Verwandten und Bekannten freudig empfangen, mit jenen von uns verabschiedet hatten. So verhalten sich leider in diesen unheilvollen Zeiten fast alle Christen des Orients, die in blindem Haß aufeinander aufwachsen und selbigen in sich nähren.

Mein Gemüt begann sich zu beruhigen und meine Traurigkeit verflüchtigte sich im Laufe der Tage und mit dem Anblick neuer Gegenden, dem Kennnenlernen jener uralten Stadt, jener Menschen, welche in ihrer Art, der Kleidung und allem so anders waren, beim Anblick der beiden prunkvollen Kathedralen, wo in der einen der lateinische, in der anderen der griechische Ritus befolgt wurde. Die Wohnhäuser sind nicht besonders sehenswert, dennoch tragen sie Zeichen von einstiger Größe und von Zeiten des Wohlstands: Man sieht viele antike Ruinen, wie zum Beispiel unterirdische, in den nackten Fels gebaute Wohnungen mit Kammern und Räumen in den verschiedensten Größen, welche alle aus einem einzigen Stein gehauen sind. Wenn sie auch äußerst verwahrlost und verfallen sind, rufen sie gleichwohl Bewunderung und Staunen hervor, da sie dem Neugierigen noch zeigen, wie sie ursprünglich gewesen sein müssen. Bemerkenswerte Ruinen eines antiken Tempels, welcher zu Ehren der Aphrodite von Paphos errichtet worden war: Auf dem Boden verstreut sieht man von Gras überwucherte große Stücke von Säulen aus Marmor und anderem seltenen Gestein wie grünem und rotem Japsis oder Serpentin, die alle fein und kunstvoll in den verschiedensten Stilen bearbeitet sind: korinthisch, dorisch, römisch... Unter anderem eine außergewöhnliche Kuppel, von der man uns nicht sagen konnte, wofür sie gedient hatte. Die Griechen aus dieser Gegend sind sehr bäurisch, unwissend und ungebildet: sie sprechen nur das Vulgärgriechische, und wenn jemand Willens ist, das literarische und grammatisch korrekte Griechisch zu lernen, so muß er dies in den Schulen Italiens oder Frankreichs, vor allem aber in Venedig tun. Es gibt in ganz Griechenland keine einzige Griechischschule, außer in Athen, wo der Sultan, in Erinnerung an Vergangenes und um seine Größe zu beweisen, ein Seminar unterhält. Aus diesem Grunde sind viele heilige und weltliche Schriftstücke und die Erinnerung an viele Altertümer des antiken Hellas verlorengegangen.

Da sich das Wetter uns weiterhin ungünstig zeigte und alles dafür sprach, daß unser Aufenthalt länger währen würde, nahm man uns eines Tages mit zum Besuch eines kleinen Tempels, anderthalb Meilen von Paphos entfernt, welcher noch vollständig erhalten und ebenfalls der Venus von Paphos geweiht war. In seiner unmittelbaren Nachbarschaft gibt es eine seltsame Quelle aus feinstem Marmor, welche heute Liebesquelle genannt wird. Rundherum Ruinen von Gebäuden, die sehr alt aussehen. Man erzählt uns, daß der Venuskult schon lange nicht mehr bestehe und der Ort weiterhin von ausschweifenden, ehrlosen Leuten bewohnt werde, und die Quelle Gegenstand vielen Aberglaubens und Blendwerks seien: Unfruchtbare Frauen gingen dorthin, um schwanger zu werden; die Schwangeren kämen, um eine leichte Geburt zu haben; die ledigen Frauen, um Männer anzuziehen: die Witwen, um wieder einen Mann zu finden – für all das sollte das Wasser nützen. Diesen Lügenmärchen und frivolen, unglaubwürdigen, dem Ohr überaus schmeichelnden Geschichten, war die naturgegebene Schmuckausstattung der Stadt und ihrer Umgebung vorzuziehen. Üppige Gärten, grüne Zuckerrohrfelder und fruchtbare Obstgärten voller Bäume, in denen man neben Stachelfrüchten, welche zu jener Jahreszeit reif sind, auch große, äußerst schmackhafte Datteln im Überfluß bewundern kann, viel Yams und die Haine der Musa-Palme, welche hier und in den meisten Gegenden des Orients, wo es sie gibt, *pomum paradisi* oder anders genannt wird. Es sind dies fast lanzenhohe Bäume mit so großen Blättern, daß zwei davon einen einzigen Mann bedecken können. Sie tragen lange riesige Büschel von zehn oder zwanzig

Früchten, die von milder Süße sind. Ihr Fleisch ist weich wie frische Quittenpaste, ähnlich dem einer Feige, doch fester. Um sie zu essen, zieht man die Schale ab, die der einer Feigen ähnelt, jedoch zitronengelb ist. Zerteilt man sie in der Mitte oder der Länge nach, enthalten sie ein Kreuz in der Form eines T. Die Orientalen und Einwohner Palästinas behaupten, daß dieses die verbotene Frucht gewesen sei, welche Adam gegessen hat. Ich glaube, es sind dies, soweit ich von denen gehört habe, welche sie gesehen und gegessen haben, die Bananen unserer Insel São Tomé. Und was die Weine Zyperns betrifft, welche im ganzen Orient erwähnt und gerühmt werden, so lobte sie selbst die Gemahlin im *Hohelied* Salomons mit folgenden Worten: «Botrus Cypri dilectus meus mihi?»

Während dieser Zeit freundete sich ein junger Grieche namens Constantin Polachi, welcher in einem Dorf, das Thimo hieß und eine große Meile von Paphos entfernt lag, mit uns so innig an, daß er keinen Tag vergehen lassen konnte, ohne uns zu sehen. Er lud uns ein, in seinem Hause zu speisen, versorgte uns mit dem Besten, was das Land hervorbrachte, ohne ein eigenes Interesse dabei zu verfolgen. Da wir kein Romeco sprachen und er kein Venezianisch, konnten wir uns nur über einen Dolmetscher verständigen. Diese Verständigungsschwierigkeiten erbosten Constantin, der manchmal, wenn wir bei Tische saßen, ein Messer in die eine Hand nahm, mit der andern die Zunge hervorzog und so tat, als wolle er sie abschneiden, wobei er sagte, ihn überkomme die Versuchung, dies zu tun, da er keine Worte habe, um auszudrücken, wie groß die Freundschaft sei, die er für uns hege.

Nachdem wir drei Tage in Paphos verbracht hatten, kehrten wir zum Schiff zurück. Das Wetter zeigte sich ziemlich heiter und wir wollten erfahren, was der Schiffsherr beschlossen hatte. Aber wir fanden alle beim Verkaufen und mit ihren Waren mit viel mehr Muße beschäftigt vor, als es uns recht war.

«Morgen», schlug ich meinem Gefährten vor, der schon in seine Decke gewickelt auf seiner Pritsche lag, «könnten wir einen anderen Teil der Insel besuchen.»

«Mit Vergnügen, Bruder Pantaleon», antwortete er müde gähnend, während er die Perlen des Rosenkranzes durch die Finger gleiten ließ. Er schnarchte.

Ich schlief auch bald ein. Doch am Tag darauf frischte der Wind auf, und das Meer wurde so wild und aufgewühlt, daß wir, als wir schlaftrunken erwachten, fürchteten, wir würden in diesem Hafen untergehen. Das Schiff hatte nur zwei Anker geworfen, und angesichts der Gefahr befahl der Lotse, zwei weitere zu werfen, von denen der eine von den Venezianern «Meisteranker» genannt wurde. Er war so ungeheuer groß und schwer, daß alle Leute an Bord gebraucht wurden, um ihn anzuheben und herabzulassen. Sie benutzen ihn nur bei einem so außergewöhnlichen Sturm wie diesem.

Die Wellen erschienen wie fahlgrüne Berge, die uns verschlingen wollten. So viele Taue man auch zog, damit sich die Matrosen daran festhalten konnte, es war unmöglich, von einer Bordseite zur anderen zu gehen. Gegenstände, welche nicht gut festgezurrt oder verwahrt waren, rutschten umher und stießen überall an. Es war unmöglich, das Schiff zu verlassen. Wir konnten die beiden anderen französischen Schiffe, die auch im Hafen lagen und nach Tripoli in Syrien fuhren, wegen des großen Sturmes kaum sehen, und sie uns auch nicht, denn bald hoben uns die Wogen unvermitelt in die Wolken, bald rissen sie uns in sandige Tiefen. Nicht nur die Passagiere, sondern auch erfahrene Seeleute wie die Matrosen und die Offiziere waren außer sich, schrien und jammerten. Am meisten dauerte mich mein Gefährte, der immer wieder ohnmächtig wurde und mich, wenn er zu sich kam, umarmte und mich bat, ihm die Beichte abzunehmen. Die Nacht war fürchterlich. Als der Tag anbrach und die brausende Gewalt des Windes mit jeder Stunde zunahm, sahen wir, bekümmert und müde, auf dem grünlichen Meer und den Wolken, welche auf ihm lasteten, die riesigen schwarzen Umrisse eines venezianischen Schiffes emporsteigen. Dieser düstere Schatten näherte sich mit unvorstellbarer Geschwindigkeit und mit ihm die markerschütternden Schreie, die im Vorüberfahren von einem Höllenwirbelsturm in der Luft zerfetzt wurden. Das Meer wurde immer wütender, und es goß in Strömen. Unsere eigene Gefahr übertraf noch den Schrecken und das Staunen über ein so grausiges Bild: Diese gigantische Masse entfernte sich rasend schnell und krachte in einem fürchterlichen gellenden Lärm, der das Heulen des Windes und das Donnern der Wogen noch übertönte, gegen die Felsen am Ufer. Wir wußten nicht, was wir denken, noch sagen sollten, standen nur starr, mit stockendem Atem, offenem Munde, sprachlos, mit klopfendem Herzen da, und unser Schrecken nahm noch zu, als wir sahen, wie sich allmählich das Meer beruhigte, der Wind nachließ, der Regen aufhörte und der Himmel aufklarte. Es war fast zehn Uhr morgens. Die Bewohner der Bergdörfer, die dort oben immer, Tag und Nacht, wegen der Seeräuber ihre Wachen postiert haben, hatten das Unglück mitverfolgt. Die barbarischen, grausamen Leute kamen eilig mit ihren Tieren herbei und begannen unmenschlich, ohne Gottesfurcht, alles zu rauben und mitzuschleppen, was das Meer freigab. Als die armen Männer, welche dem Schiffbruch und der Wut der Wellen nackt, bedauernswert, halb tot entkommen waren, sie daran hindern wollten, mißhandelte sie jenes verfluchte Gesindel mit seinen Waffen, als seien es Feinde. Sie beluden ihre Rindviecher inmitten blutrünstigster Gewalt und kehrten in ihre Häuser zurück, ohne daß sie jemand daran hindern konnte, da ihrer so viele waren. Den ganzen Tag, die darauf folgende Nacht und noch einen Teil des nächsten Tages setzten jene Leute ihr unbarmherziges Rauben fort, bis die Justiz von Limassol, einer Stadt, welche größer und bedeutender als Paphos war, unter großen Schwierigkeiten die Diebe vertrieb. Auch aus Paphos kamen viele Leute herbeigeeilt und gingen auch von den Schiffen an Land, nachdem das Meer sich vollends beruhigt hatte.

Mein Gefährte und ich machten uns auf den Weg zu dem gestrandeten Schiff, das etwa eine halbe Meile weit entfernt lag, und als wir dort anlangten, zog sich mir ob des traurigen Schauspiels von so viel Zerstörung, so vielen Toten und Verletzten, die über den Strand verstreut lagen, das Herz zusammen, und vor Mitgefühl konnten wir die Tränen nicht zurückhalten. Man sah das zerbrochene Schiff halb aus dem Wasser ragend gegen den Felsen gelehnt liegen, aus den Fugen geraten ächzte es mit dem Seegang, an einem Teil des Hecks wies es noch seinen Namen *Quirina* auf! Teile zerstückelter Körper lagen zwischen den Planken oder hingen an zerfetzten Kleidern von irgendeinem zerbrochenen Bolzen herab. Der Fetzen eines zerrissenen Segels winkte traurig im abgeflauten Wind. Abgebrochene und zersplitterte Masten und Rahen trieben locker mit dem Oberdeck verbunden im Wasser. Am Strand rollten Leichen in der schaumigen Brandung und andere, die das Meer schon an Land geworfen hatte, trockneten nackt, aufgetrieben, bleich, auf dem Rücken oder dem Bauch liegend, von widerlichem Geschmeiß übersäht, und verwesten unter unerträglichem Gestank. An den weitab von den Lebenden liegenden Leichen machten sich schon die Geier zu schaffen, und andere saßen in Erwartung des grausigen Festmahls auf den Bäumen und nahen Felsen oder zogen dort ihre Kreise.

Nachdem wir eine Weile schweigend dieses jammervolle Schiffswrack betrachtet hatten, sagte der Eigner unseres Schiffes zu uns:

«Meine Herren, es ist an der Zeit etwas zu tun, und nicht nur zu schauen.»

Auf diese Worten hin begannen wir alle, den Verletzten zu helfen, Wunden mit Wein auszuwaschen und alles das eifrig zu befolgen, was uns der Chirurgus tun hieß. Wir suchten Kleider, um die Blößen zu bedecken, Brot, um den Hunger zu stillen, Worte, um die Seelen in ihrer Qual zu trösten, und mit der Unterstützung der Vielen, die zur Hilfe geeilt waren, wurden den ganzen Tag lang die Toten beerdigt. Der Nachmittag war fast schon vorbei und ich hatte gerade aus zwei armseligen Holstücken ein Kreuz gemacht, als ich einem Toten fest ins Gesicht sah. Er war nackt, aber es fiel mir nicht schwer, mich an seine lebhafte, unruhige, in Felle gehüllte Gestalt zu erinnern, die einen Mönch nachäffte, welcher in seinem Brevier mit braunem Schafsledereinband, silbernen Ecken und goldenen Lettern lesend auf und abschreitet. Es war Argiropolos. Angesichts des Todes vergab ich ihm das Böse, das er mir hatte antun wollen und meinen Brüdern Pietro und Bertino angetan hatte, und als die letzte Schaufel Erde auf seinen Körper geworfen wurde, setze ich an die Stirnseite des Grabes das grobe Holzkreuz, welches aus den Splittern der Planken des zerstörten Schiffes gezimmert worden war.

VIII

Der König von Zypern

…«Emmanuelisque nomen et Lusitanae gentis virtutem laudibus summis exornavit.»

…«Er feierte mit höchsten Lobesworten den Namen Manuels und die Tapferkeit des lusitanischen Volkes.»
(Jerónimo Osório, *De rebus Emmanuelis Gestis.*)

Nur ein Zollposten und ebenerdige Häuser, um die Waren zu stapeln, ein kleines Spital und eine dem Heiligen Lazarus geweihte Kirche, aber es lachte das leuchtende Weiß der Wände, das im Blaugrün von Bergen und Himmel die Augen beinahe blendete, heiter der Bucht zu, in der es sich in welligen Kalkstreifen und Plättchen spiegelte. Im Hafen lagen Schiffe mit großen aufgemalten Augen am Bug, und das Spitzenwerk von Algen zog inmitten goldenen und silbernen Funkelns Kreise in die schaumigen Wogen. Dicht über dem Wasser winkten nah die Schwingen der Möwen zur Begrüßung.

Ich erlangte meine gute Laune wieder, fand zu meinen Träumereien und dem Frieden mit mir zurück. Doch war ich noch derselbe? Innerlich fühlte ich mich wie ein anderer. Wieviele Dinge waren geschehen, hatten auf ewig meine Seele gezeichnet…! Wir waren in Salinas oder Salamis, wie andere sagen, angekommen, nachdem uns der Wind drei Tage lang zum Narren gehalten hatte, da er bald abflaute, bald wieder auffrischte und aus der entgegengesetzten Richtung wehte. Wir waren sogar gezwungen gewesen, auf halbem Wege in Limassol anzuhalten. Doch nun waren wir in Salamis angelangt! Es herrschte große Geschäftigkeit, Waren wurden geladen und gelöscht, denn es ist dies der wichtigste Hafen der Insel Zypern, derjenige, welcher von den ausländischen Schiffen am häufigsten aufgesucht wird, und den gezwungenermaßen alle venezianischen Schiffe anlaufen müssen, die in diese Gegenden kommen. Eine kleine Menschenmenge erwartete uns, als wir festmachten. Kaum daß wir unten auf dem Kai standen, da wandten sie sich schon mit bekümmerten Mienen und traurigen Worten hilfesuchend an uns.

«*Aiuto! Aiuto, Signori! Siamo pelegrini!*»

Sie wiesen auf das Pilgerschiff, das sie im vergangenen Jahr hergebracht hatte und auf dem Rückweg vom Heiligen Land sehr zum Nachteil und zum Schaden der Pilger dort aufgrund der Nachlässigkeit des Schiffsherrn, untätig überwintert hatte und nun im Hafen stillag. Als sie sich betrogen sahen, taten die Reichen alles Erdenkliche, um mit anderen Schiffen nach Venedig zurückzukehren, und beschwerten sich dort bei der Signoria über den grundlosen Vertragsbruch; die Armen indes blieben auf der Insel zurück und ertrugen tausenderlei Unbilden und litten Not, während sie darauf warteten, daß sie dasselbe Schiff, welches sie gebracht hatte, im kommenden Frühjahr wieder mit nach Hause nähme.

«*Aiuto, aiuto, Signori! Siamo pelegrini! Abbiamo fame!*»

«Helft mir, Bruder», ich fühlte, wie mich diese sanfte portugiesische Stimme am Ärmel meines Habits zupfte. Es war eine etwa vierzig Jahre alte Schwarze, mit einer Seele weiß wie Hermelin, wie ich hatte feststellen können, als ich ihr, bevor sie ins Heilige Land aufgebrochen war, in Venedig die Beichte abnahm. «Gott sendet Euch, damit Ihr uns in unserer Not helft!»

Sie stammte aus Guinea und war in Portugal aufgewachsen, und hatte, nachdem sie eines Tages freigelassen geworden war, nicht geruht, bis sie diese heilige Pilgerfahrt unternehmen konnte. Sie war nicht bettelnd von Tür zu Tür gezogen, wie viele es tun, sondern hatte sie sich im Schweiße ihres Angesicht verdient, indem sie einige Jahre lang gegen ein Entgelt Wäsche wusch, bis sie zusammengespart hatte, was sie für diese Pilgerfahrt für nötig erachtete. Sie hatte jedoch nicht mit dem Mißgeschick eines längeren Aufenthalts auf Zypern gerechnet, welcher dadurch noch schlimmer wurde, daß die Hilfe ausblieb, zu der sich das Schiff durch einen Vertrag verpflichtet hatte, und sie besaß nun nicht einmal mehr Geld, um sich etwas zum Essen zu kaufen.

«Wie konnte der Schiffsherr nur so pflichtvergessen sein?»

Er hatte seine Frau mitgebracht und auf der Rückreise von Jerusalem wollte er, da sie Brüder und Verwandte auf Zypern hatte, länger als es die Zeit erlaubte, sich mit ihnen vergnügen, und da er versäumte, das Schiff zu beladen, konnten sie nicht abreisen, als es angesagt war...

«Ihn erwartet sicher eine schwere Strafe, wenn er in Venedig ankommt», sagte ich zu ihr.

Ich kam ihr mit meiner Börse zur Hilfe, soweit es mir möglich war, und versicherte ihr, daß die Signoria sie gleich nach ihrer Ankunft gewiß dem Vertrag entsprechend entschädigen und ihr die erlittene Unbill entgelten würde.

Wir erfuhren auch, welche Not unsere Brüder in Jerusalem litten, da sie seit zwei Jahren weder einen Guardian hatten noch vom Frankenreich versorgt wurden. Ihnen stand allein ein Vikar aus Bergamo namens Bruder Jeremia von Brescia bei, welcher – wenngleich ein tugendhafter, braver Mönch – indes weder die ausreichende Kraft noch die Fähigkeiten für ein so schweres Amt besaß. Daher kümmerten wir uns darum, daß über Kaufleute, welche in jenen Gegenden Handel trieben, die Mönche bis zu unserer Ankunft versorgt würden, denn wir waren mit allem von Venedig ausgerüstet. Wir beschafften auch großzügig für zwölf unserer Brüder von der letzten Jerusalemer Familie, welche sich auf dem Rückweg nach Italien befanden, alles Notwendige. Als dies getan war, übergaben wir alles, was wir ins Heilige Land mitnahmen, Misser Angelo da Nícolo, dem Bevollmächtigten und Syndikus der Franziskanerbrüder in jenen Teilen des Orients, welcher apostolische Befugnisse besaß, da uns Pater Bonifazius dies in Venedig bei unserem Abschied aufgetragen hatte. Wir ruhten uns darauf vier Tage in Argana aus, einer kleinen Stadt, welche eine Meile von Salamis entfernt liegt, wo ich eine portugiesische Jüdin traf, die mit einem ebenfalls portugiesischen Juden verheiratet war, ein Arzt und von allen wohlgelitten und sehr geschätzt. Er hieß Joseph, in Portugal wurde er Janalvres genannt und stammte aus Porto. Jene Jüdin fragte mich nach einem ihrer Brüder namens Joaquim, und beschrieb ihn mir: er sei älter als sie, doch kleiner, mager und ein wenig gebeugt, habe eine große gebogene Nase, hervorstehende Jochbeine über eingefallenen Wangen, knochige, fröstelige Hände...

«Nein, den kenne ich nicht», antwortete ich.

Ob ich ihn nach meiner Rückkehr nach Portugal dort nicht aufsuchen und ihr berichten könne, wie es ihm geht, bat sie mich sehr zudringlich. Ich könne ihr doch über Venedig, da die venezianischen Schiffe doch jedes Jahr nach Lissabon führen, diesen Trost übermitteln...

Ich versprach es ihr und nutzte die Gelegenheit, sie meinerseits zu fragen, ob sie zufällig wisse, ob ein portugiesischer Jude namens Isac Bensaúde kürzlich hiergewesen sei.

«Ach, Isac», sagte sie, und ihre Augen lachten. «Er ist ein guter Freund und zudem mit mir verwandt. Vor vier Tagen ist er mit meinem Mann und mir zusammengewesen, aber da er erfahren hatte, daß das Schiff aus Venedig in Paphos angekommen ist...»

«Unser Schiff...»

«Reiste er schnell mit einem Schiff ab, das gerade aus Alexandria gekommen war, und diesen Hafen anlaufen würde.»

Die Nachricht ließ mich erstarren. «Und wie hieß das Schiff, das er genommen hat?»

Daran erinnere sie sich nicht! Nun ja... es sei ein sehr großes, robustes, außergewöhnlich schönes, noch ganz neues Schiff gewesen. Ach ja, es habe *Quirina* geheißen.

«Mein Gott!» rief ich erbleichend aus.

«Was ist Euch? Ist irgendein Unglück geschehen?» fragte sie, meine Angst bemerkend.

«Dieses Schiff erlitt, als es in Paphos einfuhr, grausam Schiffbruch!»

«Weh mir! Gott helfe uns!» begann sie auf die Knie fallend zu jammern.

Ich sprach weiter.

«Ich war dort. Ich habe gesehen, wie die Toten begraben und die Verletzten versorgt wurden. Ein portugiesischer Jude befand sich nicht unter den Lebenden, sonst hätte er sich zu erkennen gegeben. Vielleicht war er eine jener Leichen, die ich begraben half. Vielleicht ist er ertrunken und die Wellen haben ihn verschlungen...»

Die Jüdin weinte nun leise, und meine Gedanken waren erneut in Aufruhr. Sollte ich den Tod auf meinem Wege säen?...

Wir brachen nach Nikosia auf, das etwas acht Meilen von Argana entfernt liegt, und nachdem wir einen halben Tag lang gewandert waren, kam uns der Guardian unseres Klosters vom heiligen Johannes von Monfort entgegen, der uns mit seinem Gefährten und Syndikus abholen wollte.

«Fra Domenico! rief ich, ihn umarmend. «Welch eine Freude, Euch zu sehen!»

«Fra Pantaleone! Che piacere!»

Dieser Pater war ein alter, ehrwürdiger Mann, den ich als Abt eines Klosters in der Toskana kennengelernt hatte, als ich mit Bruder Bonifazius in den Provinzen Italiens die franziskanische Familie für Jerusalem zusammenstellte. Er gab sein Amt als Abt auf, um mit uns ins Heilige Land zu reisen, und als sich in Venedig die Mönche sammelten, um sich auf dem Pilgerschiff einzuschiffen, wurde er zum Guardian unseres Klosters der Observanz von Nikosia gemacht und wurde mir deshalb zu einem besonders guten Freund. Daher rührte die große Freude und die Hochachtung, mit welcher sie uns empfingen, die Höflichkeit, mit welcher sie mir begegneten, denn man empfängt nicht jeden Tag den Vertrauten eines apostolischen Kommissarius für das ganze Heilige Land und des Guardians des Berges Zion, den Gefährten, ohne den der Pater Bonifazius von Aragusa nichts tat. Der apostolische Gesandte, Monsignore Estanga, beehrte und empfing uns höchstpersönlich mit besonderen Gunstbezeugungen, denn, als er von Trient abreiste, hatte der Erzbischof ihm geschrieben und uns ihm besonders ans Herz gelegt. Er besuchte uns in unserem Haus und gab Festessen für uns in dem Seinen. Auch die Domherren und Würdenträger und andere Stadtoberen nahmen uns mit besonderer Achtung auf. Mir wurden auf diese Weise Ehren zuteil, welche mir nicht zustanden.

Nikosia ist die Hauptstadt des Königreichs von Zypern, eine große, indes schlecht befestigte, ungeschütze Stadt, bedenkt man die Nähe der Türken, und daß jene das zu diesem Zeitpunkt noch ganz den Christen gehörende Reich Zyperns heiß begehren. Trotz ihrer Größe macht die Stadt innerhalb ihrer großen Mauern einen vernachlässigten, unordentlichen Eindruck. Sie besitzt eine majestätische Kathedrale mit einem römisch-katholischen Erzbischof und eine nicht weniger prächtige griechisch-orthodoxe Kathedrale. In den griechisch-orthodoxen Kirchen gibt es eine bemerkenswerte

Besonderheit, nämlich daß ihre Heiligen nicht als Statuen dargestellt sind, da sie dies nicht zulassen, sondern nur auf Bildern, Wandbehängen oder Mosakien, welche sie Ikonen nennen. Es sind dies Spuren und Überreste eines uralten Streites, welcher in den ersten Zeiten der Kirche Anlaß zu theologischen Disputen gab und im achten und neunten Jahrhundert zu einer Schicksalsfrage für den Gottesdienst wurde, die wichtige politische und gesellschaftliche Auswirkungen hatte. Die Kirche, welche immer ein vernünftiges Gleichgewicht aufrechtzuerhalten verstanden hatte, konnte, ebenso wie sie die Idolatrie verurteilte, beim zweiten Konzil zu Nikäa die Ikonoklasten nicht von einer Verurteilung ausnehmen. Eine ähnliche Verurteilung trifft, vom Konzil zu Trient ausgesprochen, jetzt die Protestanten, welche die Frage aufgegriffen hatten. Es ist indes eine Tatsache, daß ursprünglich eher bildliche als figürliche Abbildungen gebräuchlich waren, und daß dieser besondere Brauch über Jahrhunderte hindurch in der Ostkirche obsiegte, welche, was das Problem bildlicher Darstellung betraf, stets empfindlich reagierte, da sie immer mit Juden und Mohammedanern in Berührung stand, denen die bildliche Darstellung zuwider ist. Vor allem die byzantinischen Ikonoklasten und Ikonodulen, haben durch die Jahrhunderte hinduch die vernünftigen und gemäßigten Positionen der kompetentesten Stimmen der universellen Kirche hinsichtlich des erzieherischen und symbolischen Wertes der Bilder übertrieben, welche für die Erhaltung eines Glaubens unabdingbar sind, den die Abstraktion schwächte.

In jener Kirche in Nikosia, die mit vielen Ikonen geschmückt war, gibt es ein Bild der Heiligen Jungfrau, welches viele Wunder tut. In Zeiten, wo es an Wasser oder Sonne mangelt, tragen sie jene Ikone in einer feierlichen Prozession hinaus zu einer Kapelle außerhalb der Stadt und bringen sie solange nicht wieder zurück, bis sie erreicht haben, um was sie gebeten hatten, wie ich selbst erlebt habe, der ich sie begleitet habe, als sie sie hin- und zurücktrugen.

In der Stadt gibt es drei Klöster: eines der Dominikaner, eines der Karmeliter und eines der Frankziskaner, das des Heiligen Johannes von Montfort. In diesem Franziskanerkloster erlebte ich eine der größten Freuden und tiefsten Gefühle, die mein Gemüt in meinem Leben je bewegt haben.

Da betritt ein armer Portugiese in einem Land, das so fern seiner Heimat liegt, die Kapelle des Hochaltars, und sein Blick fällt auf ein reichverziertes Grab aus Marmor, Jaspis und Alabaster, und er glaubt seinen Augen nicht zu trauen und weiß für einen Augenblick nicht, wo und in welcher Zeit er sich befindet, denn vor ihm sieht er, in den kostbaren Stein jener Grabstätte gehauen, das Wappen und die Insignien Portugals! Sprachlos und verwirrt fiel ich auf die Knie. Bruder Domenikus, der mir mit seinen Begleitern gefolgt war, lächelte verständnisvoll.

«Aber wie ist das möglich!? Bruder Domenikus», frage ich, an den Guardian gewandt. «Wie ist es möglich, daß ich hier in Nikosia auf das Wappen meines Landes treffe? Wessen Grab ist das?»

«Dieses Grab», antwortete der Mönch, «ist das eines portugiesischen Infanten, der König von Zypern war.»

«Wie das?»

«Es macht schon Spaß, Eure aufgerissenen Augen und Euren vor Staunen offenstehenden Mund anzuschauen. Doch bleibt nicht auf den Knien liegen! Erhebt Euch!» und er reichte mir seinen Arm. Ich setze mich auf eine Marmorstufe. Er wolle meine große, maßlose Neugier sogleich befriedigen...

«Als unser Infant D. Pedro in einer Schlacht fiel, deren Namen ich nicht weiß.»

«Meint Ihr, Bruder Domenikus, D. Pedro, den Sohn unseres Königs João I.?»

«Ja.»

«Die Schlacht, in der jener fiel, war die von Alfarrobeira.»

«Ja genau. Als er in jener Schlacht gefallen war, wurden seine Kinder, Jaime, João und Beatriz, am Hofe des Herzogs von Burgund in Brügge von seiner Tante, der Gräfin Isabel von Portugal, aufgenommen. Dort lernte Johann II., der König von Zypern, der die Unterstützung der christlichen Fürsten für seinen Kampf gegen die Muselmanen suchte, den Infanten João kennen. Er dachte, dies sei ein stattlicher, edler Bräutigam für seine Thronerbin, die Prinzessin Carlotta. Nachdem er das Angebot angenomen hatte, wurde derselbe zum Prinzen von Antiochia gemacht, einer Stadt auf die der Thron Zypern ein Anrecht zu haben glaubte, und es wurde geheiratet. Und so kam es, mein Vater, daß der Sohn des Infanten

Pedro und Enkel unseres Königs João, König von Zypern wurde. Und ratet einmal, was aus dem anderen Bruder wurde. Bischof von Paphos! Die Pfründe wurde von Papst Kalixt III. vergeben... Kommt. Ich möchte Euch das Wappen Portugals noch auf einem kostbaren Schuckstück zeigen, das wir in der Sakristei haben.»

Wir begaben uns dorthin. Es handelte sich um ein wunderschönes, in jeder Hinsicht vollkommenes Brokatornament, das in Gold und mit Edelsteinen gestickte portugiesische Wappen auf einem Kanzeltuch und dem Überwurf eines Chorpultes. Ich küßte es mit Tränen in den Augen, und offenbar war meine Rührung anstekkend, denn Bruder Domenikus und die anderen Mönche hatten alle glänzende Augen. Ich erfuhr später den unglücklichen Ausgang dieser Geschichte. Der König von Zypern und Prinz von Antiochia ertrug nicht die Korruption, welche ihn umgab. Als ein Mann, in dessen Adern das Blut eines für sein Volk sorgenden Königs floß, und als jemand, der von einem weisen, umsichtigen und untadeligen Vater erzogen worden war, versuchte er den Hof, an den ihn das Schicksal geführt hatte, davon zu reinigen. Er machte sich mächtige Feinde, die im Dunklen wirkten und nicht ruhten, bis sie ihn, zum Äußersten schreitend, vergifteten.

Doch dies war nicht das einzige Mal, daß ich in diesem Königreich Zypern von Portugal reden hörte. Zu den Edlen, die in Zypern besonderes Vergnügen daran hatten, uns zu empfangen, und uns täglich ihre Gunstbezeugungen zuteil werden ließen und uns zu Gefallen waren, zählten der Graf von Tripoli und Signor Jácome und ihre Frauen, Töchter und Söhne. Einen der Söhne des Grafen sah ich häufig über seinen Büchern, die er eifrig las und studierte. Eines Tages sagte er, sich mir nähernd:

«Bruder Pantaleon, seht, was ich gerade lese, denn es betrifft auch Euch. Ich habe sie vor kurzem mit dem Schiff aus Frankenland erhalten.»

«Nun, was lest Ihr denn?»

Er zeigte mir die Bücher, von denen verschiedene in lateinischer Sprache waren.

«Ihr könnt also auch Latein?»

«Ich habe es in Löwen studiert.»

Ich begann die Titel zu lesen: *Epitome rerum gestarum in India a*

Lusitanis. Es war dies ein 1531 in Löwen veröffentlichtes Buch. Sein Autor war André de Resende, ein berühmter Bürger Évoras. Dann kamen die *Commmentarii rerum gestarum in India citra Gangem a Lusitanis anno 1538*, von Damião Góis, welche 1539 ebenfalls in Löwen erschienen waren. Es folgte der *Commentarius de rebus a Lusitanis in India apud Dium gestis anno 1546* von Diogo de Teive, herausgegeben 1548 in Coimbra. Groß war meine Verwunderung.

«Ihr lest also», sagte ich, «gern die Kommentare zu den Taten unserer Portugiesen in Ostinden...»

«So ist es, Bruder Pantaleon. Und ich verrate Euch etwas: Sie rufen mehr Bewunderung in mir hervor als die antiken Geschichten über Alexander den Großen! Es ist dies alles so außergewöhnlich!... Und zudem soll es in unserer Zeit geschehen sein! So sagt mir doch: sind all diese Heldentaten wirklich wahr?»

«Wahr? Zweifelt Ihr denn daran? Ich habe einige der Helden gekannt, die an diesen großen Schlachten zur See und zu Lande teilgenommen haben. Einige von ihnen leben, Gott sei gedankt, noch in diesem Jahre 1563... João de Mascarenhas, Feldherr von Diu und dessen Verteidiger! Álvaro de Castro, der Sohn des großen João de Castro und Botschafter Portugals in Rom...»

«Wie wunderbar!» rief der Jüngling aus.

Der Vater und die anderen kamen herbei und umringten mich, den armen Franziskaner, als würde mich, da ich die Helden gekannt, sie reden gehört, mit ihnen Umgang gehabt und dieselbe Luft geatmet habe wie sie, eine wunderbare, magische Aura umgeben, welche ein Quäntchen dieses Heldentums auf die Menschen und die Umgebung hier in ihrem Palast in Nikosia überträgt. So begegneten mir jene Herren nicht nur aus Ehrerbietung dem Bruder Bonifazius, dem Erzbischof und dem Gesandten gegenüber voller Hochachtung, sondern zudem noch aus Bewunderung für jene Helden, war ich doch Portugiese wie sie.

«Das Königreich von Zypern», sagte mir eines Tages, als ich zu einem Abendessen in seinem Hause geladen war, der Graf von Tripoli, ein kleiner, dunkelhäutiger, magerer Mann mit schwarzem Haar, den wohlgezeichneten Lippen einer Statue des Praxiteles und sehr weißen Zähnen, «gehört rechtmäßig dem Herzog von Savoyen, Manuel Felisberto...»

«...der notabene», ergänzte einer der Gäste, Herr Jácome, welcher eine spitz zulaufende Glatze besaß und dessen Bärtchen bei jedem Worte zitterte, «der Sohn einer hochadligen Portugiesin war...»

«...der Infantin D. Beatriz», fuhr der Graf fort, der es nicht schätzte, daß man ihm das Wort abschnitt, «der Tochter unseres berühmten Königs Manuel.»

«Daher hat übrigens der Herzog von Savoyen seinen Namen Manuel.»

«Zypern gehört nicht diesen verdammten Venezianern, die uns unbilligerweise für ihre Vasallen und Untertanen halten.»

Am Kopf des Tisches sitzend, wo er dem Festmahl vorsaß, beugte er sich zu mir herüber, der ich den Ehrenplatz zu seiner Rechten innehatte, ergriff meinen Arm, den ich gerade hob, um das Essen zum Munde zu führen, so daß ich den Arm in der Luft und mit offenem Munde dasaß, während er mir ins Ohr flüsterte:

«Wir Zyprioten hegen gegenüber Venedig einen geheimen, tödlichen Haß!» Diese Aussage wird von allen am Tisch mit vollem Munde, Nicken und einer Art zustimmendem Grunzen bestätigt.

Ich stand im Mittelpunkt des Interesses, und die Unterhaltung drehte sich um Portugal und seine Beziehungen zu Zypern. Ich war hier nicht ein armer Franziskaner, der ein Büßergewand, das eine Kordel gürtete, und Holzsandalen trug. Ich war ein Portugiese, war *der* Portugiese! Und tief im Inneren warf mir mein Gewissen vor, fremdes Ansehen und fremde Verdienste zu meinen Gunsten auszunutzen. Ein derart symbolträchtiges Gewand paßte nicht gut zu mir...

Wir waren kurz vor dem Sonntag Septuagesima in Nikosia angekommen, der in diesem Jahr auf den siebten Februar fiel, und da uns vom Meer übel mitgespielt worden war und wir davon genug hatten und uns zudem aufgetragen war, die Ankunft Bruder Bonifazius' zu erwarten, beschlossen wir, bis zur Hälfte der Fastenzeit daselbst zu bleiben.

«Bleibt», drängte uns Bruder Domenikus. «Es gibt einen sehr alten Brauch, am Samstag vor dem vierten Fastensonntag, den sie den Rosensamstag nennen, öffentlich auf der ganzen Insel auszurufen, daß jene, die das Osterfest in Jerusalem verbringen wollen, sich in der darauffolgenden Woche im Hafen von Salamis einfinden sollen, wo ein Schiff für sie bereitsteht. Ihr werdet sehen, was für ein Volksfest dann in diesem Hafen herrscht...! Wie auch in anderen Orten und Häfen hier in der Nähe! Die Leute aus den Gegenden rings um Palästina – aus Zypern, Ägypten, den beiden Armenien, dem Libanon und anderen Ländern des Orients – nehmen gern an diesen Festlichkeiten der Karwoche teil.»

Constantin Polachi besuchte uns. Er hatte eigens die dreißig Meilen zwischen Thimo und Nikosia zu Fuß zurückgelegt, um uns zu sehen. Er brachte bergeweise Geschenke für uns mit: Dinge zum Essen und feine holländische Leinwand, welche in seinem Dorf gewebt wird.

Auf unserem Rückweg aus dem Heiligen Land sollten wir über Paphos reisen, damit wir uns wiedersähen. Er verspreche uns, uns mit allem einzudecken, was wir für die Seereise brauchten.

Obwohl wir nicht wußten, ob wir auf der Rückreise über Paphos kämen, sagten wir ihm, wir würden es tun, falls es in unserer Macht stünde.

Die Tage vergingen und wir blieben dort lange genug, um alles ganz genau zu betrachten: vom vielen und sehr feinen Kamelott in den verschiedensten Farben, welches in der Stadt verkauft wurde, bis hin zu den fruchtbaren Obst- und Gemüsegärten, innerhalb und außerhalb der Mauern, den Palmenhainen, den Zuckerrohrfeldern, den Olivenhainen, den Weinbergen, den Weizen- und Baumwollfeldern, den Kupfer- und Kupfersulfatminen, Mineralien aus einer grünen Erde, deren Geruch noch den des Moschus übertrifft, und die, wenn sie auch keinen so starken Bocksgestank hat, doch viele hervorragende Eigenschaften besitzt. Kurzum, wir sahen alle Dinge, die für das menschliche Leben notwendig sind und welche die Insel im Überfluß hervorbringt. In einer Kirche, eine Meile von der Stadt entfernt, besichtigten wir den ganzen, unverwesten Leichnam des Heiligen Mamertus, aus dessen Grab ein wundertätiges Öl herausfloß, mit welchem sie die Kranken häufig pflegen und von dem ich ein Fläschchen mitnahm. Wir hatten schon einen anderen Leichnam eines Heiligen in unserem Kloster in Nikosia gesehen: den des Heiligen Johannes von Montfort, der Graf und Herr eines Ortes gleichen Namens und Ritter des Templerordens gewesen war und unserem Kloster und dessen Kirche den Namen gab.

Mir wurde damals deutlich, daß Zypern ein wichtiger Knotenpunkt, eine Brücke zwischen zwei verschiedenen Welten, und unausweichlich der Durchgangsort aller Marco Polos und António Tenreiros dieser Welt war. Es verwunderte daher nicht, daß dort diejenigen, die aus dem fränkischen Abendland kommend auf dem Weg nach Osten waren, auf jene trafen, die im Osten aufgebrochen waren und nun nach Westen fuhren.

Aus dem fernen Etschmiadzin kam ein Gesandter des Katholikos, das heißt des Patriarchen der Armenier, Michael von Sebaste. Es war der Bischof Abegarus Orator, welcher auf dem Weg zum Tridentinischen Konzil war, um Pius IV. die Gehorsamserklärungen von vierundzwanzig Bischöfen und deren Suffragane zu übergeben. Dies bestätigte den Eindruck, welchen mir die Reise des Bischofs von Damaskus, meines Reisegefährten, Bruder Georg, und des Vertreters der Christen Syriens, Abdissu, nach Rom vermittelte hatte, daß nämlich das Konzil zu Trient in den Kirchen des Orients eine Welle der Zustimmung und der Einigkeit in Bezug auf die römische Kirche ausgelöst hatte. Abgesehen von den abtrünnigen Protestanten blieb allein die griechische Kirche isoliert.

Abegarus führte zwei Kinder mit sich, was mich nicht mehr überraschte, denn alle Priester der christlichen Nationen des Orients – Griechen, Gregorianer, Armenier, Nestorianer, Kopten, Abessinier, Syrer und Chaldäer – sind verheiratet. Dennoch bekam ich runde Augen, als ich eines Tages den Vater die Messe, den einen Sohn das Evangelium und den anderen die Epistel lesen sah...!

Die Tatsache, daß sie verheiratet sind, machte mich sehr nachdenklich. Aus den verborgensten Winkeln der Seele stiegen alte Wünsche, Skrupel und Unschlüssigkeiten auf. Wie häufig hatte ich in Stunden voll Einsamkeit und Melancholie gewünscht, Margarida oder Elsa wieder zu umarmen! Ich erwischte mich dabei, wie ich die Schönheit der Frauen, die Proportionen ihres Körpers, die Augen, die Lippen, die Brüste bewunderte... Vor allem verwirrte mich der Anblick einer Griechin, die sich mit uns ins Heilige Land einschiffen wollte, nachdem wir bereits einen Monat in Nikosia verbracht hatten.

Der Schreiber eines venezianischen Schiffes, das im Hafen von Limassol festgemacht hatte, kam mit Briefen und zur Erledigung anderer Angelegenheiten in die Stadt. Er hatte das Schiff verlassen, den Weg über Land zurückgelegt, da dies schneller ging, und klopfte nun an das Tor des Klosters, um uns die Nachricht zu übermitteln, daß sein Schiff bald kommen und Pater Bonifazius bringen werde. Der Guardian und ich machten uns sofort auf den Weg zum Hafen von Salamis, während mein Gefährte zurückblieb, um sich um das Haus zu kümmern, was die Mönche tröstete und aufheiterte, denn er war ein sehr mildtätiger, fröhlicher Mensch. Nachdem wir Stunde um Stunde im Hafen gewartet hatten, sahen wir gegen Abend das Schiff kommen. Wir bestiegen ein Boot und fuhren dorthin, just als sie den Anker warfen.

«Bruder Pantaleon!» Von der Decksbrüstung herab winkte Pater Bonifazius weit ausholend und lächelnd. Und als wir an Bord gegangen waren, nahm er mich in den Arm und hielt mich eine geraume Weile an sich gedrückt: «Es tut wohl, Euch heil und gesund wiederzusehen! Ich habe mich um Euch sehr viel Sorgen gemacht, wenn ich an die Reise denke, die Ihr in einer solchen Jahreszeit gemacht habt...»

Fünf Patres unserer Familie aus Jerusalem umringten uns, begrüßten uns freudig und umarmten uns. Unter ihnen befand sich ein sehr junger Mönch, welcher, als er mich in seine Arme schloß, in bestem Portugiesisch zu mir sagte:

«Ich habe schon viel von Euch reden gehört, Bruder Pantaleon, und Pater Bonifazius war voll des Lobes über Euch, daß ich es kaum erwarten konnte, Euch kennenzulernen.»

«Ihr seid also Portugiese?»

«Aus Coimbra.»

«Laßt mich Euch noch einmal umarmen», sagte ich gerührt, «denn Euch umarmen heißt auch meine Heimat ein wenig zu umarmen.» Und dabei fühlte ich, wie aufgesetzt dieser Satz war, wie weinerlich und rührselig... Was war mit mir geschehen, daß ich so gefühlvoll geworden war?... Doch der junge Mönch nahm den Satz wörtlich:

«Seid Ihr auch aus Coimbra? Dann sind wir ja Landsleute!»

Ohne es zu wissen, berührte er einen meiner wunden Punkte. Dies wäre mir sonst wahrscheinlich unangenehm gewesen, doch im

Augenblick waren wir alle hochgestimmt und zum Lachen aufgelegt.

«Sagen wir», überspielte ich den Punkt, «daß ich Pantaleon von Portugal bin.»

«Fra Pantaleone di Portucalo!» spendete Bruder Bonifazius diesem Ausspruch Beifall.

«...di Portucalo», wiederholten einige andere.

Der junge Mönch hatte in Jerusalem das Habit genommen und war nach Portugal gereist, um seine Eltern zu besuchen, so viel vermochte ihre natürliche Liebe. Auf dem Rückweg ins Heilige Land hatte er Pater Bonifazius in Venedig getroffen und reiste nun mit ihm zurück.

Die Nacht verbrachten wir, da es schon sehr spät geworden war, auf dem Schiff und sprachen lange über Angelegenheiten, welche uns betrafen, und am folgenden Tag begann mit dem Tagesanbruch das Entladen all der Dinge, die nach Jerusalem sollten. Es waren ihrer so viele, daß es notwendig war, eine Karavelle zu befrachten, auf die sie geschafft wurden. Denn, da die Schiffe der Christen im Hafen von Jaffa hohe Gebühren zahlen, während kleine Schiffe nur einen lächerlich niedrigen Betrag zahlen, lassen die Venezianer gewöhnlich das große Schiff in Zypern und verladen die Menschen und die Dinge auf kleine Karavellen.

«Laßt Bruder Zedillo aus Nikosia herbeirufen», sagte Pater Bonifazius, «und laßt uns unverzüglich nach Jerusalem aufbrechen.»

«Mein Vater», entgegnete ich, «So wollt Ihr denn unser Kloster in Nikosia nicht besuchen?»

Seine Geduld, ließ er mich wissen, gestatte es nicht mehr, noch länger unserer Familie im Heiligen Land fernzubleiben, die unser so sehr bedürfe.

«Doch auch die Patres, die in Nikosia wohnen, brauchen Euch und uns.»

«Tatsächlich?»

«Und ich sage noch mehr. Sie hält die Hoffnung auf Euer Kommen aufrecht. Als sie in Venedig aufbrachen, taten sie dies nicht, um in Zypern zu wohnen, sondern an den heiligen Stätten Palästinas. Dies war ihnen versprochen worden und dies hatte sie gelockt.»

«Ihr wißt sehr wohl, daß es notwendig ist, auch Brüder unserer franziskanischen Familie hier wohnen zu haben. Andere werden sie bald ablösen.»

«Sie besuchen, sie dies aus Eurem Munde vernehmen lassen... Wäre ein Liebeswerk, was ihr an ihnen tun könntet.»

Bruder Bonifazius sah mich lächelnd an und sagte:

«Ich weiß nicht, was ich ohne Euch täte, Bruder! Ich war etwas impulsiv und Ihr habt mir einen guten Rat gegeben. Laßt uns dorthinfahren.»

Wir brachen auf. Nur drei: er, der Guardian von Nikosia und ich. Die anderen Patres blieben in Argana und versorgten sich der Liste entsprechend, die ihnen übergeben wurde, mit dem, was nottat. Die Freude der Mönche, die uns erwarteten, war riesig! Auf Drängen des Herrn Gesandten und der Adligen Herren waren wir gezwungen, die ganze Karwoche dortzubleiben. Bruder Bonifazius nutzte seinen Aufenthalt, um die Patres, welche bleiben sollten, mit Kleidung und anderen notwendigen Dingen zu versorgen und machte ihnen Hoffnung, daß auch sie bald reisen würden. Wir brachen am achten Tag nach Ostern zum Hafen von Salamis auf, und als wir dort anlangten, fanden wir alles bereit, um die Reise fortzusetzen.

Gerätschaften und Kleidung waren alle auf dic Karavelle eines levantinischen Christen namens Demetrius gebracht, der ein Freund der Mönche war und ihnen schon mehrfach als Dolmetscher gedient hatte, da er des Arabischen und Türkischen sehr kundig war. Im Hafen befanden sich auch fünf griechische Nonnen, welche auch «Caloiras» genannt werden. Sie waren auf dem Wege nach Jerusalem, um an den Feierlichkeiten der Karwoche teilzunehmen. Sie hatten schon Verspätung, denn sobald sie erfahren hatten, daß diese Karavelle von uns gemietet worden war, wollten sie sich ihren guten Rufes wegen nicht mit den Pilgern einschiffen. Sie setzten viele römische und griechische Fürsprecher für sich ein, darunter insbesondere unseren Syndikus und Bevollmächtigten, Misser Angelo de Nícolo, der, im Vertrauen auf die langjährige Freundschaft mit Pater Bonifazius, zugestimmt hatte. Es schloß sich ihnen eine sehr reiche und sehr schöne griechische Witwe an, welche mit zwei Zofen und viel Gepränge nach Jerusalem reiste, um dort in ein Kloster einzutreten, da sie der Welt entsagen wollte. Auf die Zusage unseres Bevollmächtigen vertrauend wollten sie sich ohne unser Wissen auf der Karavelle einschiffen.

Mittlerweise gesellten sich drei griechische Mönche aus dem Kloster der Heiligen Katharina auf dem Berge Sinai zu uns, von denen der eine sehr alt war und Pater Bonifazius kannte und zudem in jener Gegend im Rufe großer Frömmigkeit stand. Als der Augenblick der Abfahrt gekommen war, rief uns Demetrius zusammen, damit wir uns einschifften. Wir bestiegen Boote und machten uns unverzüglich zur Karavelle auf. Bruder Bonifazius und ich fuhren zusammen mit den drei griechischen Mönchen, und sobald wir dort angelangt waren, kletterte der alte Mönch als erster hinauf, während ich ihm folgte. An Deck erwartete uns in ihrer Einfachheit und Unschuld jene fromme Frau, um uns geziemend zu empfangen und Pater Bonifazius ihren Dank auszusprechen.

«Aber was geht denn hier vor?» hub der alte Mönch lauthals voller Entsetzen zu schreien an, während er sich umdrehte, wieder hinunterstieg und die zum Umkehren zwang, die sich angeschickt hatten, hinter ihm hinaufzusteigen.

Das schmucklose Gewand verbarg ihre schlanken Formen keineswegs, sondern fiel, die zarte Taille und die Wölbung der Brüste in Falten umspielend, an ihr herab wie die leichte, durchsichtige Tunika einer griechischen Göttin. Das Haar war zu einem weizenfarbenen Zopf geflochten, welcher im schneeweißen Nacken zu einem Knoten zusammengefaßt war. Die Nase klassisch wie die einer Statue. Die Augen waren wie Wasser, welche sich trübten, dunkler wurden, sich wie Abgründe verfinsterten oder wie in Helligkeit und Sonne getauchte Lichtungen erstrahlten. Ihre Lippen lächelten, lächelten mich an, denn ich war der einzige, welcher dort wie angewurzelt, wie gelähmt dastand und sie betrachtete. Die griechischen Nonnen und die Zofen, welche um sie herumstanden, bildeten einen schmückenden Rahmen, der ihre Schönheit noch hervorhob.

Schwach drang die Stimme Bruder Bonifazius' an mein Ohr, der fragte:

«Was ist denn los, Bruder Calcondilas?»

«Ich fahre nicht mit! Ich fahre nicht mit!» wütete der Alte beinahe atemlos. «Ich fahre in dieser pestilenzialischen Gesellschaft nicht mit!»

«In wessen Gesellschaft?»

«Diese Frau wird nicht nur das geistliche Verderbnis einiger Reisegefährten, sondern auch eine körperliche Gefahr für uns alle sein, sobald wir im Land der Türken angelangt sind.»

Bruder Bonifazius, der die Karavelle weder betreten noch die Frauen gesehen hatte, welche sich dort befanden, handelte umgehend, ohne genaues Wissen und etwas übereilt:

«Ich gab die Erlaubnis für drei oder vier Nonnen und Misser Angelo füllt mir die Karvelle mit Frauen!... Demetrius, laßt an Land zurückrudern.»

Ich war gezwungen, das Schiff zu verlassen, nachdem ich meine Blicke in die ihren so sehr versenkt hatte, daß sie errötete, ohne mit dem Lächeln aufzuhören. Wir blieben an Land, ohne daß es irgendwelche Anzeichen dafür gab, daß wir noch am selbigen Tage wiederkehren und abreisen würden. Die Nonnen blieben vertrauensvoll auch dort, wo sie waren, und schliefen an Bord, doch als sie am folgenden Tag gegen Mittag merkten, daß wir nicht zurückkamen, begriffen sie, daß wir sie nicht mitnehmen wollten, und verließen schweigend und demütig das Schiff. Wir saßen auf Bündeln und Kisten voller Waren auf dem Kai. Die griechische Witwe ging an mir vorbei und blickte mich sehr ernst an. Es gelang mir, ohne daß es jemand gehört hätte, zu ihr zu sagen:

«Verzeiht!»

Ich befürchtete, daß sie kein Italienisch könne, doch sie verstand es vollkommen, da sie in Italien verheiratet gewesen war. Sie blieb einen Augenblick lang mit ihren Zofen stehen und antwortete mir:

«Ich danke Euch, Bruder Pantaleon.»

Ich werde den Ausdruck und den Klang ihrer Stimme, mit der sie meinen Namen aussprach, nie wieder vergessen. (Woher kannte sie meinen Namen?) In meiner Verwirrung wurde mir deutlich, daß eine große Gefahr darin lag, in einer solchen Gesellschaft zu reisen, eine Gefahr vor allem für mich...

Wir schifften uns bei Anbruch der Nacht ein und segelten nach Limassol, dem Hafen, in welchem man auf dem Wege nach Joppe oder Japho, wie es gemeinhin genannt wird, Station gemacht, doch wegen der trügerischer Winde brauchten wir drei Tage, um eine so kurze Strecke zurückzulegen, und noch zwei weitere Tage Wartezeit dortselbst. Am Nachmittag des zweiten Tages ging ich unter dem Vorwand an Land, etwas besorgen zu wollen, was ich vergessen hatte, aber in Wahrheit, weil ich das Bedürfnis hatte, allein zu sein, zu versuchen, ob es mir gelänge, etwas Ordnung in meinen aufgewühlten Geist zu bringen. Ich trat in eine Straße, in welcher viele Menschen sich aufhielten, da Markt war, und floh unverzüglich von dort zu einem ruhigen Winkel am Meer. Ich zog meine Sandalen aus und saß dort lange auf einem Felsen, hatte die Füße ins Wasser getaucht, während meine widersprüchlichen Gedanken wie die Wellen in meinem Kopf beharrlich und ergebnislos hin- und herwogten und schäumten.

Was ist mit mir los? Warum erkaltet mein Herz jetzt, kurz bevor ich das Land erreiche, das alle zu erreichen trachten? Ich habe mich der menschlichen Leidenschaften noch nicht ausreichend entledigt, das ist es. Und nicht genug damit, hege ich ständig den Gedanken in meinem Geiste, so schnell wie möglich Meister Jakobus zu treffen, eine fixe Idee, welche meine Selbstsucht nur allzu gut enthüllt... Was ist daran so wichtig, zu wissen, wer ich bin? Wer sind wir eigentlich? Wer ist ein jeder? Wer bin ich?... Die langen Jahre des unablässigen, manches Mal quälenden Umgangs mit mir selbst haben mich geformt. Sie prägten meine eigensten Gedanken und Gefühle, welche die innere und die äußere Welt zum Gegenstand hatten. Eben diese – die Menschen und die Dinge – arbeiteten ihrerseits auch an mir und modellierten mich wie die Hände des Töpfers den Ton. Eine künstlerische Arbeit, aus welcher ebensogut ein Heiliger wie ein Dämon hervorgehen kann!... Was ich versuche, ist also nicht herauszufinden, wer ich bin, sondern woher ich komme. Ich möchte wissen, welches Blut in meinen Adern fließt, welche Charaktereigenschaften ich von den Vorfahren ererbt habe, ich möchte meinen Namen erfahren, meine mögliche Abstammung... Der bin ich nicht geworden, den sie aus mir machen wollten, jene, die, ohne daß ich es lange Zeit geahnt hätte, im Schatten wirkten. Sie haben nicht mit mir gerechnet. Blut, Erziehung, Umgebung, die örtlichen und zeitlichen Koordinaten – diese alle zusammen schaffen das *Ich*. Aber der Mensch bildet im ständigen Dialog, im unaufhörlichen Widerstreit mit sich selbst seine Persönlichkeit aus. Das *Ich* bringt das *Ich* hervor und bereichert es... Waise sein, die Einsamkeit, die

Isolation! Sie haben nicht mit mir gerechnet: dies alles hat mein Wesen für das ganze Leben geprägt.

Und wenngleich im Vorübergehen der Jahre der Körper sich verändert, schwächer wird und unsere Erinnerung an uns selbst verfliegt und verlischt, ist das Letzte, was uns bis zum Ende bleibt, das Bewußtsein des *Ich*. Das *Ich* ist eines der ersten Dinge, derer wir uns bewußt werden, und das letzte, was wir auf der Schwelle zum Tode verlieren... In meinem Kopf erhebt sich der dringende Verdacht, daß, wie es der alte griechische Philosoph wollte, alles Zahl ist und die Persönlichkeit, die menschliche Individualität nichts als ein glückliches Zusammentreffen und eine Quantenkombination wie auf einem pythagoräischen Abakus ist. Wird der Abakus zerstört, verschwindet die Erinnerung und mit ihr die Intelligenz und die erworbene Erfahrung, das denkende und gläubige *Ich*. Atheist nenne ich mich selbst da. Und antworte mir: Nein! Nichts dergleichen zerstört die Realität dessen, was hinter und jenseits des großen Abakus liegt, der wir selbst sind, der große universale Abakus, die Große Zahl, die Große Idee, die Ordnung, welche wir Kosmos nennen, und der wir den Namen Welt geben, die du beinahe nicht umhin kannst, Gott zu nennen!... Wenn der Abakus sich auflöst, kehrt das *Ich*, der kosmische Staub ins große Ganze zurück. Du bist ein Pantheist! Der Heilige Franziskus war auf seine Art Pantheist... Und ist es nicht so, daß ich, als ich die Kutte eines Franziskaners anlegte, mich meiner weltlichen Persönlichkeit entledigte?... Die Vergötterung des *Ich* führt zu Eitelkeit, Stolz und Egoismus. Es ist sicher verdienstvoll, wenn ein Mönch seinen Egoismus ablegt und seinen Individualismus im gemeinschaftlichen Leben einer Bruderschaft ausmerzt. Er zieht das Flitterkleid der Welt aus – zumindest ist dies seine Absicht – läßt den Reichtum hinter sich, gibt seinen Namen auf, die Eitelkeit und die Gewänder der Welt... aber seine Persönlichkeit verschwindet nicht: der Ordensname, den er annimmt, verbirgt den seinen noch... Ich hörte auf, João Soundso zu sein! Aber hat Pantaleon von Aveiro nichts mit jenem João-wie-heißt-er-noch zu tun? Wirklich nicht? Warum willigte ich so leicht darin ein, den Namen *von Aveiro* meinem franziskanischen Namen hinzuzufügen? Und selbst die Wahl von *Pantaleon*. Stecken in diesen Namen nicht von Anbeginn meine persönlichen Probleme?

Wurde nicht der eine wegen der Reliquie in meinem Medaillon gewählt und der andere als halbe Enthüllung dessen, wer ich war. Denn hatten sie mir nicht gewissermaßen verboten, nach Aveiro zu gehen...? Warum nicht dieses goldene Medaillon wegreißen und es in dieses Wasser werfen, mich ein für alle Mal vom menschlichen Makel befreien? Es würde ein würdiges Grab in diesen heiligen Wassern finden... Warum zögern meine Hand und mein Arm?... Stimmen, welche aus der Vergangenheit tönen. «Trage es immer bei dir!... Ein Versprechen!... Zerbrich es nicht!...» Seelen, welche damit verbunden sind, würden Qualen der Hölle erleiden! Warum berühre ich es zärtlich? Vielleicht hat eine Frau, möglicherweise meine Mutter, es mir um den Hals gelegt!... Na und? Du sollst deinen Vater und deine Mutter verlassen und mir folgen... Aber waren es nicht der Vater und die Mutter, die mich verlassen hatten? Ich besaß sie nie, wie konnte ich sie da verlassen? Wenn man das Habit nimmt, läßt man mit der Welt auch die Eltern. Ich habe aber niemanden, den ich verlassen kann... nur mich selbst!... Folge mir! Und wem folge ich? Meine Schritte sind nach Jerusalem gerichtet, aber meine Gedanken sind ungeduldig darauf aus, etwas weiter nach Norden, nach Damaskus, zu Meister Jakobus zu gelangen. Und dennoch verwirrt mich, als hätte all dies keinerlei Bedeutung, die Schönheit einer Griechin! Wieviele Personen leben in mir? Wieviele *Ich* machen mich aus?

Als ich an Bord zurückkehrte, sagt Bruder Zedillo zu mir:

«Es hat jemand nach Euch gefragt.»

«Wer? Ich kenne hier niemanden.»

«Es war ein Jude. Es sagte, er hieße Isac Bensaúde.»

Isac Beiçudo! Er war also Gottlob nicht gestorben!

«Hat er eine Nachricht hinterlassen?»

«Daß er euch, da Ihr nicht da wart und er in Eile war, in Palästina aufsuchen werde...» Und er verschwand hastig, fast wie ein Trugbild.

«Ein Trugbild... ein lebendes!» flüsterte ich, doch Bruder Zedillo hörte mich nicht.

Im Morgengrauen setzten wir die Segel für die Fahrt ins Heilige Land und zwei Tage später begannen wir, die sanft gewellten Umrisse des Berges Karmel auszumachen, welcher sich so sehr aus dem

Meer erhebt, daß man ihn noch vor jedwedem anderen Land entdeckt, und dann erkannten wir, in dem Maße, wie wir uns näherten, die schwache Linie einer nach Süden sich ausdehnenden Ebene. Am Abend jenes Tages standen Bruder Bonifazius, Bruder Zedillo und ich an Deck und schauten zum Land hinüber, als wir einen Flügelschlag vernahmen, ein Flattern beim Aufsetzen auf der höchsten Rahe des Mastes.

«Seht doch!» rief ich aus, «es sind zwei Tauben!»

Wir erfreuten uns alle an ihrem Anblick und ich ganz besonders, weil ich mir so sehnlichst wünschte, endlich das Heilige Land zu betreten, um meine Qualen zu heilen. Alles was von dort kam, vergrößerte diesen Wunsch noch.

«Aus dem Land des Friedens kommen die friedlichen Tauben zu uns», sagte Bruder Bonifazius. «Das ist ein gutes Zeichen.»

Am dritten Tag, dem siebenundzwanzigsten April, an einem duftenden, hellen Tag liefen wir gegen neun Uhr in den Hafen von Japho ein. Wir drängten uns alle an der zum Land gewandten Seite des Schiffes an der Deckbrüstung, voller Erwartung und voller Ungeduld ob der langen Zeit, welche verging, bis der Anker geworfen war. Pater Bonifazius gab uns zum hundertsten Male seine Ratschläge:

Jenes Land sei unglücklicherweise in Händen der Türken, sei Feindesland, das sollten wir nicht vergessen. Wir dürften uns nicht voneinander trennen, denn Straßenräuber könnten uns jederzeit überfallen, wie Erdmorcheln schienen sie an jeder Wegesbiegung aus dem Boden zu schießen.

Ich entfernte mich einen Augenblick zur anderen Schiffsseite, wo sich niemand befand, und nahm, für alle Fälle, ohne daß mich jemand dabei sah, die goldene Kette mit dem Medaillon vom Hals und versteckte meine Reliquie im Saum meiner Kutte. An Land kam sogleich ein Janitschar herbeigeeilt, welcher dort wohnte und den Hafen bewachte. Er machte uns das Friedenszeichen, ohne welches ein Verlassen des Schiffes nicht erlaubt war. Wir Mönche gingen alle sogleich von Bord, drängten uns voller Eile in die Boote, und kaum hatten unsere Füße das Land betreten, da knieten wir nieder und küßten diese heilige Erde. Tränen entströmten den Augen meiner Gefährten. Warum aber blieben die meinen trocken?

IX

Die Mauern des Glaubens

> ...«Propter hoc, causa vestra, Sion quasi ager arabitur et Ierusalem quasi acervus lapidum erit et mons Templi in excelsa silvarum.»
>
> ...«Darum wird Zion um euretwillen wie ein Acker gepflügt werden, und Jerusalem wird zum Steinhaufen werden und der Berg des Tempels zu einer wilden Höhe.»
>
> (Micha III,12)

Da er sich im Haus auskannte, wie man so sagt, denn er war bereits einmal sieben Jahre als Guardian des Berges Zion in Palästina gewesen, versäumte es Bruder Bonifazius nicht, seine Vorkehrungen zu treffen, weil er wußte, daß unsere Mühen und Kümmernisse nun beginnen würden. Er sandte daher eine Botschaft in die Stadt Rama zum Lami – einem adligen Türken, welcher dort die meiste Zeit wegen wichtiger Geschäfte wohnt – er möge uns Wachen zum Schutz gegen die Araber schicken, die von den Bergen herabkamen, sobald sie im Hafen ein christliches Schiff witterten. Er sandte ebenfalls eine Botschaft an den Vikar des Klosters des Heiligen Erlösers in Jerusalem, er möge sofort mit dem Dolmetscher, Wachen und den erforderlichen Kamelen und Reittieren kommen. Wir konnten nicht aufbrechen, solange jene Unterstützung und Begleitung nicht eingetroffen waren, und merkten daran, daß wir zwar das Land Christi betraten, uns jedoch widersinnigerweise nicht auf christlichem Boden bewegten. Mit Bruder Zedillo ging das spanische Temperament durch:

«Man muß wieder einen Kreuzzug machen und diese Hunde aufs Schwert spießen.»

Bruder Bonifazius goß Öl auf die Wogen:

«Bruder Zedillo, Bruder Zedillo! Erinnert Euch daran, daß wer mit dem Schwert tötet, durch das Schwert umkommen wird, außerdem habt ihr hier nicht einmal ein Schwert, sondern nur Eure franziskanische Friedfertigkeit. Habt Ihr denn die Tauben schon vergessen, die uns willkommen geheißen haben?»

Währenddessen hatte der Janitschar, welcher unseren Guardian seit Jahren kannte und dessen Freund er war, uns reichlich Erfrischungen bringen lassen und sorgte dafür, daß wir Fisch bekämen. Dieser ursprünglich aus Ungarn stammende Janitschar war ein wohlerzogener und kluger Mann, der mit seinen beiden Frauen und seinem bereits sehr alten Vater zusammenlebte. Seinen Lebensunterhalt bezog er aus den Gebühren, welche im Hafen zu zahlen waren, aus seiner Feldarbeit und anderen Hilfeleistungen. Neben dem Haus besaß er ein sehr großes, üppig grünes Zuckerrohrfeld. Bereitwillig rief er einen seiner Söhne herbei:

«Bocali, geh für die Mönche fischen...» Dieser Bocali sei ein braver Junge, meinte der stolze Vater. Immer gut aufgelegt und flink, wir würden es gleich sehen, mit einem Wurfnetz werde er so viel Fisch herausholen, daß wir staunen würden... Und in der Tat brauchte es nicht lange, da brachte er uns so viel Fisch, als hätte er ihn in einem Fischteich gefischt. Brandbrassen, Meeräschen und einen kräftigen, großen Rabenfisch, denn in diesen Gegenden gibt es viel guten Fisch. Sie fangen ihn indes selten, es sei denn zu Gelegenheiten wie dieser oder wenn der Guardian von Jerusalem ihn zur Adventszeit, zur Fastenzeit oder immer dann bestellt, wenn er es für die Mönche als notwendig erachtet. Sie selbst ziehen Fleisch vor, welches sie jederzeit essen. Fische seien Meerestiere, meinte der Janitschar und spuckte dabei aus, womit er bedeuten wollte, wie sehr sie ihn anwiderten.

Nachdem am Strand ein Feuer angezündet worden war, begann man damit, den Fisch zu rösten, derweil ich kurz an Bord ging, um Brot und andere Beilagen zu holen. Auf der Decksbrüstung saß, mit den Beinen baumelnd, ein Bursche der Mannschaft und fischte mit einem umgehauenen Nagel als Köder so viele Seebrassen, wie er wollte. Rundherum standen seine Kameraden und begrüßen jedesmal mit großem Geschrei den Fang, wenn die Angelleine mit dem glitzernden, wild sich windenden, heftig mit dem Schwanz schlagenden silbernen Band herausgezogen wurde.

Welch ein Genuß, den herrlich frischen, schmackhaften Fisch am Strand zu essen! Währenddessen entkleidete sich der Janitschar dicht am Wasser vollständig und wusch sich vor unser aller Augen von Kopf zum Fuß, insbesondere die unteren Regionen, was für die Mauren von entscheidender Bedeutung ist, und begann dann sein Gebet in einer monotonen Litanei und beugte sich knieend bald nach vorn bis zum Boden, erhob bald die Hände und die Augen zum Himmel, wobei er den Anschein tiefster Frömmigkeit vermittelte.

Am nächsten Tag kamen am Morgen fünf Mauren mit ihren Pfeilen und Bögen als einzigen Waffen an. Der Lami hatte sie zu unserem Schutz gesandt, doch ironischerweise brachte uns die Angelegenheit anfangs nichts als Unruhe und Ärger. Denn es verhielt so, daß sie, kaum angekommen, zu schreien und einen riesigen Krach zu schlagen begannen, da wir fast alle an Land waren:

«Aber was ist denn hier los! Welch Unverschämtheit! Ohne Erlaubnis das Schiff zu verlassen! Sie wagen es, ohne Genehmigung ihren Fuß an Land zu setzen! Das ist unerhört!»

Auf das Geschrei hin eilte der Janitschar herbei und stellte sich dazwischen: Worum es denn hier ginge. Er selbst habe uns geheißen, an Land zu gehen, denn er besäße die Befugnis und das Recht dazu. Es gäbe keinen Grund für sie, uns derartig zu beschimpfen... Doch nicht einmal das reichte aus, um sie zu beruhigen, vielmehr begannen sie erneut mit ihrem Geschrei: Das sei gleichgültig! Das ginge so nicht! Wir müßten wieder an Bord zurück! Wir dürften erst wieder an Land, wenn wir sie für die Mühe ihres Anmarsches bezahlt hätten!

Dieses ganze Pack ist geizig und selbstsüchtig, verlogen, unbarmherzig und ohne Gottesfurcht. Um zu erreichen, was sie wollen, stützen sie ihre ganze Argumentation auf Gebrüll und Geschrei, was zumeist nicht einen Heller wert ist, und dieses künstliche Lärmen nennt man in jenen Gegenden Gezänk. Die Gegenwart des Janitscharen, welcher uns zur Hilfe kam, bremste jedoch ihre Dreistigkeit, zumal sie wußten, daß die Wachen, welche aus Jerusalem für uns kommen sollten, nicht lange auf sich warten lassen würden.

Dennoch hielten uns die Mauren einen halben Tag lang fest und ließen nicht zu, daß wir an Bord gingen, weil sie so glaubten, von Land aus eine höhere Auslösesumme zu erreichen. Der Janitschar stritt sich indes so sehr mit ihnen, daß sie sich schließlich mit einer geringen Bezahlung zufriedengaben.

An jenem Nachmittag landeten dort drei maurische Schiffe, welche Waren geladen hatten, die sie von Sidon nach Ägypten brachten. Da sie fürchteten, daß das Wetter sich ändern würde, suchten sie im Hafen Schutz, einem engen Zufluchtsort, welcher von Felseninseln eingefaßt war, und in dem fünf bis sechs Schiffe Platz fanden. Unsere Karavelle hingegen lag auf Reede, da bei unserer Ankunft klares, mildes Wetter herrschte und wir nicht vorhatten, uns länger aufzuhalten. Am frühen Morgen, es herrschte Windstille, begann unvermittelt ein ungeheurer Ostwind zu wehen, das Meer bekam Schaumkronen und unsere Karavelle, mit zwei Mönchen und zwei Laien an Bord, geriet in Gefahr. Wir befanden uns in einigen Hütten aus Brettern und Matten auf zwei kleinen Inseln im Hafen. Der Wind frischte derartig auf, pfiff durch die Ritzen, rüttelte an den zerbrechlichen Wänden und das Meer wurde so aufgewühlt, daß wir fürchteten, die Karavelle mit allen Gerätschaften und Kleidungsstücken zu verlieren. Inmitten des Sturmgebrauses und des Wellengetöses hörten wir jemanden an den Türverschlag klopfen. Es war der Janitschar. Bruder Bonifazius möge mit den Gefährten in seinem Haus Zuflucht suchen, denn diese Hütten könnten jeden Augenblick davonfliegen.

Pater Bonifazius dankte ihm vielmals, nahm indes das Angebot nicht an, da er sich mit diesen Leuten sehr gut auskennt und aus Erfahrung weiß, bis zu welchem Punkte man ihnen Vertrauen schenken kann. Wer dort in Frieden leben will, muß sich davor hüten, in ihre Häuser einzutreten und, so freundschaftlich sie sich auch verhalten, einen zu engen Umgang mit ihnen vermeiden, vor allem wenn in den Häusern auch Frauen leben. Der Janitschar ging wieder, und die Hütten begannen auf gefährliche Weise aus den Fugen zu gehen, doch der Kapitän eines jener maurischen Schiffe, welcher gesehen, daß wir das Angebot des Janitscharen ausgeschlagen hatten und den Grund verstand, kam nun mit seinem Boot zu dem Platz, an dem wir uns befanden, und drängte uns, auf seinem

Schiff Zuflucht zu suchen, welches größer war als die beiden anderen. Wir nahmen, der Not gehorchend, das Angebot an. Im Morgengrauen flaute der Wind ab und das Meer beruhigte sich, und die Elemente zeigten sich, als es vollends hell war, wieder heiter. Mit Hilfe der Mauren wurden dann einige schwere Gegenstände aus der Karavelle entladen, und sie bugsierten uns dann mit ihren Booten in den Hafen.

Dieser selbstlose und anrührende Gemeinsinn der Mauren, welche uns in dieser Stunde der Prüfung geholfen hatten, war es, der mich dazu brachte, mich erneut mir selbst zuzuwenden. Mir kamen alte Gedanken über Verständnis und Toleranz unter den Menschen in den Sinn, die einander töten und bekriegen, hassen und verfolgen, ihre Ländereien, ihren Reichtum, ihren Glauben und ihre Gedanken eingrenzen und mit Zäunen versehen, die sich, ein jeder für sich, hinter ihren Wahrheiten verschanzen, einander jedoch in Stunden gemeinsamer Gefahr helfen. Die Inquisition würde diese Gedanken als ketzerisch bezeichnen, bekäme sie sie zu sehen, doch ich halte sie nur für mich selbst fest. Ich spüre andere Gedanken wie Wellen gegen jene branden: das Mißtrauen Bruder Bonifazius', der die Gastfreundschaft des Janitscharen nicht annimmt, welche ehrlich schien; die Gewinnsucht der maurischen Wachen; die Dieberei, welche jederzeit in den Bergen auf uns lauert; die Länder des Orients, in denen sich Königreiche und Religionen mit dem Schwerte bekämpfen; unsere christliche Welt, die sich selbst zerfleischt, als wäre Gott eine Lumpenpuppe, um die sich die Kinder streiten, welche sie nur zu sich herüberzuziehen trachten und schließlich nichts von ihr haben, da sie in Stücke zerrissen zu ihren Füßen niederfällt... Und diese meine Seele, die keinen Frieden findet im Widerstreit zwischen der Niedergeschlagenheit des *Ich* in der Mönchskutte und der wiederauflebenden Suche nach einer unbekannten Identität ... Und all dies, wo wir doch bald in Jerusalem ankommen werden!... Ich verbringe, diese Gedanken in mir hin und herwälzend, die beiden Tage mit einsamen Spaziergängen an jenen Gestaden, die im Alten wie im Neuen Testament als einer der ältesten, edelsten und bedeutensten Orte des Orients immer wieder genannt werden. Das Buch der Makkabäer, der Heilige Lukas in der *Apostelgeschichte* und Flavius Josephus in seinen Kommentaren zum *Jüdischen Krieg* sprechen von dieser Stadt, welche von Jafeth, dem Sohn des Patriarchen Noah, gegründet wurde. Heute ist Japho eine toter Ort, welcher noch mehr der Vergessenheit anheim gefallen wäre, gäbe es dort nicht den Hafen, der deshalb so wichtig ist, weil dort die Pilger gemeinhin im Heiligen Land mit ihren Schiffen ankommen. Von seiner einstigen Größe sind nur Spuren und Ruinen geblieben. Unweit des Meeres erheben sich auf einem Hügel zwei kleine, einander gleiche, kräftige Türme, welche auf ihrer Spitze zwei kriegerische Falken aus Bronze tragen. Zwischen diesen beiden Türmen liegt das Haus des Janitscharen. Die einst so mächtige Stadt bietet keinen Widerstand mehr. Wären die Christen nicht so feige, sie könnten sie mit der kleinsten Galeere einnehmen. Allerdings würde es großer Macht und Stärke bedürfen, sie zu halten. Einen Steinwurf weit, gleich am Wasser liegen etwas erhöht fünf oder sechs breite, lange, speicherartige Gebäude mit gewölbten Dächern. Von Land aus kann man zwischen den Felsen hindurch sehen, daß sie zum Bau von Schiffen oder Galeeren gedient haben. Heute dienen sie nur noch den Menschen als Unterschlupf bei Hitze, Regen oder Kälte. Oberhalb dieser Dächer sieht man noch die Wände einer Kirche, die zur Zeit der Christen zu Ehren des Apostel Petrus auf dem Haus gebaut worden war, in dem Simon der Gerber wohnte, und in welchem jener, da er von den Bediensteten des Centurion Cornelius gesuchte wurde, die Vision eines Tuches voller vierfüßiger und kriechender Tiere der Erde und Vögel des Himmels gehabt hat. Aus dem Wasser ragen unweit des Strandes Felsen wie kleine Inseln hervor, an welchen, so berichten einige Dichter, Andromeda, die Tochter des Kepheus und der Kassiopeia, der Könige von Äthiopien, an Ketten gefesselt zur Schau gestellt worden sein soll. Weil sie – welche Vermessenheit jener kleinen Prinzessin –, mit ihrer Schönheit die der Nereiden und der Göttin Juno in den Schatten stellen wollte! Das Meeresungeheuer naht mit aufgesperrtem Rachen und Feuerzunge! Es will sie verschlingen!... Doch da erscheint im letzten Augenblick auf dem feurigen, geflügelten Pegasus der junge Perseus! In der rechten Hand das Schwert, in seiner Linken den grausigen Kopf der Medusa... Vielleicht ist jener Felsengrat, der aus dem Meere ragt, der Rücken des versteinerten Untiers, welches vom Wasser augenblicklich verschlungen wurde! ...Meine Augen sehen jene Felsen, meine Hände berühren den Fuß der Säule, an die das schöne Mädchen gekettet war. Blattwerk korinthischer Steinmetzarbeit, das von der Zeit und dem Meer schon stark angegriffen ist... Doch ich denke weder an den Heiligen Hieronymus noch an seine Erwähnung dieser Geschichte. Meine Augen sehen und meine Hände streicheln vielmehr den nackten schlanken Körper – χαλλιστην, ϖ ϑεοι – der schönen Griechin, die ich im Hafen von Salamis sah!...

Die Wachen aus Jerusalem kamen, etwa zwanzig Männer zu Pferde, und mit ihnen der Lami, eine Art Oberrichter. Es ist ein Türke von etwa fünzig Jahren, sehr ansehnlich und ein Mensch mit viel Autorität. Er trug reichverzierte Waffen und ritt auf einem Pferd, das mit einer Decke geschmückt war. Ihn begleitete ein Reiterpaar in gleichem Aufzug. Er trug einen prächtigen türkischen Turban. Mit ihm kamen auch unser Vikar aus dem Kloster des Heiligen Erlösers mit drei Patres und unser Dolmetscher Jakob, der unser Sprachrohr sein würde, weitere drei Brüder unserer Familie aus Bethlehem, zudem christliche und maurische Maultiertreiber mit Kamelen und anderen Tieren, welche uns und unser Gepäck tragen sollen.

Der Lami sitzt geschickt und elegant ab und wendet sich an Pater Bonifazius:

«Bruder Bonifazius! Welche Freude, Euch wieder hier zu sehen!» sagt er und berührt dessen Hand zum Zeichen der Freundschaft und Ehrerbietung und küßt dabei die eigene.

Er läßt uns anderen Mönchen, die wir Pater Bonifazius begleiten, dieselbe Begrüßungszeremonie angedeihen. Es ist dies ein lobenswerter Brauch in der gesamten Levante und unter trefflichen Leuten selbst in Rom und ganz Italien.

Bonifazius solle es glauben, er sei ein Freund unserer Mönche und er könne ihm dies sehr wohl beweisen, denn es habe ihnen in den vergangenen zwei Jahren, in denen ihnen die Vorräte aus Frankenland dahingeschmolzen waren, nie an etwas gemangelt, weder an Weizen noch an Geld.

«Was bedeutet denn eigentlich Frankenland?» flüsterte neben mir Bruder Zedillo.

«Sie nennen die Länder der Christen in unserem Europa Frankenland», sagte ich ihm ins Ohr. In Zypern hätten wir es doch auch schon gehört, ob er sich nicht daran erinnere.» Und Franken nennen sie die Christen.»

«Wieso?»

«Das kommt von den Franzosen, die während der Kreuzzüge mit Hilfe der anderen Nationen des Abendlandes das Heilige Land erobert haben. Der Name ist im ganzen Orient gebräuchlich. Sie sagen ‹frangi› anstatt Franken. Er ist sogar bis nach Ostindien gelangt, wo sie die Portugiesen häufig ‹frangi› nennen.»

Währenddessen überreichte Pater Bonifazius dem Lami, nachdem er ihm vielfach gedankt hat, eine überaus kunstvoll gearbeitete Uhr, welche die vollen Stunden schlug. Der Lami möge sich, sagte er, all dessen bedienen, was die Armut der Mönche biete. Sobald wir in Jerusalem angekommen seien, werde er veranlassen, daß ihm alle Schulden entgolten würden.

«Laßt Euch Zeit, Pater», entgegnete der Lami höflich, indes sah man sehr wohl sein Auge aufleuchten bei der Aussicht auf einen Gewinn. Nun ja...

«Gewiß ist es sehr lobenswert und verdient Dank», sagte ich zu Bruder Zedillo, während mit dem Beladen der Kamele und der anderen Tiere begonnen wurde und wir im Stehen eine kleine Erfrischung zu uns nahmen, «doch mich erschreckt und berührt es empfindlich.

«Wovon redet Ihr?»

«Daß der Lami ihm Geld leiht, über zweihundert Cruzados, wie mir Bruder Bonifazius sagte, und zwar ohne irgendein Schriftstück oder eine Urkunde, sondern allein auf das Ehrenwort hin, alles auf Heller und Pfennig zurückzuzahlen. Selbst unter uns, die wir behaupten, die Erleuchtung des Glaubens und der Wahrheit zu besitzen, reichen oft weder Schriftstücke noch Urkunden aus, um das wiederzubekommen, was man verliehen hat, sondern es werden hierüber häufig Prozesse geführt...»

Nachdem alles geregelt war, begannen wir den Marsch nach Jerusalem. Kaum daß sich alle hintereinander,so wie es in jenen Gegenden Brauch ist, aufgereiht hatten, schoß einer der Türken, die als Wachen mit uns gingen, mit seinem Pferd eine schnelle Wende ausführend, mit dem rostigen, schlecht geölten Gewehr, welches er mit sich führte, in die Luft, was die anderen mit lautem Geschrei und überschwenglicher Freude beantworteten, als hätte er mit dem Schuß ein großes Wunder vollbracht. Vor uns erstreckte sich eine weite Ebene mit niedriger, verkrüppelter Vegetation und ausgedorrter Erde. Der Tagesreise drohte eintönig zu werden, doch die Türken spielten miteinander, hoben sich gegenseitig aus dem Sattel, scharmützelten, alles jedoch ganz friedlich und zum Zeitvertreib und so geschickt und witzig, daß sie uns mit ihren Späßen unterhielten.

«Beachtet», sagt Bruder Zedilho zu mir, «wie äußerst leicht und gewandt sie sind.»

«Die Türken?»

«Nein, die Pferde!» und er zeigt auf sie.

Sie sind schlank, nervös, weil sie wenig fressen. Daher rührt ihre Leichtigkeit und ihre Behendigkeit und Geschicklichkeit.»

«In der Tat!» entgegne ich. «Sie sind nicht wie die Pferde bei uns, die sie in den Ställen mästen wie Schweine und die dann lahm und unbrauchbar werden, während die Stalljungen Hungers sterben.»

Auf unserem Wege kamen wir an Lydda vorbei und gelangten am Abend nach Rama, welches von allen heute Râmula genannt wird, wo wir in einigen großen Häusern übernachteten, die von Mönchen bewirtschaftet wurden.

Am nächsten Tag setzen wir bei Anbruch der Nacht unsere Reise fort.

«Warum nachts?» frage ich Bruder Bonifazius, der dies angeordnet hatte.

«In dieser Gegend gibt es viele Araber. Wenn wir am Tage reisen, dann ziehen sie mit Frauen und Kindern auf die Straßen hinaus, sobald sie wissen, daß die Pilger gelandet sind, und man kann ihnen nur durch ein Wunder entgehen.»

«Und nachts?»

«Nachts ist es sicherer, wenn man gute Wachen dabei hat. Sie sind da vorsichtiger, da sie nicht wissen, wieviele sie angreifen müssen.»

Als Führer geht uns ein alter Araber namens Zambelo voran, ein sehr wichtiger Hauptmann einiger Araberdörfer, welcher auf einem Auge schielt. Seit Jahren schon pflegt er besonderen Umgang und Freundschaft mit den Mönchen und dient uns aus Anteilnahme immer auf dieser Wegstrecke und bei anderen Gelegenheiten, da er ein Mann unseres Vertrauens ist, ganz im Gegensatz zur Meinung seiner Landsleute, die ihn für einen durchtriebenen Dieb halten. Er ist sehr umgänglich und gut gelaunt, langmütig und nachsichtig bezüglich der Spötteleien, mit welchen sie ihn aus Spaß bedenken.

«He, Zambelo!» ruft ihm einer der berittenen Wachen zu.

«Ich weiß nicht, warum dich die Mönche als Führer billigen, denn da du mit dem linken Auge schielst, führst du uns, wenn du eine Weggabelung kommst, anstatt nach Jerusalem nach Jericho...!

Alle lachen lauthals, aber Zambelo tut so, als habe er nichts gehört. Er läßt den Sturm vorüberziehen und als alle schweigen, antwortet er:

«Ich habe Jerusalem nie verfehlt in den dreißig Jahren, die ich nun schon Führer bin. Durch mein Schielen bin ich Euch gegenüber im übrigen im Vorteil. Wenn die aus den Bergen uns auf meiner linken Seite angreifen, weil sie wissen, daß ich auf dem rechten Auge schiele, denken sie, ich sehe sie nicht, doch mein Auge hat sie schon entdeckt, wenn sie noch hinter den Felsen hocken.»

Ein Riesengelächter bricht los, doch Zambelo bringt es augenblicklich zum Schweigen:

«Da sind sie! Habe ich es Euch nicht gesagt?»

Wir hatten den bequemen Weg verlassen und begonnen, einen unwegsamen Gebirgspfad hinaufzusteigen. Es ist ein gefährlicher Paßweg zwischen Felsen, hinter denen unvermittelt etwa fünfzig Araber hervorstürzen, die sich wie Straßenräuber mit großem Geschrei und Gebrüll auf uns stürzen und uns ganz aus der Fassung bringen. Doch der Lami und Zambelo stellen sich ihnen mit den guten Wachen, die uns begleiten, entgegen.

«Halt!» ruft ihnen der Lami zu.

Sie mäßigen sich etwas und bleiben stehen, wobei sie brummeln, daß sie den Tribut haben wollen, der ihnen zukommt.

«Zwei Madim für jeden Pilger», unterbricht sie der Lami, der die Gebräuche des Landes kennt, «und keinen mehr.»

«Ist das viel?» flüstere ich zu Bruder Bonifazius herüber.

«Nein. Das sind vierundzwanzig Reale.»

Stimmen erheben sich, beraten unzufrieden miteinander.

«Und die Lasten? Ihr müßt auch für die Lasten zahlen, die sie mit sich führen.»

Zambelo greift ein und um seinetwillen, da er sie darum bittet oder aus Furcht vor den anderen, zogen sie ab, während wir beunruhigt zurückblieben. Wir waren noch keine halbe Meile gegangen, da überfielen uns andere, und als die Sonne aufging, kam noch eine kleine Horde hervor. Bei allen läuft dieselbe Zeremonie ab: Debatten, Bitten, hartnäckiger Streit. Um der Belästigungen und ihrer Zudringlichkeit zu entgehen, zahlten wir ihnen, was dem Lami, welcher uns zur Hilfe kam, angemessen erschien. Die Franziskanerbrüder sind nicht verpflichtet, diesen Tribut oder dieses Wegegeld, noch irgendwelche anderen Abgaben, an die Araber im Heiligen Land zu zahlen, weil sie hier ihre Klöster haben, in denen sie wohnen, denn der Sultan hat sie – so auch in Phönizien, in Konstantinopel, in Peräa und anderen ihm unterworfenen Gebieten –, in allen seinen Königreichen und Lehensgebieten davon befreit. Um Ärger oder gefährliche Situationen zu vermeiden, werden diese Gelder dennoch häufig gezahlt, da diese Überfälle nicht geahndet werden. Mir war dies nicht neu, denn ich hatte es schon erlebt, als wir Kastilien durchquerten, wo man sich uns in einigen Orten in den Weg stellte, um Wegzoll, Brückenzoll und Tribute zu fordern, welche in unserem Portugal gemeinhin nicht verlangt werden, da dort die Wege frei sind.

Gegen acht Uhr morgens kamen wir in der Stadt Anatot an, drei Meilen vor Jerusalem, wo wir uns vom Lami und den Seinen verabschiedeten, da wir uns nun in Sicherheit befanden. Wir machten dort Rast, während wir auf unser Gepäck warteten, das verständlicherweise langsamer vorankam. Zwei armenische Mönche und zwei Abessinier des Priester Johannes gesellten sich zu uns, welche von ihren Oberen damit beauftragt worden waren, Pater Bonifazius willkommen zu heißen. Der Guardian empfing sie mit großer Ehrerbietung und behielt sie bei sich, bis wir uns alle auf den Weg machten. Wir erreichten bald das Terebinthental, das groß und weitläufig ist und auf dessen Grund ein murmelnder Bach voller Steine und Kiesel von Norden nach Süden verläuft, der vom Winterregen gespeist wird, welcher von den hohen, ihn begrenzenden Hügeln herunterströmt.

Anschließend begannen wir den Aufstieg auf einen Berg, welcher so steil und schwierig war, daß wir gezwungen waren ob der Unwegsamkeit des Pfades, zu Fuß mit den Reittieren am Koppelstrick weiterzugehen. Als wir auf dem Gipfel angelangt waren, tauchte Jerusalem vor unseren Blick auf. Wir blieben auf der Stelle schweigend stehen und sogleich knieten einige von uns, tränenüberströmt und aus tiefster Seele schluchzend, ungeachtet der Härte des steinigen Bodens nieder. Andere wieder entfernten sich, verbargen sich hinter den Olivenbäumen, welche die Hänge hinunterwachsen, um ungestört weinen zu können. Auch ich war im Innern tief berührt, meine Augen waren feucht und auf meine Lippen drängten sich vereinzelte Verse einer Hymne zum Lobe Gottes, welche eines schönen Tages unter dem blauen Himmel an einem Bächlein ein armer Franziskaner, aller Kleider des Körpers und der Seele entledigt, dem Wind und den Lüften gesungen hatte. Wie gern hätte ich in diesem Augenblick jene Arglosigkeit und Einfalt besessen, um eine Hymne auf die Heilige Stadt zu schaffen, doch – weh mir! – meine fromme Inspiration war versiegt.

Dort lag sie, in ihre Mauern aus rötlichem Stein gebettet. Die Silhouette ihrer von den Umrissen der Häuser, der Kirchen, Türme und Kuppeln mit ihren Kreuzen, überragten Zinnen glich der Krone des Königs der Könige. Und hier stand ich nun, der arme Franziskaner, ein Paria, dem man mit Gewalt genommen hatte, was er nicht kannte, und dessen Schritte unsichtbare Augen verfolgen...

Ich war nicht als Pilger ins Heilige Land gereist, sondern um dort zu wohnen, so wie es zwischen Bruder Bonifazius von Aragusa und mir abgemacht war, als er mich darum bat, sein Gefährte zu sein. Die Patres, welche in eine Gemeinde gehen, sind verpflichtet, dortselbst drei Jahre zu bleiben, bis sie von einer anderen Familie abgelöst werden. Ich jedoch hielt es, ich weiß nicht ob instinktiv oder aus einer unbestimmten Vorahnung heraus, für notwendig, meine Bewegungsfreiheit zu bewahren, und erreichte, daß unser Generalminister, Bruder Franziskus von Zamora, mir vor der Abreise in Rom die ganz besondere und zuvorkommende Erlaubnis gab zurückzukehren, wann ich wolle. Bruder Zedillo, der damals darum gebeten hatte, mit uns zu reisen, äußerte mir gegenüber ebenfalls den Wunsch, nicht die Regelzeit von drei Jahren im Heiligen Land bleiben zu müssen, und es gelang mir, für ihn dieselbe Erlaubnis zu erwirken. Wir trugen diese Briefe heimlich bei uns, das heißt, Bruder Bonifazius wußte es nicht, und noch heute nagt an mir das schlechte Gewissen, wenn ich daran denke, daß ich dem guten Pater Guardian gegenüber nicht ehrlich war, der seinerseits so gekränkt darüber war, daß es seiner Güte und Nachsicht nicht gelang, über die Schwäche zu obsiegen, uns eine kleine Wiedergutmachung des Unrechts abzuverlangen...

Ich weilte ein Jahr und fast acht Monate im Heiligen Land, rechnet man die Spanne erst von der Ankunft in Jerusalem am fünften Mai 1563 bis zur Abreise von dort im Februar 1565. Während dieser Zeit sah ich, obwohl ich nicht einmal die vorgeschriebene Dauer von drei Jahren dort war, aufgrund der Freiheit, die ich besaß und der Gunst, die ich von Pater Bonifazius und anderen, darunter auch Türken, und deren Einfluß erhielt, viel mehr als den meisten Besuchern und Pilgern zu sehen vergönnt ist. Mir entgingen Sehenswürdigkeiten nicht, welche ob der Einschränkungen in einem von Ungläubigen besetzten Land vielen vorenthalten bleiben. Ich hielt meine Wahrnehmungen, Bemerkungen und Eindrücke schriftlich fest, anfangs unbefangen, allein um meine zukünftigen Erinnerungen zu sammeln. In kürzester Zeit verfügte ich über eine große Anzahl von vorn bis hinten vollgeschriebener Hefte. Bruder Zedillo, der beinah unweigerlich mein Gefährte bei all diesen Abenteuern war, sagte zu mir:

«Schreibt Ihr ein Reisetagebuch, um es bei Eurer Rückkehr in Portugal zu veröffentlichen?»

«Nein, Bruder. Ich mache mir all diese Notizen, um mich eines Tages, wenn das Gedächtnis im Alter nicht mehr so recht will, an alles, was ich gesehen habe, erinnern zu können.»

Er blätterte langsam in den Seiten herum und gab sie mir zurück. Es wäre sehr egoistisch von mir, dies nur für mich zu behalten. Ich solle doch bedenken, daß es tausende von Christen gäbe, die nicht die Gelegenheit hätten, ins Heilige Land zu kommen. Die Tröstung, welche sie erhielten, wenn sie diese Seiten läsen! Es wäre so, als würden sie persönlich all diese Stätten besuchen...»

«Meint Ihr das wirklich?»

«Ganz abgesehen davon könnten die anderen, die hier gewesen

sind, mit Eurem Tagebuch ihre verblichenen Erinnerungen auffrischen.»

«Ihr habt mich fast überzeugt.»

«Und dann sind da noch jene Pilger, die Euer Buch als immer greifbaren Führer und sicheren Leifaden mit sich führen und konsultieren könnten.»

«Ich danke Euch, Bruder Zedillo. Ihr ermutigt mich und spornt mich an, meine Aufzeichnungen fortzuführen. Ich werde mehr Sorgfalt auf sie verwenden.»

Als ich allein war, überdachte ich, was mir mein Gefährte gesagt hatte, und mir fielen einige Reisetagebücher aus dem Heiligen Land ein, welche mir bekannt waren, zum Beispiel jene von Brocardo, von Mandavilla, welche schon sehr alt waren, aber immer wieder neu aufgelegt wurden, und jenes, das mir zeitlich am nächsten kam, das von Varthema, der so viel Umgang mit den Portugiesen im Orient hatte, und das des Bruder Antonius von Aranda, welches 1530 erschienen war und dessen fünfte Auflage aus dem Jahr 1550 ich besaß. Die Argumente meines Gefährten berührten mich tief und, warum soll ich es nicht gestehen, sie schmeichelten meiner Eitelkeit und meiner Eigenliebe. Jene Stätten besucht man nur unter großen Mühen und Gefahren, nur auf Kosten vieler Unbilden, doch ist dies immer ein Privileg, welches die Glücklichen, die in seinen Genuß kommen, mit den anderen teilen sollten. Es wäre eine Sünde – und da hatte Bruder Zedillo recht –, nur meinen eigenen Trost und mein eigenes Vergnügen darin zu suchen. Daraufhin bereitete ich meine Besuche durch die Lektüre einer Vielzahl von ausgezeichneten Werken geistlicher und profaner Autoren, welche diesen Gegenstand behandeln, eingehender vor. Ich entsinne mich ihrer noch gut, dieser Gefährten langer Stunden zurückgezogenen Lesens. Es wäre ermüdend, sie alle anzuführen, so viele sind es, und nur einige zitieren, hieße den nicht erwähnten Unrecht tun. Ich schrieb ein Heft nach dem anderen voll und häufte so eine Menge Material an, das ich entsprechend den beiden Zentren ordnete, von denen meine Reisen ausgingen: Jerusalem, wo ich die meiste Zeit verbrachte, und Bethlehem. Ich fügte eine Beschreibung der Orte hinzu, der Kirchen und Häuser, der Stadttore, der Reste antiker Thermen, eines einfachen Steins – zumeist waren es nur Ruinen – schrieb die Hymnen, Lieder und Psalmen auf, welche dort jeweils Teil der religiösen Zeremonien sind, ebenso wie den Ablaß, welcher denjenigen erteilt wird, die hier vorbeikommen und beten. Es sind die Anmerkungen, welche gemeinhin in einem Reisehandbuch *ad usum peregrinorum* zu finden sind, ohne persönliche noch chronologische Hinweise, ein zeitloser Bericht über jenen ewigen Gegenstand, welchen die Wechselfälle der heutigen Geschichte widersinnigerweise zerstören und verschwinden lassen, es sind kalte Beschreibungen, welche allein durch die pastorale Frömmigkeit, in die ich sie bettete, menschlicher wurden... Indes schlichen sich gleichzeitig – selbst mein Gefährte hat es überlesen – immer wieder unmerklich Berichte über die wahren, echten Eindrücke, die ehrlichen Gefühle ein, welche ich an jenen Stätten und zu jener Zeit hatte, und ich ließ Seelenspuren mit einfließen, die dort auf immer blieben...

Nicht Enttäuschung, sondern eine tiefe, fromme Trauer ist es, welche man empfindet, wenn man feststellt, daß von den Zeiten Christi nichts geblieben ist. Die Prophezeihung Michas hat sich erfüllt und Zion ist zu einem Steinhaufen geworden. Sie, die einst blühend und mit königlichen Palästen und prächtigen Gebäuden geziert war, wurde wie ein Acker gepflügt und es wurde darauf gesät, ohne daß etwas blieb, das an das gemahnte, was sie einst war. Das heutige Jerusalem ist eine türkische Stadt voller Spuren vieler anderer im Verlauf der Zeit erbauter, zerstörter und wiederaufgebauter Jerusalems. Hier treffen die Winde aus dem Osten, dem Westen, dem Norden und dem Süden zusammen und aufeinander. Die Juden erheben Anspruch auf sie als ihre heilige Stadt; aus dem gesamten islamischen Raum kommen die Gläubigen, nachdem sie Mekka besucht haben, in die Omar-Moschee, die einst der berühmte Tempel Salomons war; die geteilte Christenheit beansprucht sie für sich. Vielleicht haben jene Steine, welche zum Bau einer neuen Kirche, eines kleinen Hauses, eines neuen Klosters benutzt werden, einst zur Festung des Herodes oder der Aelia Capitolina des Kaisers Hadrian gehört. Reste des konstantinischen Jerusalem, des Jerusalems der Heiligen Helena sind im Haus des Heiligen Grabes sichtbar, und auf den verlassenen Straßen scheinen noch immer die Schritte der demüten Pilger widerzuhallen, die von weither kamen und erzählten, was sie gesehen haben, und das war nicht das Jerusalem von heute noch das zur Zeit des sanften Rabbi, wie die fromme Nonne Eteria es in ihrer *Peregrinatio ad Loca Santa* beschreibt! Durch die Freigiebigkeit Eudoxias, der Gattin Theodosius', verschönt sich die Stadt. Kaiser Justinian beschützt sie. Byzanz macht sie zu einem kostbaren Juwel. Doch bald wüten die persischen Horden und verwüsten sie, verbreiten Tod und Verderben inmitten von Blut, Massakern, Brandschatzungen und Verschleppung. Wunden, die hier und dort in der *Anastase* und im *Martyrium* zu heilen versucht werden, doch dann muß die Stadt die muselmanische Invasion und Unterwerfung erleben. Ruinen gibt es, die von den Kreuzrittern künden, welche später aus dem Abendland kamen. Andere erzählen davon, wie die Sultane von Ägypten Kalifen und christlichen Königen folgten. Eines Tages nehmen die Türken, von den Mongolen gedrängt, Anatolien ein, einen Teil Europas; Konstantinopel fällt und Jerusalem gerät wieder einmal in andere Hände.

Heute herrscht hier der Sultan *Soliman der Prächtige*. Was ist aus den Steinen geworden, auf denen Christus einst wandelte? Vielleicht haben einige dieser uralten Olivenbäume die Jahrhunderte überdauert... Sind Steine und Bäume stumme Zeugen? Dieser Adamsfeigenbaum ist sicher ein Abkömmling der Bäume von Jericho, und wahrscheinlich gleicht sein dichter, erfrischend kühler Schatten jenem, unter dem sich Jesus eines Tages von den Mühen des Weges ausruhte... Über Jahrhunderte hindurch wurde die besondere Erinnerung an die Stätten und Orte in der Überlieferung bewahrt, und die zerfallenen, von ihrem Platz entfernten, zerbrochenen Steine sind zu beredten Zeugen vergangener Zeiten geworden. Hier ist dies geschehen, dort jenes, sagen uns auf Schritt und Tritt die alten Chronisten wie Flavius Josephus oder die Geschichtsschreiber wie Aristobulus oder jene wandelnden Bücher, die Greise, welche hier leben und deren Runzeln an Pergament gemahnen, und die von ihren Vorvätern die mündliche Überlieferung erhielten... Ich erinnere mich an die melancholischen Betrachtungen eines alten Mauren über Jerusalem, den ich kennenlernte, und von dem ich durch Zufall, oder weil es die göttliche Vorsehung so bestimmt hatte, etwas über mich erfuhr.

Zwischenzeitlich war ich sehr krank gewesen, und während der Rekonvaleszenz wurde ich von heftigen Milzschmerzen derartig geplagt, daß ich, damit sie vergingen, jeden Morgen allein unser Kloster verließ, in die Via Dolorosa einbog und dem Kreuzweg folgte. Ich verließ die Mauern am Tor des Tempels, neben dem der wundertätige Teich aus dem Evangelium liegt, um dann den glorreichen Ölberg zu besteigen. Diesen Teich gibt es bis auf den heutigen Tag. Es ist ein tiefe, offene Zisterne längs der Mauer des Tempelhofes auf dessen Außenseite. In dieser Mauer sieht man noch die Stellen, an denen die Säulenhalle gelegen war, welche heute zugemauert ist. Der Teich enthält nur das Wasser, welches sich im Winter dort sammelt, jedoch bald versickert. Aufgrund der außergewöhnlichen Feuchtigkeit wachsen darin Rohr und Schilf und andere wilde Pflanzen und Kräuter. Ich war in die Betrachtung dieser Ruinen versunken und betete, um den Ablaß zu erlangen, welchen man an diesem Ort gewinnt, als ein alter Maure, der fürchtete, ich würde in den Tempel gehen – was Christen untersagt ist und einen das Leben kosten kann – begann, in maurisch gefärbtem Portugiesisch zu schreien:

«Heh! Du da! Willst du Maure werden? Oder hast du das Leben auf dieser Erde satt?»

Ich war von der Frage und der Tatsache, die portugiesische Sprache zu hören, ein wenig betroffen. Ich blickte zu ihm herüber und sagte zu ihm:

«*Esborra! Esborra!* (was in der maurischen Sprache jener Gegend so viel heißt wie «Warte! Warte!»)

Nachdem ich das Gebet dieser Kreuzwegstation gesprochen hatte, ging ich zu dem Mauren, der mich am Stadttor erwartete, und wir entboten einander den Friedensgruß.

«Was machst du hier?» fragte er mich. «Weißt du nicht, daß du nicht in den Tempel hineindarfst?»

Ich wies auf den Teich und erklärte ihm die Heiligkeit des Ortes und das Mysterium, welches sich dort vollzogen und das Wunder, welches Christus getan hatte... Ein bemitleidenswerter Haufen von Kranken, Blinden, Lahmen, Gelähmten mit verdorrten Gliedern hatte dort jammernd darauf gewartet, daß ein Engel des Herrn vom Himmel stiege und die Wasser bewege und sie wundertätig mache! Unter ihnen befand sich auch jener Mann, der seit dreißig Jahren krank war und bewegungsunfähig auf einem dreckigen Strohsack gelegen hatte!... «Willst du gesund werden?»... «Ich habe niemanden, der mich in das Wasser trägt, wenn es sich bewegt!»... – «Steh auf und wandle!»... – Und er stand auf und wandelte...

Der Maure blickte freundlich:

«Und wohin gehst du jetzt?»

«Ich gehe zum Ölberg.»

«Ich begleite dich gern. Ich bin auch auf dem Weg dorthin.»

Da ich ihn in klarem Portugiesisch ansprach, fragte er mich:

«Bist du Portugiese?»

«Venezianer», log ich ihn an.

Es hat damit nämlich folgende Bewandtnis: da die Venezianer im Frieden mit dem Sultan leben, geben sich die Mönche, welche im Heiligen Land sind, als Venezianer aus, um Gefahren und Unannehmlichkeiten zu vermeiden. Es ist weder Portugiesen zuträglich zu sagen, wer sie sind, noch Spaniern, und ebenso verhält es sich mit den anderen Nationen.

«Wie kommt es aber, daß du, obwohl du Venezianer bist, so gut Portugiesisch sprichst?»

Ich erfand eine Geschichte, um mich aus der schwierigen Lage zu befreien. Bevor ich Mönch wurde, sei ich Kaufmann gewesen. Ich sei durch viele Länder gekommen und, um besser Handel treiben zu können, hätte ich die Sprachen gelernt. Ich sei in Portugal gewesen und habe dort Portugiesisch gelernt. Ich sei in Spanien gewesen und habe dort Spanisch gelernt... Da er mich auf Portugiesisch angesprochen habe, hätte ich auf Portugiesisch geantwortet... Und er? Wie kam es, daß er als Maure Portugiesisch spräche?... Ich fange ihn in der Falle, die er mir gestellt hatte! Aber er anwortete mir mit größter Selbstverständlichkeit:

«Ich bin aus Azamor gebürtig. Als ich ein junger Mann war, wurde mein Ort von D. Jaime, dem Herzog von Bragança, eingenommen. Ich war sieben Jahre lang als Gefangener in Portugal.»

«Wo?»

Er sei im Algarve gefangen gewesen, in einer Stadt namens Tavira. Ob ich sie kennte?

Tavira! Wie viele traurige Erinnerungen ließen plötzlich in meiner Seele alte Wunder aufbrechen!

Der Maure fuhr fort:

«Ich gehörte zum Besitz eines Adligen namens D. António de Noronha.»

Ich bedachte sein Azamor und dessen Maifische und Fruchtbarkeit mit Lob, wobei ich so tat, als sei ich dort gewesen, indes gab ich nur wieder, was ich von Portugiesen gehört hatte. Wie denn seine Gefangenschaft in Portugal gewesen sei?... Der Maure fühlte sich durch mein Lob seiner Heimat so sehr geehrt, daß er in seinem Inneren nicht glaubte, daß ich Venezianer sei, und es mir mit derselben Münze heimzahlen wollte.

«Soll ich dir was sagen? Ich sehne mich nur nach dieser Zeit zurück!...»

«Hast du dort gelernt, was Sehnsucht ist?»

Es habe fast den Eindruck. Das seien Gegenden! Welcher Überfluß! Hätten Allah und Mohammed ihn doch dort verweilen lassen! Er sei glücklicher als Gefangener in Portugal gewesen denn als freier Mann in diesem armen Land...

«Wie das?» frage ich. «Welchen Grund kannst du mir nennen, weshalb du lieber Gefangener in Portugal als frei in diesem Land sein möchtest? Ist es denn nicht vielmehr so, daß die Freiheit von allen so sehr ersehnt wird, besonders von Mauren, welche Gefangene der Christen, wie auch von Christen, welche Gefangene der Mauren sind?

Das sei wohl wahr. Aber sein Besitzer sei nicht nur sehr edel gewesen, sondern habe ihn, der er ein losgekaufter Gefangener gewesen sei, immer gut behandelt... Er habe für seinen Herrn nichts weiter tun müssen, als ihn zu begleiten, wenn er das Haus verließ... Hier lebe er ärmlich unter Leuten, welche weder Gott noch den Menschen gegenüber wahrhaftig und aufrichtig handelten...

Bei diesen Worten waren wir in Josaphat angelangt. Wir nahmen den Weg ins Tal, und der Maure wandte sich sogleich zur Grabstätte der Heiligen Mutter Gottes. Als wir am Portal der Kirche angelangt waren, zog er die Schuhe aus, küßte die Erde und trat unter Tränen und Anzeichen tiefster Verehrung barfüßig in sie ein und küßte die sechsundvierzig Stufen, die nach unten führen. In der Kapelle, in der sich das heilige Grabmal befindet, küßte er dieses unter heftigem Schluchzen. Meine Verwunderung war groß, einen Mauren so voller Eifer zu sehen und in mir nur Lauheit zu verspüren, denn nichts rührte mich zu ebensolchen Tränen, wie er sie vergoß... Wir stiegen die Treppen wieder hinauf und traten aus der Kirche. Ich hielt inne, um zu beten und den Ablaß dieser ganz in der Nähe gelegenen Station zu gewinnen, an der unser Erlöser in der Nacht, da er gefangen wurde, zu seinem Vater gebetet hatte. Der Maure wartete, ohne mich zu fragen, was ich an dieser Stätte wolle und weshalb die Christen sie aufsuchen, und nachdem ich mein Gebet gesprochen hatte, nahmen wir unseren Weg wieder auf und bestiegen den Ölberg, wobei wir über Angelegenheiten sprachen, welcher dieses Land betreffen.

Je höher wir in einem Hain von Oliven-, Feigen-, Mandel-, Aprikosen- und Pfirsichbäumen hinansteigen, desto weiter wird vor unseren Augen der Horizont: Im Westen sieht man das Land bis nach Japho und dem Mittelmeer; im Osten erkennt man die Stelle, an welcher der Jordan in das Tote Meer mündet, einen großen Teil jenes sodomitischen Meeres, den Berg Naboth, die Moabiterberge zusammen mit dem größten Teil des östlichen Palästinas; unten beherrschen die ganze Heilige Stadt und ihre Einzelheiten innerhalb der rötlichen Mauern den Blick. Wir bleiben stehen, um sie zu betrachten...

«Jerusalem und seine Umgebung», sagt er, «sind ein goldenes Gefäß voller Schlangen!» Und da ich ihn in Erwartung einer Erklärung ansehe, fährt er fort. «Der Ort ist heilig und wert, von allen Lebewesen geehrt zu werden. Aber die Menschen, die darin wohnen...»

«Was ist mit denen?»

«...sind die schlimmersten, die man sich vorstellen kann!»

«Wieso die Schlimmsten?» frage ich, seinen Fehler korrigierend.

«Ein goldenes Gefäß ist Jerusalem und alles, was es umfaßt, weil es die Heimat so vieler Propheten, Könige, Heiliger und geheiligter Menschen ist... aber die Leute... das sind Dämonen, Schlangen der Hölle!...»

Hatte der Maure recht mit dem, was er sagte? Für ihn war und ist Jerusalem immer die heiligste aller Städte, und die Mauren nennen sie daher CuCu Marabeth, was «Stätte der Segnungen» heißt. Außer einigen armenischen Christen, Abessiniern des Priester Johannes, einigen griechischen Mönchen und natürlich den Franziskanern – der Maure unterschied uns sehr wohl – seien alle anderen Menschen, welche dort leben, ein ungebärdiges, verderbtes Lumpenpack – er sprach gegen seine eigenen Leute. Die Christen seien untereinander verfeindet, gespalten; die Juden seien, da ihnen der Handel fehlt, heimtückisch; die Türken lebten wie Menschen ohne Gesetz und Herrscher und wollen alles besitzen, was sie sehen, und es gibt kein Gericht, das man anrufen könne, da der Hof weit weg sei; da die Mauren den Türken unterworfen seien, gebe es zwischen ihnen weder Aufrichtigkeit noch Treue...

Dergestalt miteinander redend, waren wir am Ölberg angelangt und wandten uns beide zum Gipfel des Berges, jener Stätte zu, an der Christus zum Himmel aufgefahren war. Von der prächtigen Basilika, welche die Heilige Helena, die Gattin des Kaisers Konstantin, erbauen ließ, war, obwohl keine sechzig Jahre vergangen waren, seit sie zerstört wurde, kaum etwas geblieben. Außer einigen Resten der Grundmauern hier und da steht nur noch eine kleine, sehr schöne, eigenartige Kapelle, ein achteckiger Rundbau, welcher einst im Inneren der Basilika sich befunden hatte, wie dies auch bei der Kapelle des Heiligen Grabes in der Grabeskirche der Fall ist. Außen ist sie mit Bögen und kleinen Säulen verziert, von einer halbkreisförmigen Kuppel gekrönt, welche allerdings nicht, wie einige Autoren behaupten, oben offen ist. Linkerhand, wenn man eintritt, befindet sich im Boden ein großer, fast wachsfarbener Stein mit dem Abdruck eines Fußes von jemandem, der sich erhebt, der frommen, erfinderischen Tradition zufolge der Fußabdruck, den der Sohn Gottes dort hinterließ, als er zum Himmel auffuhr. Der Maure küßte ihn voller Ehrerbietung, während ich schweigend zuschaute, und noch ehe ich etwas sagen konnte, berichtete er mir von dem Wunder, das dort geschehen war, als würde ich es nicht kennen. Die tiefe Verehrung, welche Mauren und Türken für alle Stätten an den Tag legen, an denen Christus und die Jungfrau Maria weilten, fällt im Heiligen Land sehr ins Auge.

Durch die Zerstörung der konstantinischen Basilika wurde dieser Platz zu einer verlassenen, äußerst wenig verehrten Stätte. Rundherum lagen Häuser von Mauren. Ihre Kamele und Reittiere, Hunde, Katzen und Hühner liefen dort frei herum und beschmutzten den Ort. Die Kinder der Mauren spielten lachend, schreiend und pfeifend durcheinander. Diese Entweihung schmerzte die Christen sehr, bis eines Tages eine fromme Portugiesin, Mécia Pimenta, welche aus Indien auf dem Landwege mit vielen Spenden, welche sie unter Mühen aufgebracht und zusammengespart hatte, nach Jerusalem kam, die Erlaubnis erwarb, die Stätte mit einer Mauer einzufassen, was sie eine große Menge Geld gekostet hat. Der Sultan gestattete uns nicht, auch nur eines der verfallenen Gebäude wiederaufzubauen, indes ist uns erlaubt, etwas zu pflegen, was noch steht. Mécia Pimenta ließ eine sehr hohe, dicke Mauer bauen, welche die ganze Fläche der alten Basilika umgibt. Diese Mauer ist es, welche wir noch heute mit ihren Toren sehen und welche die Ehrfurcht und die Weihe schützen, die einer so heiligen Stätte zukommen.

Als wir wieder draußen waren und uns gerade voneinander verabschieden wollten, fragte ich ihn unvermittelt:

«Als du in Tavira warst, hast du da einen jüdischen Arzt namens Jakobus kennengelernt?»

Meister Jakobus? Den kenne er sehr gut. Er sei damals etwa, nun ja, so alt gewesen wie ich jetzt. Ein junger Mann, der gerade sein Medizinstudium in Évora beendet hatte. Er habe ihn mehrfach in das Haus seines Herren gerufen, wenn jemand krank war. Seine Frau habe einen neugeborenen Sohn aufgezogen.

«Einen Sohn? Aber er hatte doch keine Kinder!»

Doch. Er könne sich daran erinnern, als wäre es heute. Er habe ihn auf den Schoß genommen, ihn liebkost. Er habe João geheißen und ein kostbares Schmuckstück um den Hals getragen. Es habe irgendein Geheimnis darum gegeben, irgendein ängstliches Gerede, hinter das er nie gekommen, da er just in jenem Jahr aus der Gefangenschaft entlassen worden, als Meister Jakobus aus Évora oder irgendeiner anderen Stadt weiter im Norden nach Tavira gezogen sei.

In meinem Kopf jagen sich zusammenhanglose Gedanken, und während er sprach, führe ich meine Hand unter dem Bart zum Hals, hole dort meine Reliquie hervor, welche ich in Jerusalem aus ihrem Versteck im Saum geholt hatte, und da hängt sie nun im Sonnenlicht glänzend an meiner Brust. Das Schmuckstück zieht den Blick des Mauren an. Anfangs versteht er es nicht, doch dann schweigt er plötzlich, mit einem Ausdruck äußersten Erstaunens auf seinen Zügen.

«Bei Allah!»

«Ich weiß», sage ich sehr ruhig zu ihm, «daß Meister Jakobus Portugal verlassen hat, auf der Flucht vor der Inquisition, das ist ein Gericht...»

«Ich kenne es.»

«Weißt du, wo er sich aufhält? Mir scheint, er ist in dieses Land gekommen...»

«Ich weiß es nicht. Doch sag mir: bist du João, der Sohn von Meister Jakobus?»

Ich zögere mit einer Antwort, doch das Schweigen und das Zögern, das der Maure in meinen Augen sieht, sind gewiß beredter als jede Antwort.

«Hör zu», sagt er, «ich muß zu einem Olivenhain hier in derNähe gehen und werde nicht lange fort sein. Warte auf mich. Wir sprechen dann ausführlich miteinander.»

Ich habe indes das Bedürfnis, allein zu sein und in Ruhe nachzudenken. Ich antworte ihm:

«Entschuldige mich, ich kann leider nicht. Vielleicht ein anderes Mal. Ich habe zu Haus viel zu tun.

Beim Abschied stellte er mir sein Haus und seine Person zu meiner Verfügung, wofür ich ihm herzlich dankte. Ich sah, wie er sich entfernte und hinter dem Rücken eines Hügels verschwand. Im Schatten eines Olivenbaumes setzte ich mich nachdenklich auf einen Stein. Seltsame Wege des Schicksals! Ich wußte nun etwas Konkretes: in frühester Kindheit war ich von Sara und Meister Jakobus aufgezogen worden. Wer waren sie? Und ich? Ihr Sohn war ich nicht, denn alle bislang gesammelten Indizien wiesen in eine andere Richtung. Einer Sache war ich gewiß: ich war kein Jude. Wie sollten sonst die Besuche so hoher Persönlichkeiten in Rom und zu meinem Abschied in Venedig zu verstehen sein? Andererseits, warum gb es so viele Juden um mich herum? In Venedig, in Korfu, in Kreta, in Zypern... Wie ein Bienenschwarm umschwirren mich meine Gedanken, steigen mit mir zwischen den Olivenbäumen des Ölbergs hinab, durchqueren das Tal Josaphat... Ich traf einen bäuerlichen, zerlumpten Mauren, welcher mit zwei mit Unrat beladenen Eseln daherkam. Ich war am Anfang der Via Dolorosa. Mein Bart war lang, da ich ihn seit mehr als einem Jahr nicht mehr gestutzt hatte, weil es in diesen Gegenden Brauch ist, daß die Mönche ihren Bart nicht scheren, sondern ihm vielmehr viel Pflege angedeihen lassen. Sie gleichen sich so mehr den örtlichen Gewohnheiten an und werden nicht beleidigt, wenn auch ihre alle vierzehn Tage neu geschorenen Tonsuren glänzen. Der Maure packte mich am Bart, versetzte mir zwei nicht allzu heftige Knüffe und stieß zwischen den Zähnen hervor:

«Ah! Caciz! Caciz!» was soviel heißt wie: Ah, verdammter Pater!

Ich ließ dies geduldig über mich ergehen, ohne ihm zu verstehen zu geben, daß ich dies für eine Beleidigung hielt, denn es ist dies in jenen Gegenden nicht ratsam, in denen die Christen immer den Kürzeren ziehen, vor allem, wenn sie ihre Verärgerung über das zeigen, was ihnen angetan wurde. Dies war die größte Beleidigung, die ich im Heiligen Land im Umgang mit Türken, Mauren und Arabern erfuhr. Es gab kaum einen Christen aus Frankenland oder gar einen, der im Lande selbst wohnte, der sich nicht über die vielen Beleidigungen beklagt, die ihm von niederträchtigen, ungeschliffenen Leuten zuteil wurden. Ich jedoch nahm dies nicht als Schimpf auf, sondern ich ertrug es gern und umso lieber, als es mir in jener Straße widerfahren war.

Während ich meinen Weg fortsetzte und über die beiden so unterschiedlichen Mauren nachdachte, die ich an jenem Morgen getroffen hatte, verflüchtigten sich meine persönlichen Probleme beinahe und mein Gemüt beruhigte sich. Genau das hatte ich gebraucht, dachte ich bei mir, solche Knüffe und solch ein Zerren an dem Bart meiner Seele. Ich mußte fast lächeln, während ich langsam weiterging.

In solchem Seelenfrieden gelange ich zur Quelle Siloah. Zwei Frauen, eine alte und eine junge, stehen davor. Ich kümmere mich nicht um sie und trete in das Wasserhaus ein, um zu sehen, was darin ist, weil ich den Ort noch nie gesehen hatte; da beginnt die Alte, von der anderen unterstützt, mir zuzurufen, ich solle da nicht hineingehen. Sie sprechen Arabisch, doch ihre Gesten und die Heftigkeit ihrer Stimmen und ihres Gesichtsausdrucks sprechen Bände. Ich bin etwas verwirrt, doch da ich mutmaße, es könnten dort drinnen Frauen sein, welche auf indiskrete Blicke nicht gefaßt wären, kehre ich zur alten Frau und dem jungen Mädchen zurück. Jene brummelt noch ärgerlich, während diese, als sie meine Verwirrung bemerkt, mich in einem Gemisch von spanischen und italienischen Wörtern anspricht:

«No debes entrar, fratello!» Ich dürfe nicht eintreten.

«Du bist Jüdin, nicht wahr?» frage ich sie auf spanisch.

Das junge Mädchen freut sich. Es ist hübsch, von frischer, schlanker Gestalt, hat ein ovales Gesicht mit dunklem Teint, tiefliegende Augen voll leiser Andeutungen. Ja, sie sei Jüdin, stamme aus Roxeta in Ägypten, in der Nähe von Damiata. Sie seien auf der Flucht, ich wisse doch? Aus Kastilien, aus Portugal... Ihre Eltern aus Toledo... Als sie merkt, daß ich Spanisch spreche, die Sprache, die sie von allen am besten kannte, da sie mit ihr aufgewachsen war, meint sie, ich solle doch Jude werden, und fügt tausend Flüche gegen das Neue Testament hinzu.

«Willst du mir predigen, der ich Pater bin?» frage ich sie lachend.

Sie kommt nun mit sanften, schmeichelnden Worten, ergreift meinen Arm, streichelt meinen Bart, küßt mich: Ich solle doch Jude werden. Sie würden mich mit einer sehr schönen, reichen, vortrefflichen Frau verheiraten («Wie du,» lachte ich). Sie würden mich achten und von ihren Gütern etwas abgeben.

«Was kommst du mir mit all diesen jüdischen Spinnereien? Sieh dich an! Ein so munteres und hübsches Mädchen, halb entkleidet, barfuß, wäscht an diesem Wassertank die Wäsche wie eine Sklavin! Wärest du in Spanien und eine Christin, lebtest du wie eine Prinzessin, wie die getauften Jüdinnen, und alle ihres Schlages.»

Sie bricht in Tränen aus. Ihr Vater und ihre Mutter, die bereuten ihr Vaterland verlassen zu haben, sagten ihr dies und Ähnliches auch sehr häufig!

«Was ist da los», unterbricht sie die Alte, als sie bemerkt, daß sich das Gespräch in die Länge zieht und das Mädchen, schon bevor sie Tränen vergoß, nicht wenig Gefallen daran gezeigt hatte? War es Eifersucht? Oder vermutete sie etwas anderes, als sie sie weinen sah? Sie läßt nicht zu, daß ich weiter mit ihr spreche, sondern beginnt zu zetern und will mich gestikulierend vertreiben. Ich ziehe mich zurück, und während ich durch das Tal schreite in Richtung auf die Stätte, an welcher der Prophet Jesaja in der Mitte durchgesägt wurde, verwandelt ein unaussprechliches Gefühl die Wirklichkeit, und aus meinem Munde fließen wie einst Verse, eine Hymne, eine heidnische Ballade...

Hinweg, hinweg, blondes Mönchlein,
geh nicht ins Wasserhaus, denn dort waschen
die Mädchen Israels, die Bräute des Islam,
die christlichen Jungfrauen
ihre weißen Hemden

Hörst du sie nicht schwatzen
während sie ihr Linnen
auf den Steinen des Wasserbeckens schlagen?

Mich dünkte es sei die Quelle, die dort murmelte
in der Felsengrotte des Berges!
Ist dies nicht das Wasser, was Blinde sehend macht,
den Ausatz heilt und die Sünden abwäscht,
im Teiche Siloah?

Hinweg, hinweg, hinaus mit dir behendes Mönchlein,
wag nicht die Quelle zu betreten,
denn hier baden ihre perlmutternen Körper
die Töchter Zions.

Ihre tiefschwarzen Zöpfe haben sie gelöst,
und über ihre Jaspisschultern fällt das Haar
von funkelnden Tautropfen benetzt...
Hörst du nicht das fröhliche Lachen
der Töchter Zions?

Ich glaubte es sei das glucksende Lachen des Wassers
das kühl und köstlich die Rinnen durchströmt
des Badebeckens von Siloah.

Hinweg, hinweg, verschwinde hübsches Mönchlein,
geh nicht in das Wasserhaus, denn ihre Alabasterarme
erfrischen hier die Bräute der Morgenröte.
Perlen und Korallen tropfen
von ihren runden Hüften...
Hört du nicht wie die Fingerspitzen zärtlich tänzeln

auf den Körpern der Töchter Konstantinopels?
Mir schien es seien Tropfenketten
die vielstimmig aus den Brunnenrohren perlen
des Wasserbeckens von Siloah.

Hinweg, hinweg, entfern dich liebstes Mönchlein,
versuche nicht, die Quelle zu betreten,
denn ihre goldenen Brüste,
ihre silbernen Leiber,
läutern hier die fränkischen Christinnen.
Milch und mondfarben ist ihre Haut
ihr Haar gleicht wogenden Weizenfeldern
Hörst du nicht wie sie fröhlich singen,
die Töchter Roms?

Scher dich davon, altes Mütterchen!
Geh deiner Weg mit deiner Eifersucht
Laß unsere jungen Körper
einander umfangen, einander lieben...

Komm mit mir, blondes Mönchlein,
nimm meine Hand...
Laß dir Zeit. Warum löst du mir den Gürtel?
Ich werde mich für dich entkleiden,
dir meinen Körper zeigen,
Ich werde dir die Kutte nehmen,
dich mit seltenen Balsamen salben
bevor ich deine granatenen Lippen küsse,
und deinen jugendlichen Körper.
Aus meinem rosigen Nabel wirst du Wasser trinken,
auf meinem marmornen Leib,
wenn ich bade
im Teiche Siloah...
Du nimmst mich zur Frau und ich dich zum Mann,
eine Herde Schafe
wird meine Morgengabe sein,
mit Reichtum wird meine Familie dich überschütten,

dich zum Rabbi machen,
geliebtes Mönchlein...

Könnte ich doch, schöne Jüdin,
die Köstlichkeit deines Körpers
besingen wie einst Salomo!
Doch ich suche das Wasser, das Blinde sehend macht,
das Aussatz heilt und die Sünden abwäscht
im Teiche Siloah

X

Die griechische Nonne

...«'Αως αντελοισα χαλον διεφανε προσω-
πον, ποτνια Νυξ, το τε λευχον εαρ χειμω-
νος ανεντος, ωδε χαι α χρυσεα'Ελενα δια-
φαινετ' εν αμιν.»

...«Schön erwachend zeigt Aurora ihr Gesicht, o gebieterische Nacht, und der weiße Frühling, wenn der Winter endet: So strahlt auch die goldene Helena mitten unter uns.»
(Theokrit, *Hochzeitsgedicht der Helena*)

«Warum aber, Bruder Bonifazius, wurden die Mönche so gewalttätig vom Berge Zion vertrieben?»

Das Leben in unserer franziskanischen Gemeinschaft lief wieder in seinen gewohnten Bahnen. Da unsere Gemeinschaft während seiner Abwesenheit in Rom durch die Türken vom Berge Zion vertrieben worden war, hatte Bruder Bonifazius von Aragusa, wie immer schwierige Unternehmungen mutig in Angriff nehmend, tatkräftig die Erweiterung und die Verbesserung der Einrichtung des Klosters des Heiligen Erlösers in Angiff genommen. Wir halfen alle dabei und fast ein Jahr lang karrten wir Kalk, Wasser, Mörtel, Steine für den Bau herbei... Obwohl dieses Problem erheblichen Zündstoff enthielt, fand er ruhige Worte:

«Der Streit reicht weit zurück ins Jahr 1519, als der ottomanische Herrscher Soliman die Nachfolge Selims antrat. Bruder Angelus von Ferrara war damals der Kustos der Heiligen Stätten. Der Sultan befahl den Franziskanern, das Kloster des Heiligen Abendmahls zu verlassen! Der Ursprung dieses Unglücks scheint eine Intrige gewesen zu sein, welche von einigen Juden aus Jerusalem eingefädelt wurden. Aus Neid darüber, daß wir diese so heilige Stätte unser eigen nannten, flüsterten sie einem der Oberpriester des Tempels von Salmon ein, sie wollten sie für sich haben, da sich in ihr das Grab des großen Propheten und das des Königs David befand, welches – ihrer Meinung nach – eher ihnen als den Christen gehöre. Da sie wußten, daß Mauren und Türken als Männer, die sich rühmen von Abraham abzustammen, die Väter und Propheten des Alten Testamentes tief verehrten, fügten die Juden mit falschen, betrügerischen Worten hinzu, daß sie zudem den Sultan auf die Gefahr hinweisen wollten, die das Abendmahlskloster darstellte. Die Franken hätten nie den Gedanken aufgegeben, das Heilige Land einzunehmen, und jenes Kloster mit seinen kräftigen Mauern würde eine gute Festung abgeben!... Dem Türken gefällt, was ihm die Juden sagen und alles wohl in seiner Brust bewahrend, beginnt er die Franziskaner zu belästigen, indem er sie heute dies, morgen etwas anderes bittet, bis der Guardian, der nicht ahnt, was für eine Intrige und welch ein Verrat da gegen ihn angezettelt werden, über die Maßen erbost ist. Als der Priester merkt, daß man seinen Bitten nicht nachkommt, deckt er sein Spiel auf und tut sich mit einigen anderen befreundeten Priestern und einigen wichtigen Türken zusammen. Dieser unselige Chor, der böswillig in den schwärzesten Farben ausmalt, daß die Franziskaner jenes heilige Grab besäßen und darauf ein Kloster hätten, das einer Festung, einer Bastion, einer Burg gliche, kommt dem Sultan zu Ohren. Soliman befiehlt umgehend den Mönchen, die Kapelle herauszugeben, in welcher sich das Grab Davids befindet. Welch ungeheuerliches Ansinnen! Die ganze Christenheit ist betroffen. Papst Leo X. ermahnt Franz I. von Frankreich, seine Autorität geltend zu machen. Jener schreibt dem Großtürken, welcher nicht nachgibt, indes verspricht, die Mönche nicht weiter zu behelligen. Es verstieße gegen seinen Glauben, eine Stätte, die zu einer Moschee gemacht worden sei, zu zerstören... Es gelingt zumindest, eine Vertreibung der Mönche zu verhindern: zusammen mit der Kapelle, in der sich das Grab König Davids befindet, müssen sie einige Wohnräume im unteren Teil des Klosters für die maurischen Priester, ihre Frauen und Kinder herausgeben, damit diese sich um die Lampen und um alles kümmern können, was mit deren Reinigung zu tun hat. Das Schlimmste sollte indes noch kommen!»

«Und was geschah dann?»

Wir saßen verschwitzt auf ein paar Steinen der Baustelle, um uns herum Eimer mit Mörtel, und machten eine kleine Pause, um ein Stückchen Brot zu essen und es mit einem Schluck Wasser aus dem Krug herunterzuspülen.

«Im Jahre fünfzehnhundertsechsunddreißig begann sich die Lage zu verschlimmern. Damals war Bruder Thomas von Nursia der vom Generalkapitel von fünfunddreißig in Nikäa gewählter Superior. Herzog Andrea Doria, der bereits im Jahre zweiunddreißig den großen Sieg in der Seeschlacht von Patras über die Türken errungen hatte, ließ ihnen weiterhin keine Ruhe. Das erbitterte Soliman, und eine der vielen Folgen davon war, daß er, auch nur den geringsten Verdacht von Wohlwollen unseren Brüdern des Abendmahlsklosters gegenüber vermeidend, jene mit ihrem Guardian gefangennahm und sie erst in die Pisanerfestung und dann nach Damaskus brachte, wo ein großer Teil von ihnen, darunter auch Bruder Thomas, in bitterster Not lebte und starb... Der «allerchristlichste» König greift ein. Er befiehlt Soliman, die Mönche freizulassen... Doch während ihrer Gefangenschaft plündern die Araber das Kloster, ein Armenier raubt eine Reliquie des Heiligen Kreuzes und bringt sie in die Stadt Sebaste, nach Armenien, in die Nähe von Trapezunt, im fernen Pontusgebirge...»

Und Bruder Bonifazius hält mit leerem Blick, als erinnere er sich an Vergangenes, einen Augenblick lang inne, um sich einen harten Kanten Brot in den Mund zu schieben.

«Ich selbst habe es später wieder zurückgeholt... Aber die anderen christlichen Nationen nutzten die Abwesenheit der Franziskaner ebenfalls aus: sie schlichen sich unrechtmäßig in Zeremonien ein, maßten sich Privilegien an, welche den römischen Christen zustanden... Die Armenier ruhten nicht, bis sie sich auch in die Palmsonntagsprozession eingereiht hatten!...»

«Eine Riesenunverschämtheit!» machte Bruder Zedillo seinem Ärger Luft.

«Da sie keinen Superior hatten, wählten die Brüder Bruder Donatus von Cilento zu ihrem Vorsteher, damit er bis zur Ankunft eines neuen Guardians die Bruderschaft führte. Dieser kommt im Jahre einundvierzig an. Es war Bruder Dionysius von Sarconhano. Ein rühriger, lebhafter Mann! Er beginnt das Haus aufzuräumen, die Sachen an ihre Plätze zu stellen. Er ruft die Mönche, wie es lange überlieferter Brauch seit der Zeit Gottfried von Bouillons war, zur Palmsonntagsprozession zusammen. Die Wiederherstellung einer Mauer des Abendmahlsklosters wird so gedeutet, als handele es sich um eine Festung. Neue Schwierigkeiten! Der Guardian geht nach Konstantinopel, um mit dem Sultan zu sprechen... und man hörte nie wieder etwas von ihm, ob er dort gestorben ist, ob er zurückgekommen ist... man weiß es nicht... Es folgt ein Zeitraum, über den fast nichts bekannt ist. Während der langen Abwesenheit des Kustos des Heiligen Landes folgen einige Superiores, Vorsteher oder einfache Klostervikare aufeinander, deren Taten in Vergessenheit gerieten: es waren ein Bruder Cäsareus, ein Bruder Petrus, ein gewisser Bruder Benediktus, welcher im Jahre fünfundvierzig in Jerusalem stirbt.»

«Namen, Daten...» greife ich ein, «Ihr wißt viele Einzelheiten aus dieser Zeit!»

«Ich habe Material und Dokumente für ein Buch über die Kustodia im Heiligen Land gesammelt. Es ist also nicht weiter verwunderlich...! Das Problem des Abendmahlsklosters wird wieder akut, bis im Jahre siebenundvierzig im Generalkapitel von Santa Maria Portiunkula Bruder Bonaventura Corseto aus der Provinz Dalmatien gewählt wird. Der neue Guardian kommt im darauffolgenden Jahr in Jerusalem an... Eine seiner ersten Handlungen ist es, eine kostbare Reliquie in das Abendmahlskloster zu bringen; einen Stein, der in einer zerfallenen Kirche in der Via Dolorosa gewesen war, auf welchem Unsere Heilige Mutter Gottes gesessen hat, als sie den Sohn unter großen Qualen das Kreuz zum Kalvarienberg schleppen sah...»

«Ich weiß, von welchem Stein Ihr sprecht», unterbreche ich ihn. «Es heißt, ein Türke habe ihn zu sich nach Haus genommen, nachdem wir das Kloster verloren haben. Ich habe ihn mir angesehen.»

«Ja. Sie haben ihn in der Absicht mitgenommen, ein Geschäft damit zu machen, indem sie ihn von den Christen besichtigen und verehren ließen!...»

«Gegen Bezahlung, wie es mit mir geschehen ist!...»

«Es dauert nicht lange, da ergeben sich weitere Verwicklungen bezüglich des Grabmals Davids, und im Oktober neunundvierzig wird vom Hof des Sultans eine strenge Verfügung gegen die Mönche ausgesprochen. Doch kommt zu diesem Zeitpunt der Botschafter des Königs von Frankreich, des jetzigen Heinrich II., Monsieur Gabriel Arnon, nach Jerusalem, welcher das schwebende Verfahren für einen Augenblick dadurch aufhalten kann, daß er an den ottomanischen Hof eilt, um zu versuchen, bei Soliman dagegen Berufung einzulegen. Er hatte nicht mit dem Einspruch und dem Eifer der türkischen Geistlichen in Jerusalem gerechnet! Die Waage schlägt zu ihren Gunsten aus, und der endgültige Richtspruch, welcher die Vertreibung der Franziskaner aus dem Abendmahlskloster beinhaltete, erreicht die Heilige Stadt. Ob Bruder Bonaventura starb, ohne das traurige Schauspiel, den schändlichen Auszug der Mönche mitzuerleben, ob er wenige Monate vor seiner dreijährigen Guardianszeit in seine Provinz zurückgekehrt ist, man weiß es nicht. Noch im Jahre fünfzig steht er jener feierlichen Prozession von Betfagé vor, vielleicht der letzten, die im Kloster auf dem Berge Zion durchgeführt wurde. Im Sommer einundfünfzig wird das Urteil des Sultans unwiderruflich vollstreckt. Damals war Bruder Paulo Manino der Vorsteher der Heiligen Stätten. Ihr könnt Euch vorstellen, in welch mitleiderregendem Seelenzustand, mit welchem Schmerz und welchen Gefühlen die Mönche Zuflucht in einem großen, ebenerdigen Haus nahmen, welches sie in der Nachbarschaft des Klosters besaßen und das ihnen als Backofen und Rumpelkammer gedient hatte.

«Das Ofenhaus! Wie ist es möglich, daß die Brüder dort bis ein Jahr vor unserer Ankunft in Palästina, von einundfünfzig bis einundsechzig lebten?»

«Zehn Jahre! Zehn lange, schwierige Jahre! In jenem Jahr einundfünfzig wurde ich zum ersten Mal zum Guardian des Heiligen Landes gewählt. Ich war noch auf dem Weg dorthin, als sich alle Kanzleien und Botschaften des christlichen Europas in Bewegung setzten. Über die Fürsten der Christenheit wurde alles Erdenkliche versucht!... Papst Julius III. ermahnte den «allerchristlichsten» König, sich für die Rückgabe eines so großen Heiligtums einzusetzen,

Heinrich II. schickt Soliman illustre Botschafter und reiche Geschenke. Die Antwort Solimans gleicht der vorangegangenen, ist indes noch beißender, man könnte fast sagen, eine Verhöhnung des Kaisers: er würde zustimmen, wenn jener ihm erlaubte, eine Moschee in Paris zu bauen, damit jene, die unter seinem Gesetz lebten, dort Gott und Mohammed loben könnten!... Die Republik Venedig greift ein mit einem Brief des Fürsten Francesco Venerio an seinen Commendatore oder Botschafter am ottomanischen Hof, den Konsul in Syrien, Aloisio Manipetro, in welchem er ihm, auf die Nachbarschaft und die besondere Freundschaft vertrauend, bedeutet, wie sehr er es schätzen würde, wenn jener unverzüglich den Nutzen und den Vorteil der Franziskaner im Heiligen Land berücksichtigen und ihnen insbesondere das Kloster zurückgeben würde... Intervention des Prinzen Moritz von Sachsen aus Deutschland, welche ebenfalls ohne günstige Antwort aus Konstantinopel bleibt... Und Bruder Pantaleon könne es sich denken!

«Das ist nicht schwer zu erraten. Natürlich wird der König von Portugal nicht versäumt haben, seinen gewichtigen Einfluß geltend zu machen.»

«Ja. D. João III. schickt einen Brief an Soliman. Jener antwortet, daß es ihm leid täte, einem so großen Herren und mächtigen König eine so geringfügige Bitte auszuschlagen, indes sei das Kloster auf dem Berge Zion schon dem Gottesdienst seines Gesetzes geweiht, doch aus Liebe zu ihm würde er es mit einer dicken, hohen Mauer umgeben, es mit einer Kuppel versehen und es auf diese Weise so begraben lassen, daß weder die fränkischen Mönche noch die maurischen Kaziken es nutzen könnten!

«Eine befremdliche, ja zynische Antwort!» bemerke ich.

«Unsere Mönche wollten dem nicht zustimmen. Es war besser, es blieb alles beim Alten. Sie würden die heilige Stätte so immer sehen und sie manchmal, und die Zeit tut das Ihrige dazu, besuchen können, da einige Priester und ihre Familienangehörigen ihnen freundschaftlich gesinnt sind oder ein finanzielles Interesse haben. Selbst manch einflußreicheren Pilger, welcher mit freigiebiger Hand heimlich dorthin geht, lassen sie hinein.»

«Das heißt, Ansehen und Bitten, nichts konnte den Sultan umstimmen!»

«Die Mönche sollten sich nach Bethlehem zurückziehen, das war der Befehl!... Erneut führt der Botschafter Aloisio Manipetro Soliman vor Augen, welch großen Schimpf er den römischen Mönchen antat, indem er sie den anderen christlichen Nationen hintanstellte, welche in Jerusalem ihre Klöster besaßen. Der Sultan sieht die Ungerechtigkeit ein und befiehlt, den Franziskanern eine Kirche innerhalb der Stadtmauern zu geben...» und er lenkte mit seinem Blick den unseren auf die Erlöserkirche und die Bauarbeiten, welche wir gerade daran ausführten. «All dies geschah nach türkischer Datierung Mitte des Monats Giomadi im Jahre 960, 1553 unserer Zeitrechnung, in dem Jahr, als in Jerusalem...»

«...der neue Guardian ankommt», wirft Bruder Zedillo ein.

«Welcher Bruder Bonifazius Stephanus von Estanho, oder von Ragusa oder Aragusa hieß...» füge ich zufrieden hinzu.

«Der Arme kam, kurz nachdem die Mönche das Kloster auf dem Heiligen Berg Zion verlassen hatten, in die Heilige Stadt. Und als er sich im «Ofenhaus» wiedergefunden, habe sich sein Herz zusammengeschnürt, und er habe alles Erdenkliche getan, um das Abendmahlskloster zurückzuerlangen!... Doch was konnte ein einfacher Franziskaner dort ausrichten, wo schon Fürsten, Könige und Kaiser machtlos gewesen waren?»

Ja. Im Jahre dreiundfünfzig sei er in Jerusalem angekommen. Da es ihm nicht gelungen war, den Mönchen das Kloster zurückzugeben, versuchte er ihr Leiden zu mildern und die Wunden zu heilen, welche ob all der Toten und Märtyrer unter ihnen noch bluteten. Er erinnere sich schmerzlich an Bruder Johannes von Zuazo im Jahre einundfünfzig! Den Bruder Juniperus von Sizilien und den Bruder Johannes von Mantua im Jahre siebenundfünfzig!...

«Sie sind im Himmel, sie können sich für die Mönche verwenden», warf Bruder Zedillo ein.

«Die dies dringend brauchten! Die Türken ließen sich Zeit damit, den Befehls Solimans zu erfüllen, ihnen ein Haus in Jerusalem zur Verfügung zu stellen. Die Mönche blieben weiterhin im «Ofen». Mittlerweile zeigten einige Kirchen schwere Verfallsschäden, wie zum Beispiel die Kuppel der Grabeskirche, welche zusammenzustürzen drohte. Papst Julius II. befahl Bruder Bonifazius, die Restaurierungsarbeiten ohne Aufschub in Angriff nehmen zulassen.

Das war im Jahre vierundfünfzig. Der Guardian schob alle Bedenken zur Seite und machte sich in die Stadt Emesa auf, wo Hamed Pascha sich befand, der Großwesir und Günstling Solimans, von dessen Schiedsspruch die Restaurierung der Kirche abhing. Er preßt ihm mit Geld einen günstigen Erlaß ab, welchen er bei seiner Rückkehr in Jerusalem dem Kadi der Stadt vorlegt. Jener beglaubigt das Dokument, und die Bauarbeiten werden zusammen mit anderen Verbesserungen der Grabeskirche durchgeführt... So waren die beiden ersten dreijährigen Aufenthalte als Guardian vorübergegangen, zwei lange Zeitspannen, da der im Jahre neunundfünzig vom Generalkapitel in Aquila gewählte Guardian für das Heilige Land, Bruder Antonius von Bergamo, diesen Posten nicht ausfüllt und Bruder Bonifazius die Stelle als derzeitiger oder fester Guardian weiter innehält. Im Jahre fünfzehnhundertsechzig geht er zur Fastenzeit nach Aleppo, um dort zu predigen, und als er nach Jerusalem zurückkommt, kann er zu seiner großen Freude mit den Mönchen umziehen.»

«Endlich!»

«Ja, endlich aus dem «Ofenhaus» in das heutige Erlöserkloster umziehen...» Und als er sich voller Begeisterung daran macht, die Arbeiten zur Herrichtung und Einrichtung des neuen Hauses zu beginnen, kommt aus Rom der neue Guardian, Bruder Aurelio Griano. Bonifazius von Aragusa kehrt nach Italien zurück. Den Rest kennen wir, nicht wahr? Daß Bruder Aurelius die Heiligen Stätten nur wenig mehr als zwei Jahre verwaltete und bereits im Jahre zweiundsechzig Palästina verließ, um an der Generalkongregation teilzunehmen, welche von Bruder Franziskus von Zamora geleitet wurde...»

«Und die Verwaltung des Heligen Landes Bruder Jeremias von Brescia übertragen wurde...»

«Und Bruder Bonifazius erneut, zum dritten Mal, für drei Jahre zum Guardian gewählt wurde, und die italienischen Lande mit seinem demütigen Diener Pantaleon durchstreifte, um eine neue franziskanische Familie zusammenzustellen...»

«Und erst heute die Arbeiten durchführte, welche schon vor drei Jahren hätten gemacht werden müssen. Gott sei gelobt!» schloß der gute Guardian...

Und freudig, weil wir eine fromme Arbeit taten, machten wir uns wieder daran, unter Strömen von Schweiß Eimer mit Steinen und Kalk zu schleppen. Wir errichteten unser Haus im Dienste Gottes! Und das Werk wuchs zusehens, daß es eine rechte Lust war. Ein Teil von uns wohnte indes nicht im Erlöserkloster, sondern in einem kleinen Kloster, welches wir an der Nordseite der Grabeskriche besaßen. Wir stiegen auf einer breiten sieben oder achtstufigen Treppe dort hinauf, welche sich in der Grabeskirche befindet. Die Tür ist in die Wand derselben gehauen, und tritt man durch sie ein, steht man unmittelbar in der kleinen Kirche, die nur vierzig Fuß in der Länge und achtundzwanzig in der Breite mißt und ein schön gearbeitetes Chorgestühl besitzt, in dem die Mönche immer, tags und nachts, die Messe zur selben Stunde und mit der gleichen Freiheit lesen oder singen, mit der wir es in unserem westlichen Teil der Christenwelt zu tun pflegen. Allein die Kapelle dieser Kirche für sich genommen, umfaßt beinah den gesamten Kirchenraum und ist sehenwert mit seinem großen, schönen, wenngleich alten Altarbild. Es ist der Ehre und dem Lob der Jungfrau Maria geweiht und der Erinnerung an die Erscheinung Christi am Tage seiner Auferstehung. Rechts vom Eingang steht ein kleiner Altar, in dessen Mauerwerk ein Hohlraum mit einem Eisengitter eingelassen ist. Darin befindet sich ein ansehnliches Stück der Säule, an die man Christus im Palast des Pilatus band, als er ausgepeitscht wurde. Linkerhand, außerhalb der Hochaltarskapelle, befindet sich ein weiterer Altar und in seiner Mauer eine kleine Reliquie des Heiligen Kreuzes. Im Nordteil der Kirche führt eine Tür zum Inneren des kleinen Klosters. Dieses besitzt, obwohl es klein ist, alle Räumlichkeiten, welche einem großen Kloster zukommen, so daß es, wenn die Pilger aus Frankenland kommen, diese auch dann bequem unterbringen kann, wenn es ihrer viele sind. Es wird dort nicht gekocht, da man uns vom Erlöserkloster täglich das notwendige Essen bringt.

Das obere Stockwerk dieses kleinen Klosters wird von Türken und Priestern des Tempels Salomons belegt, welche man hier «Scheinheilige» nennt. Sie leben dort mit ihren Frauen und Kindern und beherrschen alles dermaßen, daß die Mönche nicht mehr ungesehen ins Freie treten können. Dennoch besitzen wir ein kleines Stückchen unter freiem Himmel, eine Art Patio, wo sich ein Wasserbecken befindet, in welchem die Lampen und andere notwendige Dinge gereinigt werden. Nirgendwo anders fällt sonst die Sonne hin, und im Winter sind es nicht einmal zwei Stunden, weil die Gebäude so hoch sind. In das Dormitorium oder auf die Empore oben in der Kuppel der Grabeskirche gelangt man allein durch diesen Innenhof. Im östlichen, nördlichen und südlichen Teil besitzen die Türken das Obergeschoß; im westlichen Teil befindet sich eine Treppe, welche zur Empore der Kirche führt, und neben der Treppe das Zimmer eines jener Priester: Es liegt über dem Refektorium der Mönche und besitzt einen Holzfußboden, von welchem das Wassser auf unsere Köpfe tropft, wenn sie es dort verschütten, und wenn man redet, kann man jedes Wort verstehen. Daher sind wir gut beraten, immer mit gedämpfter Stimme zu sprechen und mit Geduld gewappnet zu sein. Das Zimmer hat ein großes Fenster, welches auf den Innenhof geht und durch dessen ziemlich weit auseinanderstehende und halb zerbrochene Eisenstäbe leicht eine Person hindurchpaßt.

Es kommt nur selten vor, daß die zwei wunderschönen Türkinnen, die Frauen des Priesters, nicht an diesem Fenster sitzen. Der hatte zwar keinen besonderen Umgang mit den Mönchen, schien ihnen, so hatten wir zumindest verstanden, indes derart gewogen und zugetan zu sein, daß wir glaubten, er sei heimlich ein Christ, da er uns, wenn sich die Gelegenheit bot, in jederlei Hinsicht begünstigte.

«Es ist wirklich schade», sagt Bruder Zedillo äußerst verdrießlich zu mir. «Wir haben nicht die Freiheit, jederzeit dort hinauszugehen!»

«Ich weiß nicht, warum!» antworte ich. «Wenn wir darauf bestehen, dort hindurchzugehen oder uns dort aufzuhalten, empfinden sie möglicherweise Scham und zeigen sich nicht.»

«Soweit ich das gesehen habe, glaube ich es nicht. Sie sind immer dort, man könnte fast denken absichtlich. Und das ist nicht gut, einerseits in Hinblick auf die Keuschheit der Mönche, anderseits wegen der Gefahr, die uns daraus erwachsen kann...!»

«Welche Gefahr?»

«Sie könnten sagen, daß wir zu ihrem Fenster schauen.»

«Und was folgt daraus?»

«Daraus folgt, daß wir als Feinde sehr vorsichtig im Zusammenleben mit ihnen sein müssen, weil uns unnötig viel Ärger erwachsen kann.»

Jener «scheinheilige» Priester oder Kaziz hat zwei ausnehmend muntere Knaben. Der ältere, vielleicht achtjährig, heißt Mustapha, der andere, fünf- bis sechsjährig, Ismael. Der Vater beweist ihnen, insbesondere dem jüngeren, viel Zuneigung. Außerdem lebt bei ihnen noch ein Neffe von etwa vierzehn Jahren. Da ich nicht schüchtern bin wie Bruder Zedillo und auch nicht zurückhaltend, gehe ich immer wieder in den Innenhof, um in der Sonne mein Brevier zu lesen. Die Jungen kommen ans Fenster, wenn sie mich dort auf und ab gehen sehen. Anfangs höre ich einen Schwall arabischer und türkischer Worte, die ich nicht verstehe, denen ich jedoch entnehme, daß sie mir gelten. Ich merke, daß die Türkinnen dahinter stecken und sie dazu aufstacheln, und bald höre ich einige italienische Worte daruntergemischt, so daß wir uns mit ihrer Hilfe irgendwie verständigen können. Meine freundliche Art gewinnt Oberhand, und bald schon sind diese Jungen mir zugetan. Dem Vater gefällt das und er fordert sie auf, mir viel Eßbares zu schenken, wie Obst und Gemüse, an denen es uns Mönchen mangelt, da wir weder einen Gemüse- noch einen Obstgarten besitzen. Vor allem abends, wenn er im Haus ist, stellt sich der Vater gern innen so ans Fenster, daß er nicht gesehen wird, und bringt den Jungen bei, mich zu necken, was ihm so viel Spaß macht, daß ich ihn lachen höre.

Ich begnüge mich nicht mit halben Sachen und sage zu ihnen:

«Euer Mohammed ist ein *maginao, marfuz, canzil und zarbul.*»

Das heißt verrückt, schlecht, ein Schwein, ein Hund, doch selbst dann tut der Priester so, als habe er nichts gehört, und zeigt sich hochzufrieden, als ich sage:

«Isaak, Abraham und andere Patriarchen sind *melia*» (das heißt gut).

Tagsüber ist der Vater nicht im Hause. Seine türkischen Frauen kommen dann ans Fenster, um gesehen zu werden, und wollen sich auch einmischen und den Jungen etwas beibringen, wobei sie sie auffordern, mich zu rufen und mit mir zu sprechen. So entwickelt sich ein Gespräch und Geschenke lassen nicht auf sich warten. Um ihre Gaben in irgendeiner Weise zurückzuzahlen, gebe ich den Jungen einige Ohrringe und einen Fächer aus Papier, damit sie ihn ihren Müttern überreichen. Es sind dies wertlose Dinge, die ich aus Venedig mitgebracht habe, um eine Gefälligkeit machen zu können, doch da die Türken und Mauren wenig geistvoll und sehr ungeschliffen sind, war dies in ihren Augen ein so wertwolles Geschenk, daß sie es in der Stadt von Haus zu Haus allen zeigen wie etwas Bestaunenswertes, und die Verwandten des Priesters mich an der Luke aufsuchen, durch die uns immer das Notwendige geliefert wird. Alle heiligen Stätten und vor allem das Heilige Grab unterstehen den verschiedensten christlichen Nationen: der Griechisch-Orthodoxen, den Armeniern, den Abessiniern, der Römisch-Katholischen und anderen. Doch die Türken verwahren eifersüchtig den Schlüssel zur Grabeskriche, kontrollieren die Hinein- und Hinausgehenden, wobei sie von den Pilgern hohe Gebühren einfordern. Aus diesem Grunde kommen wir nicht umhin, da wir darin wohnen, diese Luke zu haben, durch welche wir bedient werden, ohne von den türkischen Wachen behelligt zu werden.

Unter diesen Umständen wächst die Freundschaft, und an Erkenntlichkeiten mangelt es nicht, noch an Kuchen an fast allen Tagen. Das Fenster liegt nicht sehr hoch, und auf der Seite der Kirche kann man durchaus etwas von Hand zu Hand weitergeben, wenn man auf eine Mauer steigt, welche etwa mannshoch ist und gebaut wurde, um den Blick auf das Fenster zu verhindern, wenn wir auf die Empore der Kuppel steigen. Es würde auch für jemanden, der sich an den Gitterstäben festhält und sich daran hochzieht, nicht schwierig sein, in das Fenster einzusteigen. Ist es die Heiligkeit der Stätte und die Ehrlichkeit des frommen Gefühls, welchen den Umgang nicht so weit gedeihen lassen, obgleich die Treuherzigkeit der Türkinnen und die Verehrung, welche sie mir entgegenbringen, ihn eher begünstigen? Eines Tage, als die Knaben bei Verwandten zu Besuch waren, kam es dazu, daß ich am Fenster stand, ihnen die Hände küßte, sie liebkoste, während sie mir den Bart, das Gesicht, das Haar streichelten. Ist es mein Gewissen, das sich meldet und mir sagt, das dies nicht recht ist, da es die ganze Gemeinschaft in Gefahr bringt?... Ich beschließe, Pater Bonifazius zu bitten, in das Erlöserkloster gehen zu dürfen, und gebe ihm durch die Blume zu verstehen, was im Umgang mit den Türkinnen geschieht und was dies mit der Zeit für Folgen haben kann, obgleich es nur mich beträfe. Er wägt den Fall eingehend ab und die Gefahr, die solche Dinge mit sich bringen, und zudem noch mit Ungläubigen, und als Mann, der Erfahrung mit den Bräuchen des Landes hat, beschließt er voll Eifer, das Übel abzustellen.

Eines Tages nimmt er in meiner Anwesenheit den Kaziz zu Seite und spricht als Freund und Wächter seiner Ehre folgendermaßen zu ihm:

«Meine langjährige Erfahrung und die Zuneigung, die du meinen Mönchen zuteil werden läßt, verleihen mir die Kühnheit, Euch um einen Gefallen zu bitten.»

«Bester Guardian! Um Himmels Willen! Habe ich Euch je einen Wunsch ausgeschlagen?» sagt der Priester lächelnd.

«Häufig habe ich dich um einen Gefallen gebeten und bin nie enttäuscht worden.

«So rede doch, Mann!»

«Du weißt wohl, Herr, daß deine Frauen...»

«Meine Frauen?» fragt er tonlos.

Bruder Bonifazius bedeutet ihm mit einer Handbewegung den Rest seiner Rede abzuwarten:

«Deine Frauen sind jung und schön... und du bist alt...»

Der Gesichtsausdruck des Türken, welcher zum ersten Teil des Satzes zustimmend lächelnd genickt hatte, wurde, als er den zweiten Teil hörte, besorgt, ja beinahe finster. Bruder Bonifazius tut, als bemerke er es nicht, und fährt fort:

«Meine Mönche stammen aus verschiedenen Ländern und sind Kinder verschiedener Eltern. Jenes Fenster zu deinem Zimmer ist nach allen Seiten offen, und da der Dämon listig ist, möchte ich nicht, daß wir eines Tages Anlaß zu Besorgnis und Ärger haben. Daher möchte ich, weil du dich immer als guter Freund erwiesen hast und dies heute noch tust, um jedweder Unannehmlichkeit vorzubeugen, dich herzlich darum bitten, um der Liebe Gottes und der Freundschaft willen, die du uns zeigst, dieses Fenster zumauern zu lassen. Laß in irgendeinem andern Teil des Hauses, wo es dir günstig erscheint, ein anderes mit einem Gitter und Scheiben auf meine Kosten so bauen, wie es dir gefällt. Außerdem werde ich dir hundert Goldzechinen geben, damit du deinen Frauen den Mund stopfst, falls sie darüber jammern sollten.»

Der Türke hörte dem Pater Guardian sehr aufmerksam zu und antwortet ihm, wobei er ihn mit blutunterlaufenen Augen anblickt voller Zorn:

«Guardian! Guardian! Deine Worte sind sehr gut, doch dein Herz ist böse und überaus schlecht.

«Was sagst du da, Kaziz?»

«Ich kann nicht leugnen, daß ich alt bin, da mein Alter dies beweist, und meine Frauen schön und jung, wie du sagst...»

«So höre doch!»

«...indes halte ich sie für tugendsam und ehrbar. Deine Mönche, welche, wie du sagst, aus verschiedenen Nationen kommen und zum großen Teil sehr jung sind, halte ich für tugendsamer und ehrbarer als dich.»

«Mein Gott!»

«Seit vierzig Jahren lebe ich in diesem Haus und kenne die Mönche und ihre Tugend und Ehrbarkeit sehr wohl. Ich habe in dieser Stadt noch nie einen böswilligeren Guardian als dich erlebt. Doch da du schon etwas angesprochen hast, und zwar nur weil deine Böswilligkeit es dir eingab, das längst vergessen war, werde ich die zerbrochenen Gitterstäbe ganz herausreißen lassen, damit das Fenster frei wird.»

Bruder Bonifazius sank bestürzt in sich zusammen und wußte nicht, was er entgegnen sollte. Er fuhr fort:

«Aber ich möchte weiterhin das Vergnügen haben, die Mönche zu sehen, obwohl ich nicht so mit ihnen Umgang haben kann, wie ich es gern möchte, da mein Glaube es mir verbietet, und noch wichtiger als deine hundert Zechinen und alles Geld des Frankenlandes ist mir das Gefallen, welches meine Frauen und meine Söhne daran haben, an jenem Fenster zu sitzen.»

Der Türke schweigt einen Augenblick lang. Sein Blick wird hart und sein Gesicht verzieht sich zu einer strengen Grimasse:

«Und falls im Laufe der Zeit jemand, wie du sagst, etwas tut, was er nicht sollte, was Gott nicht erlaubt, so wird er dies bezahlen.»

Bruder Bonifazius wußte darauf nichts anderes zu tun, als sich dem Türken zu Füßen zu werfen und ihn demütigst um Vergebung zu bitten.

Ich zog noch am selben Tag in unser Erlöserkloster, doch das Bild, welches sich die Türken von mir machten, das eines Mönches nämlich, der freundlich und gut aufgelegt mit seinen Frauen und Kindern umging, führte dazu, daß sie selbst dorthin kamen, um mich zu besuchen, mir Geschenke zu bringen, und bedauerten, daß ich weggezogen war. Ich kam nicht umhin, diese Gaben und Freundschaftsbeweise anzunehmen, um sie nicht zu verletzen, doch mein Gewissen lehrte mich, daß die Böswilligkeit in mir steckte und nicht ihn ihnen, die immer die Einfältigkeit und die Reinheit ihrer Seelen gezeigt hatten. Ich bemerkte, daß sich eine seltsame Verdoppelung in mir vollzog: mein Herz verliebte sich, entflammte, doch mein Geist schwebte darüber wie ein kühler, unparteiischer Betrachter, welcher das Geschehen beobachtete und sogar Lob und Tadel verteilte. Man könnte sagen, daß ich mein eigener Zuschauer war. Häufig wurde dieser ständige innere Dialog lästig, welchen ich mit mir selbst führte. Selten nur verschmolzen beide miteinander, so daß ich zum Schluß kommen konnte, daß ich weder ein Heuchler noch ein Schauspieler war, der unfähig zu irgendeinem wirklich echten Gefühl oder Gedanken war. Selbst wenn ich mit mir allein war, war es schwierig. Mein nicht immer mit mir übereinstimmender, indes stets kritischer und fordernder Zuschauer mußte mich wie ein Schatten begleiten. Machmal fragte ich mich, wer von uns beiden der Franziskaner sei. Die Antwort fiel nicht leicht, denn manches Mal schien das *Ich* des Gefühls der Franziskaner zu sein, dann wieder das *Ich* des Verstandes. Ich kam zu dem Schlusse, daß ein wahrhaftiger Franziskaner, ein Franziskaner wie der Heilige Franziskus, ein *Mich* und ein *Ich* besitzt... In welche Spitzfindigkeiten verwickle ich mich da! Doch trotz all meiner Beschränktheit, meiner Zweifel und Gewißheiten, trotz meines Zögerns und meiner Entschlossenheit, meiner Wünsche und Verzichte, halte ich mich für einen rechtschaffenen Franziskaner... Hätte ich weinen sollen, als ich dieses gelobte Land betrat, als ich diese Stadt erblickte, durch diese Straßen ging? Hätte ich vortäuschen sollen, daß ich weinte?

«Ich bin nicht würdig, hier zu sein», sagt mir das *Ich* des Gefühls.

Doch sogleich eilt der Verstand zu Hilfe und rückt die Dinge wieder zurecht und betrachtet sie aus einem anderen Blickwinkel: «Höre und sieh! Der Geist Christi ist aus dem Grabe wiederauferstanden, die Schatten seiner Jünger und der Heiligen Frauen streichen durch diese Gefilde, man hört ihre Stimmen und ihre Schritte, die Menschenmenge, welche IHN mit Palmen- und Ölbaumzweigen am Stadttor empfängt, IHN feiert, um gleich darauf mit verzerrtem Gesicht und geballten Fäusten zu schreien und zu brüllen:

«Hosanna dem Sohne Davids!»

«*Cruzifige eum* (Kreuziget ihn!)»

«Der große Prophet ist unter uns!»

«Hosanna! Hosanna!»

«Barrabas! Barrabas!»

«Was ist die Wahrheit?»

Dies soll das Haus des Kaiphas gewesen sein. Ich höre den Hahn krähen. Einmal... zweimal... dreimal... Wie Petrus habe auch ich Christus verraten. Von weither, fern in Zeit und Raum, höre ich den Zorn der Menge:

«*Cruzifige eum! Cruzifige eum!*»

Warum hat mich Bruder Bonifazius ausgewählt, als er von der griechischen Nonne die Botschaft erhielt, ihr einen Beichtvater zu schicken? Sie sei krank!... ausgerechnet mich, der so tief berührt und verwirrt von ihrer Schönheit gewesen war! Ich hätte mich davonstehlen, mich weigern sollen, umsomehr als jener erste Eindruck in Salamis mit dem Trugbild an dem Teich Siloah mit der Geschichte der beiden Türkinnen zu verblassen begann. Aber nein! Irgend etwas in mir trieb mich heimlich dazu, dorthin zu gehen, ließ mich voller Freude gehen, mich dem Wiedersehen mit ihr ungeduldig entgegensehen...

Sie lag im Bett. Das Fieber machte ihre Wangen glühen und gab ihren Augen ein seltsames Leuchten und den Lippen eine eindringliche Lebendigkeit, brachte ihre Schönheit zum Strahlen. Kaum daß ich sie sah, fühlte ich den Wunsch, sie zu küssen.

«Ach! Ihr seid es, Bruder Pantaleon!» rief sie flüchtig lächelnd und streckte, um meinen Segen bittend, einen halbentblößten Arm nach meiner Hand aus.

Und ich, der es immer abgelehnt hatte, mir die Hand küßen zu lassen, da ich mich nicht für würdig hielt, wie entflammte meine Seele bei der Berührung ihrer heißen, festen Lippen! Sie berührte sie kaum, als sie sie mit ihren feinen, schlanken, schneeweißen Fingern hielt. Aus der Bewegung heraus, mich dem Handkuß zu entziehen, strich ich ihr mit einer ruhigen, beinahe väterlich segnenden Geste kurz über das blonde, seidige Haar.

«Schwester!» murmelte ich.

«Helena», sagte sie ihren Namen, hob den Kopf, blickte zu mir auf, der ich neben ihrem Bett stand. Ich war sehr knapp und direkt:

«Schwester Helena! Du hast um einen Beichtvater gebeten. Hier bin ich. Bruder Bonifazius schickt mich. Wenn ich gewußt hätte, daß es sich um Euch handelt, hätte ich mich geweigert zu kommen.»

Ich belog sie natürlich, denn ich hatte schon vorher gewußt, um wen es sich handelte. Ihre Augen weiteten sich, wurden dunkel wie ein Brunnen ohne Grund, füllten sich mit Tränen, und mit erstickter Stimme sagte sie langsam und gekränkt:

«Auch Ihr, Bruder Pantaleon! Was habe ich getan, daß ich so gestraft werde? Auch Ihr flieht vor mir wie Eure Brüder in Salamis, als wäre ich der Teufel und wollte Eure Seelen verderben! Auch Ihr haßt mich! – und sie vergrub ihren Kopf, bitterlich und herzzerreißend schluchzend, im Kissen.

Ihre Verzweiflung bekümmerte mich, und ich setzte mich auf den Rand des Bettes, legte meine Hand auf die Schulter, die den Kopf verbarg, und sagte zu ihr:

«Beruhigt Euch, Schwester! Dies ist nicht der Grund. Dies ist er nicht.»

Sie richtete sich ein wenig auf, sah mich mit ihren großen Augen unter Tränen an und fragte mich:

«Was ist dann der Grund? Haßt Ihr mich nicht?»

«Das ist ja gerade das Schlimme!» brachte ich unvorsichtigerweise mühsam hervor.

Ihr Schluchzen wurde zu einem hemmungslosen Weinen und ihren Kopf aufs Neue verbergend sagte sie mit belegter, stockender, vom Kopfkissen gedämpfter Stimme.

«Geht... Die Mönche haben recht... Ich bin der Teufel...

Geht, geht, selbst Euch habe ich schon verwirrt.»

Außer sich schlug sie mit den Fäusten auf das Kissen. Dann drehte sie sich plötzlich um, packte mich mit beiden Händen an den Schultern und schrie mich an wie eine Wahnsinnige:

Ob ich wissen wollte, warum sie um einen Beichtvater gebeten habe? Ob ich wüßte, welches die Sünde ist, die große Sünde, die sie beichten wollte? Ihre Stimme wurde zu einem Wispern: Sie sei immer in die Kirche gekommen, um mich die Messe lesen zu sehen... Habe sich ganz in ihren Schleier gehüllt zwischen den Nonnen versteckt... Bei Gott! Auch sie hasse mich nicht!... Das sei die große Sünde!...

Ihre Finger liebkosten meinen gelockten Bart, ihr tränenüberströmtes Gesicht neben dem meinen war so schön, unser beider Atem ging heftig, unsere Augen wurden feucht und unsere Münder vereinigten sich...

«Welch magischer Meißel hat Dich geformt? Wie fein gearbeiteter Marmor aus Paros ist Dein Körper!... War es Phidias? Miron?...»

«Deine Augen sind es, die mein Gesicht formen, das Streicheln deiner Finger drechselt meine Schultern, meißelt die Rundung meiner Hüfte und glättet sie, deine Handflächen sind die Hohlform meiner Brüste und die Sehnsucht deines Mundes zeichnet meine Lippen!...»

Dreimal krähte der Hahn vor dem Hause des Kaiphas. In der Wärme des Abends, der hereinbrach, hob sich ein toter Feigenbaum mit seinen vertrockneten, nackten, gewundenen Ästen gegen das Abendlicht im Fenster ab. Judas! *Cruzifige eum!* Kreuziget ihn! hörte man die gespenstischen Stimmen aus der Vergangenheit von den Ruinen her rufen, von welchen gesagt wird, sie seien das Lithostrotum, auf dem Pilatus Christus verurteilte...

Was ist die Wahrheit?

Unser Gewissen rebellierte nach einer erregenden Zeit, während derer ich unter dem Vorwand, der Kranken die Beichte abzunehmen, Zugang zu ihrem Hause und zu ihrem Zimmer hatte. Es war ein ebenerdiges Haus, welches direkt am Nonnenkloster lag, in das sie eintreten wollte. Dort lebte sie mit ihren zwei Zofen, bevor sie den Schleier nahm. Das Zimmer war sehr reinlich, indes einfach, wie es sich für jemanden schickte, der den Reichtümern der Welt entsagen wollte. Der einzige Schmuck war eine kleine Vase mit

Blumen auf einem Tisch vor dem Fenster. Es war durchaus eine Beichte, leidenschafliche Bekenntnisse waren es, die wir einander machten. In unserem Wahn dachten wir für Augenblicke daran, den Orden zu verlassen, zu fliehen, an irgendeinem verlassenen, bläulich weißen Ort, vielleicht am Mittelmeer, unser gemeinsames Leben aufzubauen. Doch hatten sich auch Körper und Wille ergeben, so waren die Seelen doch wund, betrübt und voller Schmerzen, denn man bricht kein Gelübde oder das Versprechen eines Gelübdes ungestraft, Gelübde, welche Entschlüsse waren, die zu einer anderen Gelegenheit als dieser willentlich gefaßt wurden.

Eines Tages sagte Helena zu mir.

«Du bist Beichtvater. Du bist gewohnt, die Landschaften der Seelen zu sehen. Es müssen dies merkwürdige, gefährliche Landschaften sein! Willst du die Meine sehen? Schau, sie ist schwarz, inmitten all diesen Glücks.»

«Es gibt keinen besonnten Bergesgipfel, welcher nicht auch seine dunklere, finsterere Seite und seinen tiefen Abgrund hat...»

«Warum, mein Gott? Warum muß es Sünde sein?»

«Sprich nicht davon. Die Bindungen durch mein Gelübde sind viel fester als dein Wunsch, es abzulegen...»

Ich sprach, als redete ich nur mit mir selbst:

«Aber habe ich denn mein Gelübde gebrochen? Ist dich lieben nicht eine Hymne zum Lobe Gottes singen, der ein solches Werk geschaffen hat?... Das erlöst mich. Wer kann denn deine Schönheit ein Werk des Teufels nennen?...»

Von den Minaretten herab schallte der durchdringende Ruf der Priester, der die Gläubigen einlud, ihre Gebete zu sprechen. Durch das halbgeöffnete Fenster sahen wir die Türme der Kirchen mit ihren leeren, stummen Glockennischen, denn der Türke gesteht sie uns nicht zu.

«In den Christenländern läuten um diese Zeit die Glocken das Ave-Maria... Hörst du sie nicht?»

Sie stimmte mit einem Nicken zu. Ich fühlte in mir jene innere Kraft wieder aufleben, die mich einst erfüllte, als ich Novize war, und die mich dazu brachte zu singen und Verse zu schmieden. Helena hatte ihren Kopf an meine Brust gelehnt und lauschte dem Pochen meines Herzens.

«Ich höre die Glocken in deinem Herzen läuten!»

Ganz langsam, fast singend, sagte ich zu ihr, indem ich die Silben, das Läuten der Glocken nachahmend, einzeln klingen lasse:

Es schlug nicht die Stunde
auf dem Erlöserkirchenturm..

«Doch, sie schlägt!...» antwortete sie lächelnd, schmiegte ihr Ohr enger an meine Brust und sah mich zärtlich an. Ich fuhr in derselben Art fort:

denn keine Stunde gibt es
noch den Erlöserkirchenturm...

«Was ist mit dir, Liebster? Wie seltsam redest du? Sei kein Narr...»

keine Zeit und keinen Raum...
Nur mich gibt es, der denkt
und vielleicht liebt...

«Vielleicht?» fragte sie.

Schweigend nahm ich ihre Hände und liebkoste sie lange. Ich küßte ihre Handflächen und schloß ihre Hand mit einer Geste, welche bedeutete, daß sie den Kuß nicht entfliehen lassen sollte. Dann versenkte ich meinen Blick in den ihren.

«Mein Liebster!» murmelte sie zärtlich, mit Tränen der Rührung in den Augen.

Du bist nicht deine zarten Hände,
nicht deine Augen ohne Grund,
noch deine schmeichelnde Stimme...

«Du bist närrisch!»

Keine Form besitzt du,
betrittst den Boden nicht
mit deinem leichten Schritt...

«Ich bin ein Gespenst!» sagte sie mit einem kurzen Lachen, welches an das Gurren eines Vogels oder dem Glucksen des Wassers in einer Quelle erinnerte, ohne indes schon zu verstehen, worauf dies hinauswollte.

Du gabst nicht deinen Duft dem Gestern,
erfüllst nicht das Heute mit deiner Gegenwart,
noch wirst du die Sehnsucht des Morgen sein...

«Du gibst meinem Leben seinen Duft!» sagte sie und küßte mich auf den Mund.

Du bist nicht der Duft
noch das Lächeln
noch die Sehnsucht...

«Was bin ich dann? Sag, was bin ich für dich?»

Du bist weder Anwesenheit noch Abwesenheit,
du bist nicht du,
bist mein Begehren...

Ich umarmte sie leidenschaftlich, küßte ihre heißen Lippen, küßte ihr Lächeln im Mundwinkel, küßte ihre Augen und die Tränen, und während ich dies tat, sagte ich zu ihr:

Gesang des Absoluten!
Weder Lippen gibt es noch Lächeln,
weder Augen noch Tränen,
weder Hände noch Gesten,
weder Worte noch Gedanken...

Sie wollte etwas sagen, doch ich legte einen Finger auf ihre Lippen, damit sie schwieg.

Blumen stell mir jeden Tag
in diese Vase,
Helena,
laß sie nie welken...
Die Blumen sind schön
wie dein bezaubernd Antlitz...
Wenn ich sie ansehe
und dich anblicke,
gibt es keine Vase mehr
mit frischen Blumen

auf dem Tischchen,
noch durchmißt dein Antlitz
sanft und zärtlich
die reglose Welt
dieses Zimmers...

Sie begann zu begreifen, und das plötzliche Begreifen des Gedankens veränderte ihr Gesicht. Sie wurde ernst, über ihre Augen legte sich ein dunkler Schatten, wie über einen See, den eine Wolke verdüstert.

Schon gibt es nicht mehr dieses Zimmer
noch diese Möbel
noch die Landschaft,
die sich im Fenster offenbart
noch das Fenster,
kein Leben gibt es, noch einen...

Ich schob sie, leicht ihre Schultern berührend, etwas von mir weg, um sie mit ausgestreckten Armen wie aus einer unendlichen, zeitlosen Entfernung besser betrachten zu können.

Gesang des Absoluten

Und sie wiederholte, nur die Lippen bewegend: Gesang des Absoluten!

Es gibt nicht die Materie, die du bist:
die Erdmasse deiner zarten Hände
und den Ton deiner kristallklaren Augen...
Es gibt weder die Anatomie
deines süßen Lächelns
und deiner sanften Geste

noch die göttliche Geometrie
deines Körpers
noch eine Sekunde deiner ewigen Schönheit
Hör...

«Nein! Das ist schrecklich! Ich beginne mich zu fürchten.»

Auch gibt es den Ton nicht
und die Erde,
Anatomie und Geometrie
und das Zeitmaß,
welches ich bin

«Mein Gott! So schweig doch!»

Es gibt allein
die göttlichen Gefilde,
Gefilde ohne Landschaft,
deren Schatten du bist
und unbestimmter Widerhall...

Sie rückte von mir ab und kauerte sich leise schluchzend in eine Ecke.

...wo Gott nicht lebt,
da er nicht stirbt,
nicht denkt,
da er Gedanke ohne Worte ist,
sich nicht bewegt,
da er im Raum nicht faßbar ist...

Ich ging zu ihr, umarmte sie, streichelte ihr Gesicht, befragte mit den Fingern, mit den Lippen seinen Ausdruck, der sich unter flüchtigen Gefühlen schnell veränderte.

Ich wandere jenseits deines Lächelns,
tauche tiefer
in die Tiefe deiner Augen,
im Wohlklang deiner Stimme
höre ich fern und zart...

Tränen liefen über ihr Gesicht, doch ihre weit geöffneten Augen waren weiterhin fest auf mich gerichtet.

Gesang des Absoluten!
Es schlugen nicht die Stunde
die Glocken der Erlöserkirche,

denn eine Stunde gibt es nicht
noch Glocken der Erlöserkirche

Sie hielt mich umfangen und sagte mit Tränen in den Augen, nachdem wir lange geschwiegen hatten, während in unseren Köpfen die Gedanken sich jagten:

«Du bist ein Gottesmann, auch wenn du eine arme Frau wie mich liebst. Du sagst, ich sei Gottes Werk. Mich tröstet der Gedanke, eine Brücke zwischen dir und Gott zu sein. Ihm gehörst du, das ist wahr. Möge er mir die Kraft geben, das zu tun, was ich tun muß.»

«Und was ist es, das du tun mußt?»

Sie drückte mich fest an sich, verbarg ihr Gesicht an meiner Schulter und murmelte in mein Ohr:

«Frage mich nicht danach...»

Als ich sie am folgenden Tag aufsuchte, war das Häuschen verschlossen. Trotz ihrer Krankheit war sie mit ihren Zofen abgereist, und niemand wußte wohin. Ich sah sie nie wieder. Im Gegensatz zu dem, was die Verse sagen, fühle ich im Herzen noch heute den sanften Schmerz einer Sehnsucht, welche jenen beiden Gesellschaft leistete, die dort bereits wohnten.

Die Ergriffenheit und die Erschütterung, welche ich lange Zeit verspürte, führten zu meinem Entschluß, Jerusalem ebenfalls zu verlassen. Die Widersprüche, welche in meiner Seele aufeinandertrafen, ließen mich nicht genau erkennen, ob ich vor Helena und allem floh, was mich an sie erinnerte, oder ob mich im Gegenteil die Hoffnung antrieb, sie wiederzutreffen. Gleichzeitig führte noch eine andere Tatsache dazu, meine Abreise zu beschleunigen: Isac Bensaúde oder Beiçudo, wie ich ihn gern nannte, war endlich aufgetaucht. Und er tauchte auf, wie er zu verschwinden pflegte: wie durch Zauberei.

XI

Isac Beiçudo, Spion für Portugal

> «Πως γενομην; ποδεν ειπι; τινος χαριν ηλθον; απελθειν; πως δυναμαι τι μαθειν, μηδεν επισταμενος;»
>
> «Wie kam ich? Wer bin ich? Weshalb bin ich angekommen, wenn ich abreise? Wie kann ich etwas verstehen, wenn ich nichts weiß?»
>
> (Antologia Palatina, Von einem Unbekannten)

Drei Mauren waren es, und ihrer Haltung und Kleidung nach schienen sie bedeutende Männer zu sein. Sie umringten mich und sagten mit vielen Verbeugungen, sich auf die Brust schlagend, alle gleichzeitig:

«Goa, Portuga!»

«Cochim, Portuga!»

«Frangi! Frangi!»

Was das zu bedeuten habe, fragte ich unseren Dolmetscher Jakob verdutzt. Dieser spricht in irgendeinem Kauderwelsch mit ihnen, das ich nicht verstehe. Dann gibt es es mir wieder: Es handele sich um Mauren, welche in Ländern des Königs von Portugal lebten. Sie kämen zusammen mit anderen aus dem östlichen Indien, um Gaben zum Tempel Salomons zu bringen...

«Von so weit her?» frage ich verwundert.

Sie machten ihre Wallfahrt nach Mekka, doch sowohl die maurischen als auch die türkischen Pilger erachten ihre Pilgerreise erst dann für vollkommen, wenn sie auch die Omar-Moschee und einige andere heiligen Stätten im Heiligen Land wie das Grabmal der Jungfrau Maria, das Doppelgrab der Stammväter Abraham, Isaak und Jakob in Hebron und noch weitere besuchen...

Was mich beträfe, so wollten diese Mauren, welche mich aufsuchten, da sie mit welchen Mitteln auch immer herausgefunden hatten, daß ich Portugiese bin, die Gelegenheit nicht versäumen, sich zu rühmen, daß sie aus jenen Teilen Indiens stammten, welche dem König von Portugal unterstanden.

«Da für sie», fährt der Dolmetscher fort, «alle Christen des Frankenlandes Portugiesen sind, wollten sie auch zu verstehen geben, daß sie welche sind. Indem sie «Frangi! Frangi» sagten, versicherten sie, daß sie Portugiesen sind.

Ich umarme sie voller Stolz und natürlicher Rührung und sage nun meinerseits zu ihnen, wobei ich auf die Brust schlage:

«Ich... Portugal! Ich... Portuga!»

Wie kam es, daß hier, so nah am «Nabel der Welt», im irdischen Jerusalem, dem Symbol der Heimat aller Christen, dem himmlischen Jerusalem, das Heimweh nach meinem Vaterland, meinem weit entfernten Portugal, in mir aufstieg? Meine Gefühle waren weiterhin an die Erde gefesselt. Würde ich mich denn nie endgültig befreien, läutern können?... Auch war der Gedanke an Helena eine offene Wunde! Vielleicht würde ein Ortswechsel das Beste sein, einfach abreisen... Nach Bethlehem zurückkehren? Bruder Zedillo war dort Guardian, es traf sich, daß er an der Reihe war. Vielleicht würde es gut tun, meinen durch die letzten Ereignisse so gepeinigten Geist zu zerstreuen!...

Eine Zeremonie, an der teilzunehmen ich vor meiner Abreise nicht versäumen wollte, war die Osterfeier in der Grabeskirche. Ostern dreiundsechzig hatte ich in Nikosia verbracht. Jetzt begann der April vierundsechzig und mit ihm jene Feiern, die vom zweiten bis zum neunten des Monats andauern sollten. Anschließend würde ich Bruder Bonifazius um Erlaubnis bitten, eine Zeitlang nach Bethlehem gehen zu dürfen.

Aus Japho drang die Botschaft zu Vater Bonifazius, daß die Pilger dieses Jahres angekommen seien. Der Guardian von Jerusalem kam ihnen sofort zur Hilfe und schickte die erforderlichen Schutzwachen auf Pferden und zu Fuß, welche sie geleiten sollten, ebenso wie Reittiere und Mundvorrat.

«Ratet einmal, Bruder Pantaleon, wer mit den Pilgern kommt. Eine sehr hochstehende, berühmte Persönlichkeit, die Euch nahe steht..»

«Wie das? Ich habe niemanden, der mir nahesteht...»
Und wenn er nun Portugiese wäre? Und soweit er wisse, mein Freund, denn er habe gesehen, wie jener sich in Venedig von mir verabschiedete...

«Wer?»

«Bruder D. João Soares!»

In der Tat. Der Bischof von Coimbra kam in jenem Jahr auf Pilgerfahrt ins Heilige Land und verbrachte die Osterfeiern mit uns. Seine Gegenwart bewirkte in mir ein Wiederaufflammen meiner Probleme. Dort war jemand – ich konnte nicht umhin, dies zu denken – der etwas über mich wissen mußte und dessen Lippen durch ein geheimnisvolles Siegel verschlossen waren!

Die Osterfeierlichkeiten verliefen glanzvoll, doch sie ließen mich kalt, wenn ich zuschaute, oder, wenn ich an ihnen teilnahm, blieb ich gleichgültig. Ich war innerlich abwesend und in mich selbst versunken oder ließ meine Gedanken zu ketzerischen Gedanken abschweifen, die vorlaut und frech in meinem Kopf auftauchten und mir die Lippen verbrannt hätten, wären sie zu Worten geworden. Unzählige Menschen aus aller Herren Länder, aus Italien, Griechenland, Frankreich, Spanien, Portugal, Kreta, Zypern, Ägypten, Armenien, Syrien eilten in die Grabeskirche, Männer und Frauen aus verschiedenen Nationen, mit unterschiedlicher Kleidung, unterschiedlichen Sprachen, unterschiedlichem Ritus, indes waren alle einig und vereint in der Feier der Mysterien von Christi Passion!... Doch waren diese Übereinstimmung und diese Einigkeit nicht nur oberflächlich und trügerisch? Gab es nicht Uneinigkeit, Streitigkeiten, Neid und sogar Haß unter den Christen der verschiedenen Nationen und Riten? Gab es nicht viel falschen Glauben? Aberglauben? Märchen? Eigens zur Erhaltung eines schwachen Glaubens unterhaltene dunkle Machenschaften?... Beispielsweise diese mir bislang unbekannte, von den Griechen am Ostersamstag ersonnene Zeremonie! Ganz davon abgesehen, daß sie meine Gedanken bestätigte, hatte sie den Vorzug, meinen Geist zu zerstreuen und meine angeborene Neugier anzustacheln.

Einst – so heißt es in einem uralten Buch, das einige Besonderheiten des Heiligen Lands behandelt und in der Sakristei unter den wertvollsten Stücken des Schatzes wohl verwahrt wird – stieg das

Himmlische Feuer am Ostersamstag herab in die Kapelle des Heiligen Grabes und entzündete alle Lämpchen, kleine und große Wachskerzen in der Kirche. Es wird angenommen, daß die katholische Kirche von diesem Wunder die Segnung der großen Osterkerze herleitet. Später, als im Verlauf der Zeit zu unserem Unglück die Ungläubigen sich Palästinas bemächtigten, kam das himmlische, wundersame Feuer nicht mehr herab.

Die griechischen Christen beharren indes darauf, daß Gott durch sie das Wunder weiterhin vollzieht. Die Türken, die die Grabeskirche unter ihrer Aufsicht haben, schließen den Patriarchen der Griechen und einen Bischof der Armenier namens Andreas, einen guten Freund von uns, in der Kapelle ein und stellen sich als Wachen davor, damit niemand mehr hinein kann. Kurz darauf kommen sie mit brennenden Kerzen heraus, dem Heiligen Feuer!... Da wir nichts sehnlicher wünschten, als ihnen die Maske vom Gesicht zu reißen, gingen meine franziskanischen Brüder und ich durch den Gang unseres kleinen Klosters, postierten uns auf der Empore hochoben in der Kuppel, die auf das Heilige Grab hingeht und von der aus man ungehindert von der Menschenmenge alles sehen kann, was da vor sich geht. Die Dinge spielten sich etwas anders ab: Anstatt die gewöhnlichen Mönche zu rufen, stecken die türkischen Wachen zwei Abessinier des Priesters Johannes hinein, was die Griechen sehr verärgert, und schließen dann die Türen. Direkt davor stehen draußen der Griechische Patriarch und der armenische Bischof. Drinnen verweilen die beiden Abessinier eine geraume Weile, fast eine halbe Stunde, als beteten sie zu Gott, damit er ihnen das Heilige Feuer schickt. Draußen wartet die riesige Volksmenge mit gelöschten Kerzen und Öllampen darauf, daß einem jeden von ihnen das Heilige Feuer gespendet werde. Und in der vollkommenen Stille, welche nun herrscht, hören wir, wie mit dem Feuerstahl auf einem Feuerstein Feuer geschlagen wird, und spüren einen starken Schwefelduft in unserer Nase. Nach einer kleinen Pause erscheinen die Abessinier voller Freude mit brennenden Kerzen in den Händen in der Tür, um das vorgegaukelte Wunder zu beweisen, allerdings bevor sie die Leuchten in der Kapelle anzünden, was eine grober Nachlässigkeit ist. Sie übergeben dem Griechen und dem Armenier die Kerzen, welche feierlich und mit großem Aufheben beginnen, die Kerzen und Öllampen des Volkes anzuzünden. Die Freude, welche sie an den Tag legen, ist überschwenglich und ihr Jubelgeschrei ohrenbetäubend, obwohl die Türken weniger mit Gebrüll als mit den Stockhieben versuchen, sie zum Schweigen zu bringen. Als die Abessinier ihm die Kerzen reichen, befindet sich neben dem griechischen Patriarchen unser Freund Bruder Georg, der maronitische Erzbischof von Damaskus, der mit uns bis nach Zypern gereist war. Der griechische Patriarch wendet sich ihm zu und sagt, während er mit der Hand leicht über die Flamme streicht:

«Sieh, Bruder Georg, dieses Heilige Feuer, das nichts verbrennt!»

Aus dem tödlichen Haß heraus, den er den Griechen gegenüber fühlt, nimmt der Maronit unvermittelt die Hand des Patriarchen, welche die Kerze hält, und führt sie an dessen Bart, der sehr lang, schön und fast weiß ist, und sengt ihn an:

«Jetzt ist es an dir zu sehen, ob das Heilige Feuer verbrennt, Patriarch!»

Der griechische Patriarch ist über die Maßen beleidigt, und alle Anwesenden seiner Observanz, die es allein schon für eine ungeheure Beleidigung halten, wenn man ihren Bart berührt, empfinden es als um so schlimmer, wenn es um den ihres Patriarchen geht, und dazu noch aus Spott und in aller Öffentlichkeit und aus Verachtung dem Feuer gegenüber, von welchem sie sagen, es sei heilig. Die Türken hingegen und alle Nationen, die das Wunder für das halten, was es tatsächlich ist, lachten belustigt, und wären da nicht die Türken gewesen, die den Maroniten verteidigten, wäre den Griechen etwas äußerst Ärgerliches geschehen. Als ich eines Tages einem alten griechischen Mönch, einem guten Freund, gegenüber über ein dermaßen fingiertes Wunder herzog, stritt dieser es nicht ab, versuchte jedoch, es mir zu erklären oder zu entschuldigen:

«Wißt Ihr, Bruder Pantaleon? Unsere Leute kommen aus den verschiedensten und entlegensten Gegenden zur Karwoche nach Jerusalem, weil sie glauben, daß nun das Feuer vom Himmel kommt wie einst. Wenn sie diese Gewißheit nicht hätten, würden sie auf gar keinen Fall kommen. Der Beweggrund unseres Patriarchen ist also ein durchaus gottesfürchtiger, nämlich der, die Frömmigkeit unserer Nation zu erhalten. Darin liegt keine Schuld.»

Erneut klangen jene Worte aus der Vergangenheit in mir, Worte, die eines Tages hier in der Nähe ausgesprochen wurden: Was ist die Wahrheit?

Wie glücklich waren Tausende von Griechen, die an das Wunder des Heiligen Feuers glaubten und wie unglücklich jene wenigen, die den Feuerstahl und den Feuerstein kannten!...

Wieviele Feuerstähle und Steine mochten hinter unserem Glauben stecken?... Von der Liebe verletzt und gepeinigt von religiösen Zweifeln, als reichten nicht schon die alten Probleme, welche seit meiner Kindheit in mir wohnten, beschließe ich, nach Bethlehem aufzubrechen, und schließe mich den Pilgern an, die dorthin reisen. Ich hatte nie am Fest Johannes des Täufers in Bethlehem teilgenommen, denn im Juni dreiundsechzig war ich krank in Jerusalem. Es ist dies ein Jahr voller Krankheit für mich. Im Oktober liege ich schon wieder im Bett und konnte fast nicht zum Weihnachtsfest nach Bethlehem reisen. Aber ich beharre bei Bruder Bonifazius so sehr darauf, mitgenommen zu werden, daß er schließlich alles Nötige veranlaßt. Jetz, wo ich körperlich gesund bin, ist es Zeit für mich, nach Bethlehem zu gehen und von dort aus meine Besuche zu machen...

Unwegsame, steinige Wege voller Buschwerk und Dornen, die zu den Bergen Judäas führen, rauh und gebirgig, dann wieder für eine kurze Strecke sanfte Pfade zwischen Weinbergen und Olivenhainen, Bauernhäusern und Landgütern! Gefährliche Bergzinnen, zu denen man unter großen Mühen gelangt, von großen Gehölzen aus Kapernsträuchern umgeben, wo der Fels fast senkrecht zu einer Schlucht abfällt und sich zwischen rauhen Gebirgsketten ein finsteres, entsetzlich furchterregendes Tal öffnet. Terebinthenbäume, Maulbeerfeigenbäume, Wacholderbäume am Wegesrand, in deren Schatten ich häufig rastete, wie einst unsere Heilige Mutter Gottes auf ihrem Weg von Jerusalem nach Bethlehem oder wieder zurück! Nehelescol, welch üppiger Ort, wie anmutig das Flüßchen Cacho, ein ertragreiches Land mit dem besten Wein Palästinas, Honigfeigen, schönen Quitten und Granatäpfeln! Das Raphaimtal. Üppige, liebliche Täler mit zahlreichen Höfen und Weinbergen! Die Quelle, in der der Heilige Philipp den Kämmerer der Königin von Kandakien taufte, aus der so reichlich Wasser fließt, daß mit ihm viele Mühlen mahlen können, und um die herum Mauren und Christen ihre Höfe, Gärten, Weinberge und Olivenhaine haben! Die kleine Anhöhe des Propheten Habakuk, deren Ausblick die gegensätzlichsten Gefühle hervorruft: schaut man nach Norden, sieht man Jerusalem und spürt in der Seele eine mitleidige Trauer, eine nicht benennbare Melancholie, welche sich über das Herz legt und es bedrängt; den Blick nach Süden richtend, erkennt man Bethlehem und ist sogleich erfüllt von einer geistigen Freude, einer wundersamen, sanftmütigen Liebe. Der Tod und die Geburt! Die Geburt und der Tod! Warum starb er? War das notwendig? Er wäre nicht auferstanden... und die Auferstehung ist die Grundlage des Glaubens!... Sein, zu sein aufhören und wieder sein! Und ich? War ich jemals?... Wenn ich stürbe, wer stürbe dann mit mir?... Wenn ich auf den träfe, der aus mir aufersteht, jenen, den sie töteten?... Wie viel geringe als auch große Dinge ziehen an den Blicken der Erinnerung vorüber! ...

Gleich anschließend kommt Bethlehem, ein kleiner, verlassener Ort von zweihundert Seelen. Mauren- und Christenfamilien, arme, ja, bitterarme Menschen, vor allem die Mauren. Die Christen sind dem Griechischen Patriarchen unterstellt und, abgesehen vom vielen Aberglauben, den die Griechen überall pflegen, kommt bei denen, die hier leben, noch der viel ärgere hinzu, den sie von den Mauren übernommen haben. Mit jenen wachsen sie auf und leben sie ständig zusammen, und zwischen ihnen gibt es keinen Unterschied in der Kleidung, weder bei den Männern noch bei den Frauen, außer daß die Mauren um den Kopf ein kleines weißes Stirnband und die Christen ein gestreiftes tragen, wenn sie überhaupt eines tragen, denn nur wenige tun dies. Die armen Leute setzen nichts weiter als einen alten Hut gleich einem Helm auf den Kopf. Die Frauen sind alle nach Landesart gekleidet. Das Essen, die Gerichte, die Begräbnisse, die Totenklage, die Feiern, Vertragsabschlüsse und Hochzeiten, alles ist gleich bei ihnen. Dies ist nicht nur hier der Fall, sondern überall dort, wo sie vermischt miteinander leben. In Bethlehem sind die Christen besser mit dem Lebensnotwendigen versehen. Sie betreiben Landwirtschaft, säen viel Weizen, besitzen große und gute Weinberge. Die Weinstöcke in der Umgebung von Bethlehem und der ganzen Gegend tragen sehr gut, vor allem die Assyrertraube, aus der sie mit Erlaubnis des örtlichen Kadis einen vorzüglichen Wein machen, wenngleich er in ganz Palästina weder auf dem Markt noch in Schenken verkauft wird. In der Umgebung, neben den üppigen Weinstöcken, das Grau der Olivenbäume und die breiten, fast den Boden berührenden, schattenspendenden Kronen der honigtropfenden Feigenbäume.

Außerhalb des Ortes, einen guten Steinwurf weit, liegt der von hohen Mauern umgebene Hof oder Kirchvorplatz der Marienkirche von Bethlehem und unseres Klosters. Im südlichen Teil große Gebäude, in welchen zur Zeit der Christen der Bischof von Bethlehem lebte. Daneben die Ruinen einer Kirche. Geht man von den sechs noch stehenden Säulen aus, so muß diese sehr schön gewesen sein. Im Hof eine große Zisterne, welche fast den ganzen Raum einnimmt, mit drei Einfassungen aus schön bearbeitetem Stein. Ihr Wasser diente den Anwohnern zu allem. Es gibt in der Umgebung keine andere, außer der Zisterne Davids, welche wenig Trinkwasser hat und außerdem nur vier Monate im Jahr. Ganz am Rande des Hofes, im Osten, liegt eine kleine, sehr enge, etwa fünf Handbreit hohe Tür, durch die man mit viel Mühe tritt, um dann vor dem Hauptportal der Kirche zu stehen, das gewaltig, hoch und auf antike Art gestaltet ist.

Bruder D. João Soares hatte sich, da er dick war, gerade mühsam durch den engen Eingang gezwängt und richtete sich nun, auf meine Hand gestützt, auf und blickte auf das monumentale Portal. Die anderen Pilger folgten ihm.

Er verstünde das nicht! Warum ein so enger Eingang, um schließlich auf dieses riesige Portal zu stoßen? fragte mich, noch immer auf meinen Arm gestützt, der Bischof von Coimbra. Ob ich es ihm erklären könne.

«Dieser Hof und dieses Gebäude haben sich», antwortete ich, «wie durch ein Wunder über die Wechselfälle der Zeit hinweg gerettet. Der ursprüngliche Plan stammt aus dem Jahre 540, aus der Zeit des Kaisers Konstantin. Als die Perser im Jahre 614 hierherkamen, wurde diese Kirche allein deshalb verschont, weil an dem Portal die Heiligen Drei Könige dargestellt waren... in persischer Tracht!»

«Mirabile visu!»

«Nachdem sie mit der Zeit verfallen war, baute sie Justinian wieder auf. Der Hof, durch den wir gegangen sind, stammt aus seiner

Epoche. Dieser Eingang war noch großartiger. Er besaß drei Tore, welche von einem Tympanon gekrönt waren. Zur Zeit der Kreuzzüge und später in der Türkenzeit wurde er verkleinert...»

«Aber wozu eine solche Verengung?»

«Die christlichen Gemeinden haben den Eingang verengt und den Zugang erschwert, um zu verhindern, daß die Türken in die Basilika hineinritten.»

Bruder D. João Soares schaute noch zu dem mächtigen Portal empor und während er sich aufrichtete, sagte er mit einem blassen Lächeln, den Blick auf die kleine Tür gerichtet:

«Aber das war doch auch wieder nicht nötig.»

Das Innere der Kirche, welche den Griechen unterstand, ist ein erstaunliches Werk. Rechts, wenn man eintritt, sieht man ein reiches Baptisterium, doch es sind die fünf Schiffe der Kirche, welche unsere Aufmerksamkeit auf sich ziehen und durch vier Reihen dicker, schöner und hoher Säulen aus Jaspis voneinander getrennt werden, auf denen jeweils ein Apostel, Prophet oder Stammvater abgebildet ist. Da es ihrer vierzig sind, erhielt eine jede das, was sie am ehesten zierte, doch nimmt das Alter den Bildern viel von ihrem Glanz. Im Mittelschiff verläuft von den korinthischen Kapitellen bis zur Dekke eine Wand, welche auf mächtigen Libanonzedern ruht und mit einem kostbaren Mosaik geschmückt ist, das Geschichten aus dem Alten und dem Neuen Testament und die vier Stammkirchen der Urchristenheit darstellt: Antiochia, Konstantinopel, Alexandria und Jerusalem.

Über dem Hauptportal zeigt ein anderes Mosaik den Baum Jesse mit sehr großen, der Bewunderung würdigen Gestalten. Die Decke besteht aus kräftigsten Zedernbalken, die mit den sonderbarsten Ornamenten und feinstem Schnitzwerk versehen sind. Alles ist mit Gold und Blau überzogen und das Dach mit Blei beschichtet. Die Wände zu beiden Seiten waren ursprünglich vollkommen mit grünem und rotem Jaspis und vielen kostbaren Steinen in anmutigen Zusammenstellungen verziert, darunter auch kunstvolle Perlmutteinfassungen. Doch das Beste davon haben die Türken für ihre Moscheen herausgenommen.

Drei Chöre oder Kapellen: der Hochaltar und zwei Seitenkapellen. Alle mit mosaikbedeckten Gewölben und Wänden, welche mit den gleichen Edelsteinen und Perlmutt geschmückt sind wie die des Kirchenschiffs. Linker Hand vom Eingang der Kirche liegt die Hauptpforte des Klosters, das der Heilige Hieronymus gegründet hat, als er sich zurückzog, um die Heiligen Schriften zu studieren und sie aus dem Hebräischen, Chaldäischen und Griechischen in das Lateinische zu übersetzen. Dort leben jetzt unsere Franziskanermönche.

In tiefem Schweigen folgen die Pilger und betrachten dieses wunderbare Gebäude. Unsere Schritte klingen auf den Fliesen am Boden und hallen dort in der Höhe wider. Man spürt so etwas wie die Anspannung der Erwartung, endlich in die Geburtsgrotte zu kommen, in die man durch die Katharinenkriche gelangt, welche sich in unserem Kloster befindet. Schon sind alle auf dem Wege dorthin. Vielleicht weil ich neugieriger bin oder genauer beim Betrachten der Dinge und dem Notieren von Einzelheiten und wegen meines Reisetagebuches so weit gehe, Maß zu nehmen, Mengen aufzuschreiben und Geringfügigkeiten festzuhalten, – ich war gerade dabei, dies in der Kapelle des Hauptaltars zu tun – war ich plötzlich allein. Ich gehe das Mittelschiff, an den Säulen zu meiner Rechten entlang, hinunter und bemerke den Bodenbelag der Kirche, welcher aus so edlen und schimmernden Steinen besteht, daß sie die, welche ihn zum ersten Male sehen, mit ihrem Glanz irreführen: man sieht auf ihnen die Wandbemalungen wie in kristallenen Spiegeln. Ich bleibe stehen, um die Wirkung zu genießen. Auch mein Bild spiegelt sich darin, wobei sich neben ihr, etwas weiter zurückliegend, eine Säule mit der Gestalt eines Propheten reflektiert, der glatzköpfig ist und dessen Bart zu beiden Seiten des Gesichts bis eine Handbreit unter das Kinn herabfällt, wo er zu einem langen Spitzbart zusammenläuft. Und plötzlich scheint es mir, als löste sich diese Figur von der Säule, machte zwei Schritte und stellte sich neben mich. Ich hatte kein Geräusch gehört, doch jemand ist dort und sagt zu mir in korrektem Portugiesisch:

«Endlich treffe ich Euch, Bruder Pantaleon!»

Ich hatte schon lange damit gerechnet, ihn jederzeit aus dem Nichts hervortreten zu sehen, so daß ich nicht erschrak und ihn sogleich erkannte, obwohl ich ihn nie zuvor gesehen hatte.

«Isac Beiçudo!»

«Bensaúde», verbessert er mich mit einem Lächeln. «Euch zu Diensten! Doch ich bitte Euch, leise zu sprechen, damit niemand uns hört...» und er blickte in alle Richtungen, um sich zu vergewissern, daß wir allein waren.

«Warum so viel Heimlichkeit?» fragte ich flüsternd.

Aus dreierlei Gründen. Erstens, weil niemand uns zusammen sehen dürfe. Zweitens, weil daß, was er mir zu sagen hätte, niemand außer mir wissen dürfe. Drittens, ... und wieder blickte er ängstlich zwischen die Säulen. Wir waren mutterseelenallein in der Kirche, die Pilger waren alle in der Hauptpforte des Klosters verschwunden. Dennoch zog mich Isac am Arm und führte mich in eine dunkle Ecke.

«Wollt Ihr Euch nicht erklären?»

Er wolle sich ganz kurz fassen, sagte er mir ins Ohr, und in knappen Sätzen. Ich solle im Schweigen und Zögern, in seinen Augen und seinem Gesicht lesen... und alles gut im Gedächtnis bewahren. Nichts dem Papier anvertrauen. Wenn man uns zusammen sähe...

Seine Augen glänzen seltsam. Er führt die Hand an sein Herz und legt sie dann auf mein Herz. Große Gefahr, fährt er im gleichen Flüsterton fort. Er sei in Diensten Portugals. Korrespondiere mit unserem Botschafter in Rom, D. Álvaro de Castro... Ob er Spion sei, fragte ich ihn. Es reise überall umher, nach Indien, Persien, Äthiopien, in die Türkei, nach Ägypten, Italien... übermittele tausend Einzelheiten.. Sie seien wichtig für unser Land... Wenn der Sultan dies wüßte, würde er ihm den Kopf abschlagen...

«Seid Ihr ein Spion Portugals?»

Er wechselte das Thema. Ich hätte große Feinde, ohne es zu wissen. Ich solle niemandem vertrauen..

«Wie kann ich Euch da vertrauen? Wer schickt Euch?»

Und er? Vertraue er mir nicht, wenn er mir dies alles sage, was er sonst niemandem anvertraue? Ich müsse riskieren, ihm zu vertrauen... Ob ich Sara und Jakobus kennte?

«Ja. Es sind meine Freunde... und mehr noch als Freunde, denke ich.»

«So sollen sie meine Empfehlung sein.»

«Bringt Ihr mich zu ihnen?»

«Deshalb bin ich hier. Hört mir genau zu.»

«Ja.»

In etwa einem Monat, wenn er eine wichtige Mission erfüllt habe, werde er mich holen und in den Norden mitnehmen... Meister Jakobus fühle sich alt und habe Angst zu sterben, ohne vorher mit mir gesprochen zu haben...»

«Woher weiß er, daß ich ins Heilige Land kommen würde? Woher weiß er, daß ich hier bin?»

Lange schon würden meine Schritte überwacht...

«Warum, mein Gott! Warum denn?»

Ich solle zur Abreise gerüstet sein. Er werde mir in Jerusalem ein Zeichen geben.

«Warum sagt Ihr mir nicht gleich, was ich wissen will?»

Nicht einmal er wisse es! Selbst Sara wisse nicht alles!... Es müsse ein großes Geheimnis sein!... Allein Jakobus... und er werde es nur mir sagen...»

Eine Tür knarrte hinten in der verlassenen Kirche.

«Lebt wohl»,sagte Isac hastig. «Ich muß gehen. Seid wachsam!»

Er verschwand im Dunkeln. Es war, als habe er sich wieder in die Gestalt des auf der Jaspissäule dargestellten Propheten zurückverwandelt: eine glänzende Glatze und ein spitz zulaufender Bart. Sollte ich geträumt haben?

Aus unserem Kloster kommend, erschien Bruder D. João Soares in der Begleitung Bruder Zedillos hinten in der Kirche. Die Pilger kamen auch herein. Ich näherte mich und ließ alsbald in das Gespräch einfließen, daß mein Aufenthalt im Heiligen Land zu Ende ginge und ich in etwa einem Monat nach Norden reisen würde, um in Tripoli ein Schiff zurück nach Zypern zu nehmen, da dies zu jener Jahreszeit in Japho nicht möglich sei.

«Warum die Eile?» fragte der Bischof von Coimbra befremdet.

«Aber habt Ihr mir nicht gesagt, Ihr hättet noch vor, den Jordan und das Tote Meer zu besuchen?» fragte seinerseits Bruder Zedillo.

«Ja. Das werde ich auch tun. Wollt Ihr mitkommen? Ich werde auf einen Sprung nach Jerusalem reisen, um Bruder Bonifazius um seine Zustimmung zu bitten.»

«Ich bin aber hier doch noch Guardian. Das wird schwierig sein.»

«Einer Abwesenheit von zwei oder drei Tagen wird das Guardiansamt nicht im Wege stehen.»

«Das ist wahr. Ich werde mit Euch reisen.»

In der Abmachung, welche die Pilger in Venedig mit dem Schiffsherrn treffen oder mit demjenigen, der dafür verantwortlich ist, ist das Versprechen eingeschlossen, daß er sie auch nach Bethlehem, nach Hebron und an den Jordan und andere Stätten führt. Da aber Reittiere und andere Ausgaben dafür nötig sind, wird die Reise nach Hebron einfach vergessen und der Besuch des Jordan ebenfalls übergangen. Sie suchen immer Vorwände und Hindernisse, zum Beispiel sagen sie, daß die Gegend von Arabern nur so wimmelt, es sei zu heiß, ein Wetter, das dazu angetan ist umzukehren, und ähnliche Entschuldigungen. Sie betrügen die Pilger um ihre Andacht und nehmen ihnen ihr Geld ohne Gegenleistung ab. Und da jene sich unter Ungläubigen befinden, genug vom Meer haben, bringt sie jeder fadenscheinige Grund zum Schweigen. Doch Bruder Zedillo und ich waren nicht faul, wenn es darum ging, eine gute Gelegenheit zu einer Reise und einem Besuch jener Heiligen Stätten zu nutzen, da wir, was die Zeit und unsere Wünsche betraf, eine besondere Freiheit genossen.

Um von Jerusalem an den Jordan zu reisen, sollte man auf viele Mühen und große Gefahren vorbereitet sein, nicht allein weil der Weg lang ist, denn es sind nicht mehr als neun Meilen, sondern weil er rauh und gefährlich ist. Er wird von Arabern unsicher gemacht, deren Händen nur wenige entkommen, es sei denn sie werden von vielen begleitet. Wenn die Pilger, die aus Frankenland kommen, beschließen, an den Jordan zu fahren, empfiehlt es sich, für sie eine gute Wache mitzunehmen, mindestens vierzig bis fünfzig Personen, zu Fuß oder zu Pferde, mit ihren Bogen und Waffen, wobei sie immer damit rechnen müssen, jene zu bezahlen und ihren Wünsche nachzukommen. Doch selbst dann sollten sie sich erkundigen, wie es um das Land bestellt ist, und wenn es nicht sicher ist, die Reise aufgeben.

Bruder D. João Soares hatte alle Anstrengungen unternommen, damit eine Pilgerfahrt zum Heiligen Fluß durchgeführt würde, doch trotz seines Einflusses und des Gewichtes all seines Goldes war es ihm nicht gelungen, den Schiffsherrn umzustimmen.

«Ich habe nichts bei ihm erreicht», sagte er entmutigt zu uns. «Ich werde heute noch in Jerusalem sein, denn ich habe dort eine Zusammenkunft mit dem Guardian.»

«Daran habe ich auch schon gedacht. Von dieser Seite her gibt es keinerlei Hoffnunng!» sagte ich zu Bruder Zedillo. «Die Pilger haben schon aufgegeben und der Schiffseigner hat alles getan, um ihnen Hindernisse in den Weg zu legen.»

«Wie ich gehört habe, ist dergleichen schon vor zwei Jahren geschehen. Was können wir tun?»

«Wir müssen irgendein anderes Mittel finden, um unser Vorhaben durchzuführen.»

«Aber welches?» fragte mein Gefährte ungeduldig.

«Unser Syndikus hat mir einmal gesagt, daß vor einigen Jahren unser Guardian im Heiligen Land mit vier oder fünf Mönchen, seinen besonderen Freuden, auf Vermittlung einiger griechischer Mönche des Klosters des Heiligen Sabas an den Jordan gereist ist, welches in der Nähe des Toten Meeres liegt. Wenn es uns gelänge, auf dem selben Wege dahin zu kommen...»

«Wartet!» rief Bruder Zedillo mit hoffnungsvoll glänzenden Augen aus. «Gerade heute sind einige Mönche aus diesem Kloster in Bethlehem angekommen, um sich wie gewohnt mit Nahrungsmitteln zu versorgen.»

«Deo gratias! Laßt uns mit ihnen sprechen.»

Die Pilger traten durch den Eingang mit dem Portikus aus der Kirche. Bruder D. João Soares entfernte sich und ging, leise mit einem seiner Sekretäre oder Meßdiener sprechend, das Kirchenschiff hinunter. Wir suchten die Mönche des Sabas-Klosters auf. Wir trugen ihnen unsere Wünsche vor und baten sie demütig darum, uns zu helfen und ihre Gunst zu erweisen. Auf unsere Bitten und den ehrerbietigen Empfang hin, den wir ihnen in unserem Kloster bereiteten, boten sie sich an, uns in allem unverzüglich behilflich zu sein. Wenn sich die Gelegenheit ergebe, würden sie uns ihre Kutten schicken, damit wir in dieser Verkleidung, ungefährdeter in ihr Kloster kommen könnten. Dort, sagten sie, würden sie alle Vorbereitungen für unsere Reise an den Jordan treffen, auf daß all unsere Wünsche gänzlich erfüllt würden. Ich verabschiedete mich von ihnen und meinem Gefährten, denn ich wollte die Gesellschaft der Pilger bei der Rückreise nach Jerusalem nützen. Als ich durch die Hauptpforte unsres Kloster wieder in die Marienkirche ging, war das Kirchenschiff verlassen, doch in einer dunklen Ecke hörte ich ein Wispern: der Meßdiener des Bischofs sprach vertraulich mit einem Christen aus dem Ort, den ich schon mehrere Male dort gesehen hatte. Ich lachte innerlich, weil ich dachte, daß Bruder D. João Soares nicht jemand war, der seine Pilgerfahrt an den Jordan so einfach aufgab.

Ich ging nach Jerusalem. Bruder Zedillo blieb in seinem Guardiansamt in Bethlehem. Vierzehn Tage waren vergangen, und von den griechischen Mönchen war noch keine Nachricht gekommen. Ich schrieb an meinen Gefährten, daß wir ein anderes Mittel finden müßten, wenn die Mönche uns im Stich ließen, denn da bereits Oktober war, finge, wenn wir noch länger aufgehalten würden, unser Advent an, der zu Allerheiligen mit dem vorgeschriebenem Fasten beginnt, und mit ihm das winterliche Wetter, welches verhinderte, was wir so sehnlichst wünschten. Wir kamen beide zu dem Schluß, daß es gut wäre, uns auf gut Glück zu den griechischen Mönchen zu begeben, ohne noch länger auf eine Nachricht von ihnen zu warten.

Wir konnten diese Reise nicht machen, ohne Pater Bonifazius, unseren Superior und Prälaten, davon zu unterrichten. Wir befürchteten, daß er sie uns abschlagen würde, weil sie so gefährlich war. Ich bat ihn um die Erlaubnis, nach Bethlehem zurückkehren zu dürfen, obwohl ich erst vor wenigen Tagen von dort gekommen war, unter dem Vorwand der Melancholia, die mich peinigte. Er gab sie mir voller Vergnügen, denn seine lange Erfahrung hatte ihn gelehrt, daß es sich in jenen Gegenden empfiehlt, die Dinge nicht zu eng zu sehen und den Mönchen dort gefällig zu sein, wo es nicht gegen die Ordensregeln verstößt. Als er sah, daß ich zögernd neben ihm stehen blieb, fragte er:

«Ich fühle, daß Ihr mir noch etwas sagen wollt. Worum geht es?»

«Mein Vater...», begann ich und unterrichtete ihn von meinem Wunsch, diese Reise zu machen. Die so gefährlich sei, hielt er mir entgegen. Doch so fromm, beharrte ich. Wir befürchteten ins Frankenland zurückzukehren, ohne sie gemacht zu haben, was eine Schande sei und uns sehr bekümmerte. Bruder Zedillo, der gerade seine Guardianszeit in Bethlehem beendete, und ich hätten gedacht, zu den Mönchen vom Sabas-Kloster zu reisen und uns von dort mit deren Hilfe auf den Weg zu machen. Wir bäten ihn darum, so gütig zu sein, uns diesen Wunsch erfüllen.

Bruder Bonifazius lächelte gütig und sagte, indem er mir einen Arm um die Schulter legte:

«Nichts wünsche ich so sehr, als daß Euch Tröstung zuteil werde, und Ihr, Bruder Pantaleon, müßtet dies seit langem bemerkt haben, denn ich habe mich immer bemüht, Euch die Freundschaft zu zeigen, die ich für Euch hege. Gerade deswegen rate ich Euch von dieser Reise an den Jordan ab. Sie ist zu riskant.»

«Ach, Vater Bonifazius!» rief ich betrübt.

Die Mühen und die Gefahr seien größer als wir gedacht hätten..

«Aber wir werden als griechische Mönche verkleidet gehen.»

Selbst so sei die Gefahr zu groß...

«Ihr gebt uns die Erlaubnis nicht?»

Er riete uns davon ab, was etwas anderes sei.

«Dann laßt Ihr uns also reisen?» fragte ich voller Hoffnung.

Er wolle uns das Vergnügen nicht nehmen, damit wir die Freundschaft, welche er uns bislang gezeigt habe, nicht als nur vorgegeben betrachteten. Wenn wir uns dennoch entschlössen zu reisen, folgten wir indes unserem und nicht seinem Dafürhalten...

«Seid Ihr uns nicht böse?»

Nein, aber bis zu unserer Rückkehr würde er sich die ganze Zeit, Tag und Nacht, Sorgen machen...

«Es wird schon nichts geschehen, seid dessen gewiß. Gebt mir Euren Segen! Ich werde nach Bethlehem gehen und mich Bruder Zedillo anschließen.»

«Einen Augenblick noch! Ich möchte Euch um einen Gefallen bitten: weder die Mönche in Jerusalem noch die in Bethlehem dürfen von Eurer Reise etwas erfahren.»

«So wird es sein.»

Und falls es dennoch auf dem einen oder anderen Wege herauskäme, so sollte zumindest niemand wissen, daß es mit seiner Zustimmung geschehen sei. Andernfalls hätten sie Gund genug, sich über ihn zu beschweren. Einige von ihnen lebten schon seit so vielen Jahren hier und es sei ihnen nie gelungen, an den Heiligen Jordan zu reisen. Was würden die sagen? Daß er uns bevorzugte, weil wir, der eine Portugiese und der andere ein Spanier, weltläufige Herren seien, und sie verachtete, weil sie nur Italiener seien...

Er könne ganz beruhigt sein, versprach ich ihm. Unsererseits werde alles so gemacht, wie er es befohlen habe. Was die Mühen oder die Gefahren beträfe, von denen er spreche, so hätten wir alles genau bedacht und die Freude, dies alles überstanden zu haben, werde hinterher umso größer sein.

«Der Herr segne Euch und sei mit Euch!»

Am selben Nachmittag noch brach ich nach Bethlehem auf in Begleitung unseres Dolmetschers namens Aná, welcher mir eine Nachricht von meinem Gefährten überbracht hatte. Bruder Zedillo empfing uns freudig, obwohl ich, wie man so sagt, schon ein Gewohnheitsgast war. An jenem Abend besprachen wir, wie unsere Reise am besten durchzuführen sei. Jetzt, wo die Dinge an den Punkt gelangt waren, wo sie sich verwirklichen sollten, begann Bruder Zedillo ängstlich zu werden:

Und wenn wir die Reise auf die kommende Woche verschieben würden?

«Aufschieben? Mir gefällt ein so langer Aufschub nicht. Es könnte irgend etwas Unvorhergesehenes auf dem Hinweg geschehen...»

Am folgenden Tag ging ich bei Tagesanbruch nach Bethlehem, sammelte einige Leute, welche uns als Wachen bis zum Kloster des Heiligen Sabas begleiten sollten, unter ihnen einen Mauren namens Lupo, der größte Dieb der Welt, aber den Mönchen sehr wohl gesonnen. Jene setzten keinerlei Vertrauen in ihn, zahlten ihm indes alljährlich etwas Tribut, da viele ihn für einen Tributeintreiber hielten. Die Christen in der Gruppe waren alles Freunde des Hauses. Der Älteste, halb Christ, halb Maure, war ein Mann namens Mussah, die anderen, Josef, Aná, unser Dolmetscher und sein Sohn, Almansor, Bocali und ein sehr ehrwürdiger griechischer, verheirateter Diakon. Ich kehrte zufrieden nach Hause zurück, denn ich hatte die Verhandlungen gut geführt, und die Abreise wurde für die kommende Nacht vereinbart.

Am selben Nachmittag, als ich mit meinem Gefährten über den Platz vor der Hieronymuskirche ging, warf jener absichtlich mit einem Stein nach einem Hahn und tötete ihn. Er befahl, daß man ihn mir für das Nachtmahl braten möge. Die Christen kamen an und ich ließ ihnen den Hahn auftragen, welcher für mich zubereitet worden war. Unter Dankesbezeugungen aßen sie ihn zur Unzeit, wie sich im weiteren herausstellten sollte.

XII

Die Geisterstadt

> ...«vidit omnem circa regionem Jordanis, quae universa irrigabatur, antequam subverteret Dominus Sodomam et Gomorrham, sicut paradisus...»
>
> ...«er besah die ganze Gegend am Jordan, denn bevor der Herr Sodom und Gomorra zerstörte, war sie wasserreich gewesen wie das Paradies.»
>
> (*Gen.*, 13.10)

Es mag eine Stunde nach Einbruch der Dunkelheit gewesen sein, als wir aus dem Haus gingen, zusammen mit einem weiteren Pater namens Benediktus, welcher gut mit uns befreundet war und aus Sant' Agata, einer Stadt bei Mailand, stammte. Wir führten etwas Mundvorrat und einige Dinge mit uns, die wir den griechischen Mönchen mitbringen wollten. Als wir durch das Klostertor gingen, sagte Bruder Zedillo leise zum Bruder Pförtner:

«Bruder Vincent, sagt auf gar keinen Fall, wohin wir gehen. Wenn man Euch fragt, sagt, Ihr würdet vermuten, wir seien nach Thekoa zum Taubenjagen gegangen, wie wir es manchmal zu tun pflegen.»

«Ich werde tun, wie Ihr mir geheißen habt, mein Vater», sagte der Pförtner mit einer Verbeugung.

Wir gingen in tiefem Schweigen, denn in der Nähe des Ortes kommt es häufig vor, daß die Araber wie Wölfe dort ihren Schlupfwinkel suchen, wo sie ihn am besten vorbereitet finden. Wir wanderten eine ganze Meile, ohne daß jemand ein Wort gesprochen hätte. Da unsere Wachen den Weg und alle seine Pfade und Abkürzungen sehr gut kannten, legten wir ihn schneller zurück, als wir erwartet hatten.

Es ist ein Wandern ohne Weg und Steg, denn sie führen uns durch Gestrüpp und so rauhe Gebirgsgegenden und Schluchten, daß wir stumm voranschreiten, und die Nacht läßt alles noch gefährlicher erscheinen. Die Wachen gehen immer voran, ohne ein Wort, mit entblößtem linken Arm. Doch als der Weg frei und eben ist, sprechen sie in ihrer arabischen Sprache über den armen Hahn, den sie zu Abend gegessen hatten. Auf ihrem Gewissen lastet der Zweifel darüber, ob der Hahn erstickt oder geköpft worden war. Denn in allen diesen Nationen gilt es als schwere Sünde, etwas zu essen, was erstickt wurde, worin sie die Juden und Mauren nachahmen. So groß sind der Zank und der Streit um den Hahn, daß es uns, von denen sie wissen, daß wir sie nicht verstehen, eher vorkommt, als kämpften sie miteinander, als daß sie diskutierten.

«Was wollen sie denn?» frage ich Aná, welcher heimlich bei uns an der lateinischen Messe teilnimmt.

«Es ist wegen des Hahnes!» antwortet er und deckt uns den ganzen Streit auf.

«Mein Gott», ruft Bruder Zedillo betrübt aus. «Immer wenn ich ein Tier töte, damit man es ißt, gibt es Komplikationen. Letztes Mal in Kreta waren es die Spanferkel zur Fastenzeit. Jetzt der Hahn! Wie soll ich's bloß anstellen?»

Das Ergebnis der Diskussion war, daß sie, sobald sie nach Hause zurückgekehrt seien, in Jerusalem ihrem Patriarchen berichten wollten, wie alles geschehen sei, wobei sie ihre Unschuld bewiesen, ihre Schuld beichteten und sich zu jeglicher Buße bereit erklärten.

«Da seht nur», bemerke ich, «worin sich das Christentum dieser Griechen gründet und womit es sich beschäftigt und welches ihre Gewissensfragen sind!...»

Sie verstummen wieder, als gefährliche Wegstrecken auftauchen, haben die Ohren gespitzt und sind jederzeit kampfesbereit. Wir folgen eilig und, der Stellung der Himmelswächter zufolge etwa zur Mitternacht, stoßen wir, in ein wahrlich furchterregendes langes Tal eintretend, auf die Abtei der griechischen Mönche. Unsere Begleiter rüsten sich für alle Fälle in der Gewißheit zum Kampfe, hier auf Araber zu treffen, weil dies der hierfür geeignetste Ort ist und in der Nähe die Zeltlager sind, wo jene mit ihren Frauen und Kindern wohnen. Doch Gott sei Dank geschah nichts dergleichen.

Als wir uns der Abtei nähern, geht der Diakon Benediktus voran. Er kennt die griechischen Mönche besser als die anderen.

«Mönche! Mönche!» ruft er laut. Diese Stimme, die nachts in dem verlassenen Tal zwischen den rauhen Bergen ertönt, jagt einem Angstschauer über den Rücken.

«Mönche! Mönche!» brüllt er immer wieder.

Auf das Rufen hin eilen sie auf einen hohen Turm, welcher ein wenig abseits des Klosters liegt und in welchem sie wegen der Araber tags und nachts Wache halten und Waffen haben.

«Wer kommt da?» rufen sie von oben.

«Christen, bei Gott! Aus dem Kloster des Heiligen Hieronymus in Bethlehem!»

Vom Turm aus geben sie denen im Kloster ein Zeichen, und eilig erscheint der Abt mit fünf oder sechs alten Mönchen am Tor. Als sie uns erblicken, werfen sie sich uns zu Füßen und erbitten unseren Segen. Als wir etwas für uns so Neues und Ungewohntes sehen, nämlich so ehrwürdige weiße Häupter zu unseren Füßen, vor allem das des Abtes, welcher einen schneeweißen Bart hat, der ihm bis zur Taille reicht, werfen wir uns wiederum ihnen zu Füßen, gerührt um ihren bittend.

«Ihr seid die Priester!» sagen sie. «Euch kommt es zu, uns den Segen zu geben. Wir sind Laienbrüder.»

Wir beharren darauf, und da keine Seite nachgeben will, umarmen wir einander knieend und erheben uns. Der Abt, welcher Cali heißt, befiehlt sofort, in einem Gästehaus außerhalb des Klosters ein großes Feuer anzuzünden und dort Lupo und seine beiden anderen maurischen Gefährten zu beherbergen und ihnen alles Notwendige zuteil werden zu lassen. Und drinnen empfängt uns, nachdem das Tor geschlossen ist, die gesamte Gemeinschaft.

Es war noch keine Viertelstunde vergangen, da bringen sie heißes, stark duftendes Wasser, um uns die Füße zu waschen. Wir versuchen, uns zu sperren: der Weg sei nur kurz gewesen und außerdem… «müssen wir morgen weiterwandern!»

Seine Demut ist so groß, daß er uns zwingt, sein Liebeswerk anzunehmen, und nachdem ein Becken vor einem von uns aufgestellt ist, kniet der ehrwürdige Abt Cali nieder, um uns die Füße zu waschen, und ein Diakon mit einer Stola über der Schulter und einem Krug voller Wasser in der Hand, gießt es behutsam aus, wie man es tut, wenn man die Hände waschen will. Rundherum singen die anderen Mönche andächtig Psalmen in griechischer Sprache. Ich bin bis in die Tiefen meiner Seele ergriffen. Ich sehe mich bei den alten Klostermönchen in der thebaischen und sketischen Wüste, wie ich es in der *Vitae Patrum*, die der Heilige Hieronymus geschrieben haben soll, und auch beim Heiligen Johannes Climacus und in den *Colationes* des Cassianus gelesen habe...

Von dort geleiten sie uns ins Refektorium, wo sie uns zu essen nötigen. Wir wehren es ab.

«Zu so später Stunde... Wir brauchen vor allem Schlaf!»

Es hilft nichts. Der Abt und die beiden ältesten Mönche des Klosters setzen sich mit uns an den Tisch. Sie nehmen sich zuerst, damit wir keine Ausflüchte haben. Gekochten und, wie ich glaube, aufgewärmten getrockneten Fisch, Oliven, in der Sonne getrocknete Weinbeeren und Feigen und Wasser aus der Zisterne. Es ist gewiß für diese gelobten Mönche etwas noch nie Dagewesenes und Befremdliches, sich zu einer solchen Stunde mit uns an einen Tisch zu setzen und zu essen. Für uns ist das sehr anrührend, denn wir wissen wohl, daß sie hier in der Wüste leben und ständig strengste Abstinenz einhalten. Ihre christliche Nächstenliebe bringt sie dazu, etwas so Außerordentliches für ihre ausländischen Gäste zu tun, nämlich jenen, die sie beherbergen, mit so großer Demut die Füße zu waschen und sich mit ihnen zum Essen an den Tisch zu setzen, um sie noch zusätzlich zu ermuntern!... Wie weit entfernt von diesem christlichen Geist leben so viele Mönche unserer lateinischen Kirche! Wenn sie den Fremden unerwartet zur Tür hereintreten sehen, scheint ihnen nicht, wie es eigentlich sein sollte, Jesus Christus hereinzukommen, wohl aber großes Ungemach!...

Die Lager, zu welchen sie uns zum Schlafen und Ausruhen führen, sind alte, auf dem Boden ausgebreitete Teppichreste, die Dekken und Laken ihre Kutten und Leibröcke. Weitere Aufmerksamkeiten gestattet ihnen die rauhe Wüstengegend nicht. Dennoch schlafen wir, müde wie uns eine Wanderung gemacht hatte, welche nicht nur unmenschlich war, sondern hastig und fast im Laufschritt... Wir sind kaum eingeschlafen, als die Christen unter unseren Begleitern kommen und uns um die Erlaubnis bitten, vor Anbruch des Tages zurückkehren zu dürfen.

«Ihr könnt gehen», sage ich zu ihnen. «Wenn wir zurückkehren, werden wir Euch unseren Dank abstatten.»

«Sagt niemandem, wo wir sind!» es war Bruder Zedillo, der zwischen den Decken seinen schlaftrunkenen Kopf und die langsame Stimme erhob.

«Bis zu unserer Rückkehr werden wir nicht ins Kloster kommen. Lebt wohl!»

Als der Tag anbricht, gehen wir in die Kirche, um unseren Stundengebeten und weiteren Verpflichtungen und Andachten nachzukommen. Der Abt Cali gesellt sich zu uns.

«Kommt», sagte er und nahm uns sehr liebevoll und ehrerbietig bei der Hand. «Ich werde Euch zu einer kleinen Kapelle oben im Haus führen, in der es einen Altar gibt, auf dem Ihr die Messe lesen könnt, wenn Ihr wollt.»

Es ist eine winzige, in den nackten Stein gehauene Kapelle. In den Altar und die Wände sind kleine weiße, schwarze und rote, rosenfarbene und gelbe Marmorsteinchen eingelassen, welche sich zu geometrischen Ornamenten in byzanthinischem Stil zusammenfügen. Der Staub auf dem Fußboden und dem Altar, einige armselige Leuchter ohne Kerzenstümpfe, eine Lampe ohne Docht und Öl, alles weist darauf hin, daß hier seit langem schon keine Gottesdienste mehr abgehalten werden. Wir wissen, daß die Griechen auf gar keinen Fall zulassen, daß ein lateinischer Priester die Messe auf ihren Altären liest, und verstehen die fromme Absicht des Abtes.

«Ich habe Hostien von den Eurigen», sagt er zu uns, «wenn sie auch schon sehr alt sind.»

Bruder Zedillo, wenig diplomatisch, will gerade den Mund aufmachen, und ich sehe in seinen Augen, daß er etwas Dummes sagen könnte, wenn ich nicht eingreife.

«Bester Abt», mische ich mich ein, «wir sind Euch zutiefst dankbar für Euren ausnehmend guten Willen und den Wunsch, es uns an nichts fehlen zu lassen, damit wir unseren rituellen Verpflichtungen nachkommen können. Doch, zum einen sind wir sehr müde, was unsere Frömmigkeit mindert, zum anderen nehmt es uns nicht übel, wenn wir die Messe nicht an einem Ort lesen, welcher nicht so sauber und würdig ist, wie es einem derart hohen Sakrament entspricht.»

Der Abt schweigt, da er merkt, daß wir verstanden haben, warum er uns nicht eine entsprechende Kapelle zur Verfügung gestellt hat, und dies so gut er konnte überspielend, führt er uns zu zwei Mönchen, welche neben dem Abt als einzige etwas Italienisch sprechen, damit sie uns begleiten und das Haus zeigen.

Das Kloster ist sehr groß und trutzig, so in den Fels gebaut, daß es wie eine uneinnehmbare Festung erscheint mit seinen vielen kleinen Forts und Nischen, welche oben, unten und unter der Erde zum Teil direkt in den Fels gelassen sind, doch alles planlos und ohne Ordnung. Einen guten Pfeilschuß vom Kloster entfernt liegt der hohe Turm, in welchem es Feuerbüchsen, Schleudern und viele Steine zum Werfen gibt. Sie gelangen vom Haus durch einen in den Fels gehauenen Schacht dorthin, welcher streckenweise unwegsam und zum Teil schlecht zu finden ist. Durch ihn hindurch führten sie uns unter nicht wenigen Mühen unsererseits und zeigten uns die vielen Geheimnisse der Abtei und ein Labyrinth von Gängen. Hinter dem Kloster, längs des gesamten Tales, das eine gute Meile von einem Ende zum anderen mißt, liegen an den Hängen der zwei hohen Berge, die jenes bilden, zahlreiche wie Vogelnester in den Fels gehauene oder mit vielfältiger menschlicher Kunstfertigkeit gebaute Zellen, in welchen einst die heiligen Mönche lebten.

Hier lebten der Heilige Hieronymus und der Heilige Gregor von Nazianz, der große Theologe, welcher der erste Bischof von Zypern war, die berühmten Äbte Arsenius, Daniel und Paphnucius, der alte Heilige Zosimus, dem auf der anderen Seite des Jordans die Heilige Maria Ägyptiaca erschienen ist...

«Und dort vor der Kirche liegt die Zelle unseres seligen Schutzheiligen, des Heiligen Sabas!» zeigt uns einer der Mönche, ein blasser und mystischer junger Mann, dessen wachsbleiche Durchsichtigkeit das ständige Fasten und die Härte der Disziplin verraten.

Wir treten in die weitläufe, hohe Kirche ein, die von oben bis unten mit einer zierlichen, eigenartigen Darstellung der männlichen Heiligen, welche dort gestorben sind, in griechischem Stil ausgemalt ist.

«Warum hat man die Augen der Bilder entfernt?»

«Während der Kriege des Sultans gegen einen ägyptischen Feldherrn war die Abtei einige Jahre lang unbewohnt. Hierher zogen sich die Araber zurück. Außer daß sie den Heiligen die Augen herausgerissen haben, haben sie nichts angerührt!...»

Rings umher die Wüste! Fünf oder sechs Meilen nur erschreckende Schroffheit und Trostlosigkeit!... Kein einziger Baum, kleiner Busch oder etwas Grünes...! Wie konnten diese traurigen, krüppeligen Petersilienpflanzen in einem Blumenbeet im Kloster bloß gedeihen?

«Im Tal gibt es ein Kraut, welches die Araber nutzen.»

«Und Wasser?»

«Quellwasser gibt es im ganzen Umkreis nicht, zumindest nicht zum Trinken. Wir haben zwei große Zisternen, die uns überreichlich genügen und von deren Wasser wir befreundeten Arabern etwas abgeben.»

Nachdem sie uns alle Einzelheiten des Hauses und des Turmes gezeigt haben, nehmen sie uns mit zur Kleiderkammer, welche weit weniger gut bestückt war als die anderer Mönche, die ich bislang gesehen hatte.

«Um die Reise an den Jordan machen zu können», sagen sie uns, «müßt Ihr Eure Kutten ausziehen und unsere anziehen. Sonst könnt Ihr unmöglich durchführen, was Ihr so sehr wünscht.»

Da wir schon darauf vorbereitet waren, weil die griechischen Mönche es uns in Bethlehem gesagt haben, tun wir es gern. Doch während Pater Benediktus und ich das Habit der Griechen über unsere Leibröcke ziehen, kleidet sich Bruder Zedillo ganz wie ein griechischer Mönch: einen Leibrock aus Tuch, darüber ein Skapulier aus schwarzem Serge mit zwei Kreuzen, einem hinten, dem andern vorn, so wie es die Unserer Lieben Frau vom Carmel geweihten Leute tragen, wobei die vier Ecken mit einer Seidenkordel zusammengebunden werden, und über dem Skapulier ein Holzkreuz mit einer weiteren Seidenkordel und darüber die Kutte, die sowohl in der Farbe und dem Schnitt so ist wie jene, die bis in unsere Zeiten die Mönche der Serra de Ossa tragen, welche das Volk Begharden nennt. In derselben Farbe eine große Kapuze, welche auf Seemannsart gemacht ist.

Belustigt darüber, uns dermaßen angetan in griechische Mönche verwandelt zu sehen, sagten wir einander in Vulgärgriechisch Guten Tag und Guten Abend.

«Καλη μερα! (Cali mera!)»

«Καλη σπερα! (Cali spera!)»

Wir geben uns zum Spaß als griechische Mönche aus und werfen uns so verkleidet dem Abt zu Füßen, um ihn um seinen Segen zu bitten.

«Καλη μερα, αφεντης πατερας! (Cali mera, aféntis pateras! Guten Tag, Ehrwürdiger Vater!)»

Auf den ersten Blick merkt er es nicht, doch als er gleich darauf sieht, wer wir sind, zeigt er sich äußerst erheitert und nimmt dies freundlich auf, indem er uns lächelnd sagt:

«Macht Euch alsbald auf den Weg, denn es ist an der Zeit.»

Am selben Tage läßt der Abt bei Tagesanbruch einen ihm sehr vertrauten Araber namens Amir rufen, den Obersten eines nahen Zeltlagers, und sagt zu ihm:

«Mein guter Amir! Aus Kreta sind drei griechische Mönche gekommen, welche mir bekannt und meine Freunde sind. Ich würde sie sehr gern an den Jordan führen. Da Ihr uns andere Male schon auf dieser Reise begleitet habt, wollte ich Euch auch dieses Mal um Eure Hilfe bitten.»

Amir, der bei früheren Gelegenheiten nicht schlecht dabei gefahren war, den Mönchen zu helfen, antwortete, er täte es sehr gern. Als wir zum Aufbruch bereit sind und nur auf den Araber warten, der sich fertigmachen wollte, bringt das Schicksal einen aus Bethlehem gebürtigen Christen ins Kloster, den ich sogleich als den erkannte, welchen ich kürzlich mit dem Meßdiener Bruder D. João Soares hatte sprechen sehen.

«Entweder irre ich mich», sage ich zu Bruder Zedillo, «oder dieser Christ bereitet die Reise von Bruder D. João Soares an den Jordan vor. Wer ist das?»

Mein Gefährte rümpft die Nase:

«Ein böser Mensch. Wegen seines schlechten Lebenswandels und seiner verderbten Sitten hat er mit den Arabern Umgang. Er dient ihnen dazu, in den Ort zu gehen und zu holen, was sie ihm auftragen. Türken und Araber kommen nicht gut miteinander aus, öffentlich sind sie einer der Feind des anderen. Wenn die Araber in den Ort gehen, und die Türken sie zu fassen bekommen, nehmen sie sie augenblicklich fest und lassen sie hinrichten. Ihrerseits verschonen die Araber auf keinen Fall einen Türken, wenn sie ihn an einem Ort antreffen, wo sie ihn ungehindert töten können.»

Währenddessen sagt der Christ, als er sieht, daß wir alles fest vereinbart hatten, er würde uns sehr gern begleiten, wenn wir irgendwo hingingen. Der Abt dankt ihm und nimmt sein Angebot gern an. Amir, der Araber, kommt festlich in ein großes weißes Hemd aus grober Baumwolle gekleidet an, das wie ein langes Kleid gemacht ist und dessen weite Ärmel am Rand bestickt sind. Wir schenken ihm große Beachtung, und er lacht selbstgefällig. Dann läßt der Abt ein Zeichen geben, und zusammen mit den Mönchen gehen wir alle in die Kirche, um für diese fromme, gefährliche Reise zu beten. Wir nehmen aus dem Haus die bereits vorbereiteten notwendigsten Dinge mit, Brot, Wasser und ein wenig Mehl, verteilen die Last auf alle und machen uns auf den Weg: der ehrwürdige Cali, zwei Mönche als seine Gefährten, wir drei, der Christ aus Bethlehem und Amir.

Wir waren ungefähr eine Meile gewandert, als wir zum Zeltlager unseres Führers gelangten, in welchem etwa sechzig Familien wohnten. In Sichtweite befanden sich weitere größere Zeltlager. Viele Araber kamen heraus und begrüßten uns freudig, denn der Abt Cali war, da er schon seit dreißig Jahren in dieser Wüste lebte, ihnen wohlbekannt und von allen sehr geliebt, ja sie hielten ihn gar für einen Heiligen. So näherten sie sich mit ausgesuchter Höflichkeit, um seinen Segen wie von einem Vater zu empfangen. Der Alte, der ihre Art gut kannte, hatte ihnen in seinen Ärmeln viele getrocknete Feigen und Brotstückchen mitgebracht. Er pflegte dies immer zu tun, wenn er dorthin kam. So machte er sie zutraulich und wurde von ihnen geliebt. Für die Frau und die Kinder unseres Arabers behielt der Abt einen besonderen Anteil zurück.

Wir blieben dort bis zum Sonnenuntergang. Wir würden nachts sicherer wandern. Amir legte das Ehrenkleid ab und zog sich ganz gewöhnliche Sachen an, welche genauso ärmlich waren wie jene, die die Araber zu tragen pflegen. Er nimmt aus dem Haus ein großes, gut gegerbtes Stück Schafsleder mit, das sich dank einiger Ketten wie eine Tasche mit einem Zackenrand schließen und öffnen läßt, so daß es offen als Tisch und geschlossen als Wasserbehälter dient. Er gab dem Christen einen Bogen mit einigen Pfeilen, bewaffnete sich mit einem weiteren, und nachdem wir uns von den Arabern und Amir von seiner Frau verabschiedet hatten, machten wir uns auf den Weg.

Es war dies eine unvergeßliche Reise: Der Araber ging immer voran, suchte die Erde mit größter Sorgfalt ab, stieg auf die kleinen Hügel, spitzte mit äußerster Aufmerksamkeit die Ohren, um zu hören, ob sich etwas bewegte. Wir gingen schweigend, und es mochten drei Stunden nach Anbruch der Nacht vergangen sein, als der Araber hörte, daß auf dem Wege Leute kamen. Er drehte sich um, um uns darauf aufmerksam zu machen, zog uns vom Weg ab, den wir entlanggingen, führte uns hinter einen großen, hohen Hügel und ließ uns in ein paar Büsche kriechen, wobei er uns mit einer Handbewegung bedeutete, daß wir schweigen und uns nicht bewegen sollten. Mit seinem Gefährten postierte er sich am Wegesrand, ein jeder in seinem Strauch oder Gebüsch, die Bögen im Anschlag, um notfalls zu Hilfe zu eilen. Als wir dort schweigend den Ausgang des Ereignisses erwarteten, nähert sich Bruder Benediktus meinem Ohr:

«Bruder Pantaleon!» sagt er mit sehr leiser, bewegter Stimme. «Möge der Herrgott jetzt über mich nach seinem Ratschluß verfügen! Ich habe nach meinen Berechnungen schon den vollen Ablaß erwirkt!»

«Es freut mich zu erfahren, daß Ihr so fromm seid!» sagte ich lächelnd zu ihm. «Schweigt und fürchtet Euch nicht. Gott wird nicht wollen, daß Ihr dieses Mal sterbt.»

Die Araber zogen vorbei, ohne uns zu bemerken, da sie laut miteinander schwätzten und wegen ihrer Herde von mehr als zwanzig Kopf Rindern und vier oder fünf Kamelen, welche sie gestohlen hatten. All diese Menschen leben vom Raub, und nimmt man einmal alle befreundeten Nomadenlager aus, so stehlen sie den anderen, was sie nur können. Wir setzten den Weg fort, und Abt Cali wies uns, obwohl es Nacht war, auf die Heiligen Stätten hin, an denen wir vorbeikamen: das Herodion, eine hohe Burg, welche, wie Flavius Josephus berichtet, von Herodes Askalon errichtet wurde, welcher die unschuldigen Kinder hatte ermorden lassen; die Ruinen einer antiken Grabstätte, welche irrtümlicherweise als diejenige von Moses bezeichnet wird; den Ort, wo in dieser Wüste der Heilige Hieronymus eine Zeitlang gelebt hat und schließlich, es mochte Mitternacht gewesen sein, den Fuß des heiligen Berges Quarantana. Wir waren so müde, daß wir uns kaum noch rühren konnten, halbtot vor Durst, da das Wasser ausgegangen war, welches wir mitgenommen hatten, und wir nur ein faulig riechendes, bitter schmeckendes Wasser in einer alten Zisterne fanden. Abt Cali schickte den Araber mit seinem christlichen Begleiter zur Quelle des Propheten Elisa, die nicht einmal eine Meile weit entfernt lag, um die Gefäße zu füllen und an dieser Stelle auf uns zu warten, bis wir wieder kämen. Nachdem sie aufgebrochen waren, versteckten wir unseren Mundvorrat in einem Brombeergestrüpp und hinter Büschen und begannen, den Berg zu besteigen. Woher nahmen wir noch den Atem für einen so harten und steilen Aufstieg, ohne daß jemand aufgab? An einigen Stellen mußte man auf allen Vieren kriechen, weil die Felsen jäh abfielen wie am Meer. Der Abt ging wie ein guter Lotse voran.

«Mehr als dreißig Mal bin ich hier hinaufgestiegen!» sagt er zu uns, was uns Vertrauen einflößt.

Wir kletterten derart dicht hintereinander, daß der eine dort ein Hand aufstützte, wo des anderen Fuß stand. Auf halber Höhe des Berges dann plötzlich eine sehr schöne in den Fels gehauene Kapelle! Wir setzten uns. Mit dem Feuerstahl wurde auf dem Stein Feuer geschlagen, und siehe da, das Feuer entfachte sich und mit ihm unser Wohlbefinden. Der Abt zog eine Handvoll Späne aus dem Ärmel, sie wurden angezündet, begannen zu glühen, und der Weihrauch, welcher in die Glut geworfen wird, schmilzt und erfüllt, wie es bei den Ostchristen Brauch ist, diese in den nackten Fels gehauenen Räume, welche an den Ort gemahnen, an den Christus sich vierzig Tage lang zum Fasten und Meditieren zurückgezogen hat! Die Kraft der Stille, um den Geist über das Fleisch siegen zu lassen, die innere Sammlung über die Unordnung und den Lärm der Welt, das Mittelbare über das Unmittelbare, das Absolute über das Zufällige, das Göttliche über das Menschliche!... Während wir auf dem Boden um die Öllampe herum saßen, und der Abt den Weihrauch verbrannte, tanzten unsere Schatten wie Kobolde und Schemen aus der Vergangenheit an den Wänden. Ich erhob mich, und mein Schatten wird größer, als ich mich dem Felsen näherte, um meinen Namen dort einzuritzen: «Hic adfuit frater Pantaleon Lusitanus»! Die Namen anderer, ungarischer und polnischer Pilger sind dort schon eingekerbt. Da wir ungehindert sprechen konnten, weil wir uns in Sicherheit vor den Arabern befanden, und durch die Helligkeit des Lichtes wurden ein paar Tauben aufgeschreckt, welche dort nisteten und schlaftrunken uns entgegenflatterten. Eine geriet in meine Hände. Ich hielt sie fest.

«Wie sehr zitterst du, du weiches, lebendiges Ding! Du wirst mich nach Bethlehem begleiten.»

Ein Alptraum voller Schwindelgefühle war der Abstieg, bei welchem einem schwarz vor den Augen wurde und welcher weitaus mehr Gefahren barg als der Aufstieg! Als wir am Fuß des Berges anlangten, zog schon die Morgenröte herauf, und unsere Gefährten erwarteten uns mit viel frischem Wasser. Es war eine Lust, sich satt daran zu trinken, weil es gut mundete und wir durstig wie Schwämme waren und es dringend brauchten!... Eilig und stumm nahmen wir unseren Weg wieder auf. Die Quelle des Propheten Elisa. Sie bringt so viel Wasser hervor, daß viele Mühlen damit mahlen. Dort nur ein kurzer Aufenthalt: trinken, die Hände und das Gesicht waschen, und gleich weiter... Wir kamen an Jericho vorbei, etwa zwanzig Häusern, welche man eher Buden oder Strohhütten nennen könnte, da sie groß und lang sind wie ein Gasthaus, schlecht gebaut, ärmlich und von Mauren bewohnt! Ruinen, Spuren dessen, was es einst war! Gärten, Obstgärten, ausgedehnte Zuckerrohrfelder, denn an Wasser fehlt es nicht...

Es wurde hell, und die Sonne begann ihren Glanz zu verströmen, wir wanderten in einem dichten Wald von hohen Bäumen, welche rauh und unangenehm aussehen und kleine, rote, wilde Früchte wie jene des Brustbeerbaumes tragen. Abt Cali konnte mir weder ihren Namen nennen noch ihre Eigenschaften, noch habe ich je außer an diesem Orte ähnliche wiedergesehen. Flach und weitläufig die Ebene von Gilgal, auf welcher Josua auf Gottes Geheiß sein Volk mit Steinmessern beschnitten hat! Das kleine Tal, in welchem Achan von den Kindern Israels gesteinigt wurde! Die Kapelle Johannes des Täufers, teilweise von einem Erdbeben zerstört, in welcher aber noch viele schöne, mit feinem Pinselstrich und guten Farben gemalte Bilder zu sehen sind, die so vollständig und hell sind, daß sie eher modern als antik erscheinen. So groß ist die Verehrung, welche Türken und Mauren diesem Heiligen entgegenbringen, daß sie ihn, obwohl dieser Ort in der Wüste liegt, wo sich ständig Araber aufhalten, dennoch nicht beschädigt haben. Anders als im Sabas-Kloster, wo sie alle Bilder geblendet haben... Die Moab-Ebene und der Ort Schittim! Unvermittelt verrät diese dichte, liebliche Vegetation, daß dort vorn Wasser fließt, welches das Land und die Seelen fruchtbar macht: der Jordan! Von Freude erfüllt, brechen wir eilig und ungeduldig durch das Buschwerk, um an sein Ufer zu gelangen! Während einige von uns sich am Ufer auf den Bauch werfen, um das vorbeiströmende Wasser zu trinken, beginnnen andere zu singen:

Lavacra puri gurgitis caelestis agnus attigit...

Das Wasser ist an sich schon schmackhaft, und der Weg hat uns durstig gemacht, doch da es Jordanwasser ist, finden wir es um vieles köstlicher und können gar nicht genug davon trinken, gleichsam als wollten wir einen anderen, weitaus quälenderen Durst stillen... Es ist ein Samstag, der neunundzwanzigste Oktober, die neunte Stunde des Tages ist schon verstrichen.

«Mir scheint», sagt der Abt Cali zu uns, «daß es gut wäre, den ganzen Tag hier zu verbringen. Wir ruhen uns von der Reise aus und genießen nach Belieben das, was wir so sehnlichst gewünscht hatten.»

Wir stimmten alle zu.

«Ich fühle mich alt», fährt er mit trauriger Stimme fort, «und weiß nicht, ob ich die Gelegenheit haben werde, noch einmal an diesen Heiligen Fluß zurückzukehren...»

Bruder Zedillo kniet hingerissen vor dem Alten nieder und ruft aus:

«Domine, bonum est nos hic esse!»

Die Griechen lachen über die Geste und den Gesichtsausdruck meines Gefährten, ohne Lateinisch zu verstehen, und wir lachen darüber hinaus über die jenem Umstand angemessenen Worte. Von unserer Fröhlichkeit beflügelt schlägt der Abt vor:

«Und wenn wir heute Nacht auch hier schlafen würden? Wir würden morgen den Fluß überqueren... Es würde uns Zeit bleiben, noch vor Anbruch der Dunkelheit ins Kloster zurückzukehren.»

Niemand widerspricht und wir machen uns sogleich daran, viele Äste zu schneiden, und ein jeder fängt an, so gut er es kann und versteht, eine Hütte für sich zu bauen, wobei die Geschickteren den Ungeschickten helfen. Sobald sie fertiggestellt sind, kriechen wir hinein und ruhen uns aus. Wir mögen etwa zwei oder drei Stunden geruht haben, als ich aufstehe und meine Gefährten wecke, indem ich in die Hände klatsche, sie an den Schultern packe, an den Füßen kitzle, kurz, ein großes Spektakel veranstalte.

«Hebt Euch das Schlafen für zu Hause auf! Wacht auf! Wacht auf!»

Als alle wach sind, gehen wir zum Fluß, werfen die Kleider ab, baden alle und waschen uns ungestört. Ich fange an, in meinem sanften Portugiesisch zu singen, erinnere mich an Vergangenes:

Quellen des Hermon,
Wasser des See Genezareth,
Lobet den Herrn!

Pater Benediktus, der nicht versteht, was ich singe, und es für einen Choral hält, beginnt auf Latein zu psalmodieren, und die griechischen Mönche, welche ebenfalls, jeder an einer anderen Stelle, an das Ufer des Flusses geeilt waren, singen auf griechisch, während wir Arme und Beine schrubben, und es ist dies alles ein einziger Lobgesang Gottes!... Abt Cali gibt Amir und dem Christen aus Bethlehem die Anweisung, viele trockene Zweige von den Tamarisken abzuschneiden, welche dort stehen, Funken zu schlagen und ein großes Feuer anzuzünden. Die beiden griechischen Mönche nehmen die Schafhaut des Arabers, welches uns als Wasserbehälter dient, und werfen, nachdem sie sie geöffnet haben, mehr als ein Viertel des Mehls hinein, das wir aus dem Sabas-Kloster mitgenommen hatten. Mit Jordanwasser verkneteten sie es und machen daraus zwei große Fladen. Nachdem die Glut ausgebreitet wurde, legen sie sie dort hinein, decken sie zu und kehren zum Fluß zurück, um sich wie wir zu waschen und zu freuen. Seit das Heilige Land unter der Herrschaft der Ungläubigen steht, hat – daran gibt es für mich keinen Zweifel – niemand eine so große Freiheit genossen wie wir in diesem Augenblick an jenem Ort.

Der Himmel, welcher ganz besonders hell und wolkenlos ist, spiegelt sich im tiefen, an dieser Stelle ganz schmalen Fluß, welcher keinen Sand, sondern einen beinahe tonigen Schlamm mit sich führt.

«Nehmt ein wenig von diesem Schlamm, Bruder Pantaleon», ruft der Abt Cali vom Ufer her, wo er sitzt. «Trocknet ihn in der Sonne und nehmt ihn mit Euch ins Frankenland. Es ist eine wundertätige und bei Fieber sehr heilsame Erde.»

Ich tue, wie er mir sagt. Später nahm ich sie mit nach Portugal und konnte aus eigener Erfahrung feststellen, daß es der Wahrheit entsprach, was er mir gesagt hatte, als ich sie in Wasser aufgelöst einigen Fieberkranken gab, die wieder gesund wurden.

Gute, schmackhafte Fische gibt es in dem Fluß, welcher einen Pfeilschuß weiter oben sich verbreitert und weniger Wasser führt und einige große Sandbänke hat. Auf der anderen Seite ist das Ufer höher und felsiger, doch beide Ufer sind mit Wald bedeckt, vor allem mit sehr hohen Tamarisken, riesigen Rohrstauden und Senfsträuchern.

«Kommt, kommt essen!» ruft uns der Abt. «Die Fladen sind gebacken.»

Wir setzen uns auf den Boden, rund um die Glut. Der Abt gibt jedem seinen Anteil, den wir fröhlich essen, da wir wissen, daß er mit geweihtem Wasser gebacken ist.

«Dieses mit dem heiligen Wasser geknetete Brot hat die Kraft, viele Krankheiten zu heilen», sagt der Abt, welcher sein Stück langsam genießt.

Nachdem wir gegessen haben, verbringen wir die meiste Zeit am Fluß, denn hier sind die Oktoberabende und Nächte nicht so kalt wie bei uns im Frankenland. Den größten Teil der Nacht verbringen wir schlafend in den Hütten und geben dem Körper zurück, was wir ihm in der vorangegangenen Nacht genommen haben, damit er sich nicht beschwert und gegen den Geist aufbegehrt. Vor Tagesanbruch kommt eine Schar Araber mit Frauen und jungen

Männern. Unsere Bestürzung ist groß! Amir steht hastig auf und sieht nach. Es sind arabische Familien, die den Fluß überqueren, um sich woanders anzusiedeln. Da der Wald sehr dicht ist, sehen und hören sie uns nicht.

Es tagt. Kanonische Stunden und persönliche Andacht. Da Sonntag ist, bleiben wir noch eine Weile am Fluß. Eine kurze Mahlzeit mit Brot und Wasser. Wir machen uns bereit, den Jordan zu überqueren. Amir und der bethlehemitische Christ gehen vor, um die Furt zu erkunden, und als sie sehen, daß sie tief ist, wenden sie sich an uns:

«Man kann nur schwimmend hinüber.»

Wir entschließen uns dazu, doch Bruder Zedillo, der Angst hat, kniet zu einem kurzen Gebet nieder, in das wir alle einstimmen. Dann singen wir den Psalm «*In exitu de Aegypto, domus Iacob de populo barbaro...*» Wir drei lateinischen Priester sprechen einen kleinen Vers in lateinischer Sprache, und die Griechen schließen sich uns in griechischer Sprache an. Darauf ziehen wir die Kutten und die Leibröcke aus, machen daraus möglichst kleine Bündel, welche wir Amir und dem Christen übergeben, damit sie sie zum anderen Ufer bringen, da sie sehr gut schwimmen können. In zwei Malen schaffen sie sie mit all den anderen Dingen, welche wir mitgebracht hatten, hinüber, und auch wir überqueren den Fluß, wobei mir alle helfen, da ich ein schlechter Schwimmer bin.

Bald schon zogen wir wieder weiter durch die Moab-Ebene, vor uns lag der Berg Nebo. Es war Mittag, als wir oben anlangten. Da lag es, das Land, welches Moses betrachtete und welches für ihn, anstatt des versprochenen, das verbotene Land gewesen war: von Galaad bis Dan und Nephtalin, Ephraim und Manasse; ein Teil des Mittelmeeres bis Tyrus und Sidon, das «Neue Meer» der Bibel, welches an jene Gestade Palästinas brandet, die beim Berg Libanon und Antiochia liegen: die Stadt der Palmen, Jericho und die ganze Gilgal-Ebene, Bethel, Bethlehem, Jerusalem, der Berg Quarantana, das Land Madians, welches im östlichen Teil nach Damaskus hin liegt, Basan und das Land der Amoräer; ein grosser Teil der Wüste Arabiens und der Berg Seir, und viele andere Gegenden und Orte, deren Namen ich nicht kenne.

Wir stiegen auf armseligen, staubigen, steinigen Pfaden in das Tal hinab. Dort lag eine alte, indes unversehrte Kirche zum Angedenken an den wahren Ort, an dem Moses begraben liegt... Wenn wir einige Mühen auf uns nehmen wollten. Es war der Abt. Der Tag sei noch lange nicht vorüber, und da es keine weitere Rast gäbe und wir gezwungenermaßen so schnell wie möglich vorankommen müßten und nur kurze Zeit zum Besichtigen hätten, und weil er wisse, daß wir neugierig seien und Neues immer gern kennenlernten, werde er uns etwas zeigen, das wir, nachdem wir es gesehen haben, nicht bereuen und niemals wieder vergessen würden.

«Was ist es?» fragte ich.

Er konnte mir nur sagen, daß es sich um ein furchtbares, entsetzliches Strafgericht Gottes handeln werde. Die Heilige Schrift berichtete nichts davon.

Wir wanderten mehr als eine halbe Meile nach Osten und gelangten an einen Ort, den eine hohe Mauer ganz umschloß, welche indessen an vielen Stellen eingestürzt und von Buschwerk und einem wildwachsenden Wald überwuchert war. Der Abt ging vor und wir folgten ihm. Was meine Augen sahen, ist auf der Netzhaut noch immer eingebrannt: Es sind keine deutlichen Formen, mit den klaren Umrissen und beseelten Linien, die zu etwas gehören, was lebendig ist, sondern undeutliche, verwaschene, verwitterte und ausgebleichte Spuren dessen, was es einst war. Eine gespenstische Vision! Es sind Männer und Frauen, alte, junge und Kinder, Katzen, Hunde und andere Tiere, alle aus nacktem Stein! Häuser, einige davon heil, andere verfallen, und in ihnen und auch auf den Straßen und Plätzen befinden sich jene Leute in derselben Haltung, in welcher sie der Tod überraschte. Hier scheinen manche miteinander zu reden, dort sitzt ein Greis auf der Schwelle des Hauses in der Sonne. Die Bäckerin ist bäuchlings auf die Tonbank gefallen, auf welcher man die Brötchen sieht, die zum Verkauf feilgeboten wurden. Manche liegen, die Hand an der Brust, an der Kehle, verkrampft da, und so starben sie... Unser Entsetzen und unsere Betroffenheit sind so groß und unsere Gedanken so verwirrt, daß wir wortlos die Stadt verlassen. Schließlich, wir sind bereits draußen, frage ich Abt Cali:

«Und wie erklärt man sich das?»

Niemand wußte es ganz genau. Manche meinten, Gott habe diese Menschen ob ihrer vielen Sünden in Steine verwandelt, wie er einst die Sodomiter bestraft und Lots Frau in eine Salzsäule verwandelt hat. Andere sagen, zögernd, daß dieser Ort der Schauplatz einer großen Tragödie war, welche vor langer Zeit geschehen war. Nach dem Fall Jerusalems habe sich eine Gruppe von hundert Zeloten dorthin geflüchtet. Von den Römern belagert, hätten sie etwa drei Jahre lang standgehalten, nach deren Ablauf ihr Anführer, als er annahm, daß die Eroberung der Stadt unmittelbar bevorstand, das Volk zusammenrief und einen gemeinsamen Tod vorschlug, welcher einer unehrenhaften Gefangenschaft vorzuziehen sei. Gott oder die Jahrhunderte hätten sie mit Hilfe des großen Salzgehaltes der aus dem Toten Meer aufsteigenden Luft, welche alles tötet, versteinert.

Wir verließen diesen verfluchten Ort voller Furcht in unseren Seelen und brachten auf dem Wege kein einziges Wort hervor, bis wir nicht erneut den Fluß überschritten hatten und wieder in unseren Hütten ruhten. Am Tag darauf machten wir bei uns bei Tagesanbruch, nachdem wir unsere Gefäße mit Jordanwasser gefüllt hatten, zu unserer Reise an das Tote Meer auf. Eine trostlose Gegend, wie eine Strafe oder ein Alptraum! Je mehr wir uns diesem Meer näherten, umso häufiger trafen wir auf schreckliche, stinkende Stätten mit Tümpeln und kleinen Lagunen, welche von deren Wassern genährt wurden und in denen sich das in diesem Land gebrauchte Salz bildet, welches stärker salzt als das unsrige. Auch die Namen, die man ihm gegeben hat, sind Namen des Todes! Totes Meer, weil es nichts hervorbringt und auch in sich kein Leben zuläßt; das Sodomiter Meer, weil es in der Nähe der Stadt liegt, auf welche Gott Feuer und Schwefel regnen ließ, da ihre Bewohner untereinander jener schändlichen, ungeheuerlichen Sünde frönten! Salziges oder Salzmeer, weil sein Wasser äußerst salzhaltig ist, mehr noch als das aller anderen Meere; Asphaltmeer, aufgrund der Menge von Bitumen oder arabischem Pech, welches es ans Ufer wirft. Höllenmeer müßte es heißen: das Wasser ist kristallklar und sehr kalt, dennoch wirkt es wie reines Feuer.

«Amir, magst du nicht ins Wasser gehen und uns von jenen Steinen einen zuwerfen, welche auf dem Grunde liegen und von denen gesagt wird, sie brennten wie Feuerholz?»

«Es würde mich teuer zu stehen kommen. Geht Ihr doch hinein, und Ihr werdet es gleich merken.»

Bruder Benediktus beschließt herauszufinden, ob es sich so verhält, wie immer behauptet wird.

«Pater Pantaleon, a despecto mio, voglio satisfare il mio desiderio.»

Er nimmt eine Hand voll Wasser und führt sie an den Mund, welcher augenblicklich wie von Feuer brennt. Mittlerweile koste auch ich etwas davon, um zu sehen, ob es so salzig ist, wie man sagt, und sofort macht es mir Blasen am Kinn. Zwei Tage lang gelingt es mir nicht, den schlechten Geruch von meiner Hand zu entfernen. Es ist, als hätte ich sie in den Bodensatz von ranzigem Olivenöl gehalten, selbst Abreiben mit Kräutern und Sand hilft nicht…

Ständig steigen dichte, stinkende Dämpfe aus diesem Höllenschlund, und im Umkreis von zwei Meilen sprießt kein nutzbarer Baum oder Busch noch irgendwelches Grünzeug. An einigen Stellen gibt es wilde, unansehnliche Bäume, welche quittenähnliche, große schöne Früchte tragen. Nimmt man sie in die Hand, so zerfallen sie zu Asche! Es ist dies wahrlich eine Gegend aus Asche, welche mir, wenn ich an jenen gräßlichen, widerlichen Ort nur denke, auf den Magen schlägt!…

Wir hielten uns dort nicht weiter auf, sondern brachen gleich zum Sabas-Kloster auf, wobei wir, auf einem anderen Weg als auf dem Hinweg, über ein schwer zu erklimmendes Gebirge wanderten. Unerträglicher Durst bedrängte uns. Kein Tropfen Wasser war mehr in den Gefäßen. Wir hatten alles getrunken, ohne es recht zu bemerken, da die Luft jenes pestilenzialischen Sees, den wir hinter uns gelassen hatten, die Eingeweide verbrennt, und wir umso durstiger wurden, je mehr wir tranken, gleichsam als wäre das Wasser Öl, welches ins Feuer geschüttet wird. Bei Sonnenuntergang trafen wir auf eine Quelle, deren Wasser aus drei oder vier Brunnenrohren wie ein Bächlein floß! Unsere Freude war groß, doch sie schlug sogleich in Enttäuschung und Traurigkeit um: das Wasser war übelriechend und bitter, obgleich es klar und sauber aussah… Wir wanderten diesen schwierigen Weg, bis wir nach Mitternacht das Gebirge verließen, und da wir müde, durstig und hungrig waren, denn wir hatten keinerlei Proviant mehr, beschlossen wir, uns auszuruhen. Wir taten dies auf der harten Erde, auf einem unwirtlichen Geröllfeld, ohne einen Baum oder Strauch, an den wir uns lehnen konnten. Todmüde und verschwitzt sanken wir wie ohnmächtig zu Boden...

Kurz vor Tagesanbruch muß ich aufstehen und begebe mich zu einigen Felsen dort in der Nähe. Ich hörte ein Wispern und erspähte den Christen aus Bethlehem, wie er mit dem Araber Amir spricht. Es gelingt mir nicht zu verstehen, was sie sagen, doch mir scheint dies heimliche Treffen nichts Gutes zu verheißen. Als es hell wird, nehmen wir unsere Wanderung wieder auf und zwischen sieben und acht Uhr gelangen wir an ein großes, leeres Feld, eine kurze Meile vom Zeltlager Amirs entfernt. Etwa fünfzig Araber stehen dort in zwei Gruppen verteilt mit ihren Bögen wie Leute, die zum Kampfe bereit sind, und diskutieren laut schreiend miteinander. Zwischen ihnen eine Frau. Sie ist etwa fünfundzwanzig Jahre alt. Sie sitzt auf einem Kamel. Sie ist nach Landesart sehr schön angezogen und anmutig. Wir nähern uns.

«Habt keine Angst», sagt uns Amir, «hier geht es um eine Heirat. Abt Cali, wollt Ihr Euren Freunden nicht eine kleine Rast gestatten und diesem Akt zusehen?»

«Falls keine Gefahr damit verbunden ist, tue ich es sehr gern.»

«Laßt uns alle zusammen gehen und die Hand der Braut berühren und uns ihrer Gunst unterstellen, so können wir sicher sein und müssen nichts befürchten.»

Der Abt geht voran, und bei der jungen Frau angekommen, berührt er ihre Hand und sagt:

«Wir sind Mönche aus dem Sabas-Kloster und kommen vom Jordan. Wo wir nun schon das Glück haben, zu so einem Anlaß hier anzukommen, möchte ich Euch bitten, uns zu schützen und zu erlauben, den Ausgang dieses Streites zu sehen.»

Sie gestattet es uns lächelnd, und so berühren wir alle ihre Hand. Sie begrüßt uns alle sehr artig, und wir stellen uns zu ihr, um besser sehen zu können, was geschieht.

Die Araber trennen sich, nachdem sie sich untereinander verständigt haben, und beginnen eine bestimmte Anzahl von Pfeilen abzuschießen. Zwei Prätendenten gibt es, welche durch ihre langen Hemden aus grober Baumwolle gekennzeichnet sind, die bis auf den Boden reichen, sehr lange weite Ärmel haben und an den Ärmelsäumen und am Hals mit primitiven Stickereien verziert sind. Sie kämpfen gegeneinander, und während sie in der Fertigkeit des Bogenschießens wetteifern, fühle ich mich in das süße Ithaka versetzt und sehe die treue Penelope und ihre Freier und den schrecklichen Bogen des Odysseus... Nachdem sie auf ihre Art miteinander gekämpft haben, verliert der Unterlegene, der nicht so gut gezielt hat, die Braut und gibt ihr zudem zwei große Kamelleder, eines, damit die Brautleute darauf essen, das andere, damit sie darauf schlafen, und dem Bräutigam einen schönen Bogen und ein Dutzend Pfeile. Alle umarmen sich friedlich ohne weiteren Streit, die beiden Gruppen trennen sich und jede geht zu ihren Zelten.

«Heiraten alle so?» frage ich Amir.

«Nein! Nur jene, die Anführer eines Stammes sind.»

Wir berührten zum Abschied wieder die Hand der Braut.

«Wollt Ihr eine Wache für den Weg?» fragt der Bräutigam.

«Habt Dank!» antwortet Abt Cali. «Doch es wird nicht nötig sein. Unsere Herberge ist ganz nah.»

Wir machten uns auf den Weg. Amir, der Araber, sang die ganze Zeit aus Gründen, die nur er kannte. Mehr als einmal erwischte ich den Christen aus Bethlehem dabei, wie er uns aus dem Augenwinkel zulächelte. Beunruhigung und Angst stiegen in mir auf. Und es dauerte nicht lange, bis meine Vorahnungen gerechtfertigt wurden.

Als wir am Zeltlager der Araber anlangen, werden wir von ihnen freundlich empfangen, und die Frau Amirs kommt sogleich mit frischem Wasser herbei, was das Köstlichste ist, was sie uns in diesem Augenblick bringen kann. Wie gut es mir schmeckt, obwohl ich weiß, daß ich es aus einer Holzschüssel trinke, in die sie die Schafe mit zwei Fingern melkt! Darauf ruhen wir uns ein wenig aus, und unser Araber nimmt den Abt Cali bei der Hand und führt ihn in ein anderes Zelt, das einen Steinwurf weit entfernt liegt und in welchem er schon einige der ältesten Araber des Zeltlagers versammelt hatte, und dort vor ihnen sagt er folgendes:

«Abt Cali, seit vielen Jahren kennst du die Araber und hast mit ihnen Umgang und sie mit dir, ohne daß es je Falschheit oder Verrat gab...»

«Das ist wahr», sagt der Abt, ohne zu begreifen, worauf das hinaus soll.

«Wir Araber sind der Meinung und verhalten uns auch so, daß wir in unseren Freundschaften immer rechtschaffen sind und sie mit jedem ehrlich und treu aufrechterhalten, der es auch uns gegenüber tut.»

«Darin setzen auch wir unsere Ehre.»

«Du aber wolltest mich täuschen, ich weiß nicht warum.»

«Ich?»

«...ohne daß ich es verdient hätte, wobei du auf meine Kosten alle Araber verspotten und verhöhnen wolltest...»

«Aber was redest du da?»

«...und glaubtest, daß unser Verstand ebenso schlicht wie unsere Lebensweise ist.»

«Welche Laus ist dir über die Leber gelaufen? Sprich dich nur aus!»

«Du hast mich rufen lassen und gesagt, es seien einige Mönche aus Kreta, gute Freunde von dir, und sehr fromme Leute gekommen, und du wolltest sie an den Jordan und zu anderen Stätten führen, zu denen ihr Christen eure Wallfahrten zu machen pflegt...»

«So war es. Und dann?» sagt der Abt, indem er eine Selbstsicherheit vortäuscht, die ihm in Wahrheit abhanden kommt.

«Du hast mich gebeten, euch zu begleiten und aus Liebe zu dir und zu ihnen mich allen Gefahren auszusetzen. Da ich dich für meinen Freund halte und dir immer gewogen war, zögerte ich nicht, deiner Aufforderung nachzukommen. Und du, was hast du gemacht?»

«Was habe ich gemacht?!»

«Ja, was hast du gemacht? Als Lohn für meinen guten Willen und zur Befriedigung jener Wünsche hast du mich als Wache für fränkische Christen anstatt für griechische Mönche mitgenommen.»

«Das ist nicht wahr!»

«Aufgrund des Betruges, den du mir angetan hast...»

«Das ist nicht wahr! Das ist nicht wahr!» sagt der Abt unerschrocken und faßt wieder Mut.

«...werden die drei als meine Gefangenen hier bleiben.»

«Mein Gott! Wo ist die Treue und die Ehrlichkeit der Araber geblieben! Du begehst einen großen Verrat an einem Unschuldigen!»

«Laß das Geschrei und das Jammern, Abt! Dein Glück ist es, daß ich nicht mein Recht in Anspruch nehme, das zu tun, was gemeinhin in solchen Angelegenheiten gemacht wird. Ich lasse zwei von ihnen frei, und der andere, von dem ich sehr wohl weiß, daß er der Guardian von Bethlehem ist, bleibt entweder mein Sklave oder er muß mit viel Geld freigekauft werden, wobei der Preis, weil ich dir wohlgesonnen bin, niedrig sein wird», sagt Amir sehr erbost. Und sie verlassen eilig das Zelt, in dem sie sich befinden, und kommen geradewegs zu uns, die wir draußen den Streit schon mitangehört hatten. Amir nimmt Bruder Zedillo bei der Hand, schleppt ihn vor den Abt und die Araber mit dem zornigen Ruf: «Cali, Cali! Der, den du hier siehst, ist kein griechischer Mönch, da magst du so viel reden oder schreien, wie du willst. Ich habe ihn viele Male im Hause der Franken oder an anderer Stelle mit verschiedenen Gewändern gesehen. Und damit mir die Wahrheit und dir die Lüge zugesprochen wird, entkleidet euch beide, und wir werden den Vergleich ziehen.»

Der Abt faßt wieder Mut, als er das hört, und ohne dies zu zeigen, sagt er sehr ernst:

«Es sei so, wie du es wünschst.»

Nachdem beide ausgezogen sind, sieht man, daß sie auf die gleiche Weise gekleidet waren. Bruder Zedillo war der einzige von uns dreien gewesen, der sich, Gott sei gelobt, ganz und gar als griechischer Mönch verkleiden wollte. Der Araber weiß nicht, was er sagen soll, ist beschämt, weil er nicht zum Zuge kommt. Der Abt und mein Gefährte ziehen sich wieder an.

«Nun ja, Abt Cali», erwidert Amir, ein letztes Argument suchend, doch die anfängliche Hitze ist schon verflogen. «Leicht kann ein Mensch die Kleider wechseln, andere anziehen. Doch wie kommt es, daß dieser und seine Gefährten eine Tonsur auf ihrem Haupt tragen, wie die Franken, und nicht langes Haar wie die griechischen Mönche?»

Der Abt läßt sich nicht aus der Fassung bringen:

«Sieh einmal, Amir! Die Mönche aus dem Sabas-Kloster und ich tragen langes Haar wie einfache, einfältige Menschen, ganz so wie wir in dieser Einöde leben. Doch die Mönche aus Kreta, die gelehrt und Respektspersonen sind, haben wie in ganz Griechenland Tonsuren wie diese hier.»

Die alten Araber beginnen untereinander zu murmeln, Amir läßt sich indes nicht überzeugen:

«Die ganze Angelegenheit», sagt er, «wird so beendet, daß du, Abt Cali, mit den anderen weggehst und dieser hier als mein Gefangener hier bleibt. Welche Gründe du auch immer anführen magst, meinen wirst du mir nicht nehmen können. Ich weiß sehr wohl, daß er wahr ist. Dieser soll nur solange bei mir bleiben, bis seine Franken ein gutes Lösegeld für ihn bezahlen. Und weiter schwöre ich dir, Abt Cali, daß sie ihn nicht eher aus meiner Hand empfangen, als daß sie mir zuerst zweihundert Goldzechinen in dieselbe gelegt haben.»

Lange schon hatten wir uns dem Zelt genähert und das Geschehen verfolgt. Gott weiß, wie wir uns fühlten. Doch wir verstellten uns und zeigten weder Traurigkeit noch Betrübnis.

«Geht!» sagt der Araber, sich an uns wendend. Doch ich umarme ihn und richte einige der wenigen besänftigenden Worte, die ich kenne, an ihn. Er stellt sich taub und sagt, wir sollten gehen.

«Nein!» sage ich sehr ernst. «Wir werden alle als Sklaven hierbleiben oder unseren freigelassenen Gefährten mitnehmen.»

Die anderen Araber umringen den Abt Cali, versuchen Frieden zu schließen und zu einer Übereinkunft zu finden, indem sie den Preis von zweihundert Zechinen auf hundert und dann auf fünfzig und noch weniger herabsetzen.

«Nein!» ruft der Abt entschlossen. «Ich gebe nicht mehr als das, was ich mit Amir vereinbart habe, als wir von zu Hause aufgebrochen sind.»

Während sie damit beschäftigt sind, gehe ich, um mich als mit seinem Hause vertraut zu zeigen, in das Zelt des Arabers und spiele mit seinen beiden Söhnen. Die Mutter ist offenkundig darüber sehr erfreut, doch nennt sie mich noch drei oder viermal «frangi! frangi!».

Ich antworte ihr (Gott möge mir vergeben!):

«Nein. Die Frangis sind böse. Die Araber und die griechischen Mönche, die sind gut.»

Sie begrüßt meine Antwort mit großem Gelächter, und die Kinder stimmen mit ein, ohne zu wissen, worum es geht. In diesem Augenblick tritt Amir ein. Er kommt, um einen Strick zu holen.

«Um Euren Gefährten zu fesseln», sagt er und stürmt mit grimmigem Gesicht hinaus, wobei er mich heftig zur Seite schiebt, als ich ihn sanft daran hindern will. Draußen hält der Christ aus Bethlehem den Araber mit dem Arm zurück und versucht ungeduldig, ihm etwas zu sagen:

«Hör mir zu! Hier liegt eine große Verwechslung vor!«

«Laß mich!» schreit jener und schüttelt den Arm ab. «Ich weiß sehr wohl, was ich tue. Dieser hier bleibt gefangen und nicht der, den du willst. Der hier bringt mehr Geld.»

«Aber das ist ja Verrat!»

«Was heißt hier Verrat?» sagt Amir immer zorniger werdend zu dem Christen. «Willst du, daß ich dir die Kehle aufschlitze?»

Als Amir bei den anderen anlangt, sind bereits alle Araber des Zeltlagers anwesend, stehen in Gruppen, reden laut und alle gleichzeitig, wobei die meisten unsere Seite verteidigen. Abt Cali, welcher sieht, daß die Sache schlecht für uns steht, hebt wieder sein Klagegeschrei an:

«Die Araber haben Vertrauen und Loyalität verloren! Was soll aus uns werden? Schon gibt es weder Wahrhaftigkeit noch Freundschaft! Von nun an müssen die griechischen Mönche die Araber für ihre Todfeinde halten!...»

Ohne sich darum zu kümmern, beginnt Amir, Bruder Zedillo an Händen und Füßen zu fesseln, welcher auf dem Boden liegend, in sich zusammengekauert wie Espenlaub zittert und die Zähne zusammenbeißt, um nicht zu weinen.

«Was geht hier vor?» donnert die tiefe Stimme eines kräftigen Arabers, welcher sich in der Helligkeit des Eingangs mit seinem großen reichverzierten Turban auf dem Kopf und einem Krummsäbel an der Seite abzeichnet, allem Anschein nach ein bedeutender Anführer. Er tritt zwei Schritte vor, hält Amir zurück, indem er ihm vier oder fünf Fausthiebe versetzt, nimmt ihm den Strick ab, bindet meinen Gefährten los, und diesen wie eine Peitsche schwingend, sieht er alle an, die rundherumstehen und sagt sehr ärgerlich:

«Ist das die Wahrheit der Araber?» und in der Pause, die er macht, ist die Stille so groß, daß man Bruder Zedillos Zähne aufeinanderschlagen hört. «Ist das das Vertrauen, das sie jenen entgegenbringen, die es ihnen schenken?» fährt er fort, indem er einen Schritt vorgeht, packt Amir an der Kehle und hebt ihn fast in die Höhe. Er geht zu den Alten, sieht ihnen fest in die Augen, während er weiterspricht:

«Und ihr laßt zu, daß dies vor Euren Augen einem Mönch aus dem Sabas-Kloster angetan wird?»

Verwirrung und Scham bemächtigt sich ihrer, so daß sie kein Wort der Entgegnung finden. Abt Cali gibt, als er dies sieht, sich eines besseren besinnend, Amir sechs Madins mehr als er versprochen hatte, eine Geste, die mit seiner so beharrlich herausgeschrienen Unschuld nicht zusammenpaßt. Alle sind nun wieder Freunde, bitten uns um Vergebung.

«Der Christ aus Bethlehem ist Schuld an allem!» sagt uns Amir demütig, eine Entschuldigung versuchend.

Alle blicken sich um, doch der Christ ist verschwunden. Ich höre kaum, was um mich her geschieht. Eine geraume Weile schon versuche ich, etwas abseits in einer Ecke stehend, jene Stimme einzuordnen und den Blick des Arabers, der gekommen war, um uns aus einer so mißlichen Lage zu befreien. Als er merkt, daß ich ihn anstarre, tritt er, bei einer Gelegenheit, bei der alle den Abt Cali und Amir umringen, die nun im Mittelpunkt des Interesses stehen, wie zufällig zu mir und sagt in bestem Portugiesisch mit jener flüsternden Stimme zu mir, die ich schon einmal in der Marienkirche in Bethlehem gehört hatte:

«Guten Tag, Bruder Pantaleon!»

XIII

Die Kraft des Weines

«Quicumque vult esse frater
bibat semel, bis, ter, quater,
bibat semel et secundo,
donec nihil sit in fundo.»

«Wer ein Mönch sein will,
der trinke einmal, zweimal, dreimal, viermal,
der trinke das erste und das zweite,
bis nichts mehr auf dem Grund ist.»
(Anonym, 12. Jhd., *Carmina Burana*)

Ein hoher Berg, der abseits liegt von den anderen. Dies ist der Ort, an dem zur Zeit der Könige Israels die Stadt Samaria lag, Hauptstadt der Provinz gleichen Namens. Sie ist heute vollkommen zerstört, geblieben sind nur die Ruinen einiger alter Häuser, vereinzelte, einsam in den Himmel ragende Säulen oder andere, die in Stücke zerborsten am Hang liegen, inmitten von Gras und Stechginster und behauenen Steinquadern, Resten von Säulenschäften, Kapitellen, Bögen, Wasserspeiern, einst Schmuckstücke und in Stein gehauene Lobgesänge.

Wir kommen an einer griechischen Kirche und dem Grabmal des Propheten Elisa vorbei, dann an einigen armseligen Häusern, in welchen Mauren und Christen miteinander leben und sich der Landwirtschaft und der Viehzucht widmen, denn die Erde ist für beides gleichermaßen fruchtbar und braucht nur jemanden, der sie nutzt. Die Karawane kommt, wegen der Vielzahl der Reisenden in einer langen Schlange auseinandergezogen, nur langsam vorwärts. Allen voraus das gesamte Gepäck und die Dienerschaft auf Eseln und Maultieren und am Schluß dieser Gruppe zwei Saumtiere, mit

Wasser beladen und einem Mauren, welcher auf einem etwa drei Quartau fassenden Behälter sitzt, aus dem er an jeden, der darum bittet, Wasser verteilt. Darauf folgt auf einem kostbar gezäumten und gesattelten Schimmel ein stolzer Türke im Festgewand, einen weißen Turban auf dem Kopf, Pfeil und Bogen auf dem Rücken, einen blitzenden Krummsäbel an der Seite, die Zügel in der Linken und in der rechten Hand eine furchterregende Streitkeule. Er führt eine Wache aus sechs Männern an, die in zwei Reihen von je dreien längs des Weges angeordnet ist und auf schönen, wohlgezäumten braunen Pferden ebenso prächtig daherkommt wie ihr Anführer. Es folgen dann, in angemessenem Abstand, um ausreichend Platz zu haben zum Peitscheschwingen, zwei berittene Wachen mit einem kurzen, auf der Brust offenen, ärmellosen Überwurf und entblößten, mächtigen bronzenen Muskeln, die niemand an sich herankommen lassen. Dahinter zwei prächtige Streitrösser, welche, das eine vorn und das andere hinten, die langen Stangen tragen, auf denen wie in einem orientalischen Märchen die Sänfte ruht, in welcher müßig und schläfrig die Gattin des Pascha von Damaskus folgt, des Vizekönigs von ganz Syrien und Palästina. Da wir sehen wollen, wie fürstlich diese so edle türkische Dame reist, steigen mein Gefährte und ich von den Reittieren und bleiben am Wegesrand stehen. Bruder Zedillo gelingt es nicht, schnell genug außer Reichweite der Peitschen zu gelangen, und bei dem hastigen Versuch auszuweichen fällt er zwischen die Trümmer einer Kirchenruine, die dort am Weg steht. Dennoch können wir die Türkin sehr gut sehen: sie kommt mit großem Prunk und Pomp daher in ihrer Sänfte, welche außen und innen vergoldet und rundherum mit Jalousien versehen ist und reichverzierten Schiebefenstern. Die Sänftentüre steht offen... möglicherweise hat sie sie, als sie uns sieht, aus weiblichem Vorwitz zur Seite geschoben, damit wir sie sehen, denn sie ist außergewöhnlich schön. Sie spricht mit einem armen, zerlumpten Mauren, welcher barfuß neben ihrer Sänfte herläuft, und auf dem Kopf nur zottiges Haar hat. Sie tut dies, um sich fromm zu zeigen – da sie von einer so heiligen Wallfahrt wie der nach Jerusalem kommt, wo ich sie schon das Grab unserer Heiligen Frau im Tale Josaphat besichtigen sah – denn die Türken und Mauren bringen den Bettlern eine große Verehrung entgegen und sehen sie als Heilige und Verächter alles Irdischen an, weshalb sie sie Boten Gottes auf der Pilgerfahrt durch die Welt nennen.

Auf die Türkin folgen fünf ebenso reichverzierte Sänften mit ihren Zofen und Dienstmägden, und auf gut zugerittenen Pferden, fünf junge anmutige Frauen in schwarzen Seidenkleidern, deren Gesichter mit schwarzen Schleiern verhüllt sind, so daß sie mit ihren allein sichtbaren dunklen, glänzenden Augen wie Gespenster aussehen. Ein letzter berittener Wachkorps schließt den Zug. Darauf folgt die Menge derjenigen, die wie wir die von höchster Stelle erteilte Erlaubnis erhielten, im Schatten und unter dem Schutz einer ebenso mächtigen wie prächtigen Gesellschaft zu reisen.

Es war der zweite März 1565, und wir reisten in Richtung Norden, nach Damaskus und ich meinem Ziel entgegen... Wieviel war seit dem vergangenen Oktober geschehen, als ich gleich nach meiner Ankunft in Bethlehem mit hohem Fieber das Bett hüten mußte! Isac Beiçudo hatte uns als Araber verkleidet am Nachmittag vom Zeltlager der Araber bis zum Sabas-Kloster begleitet, und damals schon fühlte ich mich schwindlig, und meine Beine gaben nach. Uns folgten einige Araber mit fünf oder sechs Araberinnen, in der Hoffnung, daß wir ihnen aufgrund des kürzlich mit Amir geschlossenen Friedens ein paar milde Gaben geben würden, vor allem Wasser aus den Zisternen, welches ausgezeichnet ist. Isac begleitete uns mit seinen beiden Wachen, die anderen mit ihren Frauen folgten einen Steinwurf weit entfernt. Es war einigermaßen mühevoll, in die Abtei zu gelangen! Die Mönche, welche von der mißlichen Lage und der Gefahr, in welche uns der Christ aus Bethlehem gebracht hatte, informiert waren – weil Abt Cali zu Hause Bescheid hatte geben lassen, sobald er gemerkt hatte, welcher Verdruß auf ihn zukam – warteten schon oben auf dem Turm auf uns, der oberhalb des Weges liegt. Als sie uns näherkommen sahen, gaben sie uns ein Zeichen, daß wir uns zu seinem Fuße begeben sollten, und damit sich die Araber entfernten und uns den Weg freigaben, begannen sie von dort oben viele Steine zu werfen. Isac und die anderen beiden, hinter welche er mich absichtlich gestellt hatte, damit ich der letzte der Gruppe sei, führte uns mit dem Abt an der Klostermauer entlang. Mit ihren Schleudern hielten die Mönche auf dem Turm unseren Weg frei. Der steile Aufstieg auf der langen Tauleiter, die sie uns herunterwarfen, war äußerst beschwerlich. Und im Glücksgefühl darüber, endlich im sicheren Hafen zu sein, Hunger und Durst zu stillen, und im heiteren Gespräch mit den Mönchen endete das gefährliche Abenteuer.

Wir ruhten noch, als Abt Cali uns bei Tagesanbruch darauf hinwies, daß ein des Landes besonders kundiger Mönch nach Bethlehem reisen würde. Wenn wir mit ihm gehen wollten, müßten wir aufstehen. Wir taten dies, und nachdem wir den Segen des Abtes empfangen hatten, nahmen wir Abschied. Isac und seine Wachen wollten uns begleiten. Der Mönch, den wir als Führer mitnahmen, sprach keine uns verständliche Sprache, und noch viel weniger verstand er uns. Das gefiel mir sehr, da ich beabsichtigte, bei der nächsten sich bietenden Gelegenheit mit Isac Beiçudo zu sprechen. Natürlich brauchten wir in seiner Begleitung keinen Führer, doch mir war klar, daß Isacs Schweigen bedeutete, daß er soweit wie möglich im Hintergrund bleiben wollte. Um irgendwelche Neugier wegen seines unerwarteten, wohltätigen Eingreifens zu zerstreuen, deutete ich Abt Cali gegenüber an, daß es sich um einen guten Freund handelte und dieser Aufzug nur eine Verkleidung sei. Niemand stellte indiskrete Fragen. Doch sei es, wie es wolle, die Gelegenheit, mit ihm ungestört zu sprechen, bot sich dieses Mal noch nicht. Der Weg war sehr schlecht und der beschwerlichste, den ich in meinem Leben je zurückgelegt habe: alles Buschwerk und Geröll, ohne eine Lichtung, zu der man sich hätte wenden können. Zudem schritten wir so schnell aus, daß ich nur mit Mühe folgen konnte. Die Sonne ging in der Nähe von Bethlehem auf. Wir waren außer Gefahr und an einem Ort, an welchem wir so viele Füchse auf einmal sahen, daß es uns Angst machte. Zu jenem Zeitpunkt schon fühlte ich fürchterliche Schmerzen in der Brust, meine Zähne klapperten, und ich war von kaltem Schweiß bedeckt. Vor dem Tor unseres Klosters wurde ich ohnmächtig...

Ich war bis Anfang Dezember krank. Bruder Zedillo und Bruder Benediktus lagen mit denselben Symptomen einer gewaltigen Erkältung im Bett. Sie rührte von dem einen Mal her, an dem wir in der feuchten Nachtluft, vom Wege verschwitzt, hungrig und durstig auf einem ungeschützten Geröllfeld geschlafen hatten. Als wir schon wieder genesen war, lachte der Arzt, der uns jeden Tag besuchte und unsere Arzeneien verabreicht hatte, über unsere Vermutungen. Unsere Krankheit, und er sagte dies mit professoraler Geste – er hieß Barbosa, hatte in Évora gelehrt und brüstete sich damit, am Baron von Alvito sehr viel Geld verdient zu haben – käme von der schlechten Luft an jenem pestilenzialischen Meer, das wir besucht hätten. Wir hätten nicht zur Herbstzeit dorthin gehen dürfen, denn das sei dort die schädlichste.

Gleich nachdem wir wieder gesund waren, kehrten mein Gefährte und ich wieder nach Jerusalem zurück, zur großen Freude Pater Bonifazius', der sich um unsere Gesundheit Sorgen gemacht hatte.

«Wie sehr habe ich Euch vermißt!» rief er aus, als er uns bei unserer Ankunft umarmte. «Ich hätte euch diesen höllischen Besuch nicht erlauben sollen...»

«Höllisch?» entgegnete Bruder Zedillo, «den Jordan besuchen?!»

«Höllisch», verbesserte sich Bruder Bonifazius väterlich, «was den Besuch Sodoms betrifft! Es war der Höllenodem, der Euch krankgemacht hat.»

Ich war besorgt, wußte nicht, was ich tun sollte. Isac Beiçudo war, als er sah, daß ich im Fieber delirierte, einige Tage lang in Bethlehem geblieben und hatte mit Erlaubnis des Guardians stundenlang an meinem Bett gesessen. Eines Tages dann, als ich bei Sinnen war und sprechen konnte, sagte er zu mir:

«Ich muß Euch für eine Zeitlang verlassen. Mich rufen wichtige Geschäfte. Wenn es Euch besser geht, werdet Ihr vermutlich nach Jerusalem reisen...»

«Ja, ich denke, das ist besser so. Ich muß in den Norden reisen.»

«Es ist dringend. Ich werde mich melden, wenn Ihr dort seid. Lebt wohl! Werdet schnell wieder gesund.»

Ich reichte ihm meine bleich gewordene, magere Hand, die er in der Seinen drückte.

«Habt Dank, mein Freund!» sagte ich.

An der Schwelle zögerte er, sah zurück, wie jemand, der noch etwas zu sagen hat. Ich nutzte die Gelegenheit. Woher hatte er gewußt, daß wir im Zeltlager der Araber in Gefahr waren?

«Woher ich weiß, daß Bruder Pantaleon von Portugal Gefahr lief, daß der Verrat des Christen allein ihm galt?»

«Nur mir?»

Ob ich mich daran erinnere, wie er mich im Kirchenschiff der Marienkirche angesprochen habe? Er sei nicht gleich fortgegangen, habe sich noch im Schatten verborgen gehalten, als er gehört habe, was der Meßdiener des Bischofs von Coimbra dem Abtrünnigen aus Bethlehem aufgetragen habe. Er sei gewarnt gewesen und habe alles so eingerichtet, daß er im rechten Augenblick eingreifen konnte. Amir, der Araber, hatte zudem in der Absicht noch mehr Geld zu verdienen, dem Christen noch eins draufgesetzt, indem er mich gegen den Guardian von Bethlehem austauschte...

«Bruder João Soares! Warum?»

Auf Geheiß wessen, sollte ich eher fragen, denn dieses sei an höherer Stelle in Gang gesetzt worden. Bei seinem Worte, er werde es schon herausbekommen!

«Lebt wohl!» Er winkte mir zum Abschied.

Und da war ich nun in Jerusalem, schon lange, besuchte die Stätten der Passion, der Auferstehung, der Himmelfahrt und alle anderen Stätten im Umkreis immer wieder. Pater Bonifazius gab uns vollkommene Bewegungsfreiheit, entband uns von den Verpflichtungen des Gemeinschaftslebens und forderte uns eigens dazu auf, unsere Zeit dafür zu nutzen, bei den Besuchen Reliquien zu sammeln, um daraus *agnus dei*, Kreuze und geweihte Kleinigkeiten herzustellen. Es würden Zeiten kommen, ermahnte er uns, in denen wir bedauern würden, es nicht getan zu haben.

Ich besuchte Shilloh, dort wo zur Zeit Josuas die Bundeslade niedergelegt wurde, und Ramatajim, die Heimat des Propheten Samuel, nichts als gewaltige Ruinen antiker Gebäude, und darum herum viele rauhe, grimmige Berge. Hier hatte der Sultan jedem, der wollte, die Freiheit eingeräumt, dort zu wohnen, wobei er ihnen seinen Schutz gewährte. Doch da der Ort weitab von allen anderen liegt, gibt es niemanden, der sich dort niederließ, obwohl das Land sehr fruchtbar ist und es reichlich Wasser gibt. Zur Zeit unseres Aufbruchs gab es dort viele portugiesische und spanische Juden, die sich sehr darum bemühten, dort zu wohnen, aber ich weiß nicht, wie weit ihre Bemühungen gediehen sind. Ich war auch an dem Ort, wo einst die Stadt und die Burg von Emmaus lagen, ebenso wie in Nikopolis, von der am heutigen Tage wenig übriggeblieben ist, nur eine eingestürzte, halb verfallene Kapelle, welche an der Stelle gebaut worden war, an der Christus nach seiner Auferstehung den beiden Jüngern erschienen ist.

So verbrachte ich meine Zeit, und mein Gemütszustand schwankte zwischen klösterlicher Schwermut, der Unruhe, nach Damaskus aufzubrechen, um Meister Jakobus zu treffen, der Ungeduld, da es von Isac Beiçudo kein Zeichen gab und der Sehnsucht nach Helena, die tief in meinem Inneren wie eine offene Wunde schmerzte, so daß ich all diese Besichtigungen und das Sammeln von Reliquien als unnütz und sinnlos empfand. Außerdem hatte ich nicht die geringste Ahnung, wie ich wieder zurück ins Christenland gelangen könnte. Wenn ich diese Zerstörung und diese Trümmer ansah, verglich ich sie mit mir und glaubte, daß die Landschaft meines Inneren ebenfalls mit Ruinen übersäht war: Die hochfahrenden Ionischen Säulen meiner hohen Ideale mit ihren verzierten Kapitellen waren umgestürzt und zerborsten; die mystischen bunten Glasfenster meines Franziskanertums waren in Scherben zersprungen; die wasserspeienden Monster meines Zögerns, meiner Vorbehalte und kleinen Verstellungen, meiner Sünden hatten die Zähne verloren und waren von Moos bedeckt, Eidechsen und Salamander sonnten sich darauf; das Kreuz meines Gelübdes lag zwischen Unkraut auf dem Boden, in Stücke zerschellt; Wände verfallen in der Trostlosigkeit der Ödnis, in der das Heulen der Wölfe und der Wüstenwinde zu Hause sind!...

Eines Tages kamen fünf italienische Adlige in der Heiligen Stadt an: ein Römer, ein sehr tugendhafter, ehrlicher Priester mit Namen Misser António, ein Bologneser, ein Florentiner, ein Mann aus Brescia und ein Venezianer namens Misser Carlo. Sie hatten vorher nichts voneinander gewußt und waren einander in Venedig begegnet, weil sie sich ins Heilige Land einschiffen wollten. Da zu jenem Zeitpunkt kein Schiff nach Zypern bereitstand und sie gut gefüllte Geldbeutel besaßen, was das Beste ist, um Widrigkeiten zu begegnen, schifften sie sich nach Alexandrien ein, um erst den Sinai und dann Jerusalem zu besuchen. In Alexandria lernten sie viele venezianische Kaufleute kennen, an denen es dort nie mangelt, und reisten dann auf dem Nil nach Kairo. Dort trafen sie einen jungen Franzosen, welcher von Kindesbeinen an auf den Galeeren des Großtürken gewesen war und sowohl die türkische als auch die arabische Sprache sehr gut beherrschte. Er war geflohen und hatte sich unter den christlichen Kaufleuten versteckt, welche dort Handel treiben. Sein einziger Wunsch war es, wieder in seine Heimat zurückzukehren, doch er wußte nicht wie, bis er den Italienern begegnete, die mit ihm handelseinig wurden. Sie verpflichteten sich, ihm alles für die Rückkehr in seine Heimat Erfordliche zu verschaffen, wenn er ihnen als Dolmetscher während jener Reise dienen wollte. Der junge Mann war dies sehr zufrieden, und sie zogen ihm sogleich italienische Kleider an. Nachdem Zelte für den Weg und alles weitere gekauft worden war, was für eine so lange Reise notwendig ist, machten sie sich mit einer Karawane auf den Weg durch die Sandwüste und gelangten nach Gaza und Hebron. Nachdem die Karawane dort aufgelöst worden war, setzten sie ihren Weg fort und kamen nach Jerusalem, wo der Guardian und wir Franziskanermönche sie mit Nächstenliebe und voller Freude empfingen. Sie kamen nicht wie Pilger, die das Land der Ungläubigen durchwandern, sondern mit einer richtigen Fracht, Reisezelten, Affenweibchen und Papageien, welche sie in Kairo gekauft hatten. Sie weilten einen ganzen Monat bei uns. Während dieser Zeit erfuhren wir von ihnen, daß sie beabsichtigten, weiter nach Norden zu reisen, über Samaria und Galiläa, um in Tyrus oder Sidon ein Schiff zu nehmen. Dort findet man häufiger eines als in Japho, es sei denn Pilger aus dem Frankenland oder aus Griechenland kommen dort an.

«Dies ist eine ausgezeichnete Gelegenheit», sagte Bruder Zedillo zu mir, «jene Gegenden kennenzulernen. Eine bessere und edlere Gesellschaft könnten wir nicht haben.»

Ich zögerte, da ich noch immer kein Zeichen von Isac Beiçudo erhalten hatte. Wir konnten aufbrechen, wann wir wollten. Dazu hatten wir eine besondere Erlaubnis unseres Generalobersten, der sie uns bereits in Rom gegeben hatte. Wir würden so rechtzeitig ein Schiff nehmen, daß wir an unserem Generalkapitel teilnehmen könnten... Ich erhob Einspruch. Und Pater Bonifazius? Was würde er sagen, der von allem nichts wußte?... Bruder Zedillo war kalt. Nie bemerkte ich auch nur die mindeste zärtliche Regung bei ihm. Wenn ich ihn manchmal gerührt, weinen, ängstlich sah, dann nur über sich selbst, seine Angst, damals, als er auf dem Meer, bei den

Arabern in Gefahr war, oder angesichts des Skalpells eines Arztes war eine physische, instinktive Angst. Er antwortete mir:

«Niemand, der unserem Generalobersten unterstellt ist, kann etwas gegen die genauen und uns günstigen Klauseln unserer Genehmigung etwas tun. Nicht einmal der Guardian von Jerusalem.»

Ich dachte, mir entginge nichts, wenn ich mich auf den Weg in den Norden machte. Mir klang Isacs Stimme in den Ohren: «Es ist dringend!» und eine andere, weiter zurückliegende Stimme, die einer Frau auf Korfu. «Er wird Euch finden, zweifelt nicht daran!» und eine weitere: «Meister Jacobus fühlt sich alt!... Er liegt im Sterben!»...

«Gut», sagte ich zu meinem Gefährten, «laß uns zu Bruder Bonifazius gehen.»

«Ich verlasse mich auf deine gewohnte Diplomatie», antwortete Bruder Zedillo.

Wir unterrichteten Pater Bonifazius demütig über unser Vorhaben und baten ihn um Nachsicht und darum, uns unsere Rückreise nicht übel zu nehmen. Weil wir aus so fernen Ländern kämen, hätten wir uns an den Generalobersten gewandt, um die Genehmigung zu erhalten.

Pater Bonifazius nahm unser Vorhaben sehr schlecht auf. Er war sehr ärgerlich auf uns! Er fühle sich hintergangen! Wir hätten von anfang an unsere Genehmigung vor ihm verheimlicht. Wenn er das gewußt hätte, hätte er es verhindert, denn er sei dort gewesen, als die Briefe verfaßt wurden...

«Ach! Bruder Bonifazius!» rief ich zerknirscht, während mein Gefährte, die Hände in die Ärmelöffnungen gesteckt, die Oberlippe über die Unterlippe geschoben, dastand wie eine Statue.

Was ihn am meisten träfe, fuhr der Guardian fort, sei, daß wir ihn verlassen wollten, wo er uns doch so freundschaftlich verbunden sei und uns so notwendig zum Trost und zur Unterstützung der franziskanischen Familie brauchte!

Ich schwieg, reuig, beschämt.

«Aber sei's drum», seufzte der gute Vater Bonifazius. Und seine Züge entspannten sich in einem strahlenden Lächeln, während er uns freundlich umarmte und fortfuhr:

«Ich werde sogleich veranlassen, daß eure Beurlaubungen auf

Pergament geschrieben werden, in welchen ich bezeuge, daß ihr im Heiligen Land gewesen seid und welche Stätten ihr besucht habt. Und ich werde mich auch um den Mundvorrat für eine so lange Reise kümmern...»

Wir konnten nur noch einige schwache, schüchterne Dankesworte stammeln.

Gerade zu jenem Zeitpunkt kam auch die Frau des Pascha von Damaskus, des Vize-Königs von ganz Syrien und Palästina, mit jenem großen und prächtigen Geleitzug von Leuten zu Pferde und zu Fuß und vielen schönen Frauen in reichen Sänften und auf trefflichen Reitpferden nach Jerusalem. Die Sandschakbeys aus Hebron und Gaza und viele andere türkische edle Herren eilten sogleich herbei, um sie mit kostbaren Geschenken und Gaben zu empfangen. Sie wurde in den Häusern des regierenden Statthalters von Jerusalem beherbergt, den besten der Stadt, und als oberster Wächter kam mit ihr ein Neffe des Pascha, ein Mann von hohem Ansehen und ein guter Freund des Sandschakbeys. Jenen suchte Pater Bonifazius auf und nahm mich mit. Er durfte die Türkin nicht besuchen, da dies nicht üblich war. Selbst die Türken bekamen sie kaum zu Gesicht. Bei unserem Besuch ergab es sich, daß der Statthalter beim Neffen des Pascha weilte, und da jener sich als Verwandter Pater Bonifazius ausgab, da beide aus derselben Heimat, Slowenien, stammten, einer Mazedonien benachbarten Gegend, und beide sich wie Verwandte verhielten, empfing er ihn, als kenne er ihn schon lange, und beide begrüßten sich überschwenglich. Wir brachten ihm ein Geschenk für die Türkin und ein weiteres für ihn selbst und seine Begleitung, wie es auch die anderen Häupter der christliche Nationen und der Oberrabbiner der Synagoge der Juden getan hatten.

Bevor wir eintraten, ordneten wir das Gesandschaftsgefolge mit den Geschenken: fünf Ellen feinstes veilchenblaues Tuch, ein Dutzend grobe Brote und ein weiteres Dutzend gebratene jünge Hähne, eine Kalebasse Essig und ein Korb mit einem Salat aus verschiedenen Kräutern, welche die Türken im Gegensatz zu uns sehr schätzen. Der Sandschakbey schickte uns einige seiner Untergebenen, um uns zu empfangen. Wir traten mit einem gewissen Pomp ein, wobei wir unseren Janitscharen mit dem Brot vorangingen und einen unserer Mönche mit den Hähnchen folgen ließen. Dann kam die Kalebasse mit Essig, dann der Salat und schließlich unser Dolmetscher Jacob, der sich an die Seite des Guardians stellte. Der Statthalter und der Neffe des Pascha, die in der Mitte eines Lagers aus mehreren Samtteppichen saßen, trugen seidene Hosen und waren barfuß, ihre Schuhe standen neben ihnen. Die Obersten des Hauses mit den abgesandten Kadis, welche auch auf Teppichen saßen, umgaben uns wie ein Hohes Gericht zu beiden Seiten. Bruder Bonifazius trat vor und durch den Dolmetscher sagte er, weshalb er gekommen sei, und daß die Ellen Tuch ein Geschenk für die türkische Dame und die restlichen Dinge eine an unsere Armut erinnernde Gabe für den Sandschakbey persönlich sei. Der Statthalter antwortete nicht auf Slowenisch, wie sonst im Umgang mit dem Guardian, das ganze Gespräch wurde in türkischer Sprache geführt, da er bei diesem öffentlichen Akt vor dem Neffen des Paschas und den Kadis seine Autorität und Würde bewahren mußte. Er stellte dem erlauchten Gast den Guardian vor und befahl dann, das Geschenk der Türkin zu überbringen. Indes versäumte es der Sandschakbey nicht, lächelnd und sichtbar zufrieden mit den Geschenken, in Gegenwart seiner Gäste seine Emsigkeit und seinen Eifer und die Rechtschaffenheit und die Gerechtigkeit, mit welcher er seine Herrschaft ausübte, unter Beweis zu stellen, und dabei einen versteckten Vorwurf und eine Anspielung zu machen, die sich letztlich als Schuß nach hinten erwies.

«Wo du, der Guardian und das Oberhaupt der Franken, nun schon einmal hier bist, möchte ich dir doch einmal sagen, daß einige Subaschis in dieser Stadt sich bei mir über dich beschwert haben. Unser Gesetz verachtend, läßt du in deinem Kloster prächtige, schloßartige Bauten errichten, um dich zu verteidigen, oder Festungen, um uns anzugreifen. Du weißt wohl, Guardian, daß der große Herrscher Soliman euch kein festgegründetes Gebäude zu bauen erlaubt, noch gestattet, die schon bestehenden ohne besondere Erlaubnis zu befestigen. Und da ich dich sehr liebe, was ich eigentlich so öffentlich nicht erklären dürfte, möchte ich von dir die Wahrheit erfahren und beide Seiten, wie es gerecht und billig ist, anhören.»

Diese Beschreibung träfe kaum zu, antwortete Bruder Bonifazius vorsichtig. Der Sandschakbey solle doch die Arbeiten selbst einmal besichtigen und er werde feststellen, daß weder ein prächtiges Bauwerk, noch eine Burg oder eine Festung, sondern nur einige Wände im Kloster gebaut worden seien, und zwar mit seiner besonderen Erlaubnis – er erinnere sich vielleicht daran – damit die Mönche sich zurückziehen und Ruhe genießen könnten...

Der Guardian sprach in seiner Muttersprache und spielte den Verärgerten. Daß er von übler und falscher Nachrede umgeben sei, daß er nicht mehr im Heiligen Land zu leben wagte und vorhabe, mit seinen Mönchen ins Frankenland zurückzukehren! Und mehr noch. Er habe den großen Herrscher Soliman für einen Freund gehalten, der, sowie es auch alle anderen Anwesenden wüßten, gegenüber jedermann gerecht sei und daher nicht befehlen würde, den Franken gegenüber so tyrannisch zu verfahren.

Das er das Slowenische auf das vollkommenste beherrschte, merkte der Sandschakbey, daß der Zorn des Guardians daher rührte, daß der Dolmetscher, welcher von Natur aus boshaft und verdorben war, nicht alles genau übersetzte und vieles ausließ.

«Jacob!» sagte der Sandschakbey ärgerlich und erzürnt. «Du bist ein falscher Hund! Du übersetzt nicht, was ich sage. Vergißt du, daß ich die Sprache des Guardians kenne und seine Antworten verstehe? Wo wir dich schon als Dolmetscher genommen haben, verhalte dich ehrlich. Bei Angelegenheiten wie dieser ist Falschheit nicht angebracht. Andernfalls werde ich mit ihm in unserer Muttersprache reden und dich und deine Schurkerei bestrafen.»

Der Dolmetscher geriet durch die Worte des Statthalters dermaßen außer sich, daß er keinen Laut mehr hervorbrachte. Er mußte ausgewechselt werden. Unser Janitschar diente uns darauf als Sprachvermittler, da er auch aus Slowenien stammte und die beiden Sprache beherrschte.

«Erzürne dich nicht, Pater Guardian!» sagte nun der Sandschakbey sehr sanft, um Bruder Bonifazius besänftigen. «Ich bin dein Freund. Ich war dir immer günstig gesinnt und werde dir meine Gunst erweisen, wenn sich mir die Gelegenheit dazu bietet, wie du wohl sehen wirst. Erinnerst du dich nicht mehr daran, wie ich einen Subaschi von seinem Amt entband, weil er sich mit den Franken nicht verstand und den Christen gegenüber blinden Haß empfand? Diese Verleumdung geht auch von einem Subaschi aus, den ich gleichermaßen ersetzen werde. Der große Herrscher Soliman vertraut mir und schickte mich nach Jerusalem, damit den Großen und den Kleinen, den Mauren wie den Christen Gerechtigkeit widerfahre...»

Derweil kam aus dem Inneren des Hauses eine Botschaft der Türkin, welche uns ihren herzlichen Dank aussprach. Der Sandschakbey lächelte offen, der Neffe des Pascha lächelte und die Kadis rundherum lächelten. Als Pater Bonifazius sah, daß die Sterne günstig für uns standen, teilte er dem Sandschakbey mit, wo er ihm doch gerade seine Gunst erweisen wolle, daß Bruder Zedillo und ich in Begleitung einiger Italiener, welche in unserem Hause weilten, nach Franquia zurückkehren wollten, und bat ihn, da wir Ausländer waren, um den Schutz des Türken auf unserer Reise bis Damaskus. Als er dies hörte, sagte der Neffe des Pascha zu uns:

«Bei Mohammed und Allah! Nicht nur aus Liebe zum hier anwesenden Sandschakbey, sondern aus Zuneigung zu Euch, Guardian, den ich nunmehr freudig als Verwandten betrachte, verspreche ich Euch bei meinem Haupte, daß ich Eure Freunde bis nach Damaskus mitnehme!» und er führte die Hand an den Turban, wie es bei den Türken bei solchen Versprechen Brauch ist.

Der Guardian dankte ihm vielmals, und nachdem wir uns verabschiedet hatten und draußen befanden, flüsterte er mir ins Ohr:

«Nimm Wein mit, damit du ihn während der Reise einladen kannst.»

Unsere Abreise sollte drei oder vier Tage später stattfinden. Ich schrieb heimlich sogleich an unseren Guardian in Bethlehem, meinen besonderen Freund, damit er mir zwei Almuden Wein schickte, die ich zu dem Wein tat, welchen sie mir im Kloster gaben. An einem Morgen brach in aller Frühe die Karawane der Türkin von Jerusalem auf. Alle großen Herren der Stadt begleiteten sie zu Pferde, bis sie sich eine gute Meile vor den Toren der Stadt von ihr verabschiedeten. Es mißfiel mir, daß wir nicht an der Spitze reisten, um Unannehmlichkeiten zu entgehen, welche in jenen Gegenden nicht auf sich warten lassen, wenn man nicht auf der Hut ist und gewarnt wird, doch unsere Gesellschaft hielt sich derart müßig mit dem Essen auf und versäumte es, die Lasten schnell aufzuladen, daß es schon neun Uhr morgens war, als wir aufbrachen. Ein Grund für diese Nachlässigkeit war auch, daß uns gesagt wurde, die Türkin werde sehr langsam reisen und an jenem Tag nicht weiter kommen als an einen Ort namens Bira, welcher zehn Meilen von Jerusalem entfernt liegt. Wir nahmen Abschied von den Mönchen. Tränen und Umarmungen!... Wir empfingen den Segen des Guardians, welcher ebenfalls feuchte Augen und eine belegte Stimme hatte. Wir machten uns auf den Weg und verließen die Stadt durch das Damaskustor. Auf dem Gipfel eines Hügel hielten wir an, um ein letztes Mal auf Jerusalem zu schauen. Was geschah mit mir? In einem einzigen Augenblick war die ganze Lauheit meiner Seele dahin und das Eis meines Herzens schmolz zu Tränen. Ein entsetzliches Schluchzen, ein trockener, heiserer Ton, welcher schon lange aus den verborgensten Tiefen meines Seins herausdrängte, erschreckte meine Gefährten, die mich wortlos mit melancholischem Gesicht einen Augenblick lang ansahen und dann ihre traurigen Blicke wieder der Heiligen Stadt zuwandten. Langsam drehten sie sich um und begannen den Hang hinunterzusteigen, bis sie verschwanden. Mein Reittier wartete nicht, bis ich mich entschieden hatte, und folgte ihnen.

Auf dem Wege kamen uns die Berittenen entgegen, welche die Türkin eine kleine Meile lang begleitet hatten, und mit ihnen auch die Angehörigen des Gerichts, die alle wieder in die Stadt zurückkehrten. Wir saßen sofort alle ab und entfernten uns einen Steinwurf weit vom Wege, um ihnen unsere Achtung zu erweisen, da dieses Landesbrauch war, und wir anderenfalls nicht überlebt hätten. Der Subaschi, welcher einem Gerichtsbeamten bei uns entspricht, hielt an. Er ließ die Blicke rundum schweifen und ließ dann Hand an einen Maulesel legen, auf dem überdies noch ein Käfig mit zwei Eulen stand.

«Runter mit der Last!» befahl er seinen Untergebenen, welche den Befehl sofort ausführten.

Sie breiteten die Waren auf dem Boden aus, wühlten darin herum und fanden schließlich darunter einige große Stücke arabisches Pech, von jenem, das aus dem Toten Meer kommt, eine Ware, welche bei ihnen streng verboten ist. Einer der Maultiertreiber hatte es ohne unser Wissen mitgenommen, um es in Damaskus zu verkaufen.

«Wem gehört der Maulesel?» fragten die Leute des Subaschi.

Die anderen Maultiertreiber, die wir mit uns hatten, verrieten voller Angst ihren Gefährten, der sofort festgenommen, während der Maulesel ebenso wie die Waren einbehalten wurden. Sie zwangen uns, in die Stadt zurückzukehren, was uns sehr betrübte.

«Ihr wolltet nicht auf mich hören, als ich zur Eile mahnte», sagte ich zu den Italienern, «das habt Ihr nun davon. Wären wir mit der Türkin gegangen, wäre dies nicht geschehen.

«Die Maultiertreiber aus Bethlehem und Bayt Jala», fügte Bruder Zedillo seine Erfahrung unter Beweis stellend hinzu, «sind ein übles Pack! Sie beschuldigen und beißen einander wie die Hunde. Der Subaschi wußte um das Pech und wer es mit sich führte und auf welchem Maulesel es sich befand. Hast du nicht gesehen, wie der Verräter sich uns näherte und dem Subaschi mit den Augen ein Zeichen gegeben hat und ihm so die Last gezeigt hat, in der das Pech war?»

Als wir so alle als Gefangene in die Stadt zurückkehrten, kniete ein Bruder des Beschuldigten vor dem Subaschi nieder:

«Verzeiht, Subaschi, habt Erbarmen! Verhindert unsere Reise nicht und setzt den Prozeß bis zur Rückkehr aus.»

Der Subaschi versetzte ihm vom Pferd herab, um seine Milde zu zeigen, mit einer Eisenkeule, welche er als Waffe in der Hand führte, einen Hieb mitten auf die Brust, so daß ich befürchtete, er habe ihn getötet. Doch der arme Christ stand sofort wieder auf und händigte ihm die Keule wieder aus, indem er sie vom Boden aufhob und sie küßte. Und der grausame Türke schlug ihn abermals und der Christ wiederholte seine demütige Geste und so machte er es zwei oder dreimal. Sie brachten uns zum Haus des Kadi, des Oberrichters, und vor seinem Tor entluden sie die Tiere und nahmen uns alles ab, was wir mit uns führten. Unser Wein erlitt denselben Schiffbruch und sie nahmen sich mehr als die Hälfte davon. Den Rest ließen sie uns, weil ich mit sehr lauter Stimme, so daß alle es hörten, einfach sagte:

«Solimão xarave! Solimão xarave! (was heißt: Soliman trinkt Wein!)»

Noch heute bekomme ich einen Schreck! Woher nahm ich die Kühnheit, das zu tun? Doch Tatsache ist, daß es Erfolg hatte. Ihre Religion verbietet es ihnen, Wein zu trinken. Der Sultan hatte jedem, der ihn trank, mit der Todesstrafe gedroht. Sie versuchten mich mit sanften Worten zum Schweigen zu bringen und gaben mir einen Teil des Weines zurück. Hätte ich ihre Sprache besser gesprochen, so hätten sie mir zweifellos allen Wein zurückgegeben und wären nicht Gefahr gelaufen bestraft zu werden, falls der Kadi es erfuhr.

Pater Bonifazius ging, sobald er erfahren hatte, was geschah, mit unserem Janitscharen zum Hause des Sandschakbeys. Er solle uns beistehen, denn uns träfe keine Schuld. Der Sandschakbey ließ dem Kadi sogleich eine Botschaft übermitteln, der uns umgehend, gegen den Willen des Subaschi, freiließ. Jener gab vor, es handele sich um seine Tiere und Lasten, und klagte auf ihre Rückgabe. Unsere Unschuld und die Bitten Pater Bonifazius' berücksichtigend, sprach der Kadi das Urteil, wir dürften unseres Weges ziehen und der Schuldige sei festzunehmen, damit ihm der Prozeß gemacht werde. Als sie uns freiließen, waren zwei Stunden nach Mittag vergangen und mit dem Wiederaufladen verging eine weitere Stunde.

«Es ist schon so spät!» rief Misser António aus. «Es ist besser, wir verschieben die Abreise auf morgen!»

«Auf morgen?» begehrte Bruder Zedillo auf.

«Wir könnten sehr früh aufstehen...»

«So wie heute!» warf ich ironisch ein.

«Wir sollten den Anschluß an die Gesellschaft, die schon vorangeht, nicht verlieren! Sie ist so gut und sicher!» schlug Misser Carlo vor.

«So viele Tage ohne Wache reisen?... Und uns so vielen Gefahren aussetzen!» entgegnete Misser António.

«Dann muß man eben eine Wache suchen, die uns begleitet, bis wir die Karawane der Türkin erreicht haben», sagte ich so entschieden, daß alle schwiegen und zuzustimmen schienen.

Es wurden sogleich zwei berittene Türken angeworben, die uns wegen des Lohnes, der ihnen genehm war, sehr höflich bis nach Bira begleiteten. Hier, versicherten sie uns, würden wir die Türkin, die Frau des Pascha von Damaskus, finden, doch als wir nach Sonnenuntergang in den Ort gelangten, nachdem wir uns sehr beeilt, ja fast gerannt waren, fanden wir die Gesellschaft nicht, wie wir erwartet hatten, und waren darob sehr traurig und betrübt. Die Türken kehrten nach Jerusalem zurück und kümmerten sich wenig um unseren Ärger und unsere Enttäuschung. Als sie aufbrachen, boten sie uns noch an, weiter mit uns zu reisen. Sie verlangten sehr viel Geld und wollten den Lohn selbst festsetzen, einen wahrhaft überhöhten Erpresserlohn. Die Mitglieder unserer Gesellschaft wollten den Vorschlag nicht annehmen. Es ging nun darum, andere Wachen zu finden, denn außerhalb der Städte und der großen Ortschaften, wo man uns noch achtet, werden nicht nur die Araber, sondern auch jeder dahergelaufene Maure immer dreister in ihren Beleidigungen, wenn man ihnen nicht gibt, was sie fordern. Bruder Zedillo, bei dem eine gewisse prahlerische Kühnheit Oberhand gewann, die ihn hin und wieder überkam, war anderer Meinung. Wozu Wachen? Waren wir alle zusammen mit den Maultiertreibern nicht fünfzehn oder sechzehn Personen? Hatten unsere italienischen Gefährten nicht gute Waffen, die sie mit Genehmigung der Statthalter der Regionen mit sich trugen? Gab es hier nicht große Stöcke? Fürchteten wir uns etwa vor einer Schlägerei? Selbst wenn es zwanzig Araber seien? Na und?...

«Laß die Prahlerei!» unterbrach ich ihn. «Wenn wir sie beleidigen, ziehen wir immer den kürzeren. Sie kommen einander sofort zur Hilfe, selbst wenn es keinen Grund noch ein Recht dafür gibt. In ihrem Land ertragen sie nicht die geringste Beleidigung...»

«Ich meine, es ist immer billiger», kam mir Misser António zur Hilfe, «wenn wir Wachen zu einem ehrlichen Preis mitnehmen, als in Unannehmlichkeiten verwickelt zu werden.»

Wir fanden dann einige maurische junge Männer mit Pfeil und Bogen. Nachdem wir den Preis mit ihnen abgemacht hatten, für den sie uns am darauf folgenden Tag begleiten sollten, blieben wir bis zum Morgengrauen in einem großen baufälligen Gebäude, welches einst eine Kirche gewesen war. Bira ist heute ein weitverstreutes, unübersichtliches Dorf mit vielen Brunnen und Wasserbecken. Weitere Besonderheiten habe ich nicht verzeichnet, weil wir erst spät kamen und bei Tagesanbruch weiterreisten. Fortan würde ich häufiger Dinge auslassen müssen, da wir nicht mehr mit derselben Freizügigkeit reisten wie in Jerusalem, obwohl unsere Maultiertreiber in Palästina geborene Christen waren. Auf dieser Reise gesellte sich ein italienischer Christ namens Nikolaus zu uns, der seit vielen

Jahren schon im Heiligen Land lebte und die Mönche, wenn sie diese Wegstrecke zurücklegten, immer begleitete.

Eine Stunde vor Tagesanbruch machten wir uns auf den Weg. Wir waren noch keine Meile gewandert, als die Mauren erschienen und uns baten, sie zu bezahlen. Zwischen ihnen und unseren Maultiertreibern erhob sich Lärm und wüstes Geschrei. Der Streit wuchs sich zu einem Kampf mit großen Stöcken aus, der gewöhnlich vom Volke in diesen Gegenden, von Christen und Mauren gleichermaßen benutzten Waffe. Angriffswaffen dürfen, außer mit einer besonderen Genehmigung, nur die Türken tragen. Ein alter Kadi, der mit den Mauren aus dem Dorf gekommen war, eilte mit einem Krummsäbel zur Hilfe und trennte sie. Wie sich herausstellte, war er selbst es gewesen, der sie dazu angestiftet hatte, die Bezahlung schon zu fordern, bevor sie fällig war. Nun zahlten unsere italienischen Freunde um des lieben Friedens willen sogleich den Preis. Dennoch wiederholten die Mauren dieses Spiel auf dem Wege mehrere Male.

Nachdem wir vier Meilen zurückgelegt hatten, erfuhren wir in einem Ort namens Sindjil, daß die Türkin schon dort vorbeigekommen war und uns ebensoviele Meilen voraus war. Nach einer kleinen Mahlzeit aus Brot und Wasser, setzten wir eilig unseren Weg fort, im bläulichen, kühlen Schatten der Olivenhaine. Zu beiden Seiten des Weges gab es überall Alraunen, etwas weniger als eine Elle hohe Pflanzen, mit Blättern wie jenen des Mangolds, doch etwas breiter und länger, von welchen einige sich mattgrün auf dem Boden ausbreiten. Sie bringen Beeren hervor, die Äpfeln ähneln, außen safrangelb sind und innen hohl.

«Die Mauren machen daraus allerlei Arzneien», sagte mir einer der Eselstreiber, als er merkte, daß ich langsamer ging, um sie besser zu betrachten. «Wenn sie sie herausreißen wollen, hacken sie zuerst die Erde rund um die Pflanze weg. Dann werfen sie einen Strick darum, an dessen anderes Ende sie einen Hund binden. Sie winken dem Hund mit einem Stück Brot. Dieser rennt los, um es zu schnappen. Und reißt die Alraune heraus... Doch dabei stirbt er fast immer an den pestilenzialischen Dünsten, die aus der Wurzel kommen.»

Aus Neugier hätte ich gern eine dieser Pflanzen mitgenommen.

Da es aber nicht möglich war, blieb dieser Wunsch unerfüllt. Ich setzte meinen Weg fort und beschäftigte mich dennoch weiter mit der Alraune, die mich nicht so sehr interessierte, weil sie im Buch *Genesis* erwähnt wird, sondern vor allem, weil ich nicht vergessen hatte, daß Nikolas von Chanterenne von der Inquisition behelligt und der Hexerei beschuldigt wurde, weil er eine Alraune besessen hatte.

Unsere Wanderung war an diesem Tage gar nicht beschwerlich, und zwei oder dreimal taten unsere Leute so, als hätten wir die Araber auf den Fersen, damit wir uns noch mehr beeilten. Zur Vesperstunde entdeckten wir in einer Entfernung von einer großen Meile die Stadt Sichem. Von nun an war das Land eben, und wir sahen die Menschen auf ihren Gütern der Landarbeit nachgehen. Es gelang uns, einige Leute aus der Gesellschaft der Türkin einzuholen, da sie am Morgen nicht so früh aufgebrochen und nicht so eilig gewandert waren wie wir. Die Mauren, die uns begleiteten, schlugen, sobald sie sich in der freien Ebene befanden, ohne Abschied von uns zu nehmen, einen anderen Weg ein, weil sie Unannehmlichkeiten befürchteten, da sie uns soviele Male verärgert und beleidigt hatten.

Wir erreichten die Stadt zwei Stunden vor Sonnenuntergang und ließen uns in einem *Hau*, einer Karawanserei, außerhalb der Stadttore nieder, wo wir die Nacht verbringen wollten. *Hau* heißt auf Arabisch oder Türkisch ein sehr großes Haus, das all jenen offensteht, die darin Herberge suchen.

«Es gibt zwei Arten», erklärte mir Nikolaus, der Christ, «jene, die in den Städten oder großen Ortschaften, die wie Klöster viele Gebäude und Zimmer haben, und dann jene am Wege, außerhalb der Orte, wie dieses hier in Sichem: Es ist nichts weiter als ein geräumiges, quadratisches Haus mit sehr hohen, dicken Mauern.»

Das sah ich bestätigt, als wir die Herberge aufsuchten: Drinnen befinden sich an allen Seiten des Hofes hohe, mit einem Gewölbe versehene Torbögen. Zwischen den Bögen ohne Tore kauern sich die Menschen zum Schlafen zusammen. Das Gebäude hat mächtige, sichere Pforten, die nachts immer geschlossen werden. Fast in der ganzen Türkei liegen, eine halbe Tagesreise voneinander entfernt, solche Karawansereien, damit die Wanderer nachts dort Obdach nehmen können. In jeder Karawanserei können etwa hundert Personen eine Herberge finden. In die Räume zwischen den Bögen passen jeweils zehn bis zwölf, die, so sie wollen, dort ihr Feuer anzünden, um sich zu wärmen oder zu kochen. Christen, Juden, Mauren und Heiden, die hier Schutz suchen, müssen nichts dafür bezahlen. Diese Häuser werden von den reichen Mauren gebaut, die dies angeblich um ihres Seelenheiles willen machen, damit sie im nächsten Leben jemanden haben, der sie beherbergt und ihnen Gutes tut.

Nachdem wir uns ein wenig von der Wanderung erholt hatten, statteten Bruder Zedillo und ich am Abend dem Türken, dem Neffen des Pascha von Damaskus, dem wir empfohlen waren, einen Besuch ab. Wir nahmen ein kleines Fäßchen mit zwei Canadas Wein mit, für ihn Anlaß genug, uns mit großen Freudenbezeugungen zu empfangen.

«Wie leid tut es mir», rief er aus und umarmte uns, «daß wir nicht zusammen von Jerusalem aufgebrochen sind!»

«Dies war nicht allein unsere Schuld», sagte ich zu ihm, «ein unvorhergesehenes Unglück ereilte uns gleich nach unserem Aufbruch!» und ich erzählte ihm, was geschehen war, wobei ich den Schiffbruch, den der Wein erlitten hatte, den wir ihm kredenzen wollten, ganz besonders heraustellte. Er solle sich das einmal vorstellen!...

Er bot uns überschwenglich an, über ihn, über das Land zu verfügen, doch letztlich gingen wir, die wir mit vollen Händen in sein Haus gekommen waren, mit leeren Händen wieder weg, denn diese Leute – oh Paulus von Tarsus! – nehmen lieber als daß sie geben.

«Von nun an», sagte er, «werden wir gemeinsam bis nach Damaskus ziehen. Die türkische Dame wird langsam reisen. Daher werdet Ihr Zeit haben, wenn Ihr Euch vom Wege entfernt, viele Stätten zu sehen, die Ihr Christen zu besuchen pflegt.

Wir dankten ihm vielmals und zogen uns zurück. An diesem Tage kehrten wir sogleich in die Karawanserei zurück, da es schon spät war, und berichteten unseren Gefährten, wie freundlich der Türke sich uns gegenüber gezeigt hatte.

«Morgen», verkündete ich ihnen, «haben wir Zeit zum Ausruhen und um die Stadt zu sehen. Die Türkin hat bestimmt, daß wir erst übermorgen weiterreisen.»

So schliefen wir diese Nacht in der Karawanserei, schlecht untergebracht, das sei der Wahrheit zuliebe einmal gesagt, da viele Leute aus dem Geleitzug der Türkin dort untergekomen waren.

Samaria! Bergiges Land der murmelnden Quellen, des freundlich kühlen Schattens! Die Leute hier haben einen besseren Charakter als die in Judäa. Selbst ohne Begleitung der Türkin – sagte man uns – können wir ohne weiteres in der ganzen Gegend ohne Wachen reisen, wenn wir den Wegzoll dort bezahlen, wo er fällig ist. Die Stadt Sichem liegt auf dem Gipfel einer Anhöhe, welche in einem kleinen, «lieblichen, anmutigen» Tal, wie die heutigen Dichter so gern sagen, in der Nähe der beiden hohen Berge, dem Ebdal und dem Garizim, liegt und mit einem bezauberndem Wald bedeckt ist. Die Stadt ist ganz von Mauern umgeben und mag mit ihren schönen Häusern und sehenswürdigen Moscheen, die einst christliche Kirche waren und in deren Türmen jetzt die Glocken fehlen, gegenwärtig etwa zweitausendfünfhundert Einwohner haben. Ihr heutiger Name ist Nablus, andere nennen sie Nabulosa. In ihr gibt es für gewöhnlich schon alles, was das Land hervorbringt. Doch aufgrund der Ankunft der Türkin, und da zudem März war, als wir dort ankamen, war der Markt überreichlich mit frischen Trauben, vielerlei Äpfeln und Birnen und Zitrusfrüchten eingedeckt, und alles war so billig, als hätten wir September. Einen guten Armbrustschuß weit entfernt liegt der Jakobsbrunnen, welcher heute vollkommen zugeschüttet ist, nur seine Brunnenöffnung aus behauenem Stein wurde wieder freigelegt. Neben dem Brunnen eine verfallene Kirche. Sie liegt etwas nach links versetzt am königlichen Weg, der breit und weitläufig von Jerusalem nach Sichem führt.

Aber was halte ich mich mit Einzelheiten auf? Seit wir hier angelangt waren, hatte ich mich nicht mehr bemüht, einen Reisebericht zu schreiben. Ich wollte bei den Türken keinen Verdacht erwecken. Ich überantwortete nunmehr dem Gedächtnis, was es bewahren konnte, und das war, gemessen an dem, was wir sahen, sehr wenig...

Am nächsten Tag wurde im Morgengrauen eine Trompete kräftig geblasen und, da schon alle bereit waren, machten wir uns unverzüglich auf den Weg. Und da wanderten wir nun, eingereiht in die träge Karawane der türkischen Dame!... Wenn wir uns zu weit von ihr entfernten, um einen frommen Ort zu besuchen, mußten wir uns sehr beeilen, um sie wieder einzuholen, wenn uns unsere Maultiertreiber gesagt hatten, daß wir an einer Stelle vorbeikommen würden, an der Wegzoll gezahlt werden mußte. Welch ein Gegensatz: Wir mußten uns sputen, um die Karawane einzuholen, während sie selbst nur langsam vorankam... so langsam, daß die berittenen Türken Rebhühner jagten, indem sie sie zu Tode hetzten, um ihre Herrin zu zerstreuen.

Gemeinsam mit den anderen wandernd, erreichten wir einige große Häuser, die etwas abseits links und rechts der Straße lagen, darunter auch eine riesige Karawanserei, die einer Burg oder einer Festung glich. Ihr Name ist mir entfallen, obwohl sie in dieser Gegend sehr bekannt war. Unvermittelt stellten sich uns, aus den Häusern an der rechten Seite kommend, fünf bewaffnete Männer in den Weg, unter ihnen ein sehr stattlicher Türke, der blanke Waffen trug. Sie verlangten Wegzoll von uns. Unser Dolmetscher kam uns zur Hilfe: Da wir in Begleitung der türkischen Dame und der anderen reisten und zudem dem Neffen des Pascha von Damaskus anempfohlen seien, brauchten wir keinen Wegzoll zu zahlen! Darüber begannen sie nun einen Streit. Da wir zwischen den Mauren gingen, einige voran, einige hinter uns, kommen drei von den Unsrigen und ich durch. Bruder Zedillo, welcher sich als mit besonderen Vorrechten ausgestattet und als Sprecher aller Gefährten zeigen wollte, erhielt bei all dem Geschrei ums Zahlen oder Nichtzahlen, von dem Türken mit einer Eisenkeule einen Schlag vor die Brust, der ihn sofort zu Boden warf, wo er eine geraume Weile besinnungslos liegenblieb. Die anderen, die bei diesem Zwist gegenwärtig waren, wurden ebenso mißhandelt. Auf dem Höhepunkt des Streits kamen einige Diener von des Paschas Neffen herbeigeeilt und gemeinsam mit anderen Freunden und unter dem Einsatz von zwei Säbeln verletzten sie den Türken und seine Gefährten schwer und kamen uns und den Leuten der Karawane zur Hilfe.

«Wir haben uns an Euren Feinden wohl gerächt!» sagte einer von ihnen zufrieden lächelnd.

Wir kamen nach Djennin, wo die Türken und die Mauren schon ihre Plätze eingenommen hatten und die Zelte der wichtigsten Personen aufgestellt waren, denn ihre Leute waren uns immer eine halbe Tagesreise voraus, damit alles bereit stand, wenn die Türkin ankam. Für jene hatten sie die Karawanserei des Ortes, ein großes, von Mauern umschlossenes Gebäude, auf das Beste hergerichtet. Als Ausländer zogen wir uns in die Ruinen einer Kirche unweit des Ortes zurück.

«Es gibt dort einen Brunnen mit sehr gutem, wundertätigen Wasser!» sagen uns die Maultiertreiber und Nikolaus, der Christ, um unserer Unentschlossenheit abzuhelfen.

Der Türke ließ uns ausrichten, daß wir dort nicht bleiben sollten, da die Stelle sehr einsam läge und man uns nachts überfallen könnte. Er hieß uns in einem alten, baufälligen Haus in der Nähe seines Zeltes zu nächtigen.

Während wir dort fast übereinander lagen, da der Raum eng war und wir so zahlreich – obwohl die Maultiertreiber draußen bei ihren Tieren geblieben waren – kamen in der ersten Nachtstunde zwei alte, ernste, wohlgekleidete Türken, die der Neffe des Pascha geschickt hatte. Ihr Herr und Meister ließe uns sagen, daß er äußerst verärgert über die Unannehmlichkeiten sei, die wir auf dem Weg hätten ertragen müssen. Er fühle sich daran schuldig, da dies aufrund seiner Nachlässigkeit geschehen sei, wenngleich seine Diener ihm erzählt, welche Strafe jene davontrugen, die uns beleidigt hätten.

«Sagt Eurem Herrn», erklärte ich im Namen aller, «daß wir ihm ergebenst für diesen Besuch danken und uns sein Kummer mehr schmerzt als unser Ärger, und da uns unser niedriger Stand und die Tatsache, daß wir Ausländer sind, daran hindern, ihm einen noch so geringen Dienst zu erweisen, bitten wir Gott darum, daß er es ihm an unserer Statt vergelten möge.»

All diese Artigkeiten des Türken galten meinem Gefährten und mir, denn die anderen wollte er nicht einmal zu Gesicht bekommen. Nachdem die beiden Alten gegangen waren, füllten wir das Fäßchen und zwei Stunden nach Anbruch der Dunkelheit machten wir uns auf, ihn zu besuchen. Kaum daß wir in sein Zelt traten, umarmte er uns mit einer großen Geste und lud uns ein, mit ihm zu speisen, da er gerade bei Tische sitze. Er nahm den Wein mit überschwänglicher Freude an und wartete nicht mit dem Kosten: Er trank einen Schluck nach dem anderen und schnalzte zufrieden mit der Zunge.

«Hier, Kadi, nimm!» sagte er und bot den Wein einem Kadi an, der mit ihm am Tisch saß und der Sekretär der Türkin war.

Nach einer kurzen Pause wandte er sich wieder dem Fäßchen zu und lud den Kadi nochmals ein.

«Verzeiht, wenn ich nicht annehme», antwortete der Kadi entschuldigend. «Nachher wird die türkische Dame ihrem Gemahl, dem Pascha, einen Brief schreiben, den sie mir diktiert, und ich fürchte dann nach Wein zu riechen...»

Unser Gastgeber, der Kadi und die anderen Gäste dieses Abendessens, waren über die Maßen zuvorkommend, überschütteten uns mit höflichen Worten, wofür wir unserem Herrgott dankten, dessen Güte dem Wein so viel Kraft gegeben hatte!...

XIV

Der Jüngling aus Kreta

...«Ab Iherosolimorum finibus et urbe Constantinopolitana relatio gravis emersit et saepissime iam ad aures nostras pervenit, quod videlicet gens... extranea, gens prorsus a Deo aliena... terras... Christianorum invaserit, ferro, rapinis, incendio depopulaverit, ipsosque captivos... in terram suam abduxerit...»

...«Aus den Landen Jerusalems und aus der Stadt Konstantinopel kam die schlimme Nachricht, und schon häufig gelangte sie an unsere Ohren, daß ein fremdes, Gott gänzlich fernes Volk in die Länder der Christen eingefallen ist und sie mit Eisen, Raub und Feuer entvölkerte und seine Gefangenen mit ins eigene Land genommen hat...»

(Robert The Monk,
Historia Hierosolimitana, 11. Jahrhundert)

Das Land erstreckt sich frei und eben bis zum Horizont, und da die Mühen des Weges unsere Frömmigkeit erkalten ließen, belassen wir es dabei, jene Stätten, die auch aus der Nähe wenig zu besichtigen bieten, da sie alle zerstört und dem Boden gleichgemacht sind, nur aus der Ferne zu betrachten. Hier und dort ein Kirchtum oder, einsam in den Ruinen, ein Glockenturm ohne Glocken, welcher uns davon berichtet, daß hier einst eine christliche Kirche errichtet wurde. Wir ziehen es deshalb vor, in Begleitung der Karawane zu wandern, obwohl der Neffe des Pascha sein Versprechen wiederholt hat, uns immer dann eine Begleitung zu stellen, wenn wir abseits des Weges eine Heilige Stätte besichtigen wollten. Die türkische Dame – das kannten wir doch schon? – werde ganz gemächlich reisen!... Auf dem Wege sind noch Matsch und Wasserpfützen vom vergangenen Winter, oder es mag kürzlich geregnet haben, denn es ist März.

Auf einem sardischen Esel reitet ein etwa neun oder zehn Jahre alter kleiner Mohr, der mich immer wieder überholt, sich quer vor mir hinstellt und dabei wild herumpanscht und spritzt. Mehrfach macht er dies absichtlich. Ich werde ärgerlich, ungeduldig:

«Heh, zur Hölle mit diesem Hund!»

Ich hatte vollkommen vergessen, daß in der Begleitung der Türkin jemand sein könnte, der mich versteht, da mein Gefährte in jenem Augenblick mir in einiger Entfernung folgte.

«Wen habt Ihr hier Hund genannt!» kommt sogleich wütend auf Spanisch schimpfend der kleine Mohr herbei. «Glaubt Ihr etwa, ihr wäret bei Euch zu Haus? Paßt bloß auf, hier ist nicht Spanien!»

Ich bin darob so verblüfft, daß es mir die Sprache verschlägt.

«Aber ich habe doch nur meinen Maulesel einen Hund genannt», sage ich auf Geratewohl.

«Von wegen, mich habt Ihr einen Hund genannt!» entgegnete er noch aufgebrachter. «Und schweigt, sonst werdet Ihr noch was erleben! Elender Mönch!»

Ich lasse mir, so gut es geht, nichts anmerken – «Elender Mönch! Elender Mönch!» fährt er fort, und künftighin halte ich mich immer fern von ihm und denke bei mir, daß der Junge sehr gewitzt ist und von respektloser Art. Vielleicht hatte er einem spanischen Juden gehört, einem von jenen, die immer wieder von Spanien hierher fliehen. Nachdem er in die Gewalt der Türken geraten war, haben sie ihn zu ihrem Glauben und ihrer Sekte bekehrt... Ganz anders ist die Unterhaltung, welche ich mit einem jungen Mann pflege, der auf einem schönen Pferd reitet, wie ein Türke gekleidet ist, mit seinem Turban auf dem Kopf, dem Säbel, der Lanze und dem kurzen Schwert, der aber so klein ist, daß ich mich wundere, wie er so viele Waffen tragen kann. Als er sieht, daß ich mich etwas abseits halte, bleibt er zurück und beginnt, sein Pferd auf gleiche Höhe mit meinem Reittier dirigierend:

«Pater, Ihr seht mich hier gekleidet wie einen Türken, doch ich bin Christ wie Ihr. Ich bin aus Kreta.»

Er spricht vorzüglich Venezianisch, wie alle Adligen auf Kreta, selbst wenn sie Griechen sind.

«Das erstaunt mich sehr!» sage ich zu ihm.

Er fährt fort:

«Es mag nun drei Jahre her sein, daß sie mich gefangen nahmen und gegen meinen Willen einen Mauren aus mir machen wollten.»

«Wie hast du dem widerstehen können?»

Sie glaubten, er sei bereits einer... Doch sie hätten ihn noch nicht beschnitten, da er immer eine List gefunden habe, die Beschneidung von Tag zu Tag wegen des Festes hinauszuzögern, das sie ihm dann bereiten müßten... so daß sie es allmählich vergessen hätten...

«Und kannst du von hier nicht weg?»

Sein Vater habe versucht, ihn freizukaufen, und schon einige Goldzechinen und vier sehr edle Pferde für ihn bezahlt... «aber sie wollten nicht.»

«Und fliehen?»

Aber nein, das sei praktisch unmöglich! Er werde ständig überwacht. Auch jetzt in diesem Augenblick habe man auch ein Auge auf ihn geworfen.

«Lauft Ihr Gefahr, wenn Ihr mit mir redet?»

Wenn das so wäre, würde er sich mir nicht nähern. Ich sei der einzige, dem er näherkommen könne, ohne daß sie Verdacht schöpften. Er wisse, daß ich in der Gunst des Neffen des Pascha stehe. Deshalb wage er es, mit mir zu sprechen. Jeder andere, selbst mein Gefährte Bruder Zedillo...

«Ihr kennt seinen Namen!»

Ich hätte es wohl nicht bemerkt, doch sei er bei unseren Besuchen beim Türken als Adjudant anwesend gewesen...!

Es wird plötzlich still. Einige türkische Reiter kommen näher. Entweder absichtlich oder weil die Karawane aufrückt.

Nun denn! Auf bald! Er müsse sich nunmehr entfernen. Selbst mir mir dürfe er es nicht übertreiben und müsse auf der Hut sein...

Er reißt das Pferd nach rechts herum, um schneller voranzukommen, und sagt:

«Empfehlt mich unserem Herrgott!»

Wir wandern über die weite Ebene von Esdrelon, im Lande Galiläa, das Gebiet mit dem meisten Getreide in ganz Palästina. Ich trage auf dem Kopf einen breitkrempigen Hut, wie wir Franziskaner ihn zu tragen pflegen. Die Türken treiben ihren Schabernack damit. Sie nehmen ihn mir vom Kopf, setzten ihn sich gegenseitig auf und rufen mir zu, ich solle einen ihrer Turbane aufsetzen. Großes Gelächter, doch ich lasse mich darauf nicht ein, da mich Nikolaus, der Christ, gewarnt hatte: Ich solle vorsichtig sein. Diese Leute seien falsch! Sie geben indes ihr Spiel nicht auf, tun so, als wären sie sehr traurig darüber, daß ich den Spaß nicht mitmache und daß ich weder Türkisch noch Arabisch spreche.

«Sprichst du denn nicht wenigstens Romeco?» fragen sie.

«Nein, nur Venezianisch», antworte ich, da es besser so ist, und ich tatsächlich kein Vulgärgriechisch spreche.

Die Ebene dehnt sich aus. Es mag die zweite Stunde nach Sonnenaufgang sein, da taucht, an der Straße nach Norden verlaufend, fern der anderen Hügel, eine anmutige Erhebung auf, welche nicht besonders hoch ist, die Form eines halben, liegenden Ovals und schöne Proportionen hat, und zudem auf dem Gipfel mit einer feinen, niedrigen Vegetation bedeckt ist.

«Welcher Berg ist das?» will ich von Nikolaus wissen.

«Der Berg Tabor!» antwortet er mir.

Bruder Zedillo bleibt einen Augenblick stehen, um ihn zu betrachten.

«Auch wenn du es mir nicht gesagt hättest, er selbst zeigt uns, daß er es ist!» murmelt er.

Auf dem Gipfel sind drei halb verfallene Kapellen zu erkennen, von denen jede für sich steht. Wir erinnern uns an die drei Apostel Petrus, Jakobus und Johannes und an das Wort des ersten: «*Domine bonum est nos hic esse: sivis, faciamus hic tria tabernacula!*»

Ganz in der Nähe stehen die Ruinen großer Gebäude, einst das Kloster der unter der Ordensregel der Augustiner lebenden Stiftsherren. Ein sehr hoher, dichter Wald umgibt den Berg an seinem Fuße. Wir möchten seinen Gipfel besteigen. Er ist nicht sehr hoch und auch nicht besonders unwegsam, so daß wir nicht viel Zeit damit verlieren würden und in weniger als einer halben Stunde unser Ziel erreicht hätten. Doch unsere Maultiertreiber sind nicht einverstanden. Es sei zu gefährlich! In den unteren Wäldern gäbe es viele wilde Tiere, die uns Schaden zufügen könnten. Wir sollten uns damit zufrieden geben, ihn von hier unten aus zu betrachten.

Wir geben unser Vorhaben auf, doch an der Stelle, an der wir uns befinden, ist eine Lichtung, bevor das dichte Buschwerk beginnt, und da sie gleich neben der Straße liegt, was weniger gefährlich ist, steigen wir ein Stück hinauf. Wir schauen in die Runde. Dort liegt das blühende Nazareth auf einem Bergrücken! Weiter entfernt, nach Westen hin, der Berg Karmel! Auf der anderen Seite, in der Ferne, die bläuliche Silhouette des Berges Libanon! Ein Anblick, welcher nicht nur für die Augen des Körpers, sondern auch für die der Seele erquickend ist! Er wirkt wie Balsam, der für einen Augenblick meine geheimsten Wunden lindert... Zufrieden erreichen wir bei Sonnenuntergang Kana in Galiläa. Wir schlagen unsere Zelte in einiger Entfernung von der türkischen Gesellschaft auf, da man in dieser Gegend vor Arabern schon sicher ist und wir zudem diejenigen im Pilgerzug sind, die am besten behandelt und beschützt werden. Bevor die Nacht einbricht, führt der Christ Nikolaus uns zu einer Kirche, in welcher sich fast unterirdisch der Speisesaal befindet, in dem Christus bei einer Hochzeit das Wasser in Wein verwandelt hat. Wieder zurückgekehrt, verbringen wir die Nacht ganz ruhig, da wir unsere Verpflichtungen dem Neffen des Pascha ebensowenig wie er den Seinen uns gegenüber nachgekommen waren, weil uns der Wein ausging. Neben mir auf dem Boden liegend, flüstert Bruder Zedillo, bevor er einschläft:

«Das ist doch ganz einfach. Wir könnten Wasser in das Fäßchen füllen... *Vinum bonum non habent!...* Und das wär's!»

«Du hast vielleicht Ideen! Einen so gesegneten und getauften Wein habe ich in Spanien getrunken, als ich dort auf meinem Weg nach Rom durchkam. Einfach grauenhaft!»

Nazareth liegt nicht einmal eine Meile weit entfernt. Wir dürfen nicht versäumen, es zu besichtigen. Da dort wegen der Heiligkeit des Ortes viele Christen wohnen, empfangen sie uns freudig, zumal sie Nikolaus kennen, welcher häufig hierher kommt. Sie führen uns zur Verkündigungskirche. Wie traurig sind wir, als wir sehen, daß sie völlig zerfallen ist, und nur im Norden eine ganze Wand noch steht, die von weiteren alten, eingestürzten Gebäuden gehalten wird! Unter dem Hochaltar steigen wir sieben Stufen hinunter in eine unterirdische Kapelle, wo wir zwei sehr hohe Marmorsäulen sehen, welche vier Handbreit voneinander entfernt stehen.

«Sie zeigen die Stelle an», sagt uns Nikolaus, «an der die Jungfrau und der Engel Gabriel sich im Augenblick der Verkündigung befanden.»

Neben jeder Säule sieht man eine Öllampe brennen, welche nicht nur die dieser heiligen Stätte angemessene Andacht versinnbildlichen soll, sondern auch dazu dient, den Raum zu erleuchten, der so eng ist, daß unsere Schatten hinter unserem Rücken nicht ihren gewohnten Tanz aufführen können.

«Hier sehen wir nur die Grundmauern», fährt Nikolaus fort, «denn die ganze Kapelle haben die Engel nach Italien gebracht, wenige Meilen von Ancona entfernt, wo sie heute die Kapelle Unserer Heiligen Frau von Loreto genannt wird.»

Bruder Zedillo und ich wechseln ungläubige Blicke und folgen den anderen schweigend die Treppe hinauf. Der Ort Nazareth mag gegenwärtig etwa sechzig Einwohner haben, alles Christen, welche der griechischen Kirche angehören. Er ist klein und an den Hang eines bewaldeten Hügels geschmiegt. Zu seinen Füßen erstreckt sich nach Norden hin die stille Ebene von Esdrelon, und im Kreis darum erheben sich die Berge. So wirkt diese kleine Stadt wie eine Blume, und das bedeutet auch auf hebräisch ihr Name.

Mit Nikolaus und einem der Maultiertreiber, mit dem ich etwas vertrauter bin, gehe ich zum Haus eines Bauern und versorge mich dort mit etwas Wein. Wir hatten das Gefühl, dem Türken gegenüber unseren Verpflichtungen nachkommen zu müssen, da er auch seine stets eingehalten hatte. Anschließend kehren wir nach Kana zurück, wo wir uns von den Mühen der Tagesreise erholen. Am darauf folgenden Tag machen wir uns, nach dem Ertönen des Trompetensignales bei Tagesanbruch auf den Weg von Kana hinunter zum Meer von Galiläa.

Eine Rast wird eingelegt. Die Reisebündel werden aufgeschnürt, Brot, Käse, Rosinen, Knoblauch und Zwiebeln hervorgeholt, welche Türken und Mauren so sehr lieben... Unter ihnen kennt niemand Rosenzucker, denn kein Türke rühmt sich, verzärtelt zu sein. Wir frühstücken alle, und viele laden uns ein, während mich andere sogar zwingen, von dem zu nehmen, was sie mir anbieten. Wir mögen danach etwa eine halbe Meile gewandert sein, da liegt vor uns der See Genezareth! Das kräftige Grün des Hanges, den wir hinuntergehen, verliert sich dort unten in dem sanften vor- und wieder zurückspringenden Rand des langgestreckten, blauen Sees, an dessen Ufern hier und dort ein dunkler Wald wie von einem Pinsel hingetupft ist. In der Ferne zeichnen sich am gegenüberliegenden Ufer als zarter violetter Schatten duftige Hügel ab. Unten, nach Süden hin, liegt in einer Entfernung von fast einer halben Meile die Stadt Tiberias innerhalb ihrer starken Mauern, welche sich bis zum See erstrecken, dessen Wellen sich daran brechen. Der Duft ihrer blühenden Orangenhaine weht bis zu uns herüber, denn die Stadt ist reich an allen Arten von Zitrusbäumen, und man kann schon ihre Palmen erkennen, die jedes Jahr große Datteln tragen, welche besser sind als jene aus unserem Afrika. Es ist März, doch das Klima dieses Landes ist gemäßigter als unseres.

Da ich unseren Bruder Zedillo zum Zeitvertreib etwas ärgern möchte, sage ich zu ihm:

«Seht einmal, Bruder, wie zupackend die portugiesischen Frauen sind: Die Stadt Tiberias gehört einer von ihnen.»

«Wie das?» reagiert er, «das glaube ich nicht!»

«Das stimmt!» pflichtet Nikolaus mir bei. «Sie gehört einer portugiesichen Jüdin, Branca de Luna. Die ist wahrhaftig reich!»

Ich hatte die Geschichte von einigen portugiesischen Juden erfahren, bevor wir aus Jerusalem abreisten. Branca de Luna war in Porto geboren, wo sie mit ihrer Schwester, einer Witwe, und mit einer Nichte lebte. Da sie reich und jüdisch waren, begann die Inquisition, die sich besonders zu reichen Juden hingezogen fühlte, um ihre Häuser zu schleichen. Scharfsinnig wie sie waren, warteten sie nicht ab, sondern flohen mit allem Reichtum, den sie mitnehmen konnten, und der war gewaltig, aus Portugal. Sie kamen nach Venedig, wo sich sich für einige Jahre niederließen. Die Schwester, welche keine Neigung besaß, ihre Güter selbst zu verwalten, übergab sie der Signoria von Venedig zur Verwaltung und, da sie nicht mehr recht an die Ankunft des Messias glaubte, weil er längst schon hätte kommen müssen, gab sie ihr Judentum auf und wurde Heidin. Sie hatte eine sehr schöne Tochter, die Erbin aller ihrer Güter, welche sich schon in Portugal in einen getauften Juden namens Micás, einen Diener des Marquis von Vila Real, verliebt hatte. Eines Nachts entführte Micás sie und brachte sie auf einer Galeere, welche schon bereit stand, nach Italien, wo er sich unter den Schutz des portugiesischen Botschafters begab, der unser oberster Komtur war. Er begab sich darauf mit seiner Gemahlin in die Türkei, wohin ihrerseits auch Branca de Luna, ihre Tante, gekommen war. In Konstantinopel hatte Branca de Luna durch die Vermittlung ihrer Verwalter damit begonnen, in jenen Meeresgegenden Handel zu treiben, indem sie eine ansehnliche Flotte Großsegler erbauen ließ. Dadurch vermehrte sie ihren Reichtum dergestalt, daß sie überaus mächtig wurde und dem Großtürken für eine riesige Summe Geldes und eine ewige Tributleistung von tausend Cruzados im Jahr die Stadt Tiberias abkaufte, um in ihr mit ihrem ganzen Hausstand und ihrer Familie zu leben und sie mit allen Juden zu bevölkern, die ihr folgen wollten.

«Die Juden Palästinas waren sehr froh, als sie dies erfuhren», sagte Nikolaus, «sie verehren ihre Beschützerin so sehr, daß sie sie nicht bei ihrem Namen nennen, sondern sie als «die Herrin» bezeichnen. Sie glauben, daß nun, wo sie hier lebt, endlich ihr Messias kommen wird...»

«Es gibt Gerüchte», schließe ich, «daß Branca de Luna bald dort sein wird, um ihre Absicht zu verwirklichen, und daß sie im nahenden Sommer, aus Konstantinopel kommend, hier eintrifft.»

«Ich bin sprachlos!» ruft Bruder Zedillo.

«Glaubt Ihr etwa», füge ich hinzu, «sie habe Angst davor, nach Portugal zu reisen? Von wegen! Ein Jude aus Lissabon hat mir erzählt, daß sie vor gar nicht langer Zeit dort gewesen ist und ganz unbeschwert und ruhig ihre Verwandten und Freunde besucht hat. Sie hielt sich auf, wo es ihr gefiel, unbehelligt von der Inquisition, in Lissabon, Porto und anderen Orten des Königreichs und kehrte dann wieder zurück, um zu berichten was sie gesehen hatte.»

«Was? Eine Spionin des Sultans Soliman?» fragt mein Gefährte.

«Wer weiß!» antworte ich mit einem Schulterzucken, das mein Unwissen unterstreicht.

Wir wandern bis zum Mittag am Strand entlang. Mächtige Ruinen, Teile riesiger Mauern, die bis ins Meer ragen! Das ist alles, was von der antiken Stadt Magdala geblieben ist, von der Flavius Josephus berichtet. Ich ziehe meine Sandalen aus, denn es genügt mir nicht, nur am Strand zu gehen, und wate so fast eine halbe Meile weit mit den Füßen im Wasser, von allem und von mir selbst gelöst, lese Muscheln und kleine Schneckenhäuser auf, die ich im Sand finde, dort wo das Wasser aufläuft, und in welchen ich die seltsamen und unerklärlichen Wunder der Natur Gottes bewundere und preise. Das Einzige, das mich an der Welt festhält – die anderen gehen dort weit, weit vorn! – sind die Zügel meines Reittiers, die ich, ohne es zu bemerken, wie aus Gewohnheit, in der linken Hand halte. Die Stille, mein Maulesel, welcher die weise Diskretion besitzt, nichts zu sagen, das ruhige Wasser, das meine Füße, in einem sanften Rhythmus an den Sand schlagend, umschmeichelt, darüber der blaue Himmel, an dem kein Wölkchen zu sehen ist, ringsumher das Land, das wie in biblischer Trägheit zu schlummmern scheint... und ich... ich... ich... ganz allein auf der Welt!... Ach, könnte ich mich doch in die kleine, wilde Glockenblume verwandeln, die hier neben mir zwischen Kieseln und Erdschollen in ihrer Schlichtheit, bevor sie verwelkt, mit dem zärtlichen Winken ihres kurzen Lebens Gottes Lob ausdrückt! Wie müde bin ich doch! Mit jedem Tag, der vergeht, merke ich, wie meine Seele immer matter wird! Sollte meine Krankheit die Ursache sein? Es gibt keinen Zweifel, daß es nach ihr begann. Doch meine Erschöpfung ist nicht körperlich bedingt, sie ist seelisch. Ich werde vor der Zeit alt, seelisch alt. Man wird aus Willensschwäche alt, weil man aufgibt, weil man verzichtet, weil man keinem Ideal mehr folgt, die Fähigkeit verliert, sich zu begeistern, nicht mehr hingerissen ist... sich nicht mehr verlieben kann... Doch eben noch die kleinen Schneckenhäuser?... Und all die Rührung, die ich beim Anblick dieser Landschaft und beim Eintauchen meiner Füße in dieses heilige Wasser in meinem Herzen verspüre?... Und Helena?...

«Pantaleon»! ruft Nikolaus von weitem.

Ich komme zu mir. Geselle mich zu den Meinen. Die Ruinen von Kapernaum ziehen vorüber... Auf dem Boden große Stücke Mauerkalk von seinen Mauern, zerborstene Säulen, zerbrochene korinthische Kapitelle zwischen Gras, Buschwerk und kriechenden Sträuchern, in denen die wilden Kaninchen ihren Bau graben und die Fasane ihre Nester haben. Wir gelangen an die Stelle, an welcher der Jordan in das Meer Tiberias mündet, auf der einen Seite liegt Chorazim und, in Sichtweite, auf dem anderen Ufer Bethsaid. Chorazim besteht nur aus einigen binsen- und palmstrohgedeckten Hütten, in die sich die Fischer zurückziehen, welche dort Arbeit tun, denn dieses Meer ist, abgesehen davon, daß es von Palmen und Zitrusbäumen gesäumt ist, reich an gutem Fisch, wenngleich es wenig Fischer gibt. Einige jüdische Landsleute hatten mir in Jerusalem gesagt hatten, daß hier ein portugiesischer Jude namens Ephraim wohne. Ich solle nach ihm fragen, falls ich dort vorbeikäme. Ich nähere mich einem Fischer, der in der Sonne seine Netze flickt.

«Ephraim?» frage ich absichtlich lakonisch.

Ohne seinen Gesichtausdruck zu verändern und ohne mit Bewegung seiner Hände innezuhalten, die mechanisch das Netz flicken, weist er mit einer Geste auf einen kleinen Mann, welcher in einiger Entfernung Fische am Wasser ausnimmt. Ich nähere mich.

«Bist du Ephraim, der portugiesische Jude?»

Da er überhaupt nicht damit gerechnet hatte, in diesem Augenblick seine Muttersprache aus dem Munde eines Fremden zu vernehmen, schaut er mich einen Augenblick lang verständnislos an.

«Ich heiße Pantaleon von Portugal», sage ich, die Pause ausnutzend. «Einige deiner Freunde aus Jerusalem haben mir von dir erzählt und mich gebeten, dich aufzusuchen, falls ich hier vorbeikäme.

«Bruder Pantaleon? Portugiese! Mein Freund!» brach es schließlich aus Ephraim hervor, und er umarmte mich überschwenglich und lud mich ein, mich zu ihm zu setzten. Er rief seine Frau und die Kinder, – kommt her! kommt her, seht, wer da ist! – Er wolle nur eben die Fische ausnehmen, dann würde er mich einladen, mit ihnen zu essen.

«Aber ich komme mit Freunden, Ephraim!...»

Das mache doch nichts! Meine Freunde seien auch seine Freunde...

Ein Wunder, denke ich bei mir. Ein bißchen Portugal hier am Ufer des heiligen Sees...

Das Feuer knistert vor der Tür der Hütte, die Frau kommt und hilft beim Kochen, die kleinen Kinder hängen an ihren Rockschößen oder werfen unruhig Reiser in die Flammen.

«Spiel nicht mit dem Feuer, Lia», sagt die Frau zu einer kleinen Tochter, welche einen Stock angezündet hatte und die Farben der

Flamme bewundernd betrachtete. «Laß das, sonst machst du nachher ins Bett.»

Ein großer Fischeintopf wird gekocht, den alle, meine Gefährten eingeschlossen, mit Appetit essen, dort am Wasser, diese nach Meer und Orangenblüten duftende Luft einatmend, die uns hungrig macht. Ephraim und ich sprechen lange über das ferne Portugal, lindern so das Heimweh nach der gemeinsamen Heimat.

Wir setzen unseren Weg fort, kommen an Safed vorbei und stoßen auf die Jakobsbrücke, wo wir am Ufer des Jordan die Zelte der türkischen Herren und die Karawanserei sehen, welche für die Gemahlin des Pascha von Damaskus schön hergerichtet ist. Wie wir erfahren, hatte die türkische Dame beschlossen, hier zwei bis drei Tage zu verbringen. Wir sitzen erfreut von den Tieren ab, als uns deutlich wird, daß wir noch einmal an den Ufern dieses Heiligen Flusses verweilen dürfen. Überhaupt nicht erfreut sind hingegen unsere Maultiertreiber, die sich über so viele und zudem noch am Tage eingelegte Pausen beschweren, wegen des Verlustes, der ihnen daraus entsteht, denn sie müssen ihr Essen selbst bezahlen, wie wir es vor unserem Aufbruch aus Jerusalem vereinbart hatten. Die Türkin sendet täglich Post an ihren Gemahl und macht in jeder Provinz einen Halt, wo sie eine Antwort erwartet. Wir suchen Unterschlupf in einem sehr großen Haus, welches dort halb verfallen, jedoch mit einem Dach versehen, steht. Als es dunkel wird, kommt der Neffe des Pascha mit vier Gefährten zu uns, um uns zu holen, und nimmt Bruder Zedillo und mich mit zum Zeltplatz, damit wir uns dort behaglicher fühlten. Wir nehmen natürlich unseren restlichen Wein und einige besonders große, schon aus ihren Schalen gelöste Haselnüsse aus Armenien mit, die mir ein Armenier geschenkt hatte. Der Türke ist über beides weidlich erfreut, was er durch die Umarmungen, mit denen er uns bedenkt, und die freundlichen Worte, die er an uns richtet, zum Ausdruck bringt. Bei ihm verbringen wir einen großen Teil der Nacht im Gespräch, bis es Zeit für uns ist, uns zurückzuziehen.

Am darauf folgenden Tage stehe ich schon vor Tagesanbruch auf und gehe am Ufer des Jordan spazieren. Ich gehe über die Brücke, der einzigen, die ich in ganz Palästina gesehen habe und von der die Überlieferung berichtet, daß der Stammvater Jakob sie hat bauen lassen, als er mit Frauen, Kindern und seinem ganzen Besitz aus Mesopotamien zurückkam. Ich stehe in der Mitte der Brücke und bewundere die Sauberkeit des Wassers, die den Grund des Flusses sehr gut erkennen läßt, die Fischschwärme, die kleinen glänzenden Steinchen und Kiesel. Ich genieße diesen Frieden im Schoß der Natur, das Trillern und Zwitschern der Vögel, als ein Jude, welcher unterhalb der Brücke in einem Boot saß, mich ansieht und in bestem Portugiesisch anspricht:

«Bruder Pantaleon, gebt acht!»

Ich erkenne ihn:

«Ephraim! Was machst du hier?»

«Ich bin hierher zum Fischen gekommen, in der Hoffnung, Euch hier anzutreffen. Ich muß Euch ungedingt weitergeben, was ich gerade erfahren habe. Ihr seid in großer Gefahr, Ihr und Eure Gefährten, bei Euer Wanderung in diesen Gegenden.»

«Warum?»

«Es heißt, daß der Sultan den Frieden mit den Venezianern gebrochen hat oder jene mit ihm...»

«Aber wir reisen doch in Begleitung sehr mächtiger türkischer Herren...»

«Wenn der Friede tatsächlich gebrochen ist, können sie Euch nur Ärger machen. Ihr müßt Euch rechtzeitig in Sicherheit bringen, solange noch alles ruhig ist.»

«Ach was», verstelle ich mich Ephraim gegenüber. «In Jerusalem hat man uns bereits diese Nachricht mitgeteilt und sie hat sich mittlerweile als falsch herausgestellt...»

Möge Gott es so wollen! Er wolle es zumindest nicht unterlassen haben, mich zu warnen.

«Habt Dank, mein Freund!»

«Gott möge Euch geleiten.»

Als ich wieder allein bin, denke ich über diese Botschaft nach, die, wenn sie der Wahrheit entsprach, sehr beunruhigend ist. Ich beschließe indes, meinen Gefährten einstweilen nichts davon zu sagen, damit sie sich nicht sorgten. Auf dem Wege begegnen mir, in Richtung auf die Brücke zu, eine Schar von rund zweihundert Armeniern, welche nach Jerusalem ziehen, um dort Ostern zu verbringen, das dieses Jahr in die Mitte des Monats März fällt. Mit ihnen kommt, von Aleppo zurückkehrend, wohin Pater Bonifazius ihn in einer wichtigen Angelegenheit geschickt hatte, da er alt und weise war, ein Mönch unserer Jerusalemer Familie namens Bruder Nikolaus, welcher aus Makedonien stammte. Als er mich sieht, kommt er mit offenen Armen auf mich zu, denn wir sind gute Freunde.

«Fra Pantaleone!»

«Bruder Nikolaus, mein Freund!»

Er will sofort das Neueste von der Familie in Jerusalem und Bethlehem wissen, stellt mir viele Fragen und sieht mich dann, als seine Neugier befriedigt ist, an und fragt:

«Aber was macht Ihr denn hier so allein?»

Ich erzähle ihm, daß ich auf dem Rückweg bin und daß ich, nachdem ich Damaskus besucht habe, nach Tripolis oder Sidon hinunterreisen würde, um dort ein Schiff nach Zypern, nach Italien, nach Hause zu nehmen... Er zieht mich beiseite und sagt, die Stimme senkend:

«Ihr solltet Euch rechtzeitig nach Hause begeben. Der Friede zwischen den Venezianern und dem Großtürken ist gebrochen. Viele Händler aus Aleppo haben ihre Güter schon in Sicherheit gebracht. Einige sind sogar schon nach Zypern geflohen...»

«Ich glaube, uns bleibt in diesem Augenblick nichts anderes übrig, als mit Gottes Hilfe mit dieser Gesellschaft bis nach Damaskus zu gehen. Habt Dank für Euren Hinweis. Sagt meinen Gefährten nichts, um sie nicht zu beunruhigen.»

«Ich werde ganz genau befolgen, was Ihr mir sagt», verspricht Bruder Nikolaus, der in der Tat mit keinem meiner Gefährten redete. Zudem gab es, selbst wenn er es gewollt hätte, keine Gelegenheit dazu, denn seine Leute entfernten sich bereits, obwohl sie nur langsam vorwärts kamen, da alle zu Fuß gingen und an der Brücke aufgehalten wurden, um Wegzoll zu zahlen. Auch diese zweite Nachricht verschwieg ich und selbst Bruder Zedillo möchte ich sie nicht enthüllen, denn wenn ich dies täte, würde er sich gewiß sehr ängstigen.

Ein Morgen voll ungewohnter Unruhe und voller Neuigkeiten! Ich hatte mich noch nicht einmal von der beunruhigenden Nachricht erholt, welche ich zweimal innerhalb so kurzer Zeit erhalten hatte, da höre ich ganz in der Nähe das Hufgetrappel von Pferden.

Es sind sechs Türken. Derjenige, welcher voranreitet, sieht wie der Anführer aus; er führt, an seines gebunden, zwei reich geschmückte Pferde geschickt mit sich.

«Wer ist das?» frage ich, inzwischen wieder bei den anderen angelangt, einen Türken, der zur Karawane gehört.

«Es ist ein Tschausch vom Hofe des Sultan, ein Mann von hohen Würden», antwortet er mir ehrerbietig.

Schon kommt der Neffe des Pascha von Damaskus heraus, die bedeutende Person unter großen Freuden und Freundschaftsbezeugungen zu empfangen. Er lädt den Tschausch an seinen Tisch ein, nimmt das beste Zelt, das wir mit uns führen, und läßt es am Ufer des Jordan aufschlagen, gleich am Wasser, zwei Steinwürfe weit von der restlichen Gesellschaft entfernt.

«Nun, wollen wir nicht auch zum Fest gehen?» fordere ich Bruder Zedillo heraus.

«Seid Ihr wahnsinnig? Ohne daß wir eingeladen wurden?» entgegnet er.

«Wer sagt, daß wir nicht eingeladen wurden?» stelle ich mich dumm.

«Wurden wir es?» fragt er erstaunt, denn es hatte keine Zeit für irgendeinen Kontakt zu uns gegeben, so schnell war alles geschehen.

«Ja, wir wurden!» antworte ich ihm so ernst und würdig, wie ich konnte. «Hier ist unsere Einladung», und dabei zeige ich auf das Weinfäßchen, welches ich schon in einer Falte meiner Kutte versteckt hatte.

Wenngleich es auf dem Tisch viel guten, frischen Fisch gab, der gerade aus dem Jordan gefischt worden war, so wurde doch unser Weinfäßchen zur köstlichsten Leckerei, die ihnen serviert wurde. Der Tschausch zeigte sich uns sehr gewogen und umarmte uns mit weitausholender Geste, wobei er auf Latein sagte:

«Pater noster... Pater noster... Pater noster...» und zwischendurch lauthals lachte. Dann rief er, sich bald mir, bald meinem Gefährten zuwendend und dabei sehr ernst tuend: «Caziz Cristo, melia, melia! Caziz Mafamede marfus, marfus!» (was heißen will: «Der Heilige Christ ist gut! der Heilige Mohammed ist schlecht») und schüttete über uns sein donnerndes Gelächter aus.

Die Türken ringsum lachten, ob sie nun wollten oder nicht, und wir lachten auch, weil dies ratsam war. Als wir uns gerade derart vergnügten, hörte man draußen Schalmeienbläser. Wir schauen zum Zelteingang hinaus, um zu sehen, was los ist. Der Gouverneur von Jerusalem mit seinem ganzen Gesinde und der Familie kam auf dem Weg zum Hofe des Sultans vorüber, mit einem so großen Gepränge, daß er sechs Sänften mit Frauen und etwa zwanzig Reiter und viele Leute zu Fuß mit sich führte. Wir hörten, die Schalmeien erklangen bereits, bevor sie an der Brücke angelangt waren, und sie erklangen weiter, bis sie ganz an uns vorbei gezogen und schon ein beträchtliches Stück von uns entfernt waren. Sie zogen vorüber, ohne sich zu zeigen noch irgendjemanden aus unserer Gesellschaft anzusprechen. Solcherart sind der Prunk und die Höflichkeit, mit welcher die Türken in ihrem Lande miteinander umgehen.

An jenem Nachmittag bedrängten uns, verzweifelt über so viel Verzug, unsere Maultiertreiber. Wir sollten unsere Reise besser bei Tagesanbruch antreten. Es gebe auf dem Wege keinerlei Gefahren. Wir sollten die Gesellschaft der Türken dort lassen, wo sie war. Sie schworen und verpflichteten sich, uns sicher nach Damaskus zu bringen. Wenn wir dies nicht wollten, sollten wir ihnen zumindest das Notwendigste geben, damit sie sich etwas zu essen kaufen könnten, denn mit all den Aufenthalten hätten sie das Geld für ihre Dienste längst ausgegeben...

Uns schien, daß sie Recht hatten, und wir kamen mit ihnen überein, ihnen für die Tage, die wir nicht ganz reisten, etwas zusätzlich zu geben. Der Christ Nikolaus wollte indes nicht warten und machte sich sogleich auf den Weg nach Damaskus, während wir hier noch die Nacht verbrachten.

Am folgenden Tag überquerten wir im Morgengrauen den Fluß und begannen unsere Wanderung, doch als wir eine Meile zurückgelegt hatten, sahen wir, daß auf einem Feld bei Cedar die Zelte für die türkische Dame und die Ihrigen schon aufgeschlagen waren. Die Diener des Neffen des Pascha huben an, uns durch Winken zu bedeuten, daß wir dort bleiben sollten, wo wir uns befanden. Wir waren verwirrt, wußten nicht, was wir tun sollten. Unsere Maultiertreiber schimpften und waren äußerst darum bemüht, uns dazu zu bringen, diese Gesellschaft zu verlassen. Wir sollten dort nicht bleiben! Wir sollten dort nicht bleiben! Wir sollten weiterziehen! Wir sollten unseren Weg fortsetzen! Währenddessen gesellt sich der Türke, der Tschaus vom Hofe, zu uns. Er sei immer ein Freund der Franken gewesen, und sei es auch heute noch. Er reise nach Damaskus. Wenn wir in seiner Gesellschaft reisen wollten, so würde er uns bei seinem Haupte versprechen – und er legte seine Hand an den Turban, um die Aufrichtigkeit seines Versprechens zu bekräftigen – uns dorthin zu bringen.

Die Maultiertreiber begrüßten, als sie dies hörten, den Gedanken und redeten mit noch mehr Nachdruck auf unsere italienischen Gefährten ein, die noch unentschlossen waren.

«In Begleitung dieser Türkin», fuhr der Tschausch fort, «seid Ihr vor acht Tagen nicht in Damaskus.»

Er nahm Bruder Zedillo und mich zur Seite und entfernte sich mit uns von den anderen, als wolle er mit jenen nichts zu tun haben, und führte uns in die Nähe einiger Bäume am Flußufer, an denen die Pferde und die anderen Tiere der Karawane festgebunden waren. Der Jüngling aus Kreta striegelte dort, nur mit einer Arbeitshose und einer leichten, weißen Bluse bekleidet, sein Pferd. Er sah mich hin und wieder eindringlich an, wie jemand, der mir etwas sagen wollte. Doch die Stimme des Tschausch fesselte meine Aufmerksamkeit: Diese Gesellschaft sei für uns zudem sehr gefährlich wegen des Weines, den wir mit uns führten und von dem wir dem Neffen ihres Gemahl etwas gäben.

«Warum?» fragt Bruder Zedillo.

Wenn die Gemahlin des Pascha dahinterkäme, würden wir ganz sicher in Gefahr geraten, da sie, was die Dinge ihres Glaubens anginge, unerbittlich sei und ihr Gemahl sehr streng, was den Wein betreffe.

Mein Gefährte zeigte sich besorgt. Wir müßten so schnell wie möglich aufbrechen! Wir dankten dem Tschausch zutiefst ob seines guten Willens und des Rates, den er uns gab, und nahmen seine Einladung an. Ich würde den anderen Bescheid sagen...

Ich wartete ab, bis sich Bruder Zedillo entfernte und der Tschausch sich zu seinen Reitern gesellte, um die Abreise vorzubereiten. Mit ruhigen, natürlichen Bewegungen hatte der kretische Jüngling das Pferd losgebunden, war mit einem Satz im Sattel und kam dann allmählich in meine Nähe, indem er das Tier sich im Kreise tummeln ließ, als wolle er sich und das Tier zerstreuen.

«Guten Tag, Bruder Pantaleon! Wollt Ihr mich nicht auf einem Spaziergang am Ufer des Flusses begleiten?»

«Ich kann nicht. Wir müssen noch eine weite Strecke zurücklegen und es ist nicht ratsam, daß wir uns hier länger aufhalten.»

Bruder Zedillo war von unseren Gefährten und Maultiertreibern umringt, und alle nickten, nachdem sie aufmerksam zugehört hatten, und nahmen ohne Aufschub und Zögern ihren Weg wieder auf, dem Tschausch folgend, der mit den fünf Reitern an der Spitze ein Wettrennen begann. Ich nutze das Durcheinander des Aufbruchs und beeile mich, dem Kreter leise zu sagen:

«Dieser Aufenthalt der Türkin ist uns von der Vorsehung gesandt. Ihr habt keine andere Gelegenheit zur Flucht als diese. Verstellt Euch, tut so, als machtet Ihr einen Ausritt an den Fluß und verschwindet! Stoßt weiter vorn auf dem Weg nach Damaskus zu uns!»

«Ich kann nicht. Seht Ihr denn nicht, daß die Diener des Neffen des Pascha ein Auge auf uns haben?»

«Tut, was ich Euch sage. Überlaßt das mir. Ich werde sie schon abzulenken wissen.»

Ich nahm das Weinfäßchen aus meinem Sack und wandte mich an die Gruppe der Diener und Wachen des Türken.

«Wir können uns auf dem Wege nicht so lange aufhalten wie ihr», sagte ich zu ihnen. «Aber wir wollen nicht aufbrechen, ohne euch zum Abschied unseren Dank zu hinterlassen. Ich weiß, daß euer Herr sich zurückgezogen hat. Ich möchte ihn nicht stören. Tut mir den Gefallen und überreicht ihm dieses bescheidene Geschenk, welches wir ihm sehr gern überlassen.»

Sie zeigten sich sehr erfreut und redeten alle auf einmal.

«Auch euch möchte ich allen danken für den Schutz, den ihr uns gewährt habt und die Freundschaft, die ihr uns entgegengebracht habt», fuhr ich fort, wobei ich versuchte, meine Rede durch viele umständliche Worte in die Länge zu ziehen.

Ich stieg von dem Reittier ab und ging, um sie zum Abschied zu umarmen, wobei ich über die Schulter dessen, den ich gerade umarmte, in die Runde schaute: Von dem kretischen Jüngling war keine Spur zu sehen.

Ich brach auf, versetzte dem Reittier eins mit dem Sporn, um seinen Schritt zu beschleunigen und den Rückstand aufzuholen. Ich dachte, daß sie in der nächsten Stunde die Flucht des Kreters nicht bemerken würden... Sie würden sich höchstens darüber wundern, daß er so lange fort war, vielleicht annehmen, daß er sich beim Fischen am Fluß verspätet hätte, und da sie die Zelte in einigem Abstand voneinander aufgebaut hatten, wäre es nicht verwunderlich, wenn... Wenn sie dann Alarm schlagen würden, gäbe es eine Verzögerung, weil sie ihn am Jordan suchen würden.

Vielleicht vermuteten sie sogar einen Unfall im Fluß: Der Junge nimmt, durch das Wasser verführt, ein Bad und ertrinkt... Eine weitere Stunde, wenn nicht sogar mehr, würden darüber vergehen. Ein Entschluß mußte gefaßt werden, es herrschte Unentschlossenheit: ist er nach Süden oder nach Norden geflohen, oder in Richtung Kana, zum Mittelmeer, oder hat er es vorgezogen, um den Tiberias-See herum nach Osten zu fliehen, um sich den Handelskarawanen anzuschließen... wenn dann die Wachen ausgesandt sind, um die Umgebung abzusuchen, wird er über alle Berge sein!... Haben sie uns im Verdacht? Wie ist das möglich, wo wir doch Ausländer in einem fremden, gefährlichen Land sind? Wenn die Strafe für eine solche Tat nichts Geringeres als der Tod ist? Wo wir – das haben alle gesehen – allein, in Begleitung des türkischen Tschauschs, vom Hofe in Richtung Damaskus aufgebrochen sind? Sollte es dem Jüngling eingefallen sein, sich uns anzuschließen! Wahnsinn, bei einem Türken und mehr als fünf Reitern in seiner Begleitung!... Doch ein Jüngling ist naiv und könnte glauben, daß die Christen ihm helfen würden... Aber denen ist die eigene Haut auch lieb und sie würden die ersten sein, die einen solchen Schutz ablehnen würden... Und außerdem würde der Tschausch selbstverständlich seine Autoriät geltend machen und den Jungen festnehmen. Vielleicht würde es nicht einmal lohnen, daß sie sich bemühten, denn später in Damaskus würde er ihnen bei ihrer Ankunft übergeben werden... Würden das die Türken der Karawane denken?... Und ich?... Jeden Augenblick könnte der kretische Jüngling auf dem Wege vor mir auftauchen... Was tun? Es war dringend notwendig, einen sicheren Ausweg für einen solchen Notfall zu ersinnen und zu finden!...

Bald schon hatte ich meine Reisegefährten eingeholt, die mein Erscheinen voll Freude aufnahmen, und nachdem wir eine gute Meile zurückgelegt hatten, kamen wir durch Subta.

Wir reisten wohlgemut, da wir spürten, daß wir in bald Damaskus anlangen würden, doch meine Seele war aufgewühlt. Zur Frühstückszeit holten wir hervor, was wir bei uns hatten, und luden den Tschausch zu einer Hälfte Brot und einem Stück Zwiebel ein, was er mit großem Vergnügen annahm, als hätten wir ihm eine ganz besondere Speise angeboten. Er aß, während wir weiterzogen, mit uns, bis wir zu einem Bach kamen. Er bat einen Diener, ihm Wasser daraus zu geben, welcher sich beeilte, ihm einen auch als Gefäß dienenden ledernen Sack darzureichen, wie ihn die Türken auf Reisen mit sich führen.

Unsere weltlichen Gefährten begannen gemächlich die Tiere zu tränken und selbst zu frühstücken. Doch Bruder Zedillo, der lateinische Geistliche, Misser António und ich folgten, wenn auch unter einiger Mühe, dem Tschausch, der wie gewöhlich auf seinem guten Pferd sehr schnell vorankam. Wir ritten durch Felder, auf denen man Mauren arbeiten sah, und ich mußte unwillkürlich an meine Gefährten denken, die, wenn sie verspätet und ohne Begleitung kämen, mit den Leuten Ärger wegen des Wegzolls bekommen könnten. Sie bekamen ihn und zwar einen gewaltigen, wie ich später erfuhr!... Zwei oder dreimal hatte ich schon gemeint, Hufgetrappel hinter uns zu hören. Ob es unsere verspäteten Gefährten sind? Von einer Anhöhe aus blickte ich auf die Straße hinab, und sah zwei Reiter, welche in gestrecktem Galopp dahergeritten kamen. Mein Herz zog sich zusammen, da ich dachte, es könnten jemand aus der Gesellschaft des Neffen des Pascha von Damaskus sein, der uns verfolgte, doch dann beruhigte ich mich bei dem Gedanken, daß wir drei Mönche hier allein unter dem Schutz eines bedeutenden und starken Tschausch vom türkischen Hofes reisten. Sollten sie doch kommen! Von uns würden sie nicht erfahren, denn ich, der Einzige, der etwas wußte, würde kein Wort sagen... Als wir die Mauern der Stadt schon erblickten, blieb ich etwas zurück, und als ich die beiden Reiter, die uns folgten, näherkommen sah, hielt ich an, als wollte ich im Schatten eines Baumes rasten. Sie blieben unvermittelt stehen und verschwanden, den Weg verlassend, in einem Wald. Beunruhigt nahm ich meinen scharfen Ritt wieder auf und sogleich hörte ich sie wieder hinter mir reiten. Was sollte das bedeuten? Vor den Toren der Stadt verabschiedete sich der Tschausch sehr höflich von uns:

«Kommt mir mir! Es wäre ein Freude für mich, Euch in meinem Haus zu beherbergen.»

Er solle uns entschuldigen, beeilte ich mich ihm zu sagen, wir müßten uns zu unseren Gefährten gesellen, außerdem wollten wir ihm nicht noch mehr Ungelegenheiten machen, als er schon unsretwegen gehabt habe. Uns fehlten die Worte, um für die Hilfe zu danken, die er uns gewährt habe, doch er solle versichert sein, daß wir uns dort fern in unserer Heimat immer voll Dankbarkeit an ihn erinnern würden.

Der Türke winkte uns mit der Hand zum Abschied und verschwand, gefolgt von seinen Reitern, Hals über Kopf jenseits des Stadttors. Als wir dann allein waren, bereiten auch wir uns vor, nach Damaskus hineinzugehen, als langsam hinter einem an dieser Stelle dichten Wald heraus die beiden Reiter auf uns zukommen, die uns verfolgt hatten. Wir blieben abwartend stehen. Ich fühlte meine Herz ungestüm schlagen.

«Aber... Das ist doch derselbe Maure!... Im Sabas-Kloster!» ruft Bruder Zedillo mit aufgerissenen Augen aus. «Euer Freund!»

Ja. Es ist Isac Beiçudo, der lächelnd auf uns zukommt. Neben ihm, ebenfalls lächelnd, die weißen Zähne im tief schwarzen Gesicht blitzend, ein junger Abessinier von etwa vierzehn Jahren, auf einem mageren, geschecktem Pferdchen. Als ich sehe, wie Isac absitzt, tue ich ihm gleich, und wir umarmen uns fröhlich. Isac begrüßt Bruder Zedillo, der ihm mit großer Höflichkeit antwortet, und auch Misser António, der die Szene verblüfft verfolgt. Nachdem wir wieder aufgesessen sind, um in die Stadt zu reiten, lassen wir uns viel Zeit; Bruder Zedillo und Misser António reiten voraus. Ich begebe mich an Isac Beiçudos Seite:

«Ich fürchtete schon, Ihr würdet Euch verspäten. Kommt Ihr von weit her? Aus Äthiopien?» frage ich, auf den Abessinier zeigend, der hinter uns ritt.

Ohne auf meine Frage einzugehen, antwortet er:

«Das dort ist Kaspar. Zumindest einstweilen... Später wird man sehen.»

«Einstweilen?» wundere ich mich.

Doch er nimmt wiederum keine Notiz von meinen Worten, wendet sich an den Abessinier:

«Kaspar, das ist dein Bruder Pantaleon.»

«Ich weiß!» antwortet Kaspar mit einem offenen Lächeln. Und lenkt sein Reittier neben meines.

Es war um die Mittagszeit.

XV

Damaskus, Kreuzweg der Welt

...«–Ω τεχνον, η βεβηχεν ημιν ο ξενος;
–Βεβηχεν, ωστε παν εν ηουχω, πατερ, εξεστι φωνειν,
ως εμου μονου πελας.»

... –«O mein Sohn, hat sich der Fremde von uns entfernt?»
–«Ja, er hat sich entfernt. Du kannst im Vertrauen mit mir sprechen, Vater: du bist allein mit mir.»

(Sophokles, *Ödipus in Kolnos*, 82-84, Adaptation)

«Diese Straße hier ist es», sagte Isac Beiçudo. «Dort am Ende liegt das Haus von Meister Jakobus.»

Wir gingen durch eine enge Straße. Die glühende Sonne tauchte die weißen, ebenerdigen Häuser mit ihren Veranden und Dachterrassen in ein so gleißendes Licht, daß uns die Augen schmerzten. Isac war jetzt der Jude mit Spitzbart und glänzender Glatze, so wie ich ihn kennengelernt hatte. Niemand begegnete uns, denn die Stadt besitzt öffentliche Straßen, in denen man sich Tag und Nacht bewegen kann, während die Häuser und Wohnungen in anderen, davon abgetrennten, geheimen Straßen liegen, so daß Viertel oder «Inseln» entstehen, welche Tore haben, die auf die öffentlichen Straßen gehen und zur Sicherheit nachts verschlossen werden.

Wir waren ohne Schwierigkeiten in die Stadt hineingekommen. Drei Wälle aus dicken, uralten Jasminsträuchern umgeben sie, die äußerst kunstvoll und seltsame Effekte hervorbringend miteinander verwoben sind. Kräftig wie sie sind, dienen sie als Festung: kein Heer und keine Artillerie vermögen sie zu zerstören, es sei denn unter großen Mühen und viel Zeitaufwand. Doch was für Schmuckstücke und welch kühle Schattenspender sind die dazwischen liegenden, wohlgepflegten, zierlichen Gärten mit ihren dichtbelaubten Bäumen!... Dahinter erst tauchen die hohen, mächtigen Mauern auf, welche die Vorstädte einfassen. Nachdem wir durch ein Tor in die Stadt gingen, das unter einem hohen, trutzigen Turm liegt, das – ein Überbleibsel aus der Zeit der Kreuzzüge – das Wappen Frankreichs trägt, hielten wir noch eine geraume Weile nach unseren zurückgebliebenen Gefährten Ausschau, da sie indes auf sich warten ließen, sagte Isac, der Erfahrung damit hatte, zu uns:

«Ihr braucht nicht auf sie zu warten, Bruder Pantaleon. Die Stadt hat viele Eingänge, und jetzt werden die Maultiertreiber, welche sie kennen, die anderen auf direktestem Wege zur Herberge geführt haben, wo sie längst ausruhen.»

Wir verließen also die Vorstädte und kamen zu einem Stadttor, durch das man in das beste und bevölkerste Viertel der Stadt gelangt. Dort stießen wir auf unsere Gefährten. Sie hatten gerade den Wegzoll entrichtet und die Dinge, welche sie mit sich führten, waren kontrolliert worden. Das ist so üblich, um festzustellen, ob sie verbotene Waren haben, was man bei Männern annehmen konnte, die mit Lasten und ledergefütterten Kästen, mit Äffchen und Papageien durch fremde Länder reisten...

«Da sind sie»! rief Kaspar mit der natürlichen Lebhaftigkeit eines jungen Mannes aus.

Wir waren alle erfeut darüber, sie zu wiederzusehen, und während wir vom Pferd stiegen, um auch unseren Wegzoll zu zahlen, sagte Misser Carlo, der Venezianer, sehr verärgert zu mir:

«Ich habe das Wegezollzahlen satt! Dort hinten haben uns, aus Feldern herausstürmend, an denen wir vorbeiritten, ein paar Bauern überfallen und Gold gefordert. Das hatte gerade noch gefehlt! Wir und unsere Maultiertreiber haben uns mit ihnen geprügelt, und sie mußten einiges einstecken...

«Ihr hättet mit uns weiterziehen sollen... Dann wäre das nicht geschehen», sagte ich zu ihm.

Hier ist es indes anders. Es handelt sich um einen Posten am Eingang zur Stadt, und der eine Mamdim, den wir pro Person zahlen, wird von einem vollkommen weißhaarigen alten Türken mit einem ellenlangen Bart eingetrieben, der angenehmsten und ehrwürdigsten Mannsperson, die mir je begegnet ist, über die Maßen liebenswürdig und höflich. Wir schieden von ihm und gingen in die Stadt, welche von allen, die ich im Inneren eines Landes gesehen habe, die edelste und am meisten bevölkerte Stadt ist. Die Leute sind gemeinhin wohlerzogen und von gutem Charakter, freundlich zu Fremden. Es geschah, daß uns auf unserem Wege einige maurische Jungen zu belästigen, zu beschimpfen und Gemeinheiten und Unhöflichkeiten zu uns zu sagen begannen, wie es auch in Portugal ungehobelte Menschen tun, wenn Mönche vorbeigehen. Sogleich lief ein Türke, der sie gehört hatte, zu ihnen und verpaßte ihnen eine Reihe von Ohrfeigen. Die Jungen weinten, ihre Eltern eilten herbei, und als sie hörten, was geschehen war, straften sie sie abermals. So bewegten wir uns so sicher in der Stadt wie die Einheimischen.

Hier gibt es eine wunderbare Moschee, deren Innenhof und Vorplatz ganz mit Gold und Emaille ausgekleidet sind, ebenso die Wände bis zum Boden. Man sagt mir, daß sie an der selben Stelle steht, an der einst, zur Zeit der Könige Israels und des syrischen Königs Rezin, Ben Hadad und Hasael der Tempel ihres Gottes Rimmon gelegen war. Niemand behelligt auch die vielen Christen, welche in der Stadt leben. Es ist ihnen erlaubt, öffentlich ihre Kirchen mit ihren Bischöfen, sowie den Maroniten, ihren Erzbischof zu haben. Bis auf den heutigen Tag gibt es noch das Haus des Hananias, jenes heiligen Mannes, der nach einer Vision herbeigeeilt war, um Saulus, den Sizilianer aus Tarsus, zu taufen. Sie zeigen uns auch die Stelle, an welcher der göttliche *Lehrer der Heiden* mit Hilfe seiner christlichen Brüder aus dem Gefängnis fliehen konnte, indem er von der Mauer an einem Tau in einem übelriechenden Korb heruntergelassen wurde, in welchem sonst Fisch oder Gemüse zum Markt gebracht werden.

Wir besuchten auch das große Spital, das eine besondere Geschichte hat: Weil er ihn verdächtigte, sich gegen ihn erheben zu wollen, befahl der Sultan, seinen ältesten Sohn töten, doch später ließ er für seine Seele ein Spital erbauen, welches ohne Zweifel eines der edelsten und prächtigsten Bauwerke der Welt ist. Inmitten des weiten Innenhofes ein riesiger, aus Gold gearbeiteter Brunnen mit unzähligen silbernen dünnen Wasserspeiern. Große, weitläufige, mit erlesenen Kleinodien und prächtigem Zierart ausgeschlagene

Gemächer, jedes Gemach mit einer runden Kuppel, die mit Blei gedeckt und mit einer goldenen Wetterfahne versehen ist. Die hohen, schlanken Türme der Haupthäuser mit ihren goldenen Kugeln und Halbmonden. Jedem Christen, Mauren oder Heiden, der auf der Durchreise ist, gibt man hier drei Tage lang reichlich Brot, Fleisch, so viel sie wollen, und eine Menge Reis in verschiedenen Farben, welchen sie schwarz, rot, grün und gelb zubereiten. Hier wird jeder bedürftige Kranke behandelt und von dem hohen Zins, mit dem der Sultan das Spital bedacht hat, werden den Armen üppige, ansehnliche Almosen gegeben. Wenngleich es das größte in Damaskus ist, so ist es doch nicht das einzige Spital oder Hospiz. Viele andere gibt es, darunter auch eines für Katzen. Der Sultan, frommen Werken sehr zugeneigt, unterhält überall in seinen Ländern Krankenhäuser für Männer und Frauen und sogar für Katzen. Die einfachen Leute, zumeist Mauren, leben in Armut und Elend, und es gibt wenig zu essen und anzuziehen, insbesondere wo Türken leben. Dennoch geht niemand bettelnd von Haus zu Haus wie in unserem Europa. Alle verrichten irgendeine Arbeit und jene, die, weil sie blind, verkrüppelt, krank, alt oder zu schwach sind, dazu überhaupt nicht imstande sind, werden von den Spitälern unterhalten. Spitäler für Katzen sah ich in Jerusalem und anderen Städten. Sie werden von einem Katzenvater betreut, einem Mauren, der dafür entlohnt wird und sich jeden Morgen mit einer Schüssel vor das Schlachthaus setzt und um der Liebe Gottes willen um eine milde Gabe für seine Kätzchen bittet.

Mein Gefährte, Bruder Zedillo, wunderte sich sehr darüber und konnte überhaupt nicht verstehen, daß es so etwas geben konnte: daß es Spitäler für Katzen gibt und Katzenväter, die damit betraut sind.

«So etwas gibt es doch nicht!» brummelte er. «Da bittet der Katzenvater – um der Liebe Gottes Willen – um Fressen für seine Katzen.»

«Würde der Sultan in unserem Land leben», warf Isac Beiçudo ein, «er wäre sicher Franziskaner, Bruder Zedillo. Und wenn euer Vater, der Heilige Franziskus Sultan wäre...»

«Oh!...»

«...würde er sicher Spitäler für Wölfe bauen lassen.»...

Wir lachten alle über den Scherz unseres Juden, sogar Bruder Zedillo blieb diesmal eine Antwort schuldig. Ich nutzte das Schweigen, um daran zu erinnern, daß dies nicht verwunderlich sei. In den schottischen Sagen sei zu lesen, daß Dornadil, der König von Schottland, ein Gesetz verabschiedete, in dem festgesetzt wurde, daß alle Vasallen jeden Bewohner ihrer Ländereien dazu verpflichten sollten, drei Jagdhunde zu besitzen, einen Windhund und zwei oder drei Wach- oder Hütehunde. In jeder Stadt und in jedem Ort müsse es ein Spital geben, in welchem die alten Hunde, die ausgedient hatten oder bei der Jagd lahm, blind oder krank geworden seien, auf Kosten des königlichen Schatz unterhalten würden...

«Bei den Türken und Mauren hört das bei den Katzen beileibe noch nicht auf», fügte Isac hinzu. «Einige vermachen ihre Ländereien und Felder in der Stunde ihres Todes dem Fiskus, damit ihre Tiere Gras haben, von dem sie sich ernähren. Und es gibt sogar welche, die bestimmen in ihren Testamenten, um ihrer Seelen willen, daß jährlich eine bestimmte Anzahl Krüge mit Honig den Fliegen gegeben werden sollen.»

Wer viel davon habe, machte eben mit dem Geld, was er wolle, war Misser Antónios Kommentar.

«So ist es», pflichtete ihm Isac bei. «Die reichen Mauren heiraten gemeinhin viele Male. Sie verstoßen eine Frau und nehmen eine neue. Sie pflegen ihren Reichtum für Hochzeitsfeiern auszugeben.»

«Und ihr Juden für Eure vielen Feste», sagte wenig diplomatisch Bruder Zedillo, «die über das ganze Jahr verteilt sind.»

«Und Ihr Christen, was macht Ihr?» begann der Jude zu entgegnen, doch ich beeilte mich, ihm ins Wort zu fallen, um den Streit zu verhindern, der sich anbahnte.

«Die Christen verbringen leider ihre Zeit mit Streiten, wie es schlimmer nicht sein kann! Friede, Liebe, Barmherzigkeit füreinander, Gerechtigkeit, Verständnis, Toleranz, Großherzigkeit, Vergebung – das ist Christi Botschaft. Wir führen diese Worte immer auf den Lippen, unsere Blicke und unsere Mienen werden mild, die Stimme sanft... Und wie sieht es drinnen aus? Vom Kaiser bis zum Diener, überall nur Streit, Schimpf und Zwistigkeiten, vermischt mit dem Geifer des Hasses, dem klebrigen Speichel des Neides, dem Bodensatz der Begierden... Was hat zu den nimmer endenden

Kämpfen geführt, in die wir das Christentum täglich verwickelt sehen? Sie sind daraus entstanden, daß die Großen die Kleinen unterdrücken wollen, sich unrechtmäßig fremdes Gut aneignen, das sie sehr zu ihrem Bedauern in der Stunde ihres Todes hierlassen müssen, in der sie, um gerichtet zu werden, nur ihre Hoffahrt und ihre Sünden mitnehmen können... wäre doch die einzige Sorge der Menschen, nachdem sie Gerechtigkeit geübt und sich gegenseitig Gutes getan haben, sich um Spitäler für Katzen zu kümmern!...»

Isac sah mich mit einem leisen, verständnisvollen Lächeln an. Die anderen folgten schweigend dem Gedankengang. Bruder Zedillo fragte mich, geistreich wie immer, ob ich gerade eine Predigt vorbereitete.

Wir setzten unseren Weg fort und schauten uns um. Von bemerkenswertem Ausmaß sind Handel und das Gewerbe in Damaskus dank der großen Reichtümer und vielen Waren, welche mit den Karawanen aus dem östlichen Indien über Bassora wie auch aus den anderen Teilen der Levante hierher gelangen.

«Es gibt hier allein fünf oder sechstausend Webstühle. Das will was heißen!» sagte uns Isac Beiçudo. Alle Arten von Seiden, kostbarster Brokat, Stoffe aus Gold und Silber...»

Wir traten in einige Häuser, in welchen Webstühle standen. Wie merkwürdig sie sind! Das Holz ganz und gar bemalt und vergoldet, Schuß und Kette aus verschiedenfarbiger Seide, Gewichte aus ebenfalls buntem, mit Sand gefülltem Glas. Hier wird das vielbegehrte Kamelott in allen Farben hergestellt, feines holländisches Linnen und Baumwollstoffe, welche zuhauf in den Läden, die die Straßen säumen oder an den wohlbestückten Markständen und in den Basaren verkauft werden und von hier ebenso wie die kostbaren Teppiche aus der ganzen Levante nach Europa geschickt werden. Auch die Messerschmiedearbeiten zogen unsere Aufmerksamkeit auf sich: Alle möglichen Arten von Eisenwerk, die Damaszenermesser, welche im ganzen Orient so berühmt sind, Stutzsäbel und Dolche aller Formen und Arten, mit wunderschönen und sorgfältig gearbeiteten Silberknaufen.

Isac führte mich auch in die Werkstatt eines Goldschmiedes, eine riese Werkstatt, in welche man nur durch eine einzige Tür gelangte, und die aus Gründen der Sicherheit keine weitere Tür besaß. Es arbeiteten dort etwa fünfhundert Männer mit ihren Handwerksburschen, unter denen wir einige portugiesische Juden finden, die sich sehr darüber freuten, uns zu treffen, und uns erzählten, daß sie ihr Handwerk in Lissabon gelernt hätten. Sie zeigten ganz vertraulich unzählige Wunderwerke und Reichtümer, die es dort aus Gold, Silber und Edelsteinen gab, die zu sehen ich niemals je für möglich gehalten habe.

An einer sehr langen Straße lagen Häuser voller Fässer mit Milchprodukten aller Art: Sahne, Butter, frischem und trockenem Käse. An der Tür eines dieser Häuser fragte mich ein maurischer Händler, als er sah, wie ich neben ihm stehen blieb, um die Vielzahl der Käsesorten zu bewundern:

«Seid Ihr Portugiese?»

«Venezianer», antwortete ich ihm.

«Von wegen! Kommt mir nicht damit, das kenne ich zur Genüge! Ich erkenne einen Portugiesen zehn Meilen gegen den Wind!... Doch fürchtet euch nicht. Ich mag die Portugiesen sehr, denn ich habe mein ganzes Leben lang mit ihnen in Ceuta Umgang gehabt und sie als gute Freunde empfunden...» und er drängte mich, aus seinem Hause mitzunehmen, was ich wollte.

«Ich danke Euch sehr», sagte ich ablehnend, doch er besteht so sehr darauf, daß es ungehörig wäre, es nicht anzunehmen. «Ich nehme dann gern», schlage ich ihm vor, «einen dieser kleinen Käse, doch dafür werdet Ihr eine handvoll trockener Feigen aus dem Algarve bekommen, welche Euch sicher an Eure Heimat erinnern werden. Ich gebe Euch nicht mehr, da dies die letzten sind, die ich von dort mitgebracht habe.»

Es blieb dem Mauren nichts anderes übrig, als sie anzunehmen, was er sehr gern tat, und so wurden wir Freunde.

Die Märkte der Stadt quellen trotz der Fastenzeit von allem erdenklichen sehr preiswerten Obst über: ein «rótulo» Trauben, was so viel wie vier «Arráteis» sind, für einen Madim, der zwölf Realen entspricht. Sie beschneiden die Weinstöcke so, daß sie zweimal im Jahr tragen und es dadurch fast immer frische Weintrauben gibt. Fleisch im Überfluß, reichlich Gemüse, unendlich viel Fisch, welcher in den Flüssen der Stadt gefangen wurde, vor allem köstliche Schleie, die ich wiederholt zu genießen Gelegenheit hatte...

Das Wasser, welches sehr sauber und kühl und von guter Qualität ist, stammt aus den Flüssen Abana und Fafar, welche vom Libanongebirge herabkommen und sich in der großen Ebene, in der Damaskus liegt, ausbreiten: Der eine fließt bis in die Stadt, wo er einen großen, tiefen See bildet, in welchem die Ehebrecherinnen ertränkt werden. Von dort fließt er in unterirdischen Kanälen durch die ganze Stadt und sprudelt aus Brunnen hervor, die auf das prächtigste mit Steinmetzarbeiten und bunten Mosaiken verziert sind; der andere Fluß fließt außerhalb der Stadt weiter und wird so verzweigt, daß er alle Zier-, Obst- und Gemüsegärten bewässert. Was von den beiden Flüssen bleibt, vereint sich außerhalb der Stadt in der Nähe einer dem Propheten Elias geweihten Kirche, welche daher von Christen und Juden besucht wird, und fließen dann ein gutes Stück tosend und ungestüm gemeinsam, bis sie sich trennen und ein jeder, seinem natürlichen Lauf folgend, seinem Geschick entgegenströmt.

Plätze und Straßen sind voller Menschen der verschiedensten Nationen und Rassen, was an der Vielgestaltigkeit und Buntheit der Kleidung, an der Hautfarbe, der Statur der Menschen und dem Durcheinander von Sprachen sichtbar wird. Man kann durchaus sagen, daß man vom Arabischen, dem Türkischen, dem Griechischen, Armenischen bis hin zum Venezianischen, zum Portugiesischen, Spanischen, Französischen, alle Sprachen hier hören kann und sich hier alle Völker der Welt treffen. Mit diesem weltläufigen, vielfältigen Sprachengewirr vermischt sich der betäubende, undeutliche, gestaltlose Lärm. Das gutturale, kehlige Rufen der Marktschreier... Das Stimmengewirr der Frauen, denen ein Schleier das Gesicht verdeckt, doch nicht die Funken verbirgt, welche aus ihren schwarzen Augen sprühen, während sie die Preise bei den Verkäufern herunterhandeln... Das Geschrei und das Schwätzen der Kinder, welche hüpfen, rennen, zappeln, zwischen den Beinen der Vorübergehenden sich durchschlängeln... Das Klingeln und Scheppern der Schellen und Glöckchen am Halsband eines Esels, der mit Bambusvogelkäfigen aller Größen und Sorten beladen ist... Ein Vogelfänger zieht ihn an den Zügeln hinter sich her, dessen Litanei vom Gezwitscher, dem Trillern, Schlagen und Piepsen von unzähligen kleinen Vögeln in tausenden von Farben übertönt wird, die unruhig von Stange zu Stange hüpfen... Das einförmige, melismatische Flötenspiel eines alten Schlangenbeschwörers, der im Schneidersitz vor einem aus Seilen gefertigten Korb sitzt. Daraus kommt mit schlängelnden Bewegungen der Körper einer Schlange hervor, ein kalter, senkrechter Spalt im stählernen Auge, aus dem Mund schnellt hin und wieder ein züngelnder, feiner, zweigeteilter Lichtstrahl... Trommelwirbel auf einem Platz in der Stadt! Possenreißer, Zauberer, Feuerschlucker und Messerwerfer, Fakire, welche in regloser Ekstase in merkwürdigen Posen auf nagelgespickten Teppichen sitzen, Dompteure von Affen und Äffchen, Schlangenmenschen, die mit den Füßen maurische Trommeln schlagen, während sie mit ihren Händen Tamburins aus Ebenholz und Sandelholz zum Klingen bringen, eine Lumpenbande, die in das Geviert einfällt und ihre Scherze, Spiele und Kunststücke zur Belustigung der Leute zeigt, wie ich es mehr als einmal auch in Venedig erlebt habe. Angesichts eines häßlichen, dicken Affen, der sich, mit einer Kette am Halsband gefesselt, ohne Unterlaß im Kreise drehte, sagte Misser António:

«Der sieht wie der Teufel aus! Seht nur, wie er seine Zähne bleckt und mit ihnen knirscht...!»

«Es ist der Teufel», bestätigte ganz dogmatisch unser Doktor der Theologie, Bruder Zedillo. «Seine Augen sind gelb vom Feuer der Hölle...!»

Der Affe schien ihn zu verstehen, denn er stürzte sich sofort mit Klauen und Zähnen auf meinen Gefährten, und er hätte ihn gewiß übel zugerichtet, wenn sein Besitzer nicht umgehend zur Hilfe geeilt wäre.

Doch was geschieht nun? So wie der wolkenlose Himmel plötzlich düster werden und sich mit Wolken beziehen kann, welche sich bald in Schauern ergießen und die Wut der Elemente losbricht, so verwandelt sich auch dieser fröhliche Platz in eine Bühne, auf der sich die grausamsten und barbarischsten Szenen abspielen, welche meine armen Augen, die das Autodafé in Évora fast schon vergessen hatten, je sehen mußten. Berittene Gerichtsdiener des Sultans kommen in einer Gruppe auf den Platz und fegen ihn in wenigen Augenblicken leer, indem sie die Menge und die Komödianten an die Häuserwände drängen. Ein langer Wagen mit fünfundzwanzig

Männern in Büßergewändern aus rohem Linnen darauf, deren Hände hinter dem Rücken zusammengebunden sind und deren Knöchel in Fußeisen stecken, kam, von Maultieren gezogen und vier Reitern mit furchterregenden Säbeln geleitet, auf den Platz. Voran reitet ein Ausrufer, der seine öffentliche Ankündigung mit lauter Stimme kundtut:

«Der große Herr läßt Gerechtigkeit üben: er läßt diese Männer hinrichten, weil sie Diebe sind und die Reisenden auf den Wegen nicht vorbeiließen. Bittet Gott, daß er ihm ein langes Leben gebe, damit er euch gerecht regiere!»

Und daselbst, auf dem Wagen, der mitten auf dem Platze stehengeblieben ist, schreiten nun die Henker ohne Aufschub und Zögern in ihrer versteinerten Seele, zur Hinrichtung. Die Menge steht erstarrt und schweigend da, hin und wieder hört man ein Todesröcheln oder den dumpfen Fall derer, die ohnmächtig niedersinken! Doch schon knüpfen die Henker die bluttriefenden Köpfe der Hingerichteten wie die Perlen eines makabren Rosenkranzes auf ein Seil rund um den hohen Turm einer nahen Festung... Unmittelbar darauf verläßt der Wagen mit den zuhauf herumliegenden, enthaupteten Körpern den Platz und färbt ihn rot mit dem heruntertropfenden Blut. Wir schicken uns gerade an, von hier wegzugehen, Bruder Zedillo stützend, welcher totenbleich und halb ohnmächtig ist, und auch wir sind zutiefst beklommen, da erscheint auf dem Platz ein anderer Reiter, der unbarmherzig einen taumelnden, zuweilen auf dem Boden schleifenden Unglücklichen hinter sich herzieht, dessen Handgelenke mit einem am Sattelgurt befestigt Strick zusammengebunden sind. Um mich herum höre ich, daß es sich um einen berühmten Dieb und Wegelagerer handelt. Die Henker kommen herbei. Sie peitschen den Armen, welcher grauenhafte Schreie ausstößt, bis auf Blut aus. Sie schlagen ihn auf ein Kreuz in der Form eines X, wobei sie ihm Hände und Füße mit großen, langen Nägeln durchbohren. Heisere Schreie entringen sich seiner Brust, doch bald werden sie zu einem fürchterlichem Brüllen, das den ganzen Platz erschüttert und unvermittelt von den Blutströmen erstickt wird, als sie ihm in beide Schultern mit einer Axt ein riesiges Loch schlagen, in welches sie jeweils ein in Pech und Schwefel getränktes Knäuel stopfen, es anzünden und ihn so bei lebendigem Leibe verbrennen.

Sie hieven ihn mit einer eigens dazu ersonnenen Maschine auf ein Kamel, so daß das Kreuz aufrecht steht. Und dergestalt ausgepeitscht, gekreuzigt und brennend führen sie ihn durch die Straßen der Stadt.

Wir beeilten uns, diesen verfluchten Ort zu verlassen, waren in der Seele, unseren christlichen Gefühlen, unserer Menschlichkeit zutiefst verletzt, uns war übel, die Beine versagten uns. Bruder Zedillo stürzte zu Boden. Wir mußten ihn mit kühlem Wasser, das wir ihm ins Gesicht spritzen, und mit einigen Ohrfeigen wiederbeleben. Wir gelangten in eine gänzlich abgeschlossene Straße: ein Tor an ihrem Anfang, ein anderes an ihrem Ende; darüber ein Spitzdach mit einigen Luken, durch welche das Licht hereinfällt; zu beiden Seiten Läden mit kostbarem Tuch, Seiden, Gold und Silberbrokat; in der Mitte der Chan, die jüdischen Händlern gehörende Karawanserei, in welcher wir unterkommen sollten und wohin meine Gefährten Bruder Zedillo schnell brachten. Ich selbst blieb etwas zurück und war noch nicht einmal an zwanzig Häusern vorübergegangen, als aus einem sechs portugiesische Juden auf mich zukamen.

«Bruder Pantaleon», sagte einer von ihnen entzückt, «was hat Euch hierher geführt?»

Ich erinnerte mich an sein Gesicht, doch ich konnte mich wegen der Verwirrung in meinem Kopf und meinem Herzen nicht daran erinnern, wo ich ihn in Portugal kennengelernt hatte und welches sein Name war.

«Wer hätte gedacht, daß ich Euch eines Tages hier treffen würde?! Gott segne Euch! Da stehe ich in meinem Laden und mache einige Ballen Ware auf, die ich gerade aus Persien erhalten hatte... blicke auf die Straße und wer geht da vorbei? Ich glaubte zu träumen!...»

Sie begleiteten uns zur Herberge, welche dort ganz in der Nähe war, wo sie mich alle umringten und mit den freundschaftlichsten Worten begrüßten, mich umarmten und so mein Heimweh erstickten. Schon eilten andere freudig aus ihren Läden herbei und drängelten sich um mich herum, fragten nach ihren Heimatorten, redeten alle auf einmal.

«Freunde!» sagte ich, meine Stimme erhebend. «Im Augenblick

brauche ich eher Ruhe als vieles Reden. Darum bitte ich Euch darum, Euch zurückzuziehen. Morgen...»

Als sie plötzlich schwiegen und gleichsam in sich zusammenzufallen schienen, versprach ich ihnen, mir morgen mehr Zeit für sie zu nehmen. Gott möge sie geleiten. Und so gingen wir, voneinander Abschied nehmend, zusammen bis zum Tor der Karawanserei.

Ich war allein. Meine Gefährten hatten sich schon zur Ruhe begeben. Die Maultiertreiber hatten sich, sobald sie angekommen waren, verabschiedet und eine Unterkunft bei ortsansässigen Christen gesucht, welche sie kannten. Isac Beiçudo hielt es für klug, daß Kaspar – wie war wohl der wirkliche Names des Jünglings aus Kreta ? – nicht zusammen mit uns an einem öffentlichen Ort bliebe, da er dort jederzeit gesucht werden könnte, und nahm ihn mit sich an einen Ort, den nur er kannte. Es blieb uns keine Zeit, ungestört miteinander zu sprechen, und neben anderen Dingen, die mich betrafen, hatte ich auch noch nicht erfahren, wie er den Jüngling getroffen und ihn in einen Abessinier verwandelt hatte. Als er mich von so vielen ihm wohlbekannten und mit ihm befreundeten portugiesischen Juden umringt sah und sich entfernte, kam er nur dazu, mir zu sagen:

«Morgen komme ich und hole Euch! Ich werde Euch zu Meister Jakobus bringen.»

Meister Jakobus! Wahrscheinlich ist er dort, zeitlich und räumlich, in meiner Nähe! Einen Steinwurf weit... Morgen!... Morgen werde ich die Wahrheit erfahren!... Geheimnisse, welche fürchterlich sein mußten, eingedenk der Zeichen, welche sich seit langem offenbaren und um mich herum auftauchen!... Allein in diesem Augenblick fühle ich mich, von den blutigen Szenen auf dem Platz angewidert, verwirrt vom Geschwätz der guten Juden, erschöpft, unfähig zu denken, zu fühlen, gerührt zu sein, ja, sogar Furcht zu empfinden vor der mir bevorstehenden Enthüllung. Ich lege mich zur Ruhe.

Diese Karawanserei glich einem königlichen Palast mit vielen Häusern und Gemächern, alle wohlausgestattet und mit ihren maurischen Schlüsseln verschlossen. In diese Gemächer zogen wir uns zurück, doch sie hatten sie uns ohne Betten zum Ruhen und Schlafen bereitgestellt. Das letzte bißchen Tageslicht erlosch. Bruder Zedillo, der ganz in seiner Decke zusammengerollt neben den anderen Gefährten in einer Ecke lag, schlief noch nicht.

«Bist du sie endlich los geworden?» fragte er.

«Die Armen», antwortete ich, und legte mich neben ihn. «Sie wollen Neuigkeiten aus ihrer Stadt wissen, denn ein guter Charakter wird nie etwas vergessen.»

«Ich weiß, daß es hier viele spanische Juden gibt, doch Gott sei Dank haben sie mich bis jetzt nicht belästigt.»

«Das wird schon noch kommen», antwortete ich gähnend. «Einstweilen gilt es hier auf dem Boden zu schlafen...»

Im unteren Teil gab es einen großen Kreuzgang, in dessen Mitte ein wunderschöner Brunnen aus filigraner Steinmetzarbeit zu sehen war, welcher gutes, kühles Wasser spendete, das ich am Vortage schon genossen hatte. Nachdem ich aus einem kurzen, tiefen Schlaf erwacht war, der meine Erschöpfung gelindert hatte, konnte ich nicht wieder einschlafen. Die Szenen des vergangenen Tages gingen mir nicht so sehr durch den Kopf als vielmehr die bange Frage, was der herannahende Tag mir bringen würde. Daher machte ich einen Spaziergang in dem äußerst reinlichen Kreuzgang.

Die ganze Herberge war ausgesprochen sauber. Bestimmte Mauren, welche ein Einkommen und einen Lohn aus dem für den Erhalt der Karawanserei vorgesehenen Geldern beziehen, sind dafür zuständig. Dennoch ist es immer ratsam, denen, die uns unseren Ruheplatz zuweisen, etwas Geld zu geben, damit sie uns wohlgesonnen sind. Sie nehmen es jedoch nur heimlich an, denn die Strafe dafür, daß sie gleichgültig von wem etwas annehmen, ist sehr hoch. Sie verwenden größte Sorgfalt darauf, die Gemächer makellos rein zu halten, und im Sommer besprühen sie sie zur Erfrischung der Wanderer häufig mit Wasser. Tun sie dies nicht, so merken sie es dann an ihrer Bezahlung, da sie überwacht werden. Es ist schon ein Beweis großer Menschenliebe, unter Ungläubigen eine sichere Herberge zu finden, und zudem in einer so bevölkerten Stadt, ohne dafür mehr als ein Almosen zu zahlen. Welch ein Unterschied zu unserem Europa, wo man in Herbergen kommt, die einen fast das letzte Hemd kosten, ohne daß man hinsichtlich des Essens zufriedengestellt worden wäre, sondern im Gegenteil einem nur die Geldbörse geleert wurde! Und wenn wir dort die Nacht verbringen müssen, so wachen wir mitten in der Nacht auf und müssen endlose Kämpfe gegen Wanzen, Flöhe und Läuse ausfechten, und morgens ist dann das Bettuch voller blutiger Spuren dieses schlimmen Gemetzels, wir wachen dann völlig zerstochen auf, manches Mal mit Löchern in den Taschen und im Fleisch, das aufgrund der drekkigen Betten noch lange krank ist. Hier gibt es so etwas nicht. Was das Essen betrifft, so läßt man es ohne viel Umstände auf dem Markt holen, wo es alles frisch und billig gibt.

Die Sonne war noch nicht aufgegangen, als einige portugiesische Juden mich im Hof aufsuchten. Einige wollten mir einen höflichen Empfang bereiten, die anderen wie am Vorabend Neuigkeiten erfahren. Bruder Zedillo und meine italienischen Gefährten kamen hinzu. Ich bat die Juden, daß sie uns erst einmal unsere priesterlichen Pflichten erfüllen lassen sollten, und fragte sie, ob sie uns den Gefallen tun könnten, einen italienischen Kaufmann hier im Ort, so es einen gäbe, ausfindig zu machen, da dies für meine Gefährten sehr wichtig sei. Anschließend würden wir genug Zeit haben, miteinander zu reden und alles zu besprechen, was sie wollten.

Sie entsprachen meiner Bitte sehr gern, und wir drei Patres hatten unsere Stundengebete noch nicht ganz beendet, da kam ein ehrenwerter venezianischer Kaufmann namens Misser Galeaceo zur Tür herein.

«Misser Galeaceo!» rief Misser Carlo aus...

«Misser Carelo!» sagte Galeaceo und umarmte unseren Gefährten. «Ihr hier?» und mit einem Blick zu uns herüber machte er eine Verbeugung zu unserer Begrüßung, die wir erwiderten. «Woher kommt Ihr?»

«Oh! Von weit her! Ägypten, Sinai, Bethlehem, Jerusalem...»

«Und wohin geht die Reise weiter?»

«Wir werden nach Tripoli reisen, um dort ein Schiff nach Zypern zu nehmen.»

Daran täten wir gut! Und Galeaceo rief uns mit einer Handbewegung und ernster Miene zu sich herüber. Als wir in einer Ecke des Innenhofes alle um ihn herumstanden, flüsterte er uns zu, ihm sei heimlich zugetragen worden, daß der Friede zwischen den Türken und den Venezianern gebrochen sei. Viele Kaufleute aus Aleppo und anderen Orten seien schon geflohen. Auch er sei drauf und dran, dies zu tun. Er sei nur noch wegen einiger Geschäfte davon abgehalten worden, die er noch abschließen wolle. Wenn wir noch einige Tage bleiben und die Stadt besichtigten würden, welche viel Sehenswertes besitze, würde er sich beeilen, mit uns weiterzureisen. Es werde uns sicher nicht leid tun, denn er kenne das Land sehr gut und wisse, was Not tue, um Syrien zu verlassen und nach Zypern zu gelangen.

«Ich wußte schon von diesen Gerüchten», sagte ich zu meinen Gefährten.

«Ihr wißt es schon?» wunderte sich Bruder Zedillo. «Und habt nichts gesagt?»

«Bruder Nikolaus, der aus Aleppo kam, hat es mir an der Jakobsbrücke gesagt, und auch Ephraim hat es mir erzählt, als ich ihn in seinem Boot auf dem Jordan getroffen habe.

«Und Ihr habt uns nicht gewarnt! Also wirklich!» beschwerte sich ziemlich ärgerlich Misser António, den die Gefährten mit mißbilligenden Worten und Gest unterstützten.

«Ich habe Euch aus zweierlei Gründen nicht gewarnt: einmal, um euch nicht zu beunruhigen...»

«Von wegen!»

«Das stimmt nicht!»

«...und zudem, weil es unbestätigte Gerüchte waren.»

«Unbestätigt?»

«Zwei verschiedene Personen erzählen Euch an ein und demselben Tag innerhalb kürzester Zeit dieselbe Neuigkeit, und Ihr findet, daß dies keine ausreichende Bestätigung ist...?»

«Nein, das ist es nicht», beharrte ich.

«Und nun? Ist sie durch Misser Galeaceo nicht mehr als bestätigt?»

Misser Galeaceo», entgegnete ich bestimmt, «wiederholt nur, was Bruder Nikolaus und der Jude Ephraim gehört haben. Die Nachricht ist nicht sicher bestätigt.»

«Das stimmt!» sagte Misser Galeaceo.

«Und wir sollen nur hier untätig auf eine Bestätigung warten, die zweifelsohne eine Bestätigung in Form von Verfolgung, schlechter Behandlung, Konfiszierungen, und vielleicht Gefangenschaft und Tod sein wird?»

«Am besten, wir bringen uns ohne Verzug ihn Sicherheit!» warf Bruder Zedillo furchtsam ein.

«Da wo Rauch ist, ist auch Feuer...» gemahnte Misser Carlo.

«Aber Freunde! Diese Dinge brechen doch nicht einfach so, von einem Tag zum anderen, los», besänftigte Misser Galeaceo, «und von Konstantinopel bis hierher brauchen die Befehle des Sultans, sollten sie schon auf dem Wege sein, noch viele Tage. Bleibt also hier in Damaskus, wie ich Euch gebeten habe, und in zwei oder drei Tagen werden wir uns alle auf den Weg nach Tyrus machen.»

Der kleine Sturm zwischen meinen Gefährten und mir legte sich, und da sie meine gute Absicht einsahen, blieben wir Freunde wie bisher. Die Gruppe löste sich auf, und die Juden umringten mich. Sie bereiteten sich darauf vor, eine geraume Weile mit mir zu verbringen, und ich konnte mich dieses Mal nicht entziehen, da ich es ihnen mehrfach versprochen hatte, als sich eine glänzende Glatze und ein unter dem Kinn spitz zulaufender Bart dazwischen schoben, welche ich nur allzugut kannte:

«Freunde, Bruder Pantaleon wird euch gern ein anderes Mal anhören, doch es war abgemacht – und es ist dies der Augenblick – daß er mich zu seinem ganz besonderen Freund begleitet, den ihr alle gut kennt und verehrt und der an der Schwelle des Todes steht.»

«Meister Jakobus!» murmelten einige.

Nach kurzem Abschied ging ich ohne zu säumen hinter Isac Beiçudo hinaus. Kurz darauf liefen wir durch die Straßen der Stadt. Wir schwiegen und Isac, der meine Verwirrung und meine Beklemmung spürte, begann zu sprechen. Er habe mir viel zu erzählen. Ob ich nicht wissen wolle, wie er Kaspar getroffen habe?

«Wo hast du ihn gelassen? Ist er in Sicherheit?»

Ich sollte mich nicht sorgen. Niemand werde ihn finden.

«Wie bist du ihm begegnet?»

Er war nach Jerusalem gekommen und hatte von meiner Abreise erfahren. Er war mir nachgereist, doch da es für ihn, aus Gründen, die ich kennte, nicht ratsam war, sich der Gesellschaft der Türken zu nähern, hatte er sich nie vorgewagt. Von einem steilen Berg herab sah er, wie die Türken eines Morgens ihre Zelte am Ufer des Jordan aufschlugen. Er begriff sofort, daß sie sehr langsam reisten und wollte, an derlei Dinge gewohnt, gern wissen, wie wir dies aufnahmen. Er kundschaftete uns mit der unendlichen Geduld, welche nur ein Spion besitzt, lange Zeit aus und sah schließlich meine Gefährten einigen türkischen Reitern folgen. Er war beunruhigt, mich nicht zu sehen! Doch nicht lange, denn bald schon stieß er auf mich, wie ich mit einem jungen Reiter sprach und wir uns schließlich trennten und jeder seiner Wege ging. Er beschloß, den Fluß etwas weiter flußaufwärts zu überqueren, um nicht zu nah am Zeltlager der Türken vobeizukommen, was er dann, eine kleine Meile von dort entfernt, auch tat. Er kommt ans Ufer und sieht, wie der junge Reiter, der mit mir gesprochen hatte, sein Pferd tränkt. Er steigt leise ab, bindet sein Pferd an den Stamm einer Dattelpalme und nähert sich. Als er ihn erblickt – er war ja als Araber verkleidet, ich erinnerte mich doch? – erschrickt der junge Mann, da er glaubt, daß er erwischt worden ist. Er weicht ängstlich bis zu einem Baum zurück. – Tut mir nichts!... Ich habe nur... einen Ausritt an den Fluß gemacht... Ich wollte gerade zurückkommen.. – Nanu? Was sollte das heißen? Diese Worte?... Er stellt sich dann sehr aufgebracht, um herauszugekommen, was dahintersteckte. Er solle keine Märchen erzählen! Er habe doch fliehen wollen, oder? Nun mal los! Er solle auspacken, sonst werde er ihn windelweich schlagen!... Der Junge zittert wie Espenlaub. – Hat dir jener Mönch das in den Kopf gesetzt? Raus mit der Sprache! – Nein! Nein! Bruder Pantaleon hat nichts damit zu tun. Tut ihm nichts Böses an! – Ach so. Der ist wohl dein Freud, dieser Bruder Pantaleon? Das ist ja sehr interessant! Du bist kein Türke, nicht wahr? Woher stammst du dann? – ... Der Junge jammert nunmehr und weiß nicht mehr aus noch ein. – Ich bin aus Kreta, mein Herr! – Ob er zu dem Mönch wolle. – Ja. – Und in dem Aufzug? Er würde sehr bald gefangen werden... unterwegs oder in Damaskus... Schluchzen, hemmungsloses Weinen. Isac geht zu seinem Pferd, holt aus der Satteltasche Kleider, Pantoffeln und eine Flasche mit Farbe und kehrt dann zu dem Jüngling zurück. Er solle sich schnell ausziehen. Da er glaubt, er wolle ihn auspeitschen, fängt der Junge, in das hervorspringende Wurzelwerk eines Baumes gekauert, heftig zu weinen an... Isac gibt seine Rolle als Bösewicht auf, geht auf den Jungen zu und legt ihm eine Hand auf die Schulter. – Weißt du, du hast großes Glück gehabt mich zu treffen, denn ich bin ein Freund von Bruder Pantaleon. – Und der Junge blickt ihn mit erstaunten, tränennassen Augen an. – Seid Ihr es wirklich? Werdet Ihr mich beschützen und bis zu meinem Freund, dem Mönch, bringen?... Was dann kommt, wißt Ihr ja. Die Kleider und die Stiefel des Türken verschwinden in der Höhlung eines hunderjährigen, verwitterten Ölbaums, und wie durch Zauberei tritt ein anmutiger Abessinier hervor, auf dessen tränenverdüstertem Gesicht sich schon ein Lächeln abzeichnet. Er heißt ihn auf seine Stute steigen, besteigt sein eigens Pferd, und während sie noch einen Augenblick da standen, fragt er ihn nach seinem Namen. «Christophorus!»

Er mußte seinen Namen ändern, solange sie nicht in Sicherheit waren. – Nun ja... wie habe noch derjenige der drei Heiligen Könige seiner Religion gehießen, der schwarz war? – Kaspar, mein Herr! – Von nun nun sei er Kaspar. Er solle es nicht vergessen!... Und sie waren in gestrecktem Galopp von dort aufgebrochen, um uns einzuholen und in Sichtweite zu gelangen.

«Das ist eine erhebende Geschichte!» sage ich zu Isac Beiçudo. «Ich denke, ich bin Euch Dank schuldig...»

«Nun, mein Freund. Macht wegen Isac nicht soviel Aufhebens, es ist schon spät. Ich habe Euch ernste Dinge zu erzählen, die Euch direkt etwas angehen.»

«Was wißt Ihr?»

«Erinnert Ihr Euch an den Bischof von Coimbra, Bruder D. João Soares, in Bethlehem?»

«Erwähnt ihn bloß nicht!» antworte ich ärgerlich.

«Oh doch! Gerade deswegen werde ich von ihm sprechen!»

Ich schweige. Er fährt fort:

«Ihr wart, ohne es zu wissen, ungerecht. Wir haben ihm beide Unrecht getan.»

«Wie das?»

Er sei es nicht gewesen! Nicht er habe mir Böses gewollt! Im Gegenteil. Er gehöre zu meinen Freunden und Beschützern, innerhalb einer komplizierten Intrige, von der er, Isac, wisse, daß es sie um mich herum gebe, deren verschlungene Wege er indes nicht kenne.

Ich bleibe, von diesen Worten überrascht, stehen, und sehe ihm in die Augen. Ob er sich an das erinnere, was er mir versprochen habe, als ich damals in Bethlehem mit hohem Fieber erkrankt war?... Er, Isac, waren seine Worte gewesen, werde herausbekommen, was hinter jener Unterhaltung des Sekretärs des Bischof von Coimbra mit dem Christen aus Bethlehem stecke.

«Und was habt Ihr herausgefunden?»

Als er mich genesend in Bethlehem zurück ließ, sei er nach Jerusalem geeilt, gerade noch rechtzeitig, um den Bischof von Coimbra zu treffen. Er habe darum gebeten, mit dem Guardian, Bruder Bonifazius, zu sprechen, als er erfuhr, daß jener mit Bruder D. João Soares zusammen sei, wobei er dem Bruder Ostiarius unseres Klosters zum Heiligen Erlösers gesagt habe, er bringe wichtige Nachrichten von mir und meinem Gefährten. Jener habe ihn sofort in Anwesenheit des Bischofs empfangen und ihm befohlen zu sprechen. Er habe ihm dann erzählt, wie krank ich nach der Rückkehr vom Sabas-Kloster gewesen sei, und habe in den absichtlich schwärzesten Farben und mit allen Einzelheiten geschildert, welchem Verrat ich fast zum Opfer gefallen wäre, wenn nicht ein Araber, wie von der Vorsehung geschickt, auf geheimnisvolle Weise aufgetaucht wäre und uns gerettet hätte, welcher dann aber auf ebenso geheimnisvolle Weise wieder verschwunden sei, als habe er sich in Luft aufgelöst... «Und wer beging diesen infamen Verrat?» fragte der Bischof von Coimbra empört.

Es sei ein Christ aus Bethlehem gewesen, der, wie dort hinter vorgehaltener Hand behauptet wurde, von...

«Von wem?» beharrte der Bischof, von Bruder Bonifazius unterstützt. Euer Ehrwürden sollten mir verzeihen, sagte ich, Verlegenheit vortäuschend, aber dort habe man gesagt...

«Und was hat man dort gesagt?» fragte er ungeduldig.

Dort sagt man... es heißt... man wüßte nicht, ob es wahr sei.. daß es ein Kanonikus und Doktor der Theologie, der Sekretär Euer Ehrwürden gewesen sei...

«Wie? Der Kanonikus hat so etwas getan?» rief er zornig aus. Außerdem hieße es... er wisse nicht, ob er es sagen solle.

«Was wird noch gesagt?» fragte Bruder Bonifazius entsetzt, während er den Bischof ansah, der mit großen Schritten im Zimmer auf und abging.

Es wird behauptet...

«Was wird behauptet...?»

«...es sei auf Geheiß Euer Ehrwürden geschehen.»

Der Bischof von Coimbra wetterte, außer sich und aufgelöst, seine ganze Würde vergessend, hochrot vor Zorn einen Schwall von Schimpfworten hervorstoßend. Bruder Bonifazius versuchte ihn zu besänftigen, und sobald er sich – nun beruhigt Euch doch – Gehör verschafft hatte, brachte er ihn dazu, sich zu setzen, und reichte ihm einen Erfrischungstrank aus Wasser, Wein und Zucker. Nachdem er sich wieder gefangen hatte, sagte der Bischof traurig:

«Warum haben sie nicht einmal Achtung vor der Heiligkeit der Stätte und lassen den armen Mönch in Frieden? Eine schlimme Krankheit der Seele ist der Haß! Bruder Bonifazius, wisset, daß ich Bruder Panteleon beschütze... Aber wer hätte gedacht, daß mein Kanonikus...»

Bruder Bonifazius habe ihn verabschiedet, als er merkte, daß das Gespräche eine Wendung zu sehr persönlichen Dingen nahm. Isac sei hinausgegangen, doch er habe erfahren, daß der Bischof von Coimbra unschuldig war. Er wisse nicht, was später geschehen sei, es sei denn, daß wenige Tage darauf Bruder D. João Soares seine Rückreise antrat, jedoch ohne den Sekretär in seinem Gefolge.

«Das, Bruder Pantaleon, ist es, was ich in Erfahrung bringen und herausfinden konnte...»

In der flachen Stadt sah man über den Dachterrassen der Häuser in der Ferne die dunkelgrüne Masse des Libanongebirges. Ich ging gleichgültig, in Gedanken versunken, vor mich hin, ohne auf das zu achten, was mich umgab, obwohl wir den belebtesten Teil der Stadt durchquerten. Ich war in mich gekehrt, meinen Gedanken und Sorgen zugewandt.

«Da gibt es eine Frage, die ich Euch schon lange stellen wollte...»

«So fragt doch», antwortete Isac.

«Welches ist die Rolle, die Ihr in all dem spielt? Woher kommt jene seltsame Bitte, die ich in Venedig erhielt, Euch in Korfu aufzusuchen, was ist ihr Ursprung? Wer hat das Paket mit jenem Buch, jenem Zeichen vorbereitet? Was wißt Ihr von mir? Wer steht hinter all dem?»

«Bruder Pantaleon», antwortete der Jude sehr ernst, «ich fürchte, Ihr müßt diese Fragen Meister Jakobus stellen... wenn Ihr rechtzeitig kommt... Nicht nur in Eurem Priesterberuf gibt es die Schweigepflicht, die nie verletzt werden darf. Auch in meinem Beruf, dem eines Spions, muß man schweigen... Und keiner Antwort, die ich Euch gebe... dürft Ihr trauen...

«Nicht eimal jener, die Ihr gerade gegeben habt», nehme ich an.

«Nicht einmal jener!» antwortete er lächelnd.

Wir verlassen die Hauptstraßen und gehen durch eine jener Straßen, die nur zum Wohnen dienen. Nachdem wir einige Schritte schweigend gegangen waren, bleibt Isac stehen, um sich umzuschauen. Dann nimmt er seinen Weg wieder auf und sagt zu mir:

«Auch ich habe eine Frage, die ich Euch schon lange stellen möchte.»

«Stellt sie.»

«Eines Tages, als ich während euer Krankheit an Eurem Bette wachte, begannt Ihr zu delirieren...»

«Sprach ich?»

«Ja.»

«Was sagte ich?»

«Ihr spracht von einer Helena. Wenn ich die abgehackten, wirr hervorgestoßenen Worte recht verstanden habe, so hat sie Euch verlassen und ist an einen euch unbekannten Ort gegangen...»

Ich schwieg nachdenklich. Isac fragte:

«Wer ist diese Helena?»

Ich erzählte ihm mit wenigen Worten den Fall. Er entschuldigte sich dafür, sich in meine innersten Angelegenheiten eingemischt zu haben.

«Wo Ihr es nun schon einmal wißt», sagte ich zu ihm, «behaltet es für Euch...» und wir gingen lange Zeit schweigend weiter. Plötzlich flüstert mir Isac zu:

«Seht Euch nicht um. Ich glaube, wir werden verfolgt. Ich hatte schon die ganze Zeit das Gefühl.»

Ich will meinen Schritte beschleunigen, doch ein Druck seiner Hand auf meinem Arm beschwichtigt mich.

«Laßt uns langsam und ganz natürlich weitergehen.»

«Wer mag das sein?»

«Ich weiß nicht. Es kann ebensogut Euretwegen sein...»

«Mein Gott! Schon wieder?»

«... wie auch wegen...»

«Kaspar?»

«Ja... Wir sind angekommen...»

Am Ende der Straße halten wir vor einem kleinen, einfachen Haus. Isac klopfte mit den Fingerknöcheln, während er wie zufällig den Blick zurückschweifen ließ. Flüchtig sah man, wie der Zipfel eines weißen Umhangs sich hinter einer Ecke verbarg.

«Hast du gesehen?»

«Ja.»

Die Tür öffnete sich. Mir fiel eine ähnliche Szene ein, die sich vor vielen Jahren vor einem anderen einfachen Haus wie diesem abgespielt hatte, das ein Erdbeben zerstört hatte, und unter dem, wie man damals glaubte, seine Bewohner begraben wurden: ein Arzt namens Jakobus und seine Frau Sara. Doch da ist Sara, inzwischen weißhaarig, voller Runzeln, sie schaut durch den Türspalt und erkennt sogleich meinen jüdischen Gefährten. Sie sieht mich nicht sofort, da Isac mich verdeckt, doch sobald sie meine grobe Franziskanerkutte erblickt, fällt sie weinend in meine Arme.

«Mein Junge! Mein Junge! Ich glaubte schon, ich würde dich nie wiedersehen! Mein João!» und sie küßt mich und streichelt meinen blondgelockten Bart.

Von drinnen, aus einem Alkoven erklingt schwach die Stimme Meister Jakobus', der verworrenes Lärmen gehört hat:

«Sara, wer ist da?»

Sara wollte etwas sagen, doch Isac legte ihr vorsorglich die Hand über den Mund, um sie zum Schweigen zu bringen, und flüsterte:

«Es ist nicht gut, daß er ihn unvermittelt sieht», sagt er. «Geht hinein und sagt, daß ich hier bin... mit einem Freund.»

Sara ging hinein, sprach eine Weile mit ihrem Mann und kam dann zurück.

«Kommt herein!» sagt sie.

«Beide?» fragte Isac.

«Ja. Er wußte es bereits. Er hatte es erraten!... Er erwartet Euch.»

Wir traten ein... ich hinter Isac, mein Kopf glich einem Vulkan, meine Schläfen pulsierten wie wahnsinnig im beschleunigten Rhythmus meines Herzens. Meister Jakobus lag im Bett, das flachsweiße Haar auf dem weißen Linnen des Kopfkissens, ein weißer Flecken auf weißem Grund, auf der Brust die mageren, knöchernen

Hände, das Violett der Adern von der wachsbleichen Haut sich abzeichnend. Schweigend streckte er mir die rechte Hand zur Begrüßung entgegen und um mich dazu aufzufordern, mich auf das Bett zu setzen. Isac tut es mir auf der anderen Seite gleich. Sara stand am Fuß des Bettes, wie eine Statue, die ihren Blick nicht von mir wendet. Niemand sagte auch nur ein einziges Wort, keine Begrüßung, keine Frage nach dem Befinden oder andere dem Anlaß entsprechenden Dinge. Hatte jemand Fragen oder Antworten, so schwieg er!... Es war ein Warten auf das Entscheidende, und das Entscheidende brauchte wenig Worte... Ich war plötzlich wie schläfrig und apathisch, nichts kam über meine Lippen. Ich fühlte mich wie ein schutzloses Spielzeug in den Händen dessen, der mein Schicksal in den Seinen hielt, eine amorphe, willenlose Masse, die darauf wartet, daß man sie nach Belieben formt, wie ein Schiff, das vom Kurs abgetrieben auf den Kompaß oder den Stern wartet, der ihm den Weg zeigt, den Steuermann, der es führt oder das Schlepptau, das es bugsiert... Die Eiseskälte einer Hand legte sich liebkosend auf die meine. Ich ergreife sie mit meinen beiden Händen und führe sie an meine Lippen, als wollte ich um den Segen bitten.

«Das Sprechen fällt mir schwer», sagte er mit leiser, wenngleich fester Stimme, «und ich habe nicht mehr viel Zeit zu leben. Was ich bewahrt habe, um es dir zu sagen, mein Sohn, ist so ernst und schwerwiegend, daß es eine große Tragödie ausgelöst hat, der gegenüber selbst der Himmel nicht gleichgültig blieb. Ich schwor ewige Geheimhaltung, die ich weder aufgeben darf noch will. Diese Bürde hat mein ganzes Leben lang auf mir gelastet. Doch ich habe einen Weg gefunden, es dir, der du der am meisten Betroffene bist, zu übermitteln und mich dieser Last zu entledigen. Du bist Pater. Ich möchte beichten... Das kannst du einem Sterbenden nicht verweigern.

Schweißperlen glänzen auf der faltigen Stirn... Die Stille wird nur durch den schweren Atem des guten Alten unterbrochen und von dem leisen Weinen der armen Sara. Ich sehe sie und Isac an, und mein Blick ist wie eine Bitte, ein Befehl. Sie gehen geräuschlos hinaus und schließen die Tür. Ich bleibe allein mit Jakobus zurück...

XVI

Der ungarische Janitschar

…«Et assument super te carmen lugubre, et plangent te: quae est ut Tyrus, quae obmutuit in medio maris?»

…«und stimmen an ein Klagelied über dich und weinen: Wer ist je mitten auf dem Meer so still geworden wie Tyrus?»
(Hesekiel, XXVII, 32)

Tiefer Friede erfüllte meine Seele. Jetzt weiß ich, wer ich bin. Weiß das Entscheidende. Einzelheiten kenne ich nicht. Erst jetzt kommen mir die Fragen in den Sinn, die ich hätte stellen sollen, wäre ich nicht meinem Amt als Beichtvater verpflichtet und Meister Jakobus nicht so schwach gewesen. Ich weiß nicht, wer mein Feind ist oder ob es ihrer viele sind. Könnte ich von dem ausgehen, was ich weiß, das Fehlende herausfinden? Könnte ich den Prozeß wieder aufrollen und erzwingen, daß meinem Vater Gerechtigkeit widerfährt, und den Mißbrauch der Macht ans Licht der Sonne bringen, dessen Opfer meine Mutter war? Der Armen war während ihres Lebens versagt, die Wahrheit herauszuschreien! Jetzt, wo sie schon lange tot ist, müßte ihr guter Name wiederhergestellt werden... Warum tat er es nicht? Wie soll ich es können, wenn er, auch er, daran gehindert wurde, zu sprechen?... Und wie kann ich sprechen, wo ich doch ganz in mir selbst verschlossen bin, vom Gitter gefangen, das ich selbst gebaut habe? Ich bin gleich einer Seidenraupe, die sich selbst in ihren feingesponnen Kokon verwoben hat. Ich kann nicht sprechen, ich kann und darf in mir das nicht hegen und ausspinnen, was man mir anvertraut hat, ich kann und darf nicht einmal die kleinste Bemerkung machen, das geringste Urteil abgeben. Nach außen hin so vorgehen und handeln, daß es mit meinem Wissen übereinstimmt, hieße schon die Schweigepflicht verletzen. Mir selbst darf ich es nicht anvertrauen, viel weniger noch es aufschreiben... Es drängt mich, bestimmte Namen von Menschen und Orten, bestimmte Daten zu notieren, damit mein Gedächtnis mich später nicht täuscht... Ich widerstehe der Versuchung...

Häufig ergreife ich angesichts des weißen Papiers die Feder, tunke sie beinahe schon ins Tintenfaß... Doch dann höre ich die ernste Stimme meines Gefährten, die keinen Widerspruch duldet. Als ich, unter dem Vorwand, eine ausschließlich theoretische, akademische Frage kanonischer Interpretation zu stellen, von ihm wissen wollte, ob es eine Verletzung der heiligen Schweigepflicht sei, wenn ein Priester von einer Tatsache oder einer Einzelheit, welche während der Beichte erfahren wurden, eine schriftliche Notiz mache: Natürlich sei das eine Verletzung der Schweigepflicht! Nie, niemals dürfe ein Priester so etwas Abscheuliches tun! Und aufgebracht fügte er hinzu: «*Habent sua fata libelli!*» Das wisse ich doch? Wer würde uns die Garantie dafür geben, daß ein solches Schrifstück nicht in unbefugte Hände gelangt? Wir könnten von einem Augenblick zum andern überfallen, ausgeraubt werden, verschwinden, sterben... *scripta manebant!...*

Hat Bruder Zedillo recht? Sind seine Worte nicht allzu streng, meine Bedenken zu unerbittlich? Ach wenn ich doch durch irgendeinen Umstand, der außerhalb dessen liegt, was mir Meister Jakobus entdeckt hat, den Anfang des verwickelten Knäuels fände!... Wäre ich dann nicht von der Schweigepflicht befreit? Oder besser: stünde die Schweigepflicht nicht außer Frage, da die Quelle, aus der ich es erfahren hätte, eine andere wäre?... Nachdem Meister Jakobus' Lippen mir sein Geheimnis anvertraut hatten, würden sie sich nie wieder öffnen, denn noch im Morgengrauen des folgenden Tages übergab er seine Seele dem Schöpfer. Und Sara? Was weiß sie?... Hier geht nun die arme Frau leise weinend an meine Schulter gelehnt. Sie wollte nicht im Hause bleiben. Sie wollte mit Isac und mir ihren Mann auf seinem letzten Wege begleiten. Die gesamte jüdische Gemeinde ist gekommen. In zwei langen Reihen schreiten die Juden mit Kerzen in der Hand, Bibelverse aus dem Alten Testament singend. Vier Männer tragen die Totenbahre wie eine Sänfte auf den

Schultern. Darauf liegt, ganz ein weiße Leinenbänder gewickelt, welche in duftenden Essenzen und Harzen getränkt sind, der Verstorbene. Es folgen die Frauen, mit Gebärden des Schmerzens betend und klagend, wobei sie sich in dramatischer Weise selbst schlagen, kleine Sprünge machen, sich die Haare raufen und in ihrer Verzweiflung ihre Kleider zerreißen.

«Góia! Góia!» wehklagen sie stöhnend und weinend.

Und diese Wehklagen ziehen gleichsam wie von einem Windstoß getrieben, der, kühl über die Felder pfeifend die Ähren auf dem Felde zerzaust, über die lange Reihe der Begleitenden hinweg und verklingen dort in der Ferne...

In der Stunde des Aufbruchs will ich, daß Sara mich begleitet.

«Sara! Mütterchen!» sage ich zu ihr. «Komm mit mir nach Portugal. Ich werde für dich sorgen wie ein Sohn. Du hast außer mir niemanden mehr auf der Welt. Und ich habe nur dich.»

Das ist eine Gefühlswallung, welche die Realität vollkommen außer acht läßt. Sara selbst ist klarsichtiger.

«Nein, mein kleiner João!» antwortet sie, «ich habe noch ihn... Jeden Tag werde ich ihm frische Blumen ans Grab bringen... Dort will auch ich begraben werden... und es wird nicht lange dauern, bis ich bei ihm bin. Du hast dein Kloster, deinen Christus... und all das Gute, das dir dein Leben noch bringen wird...»

Isac, der bislang geschwiegen hatte, sagt zu mir:

«Warum bleibt Ihr nicht bei Sara? Warum bleibt Ihr nicht bei uns?»

Ich bin von einem solchen Vorschlag überrascht, und weiß nicht, was ich sagen soll, weil ich nicht überstürzt eine ablehnende Antwort geben möchte, die Sara kränken und meinen Egoismus zu sehr herausstellen könnte. Isac fügt hinzu:

«Soll ich Helena suchen? Ich würdet beide hier bei Sara glücklich sein...»

Da es sich bei Isacs Vorschlag nunmehr um mein persönliches Glück handelt, kann ich schon ohne Bedenken ablehnen:

«Habt Ihr vergessen, daß ich Pater bin... daß ich ein Franziskanermönch bin... ?»

Isac Beiçudo fragt mich darauf etwas grob:

«Und Ihr habt es noch nie vergessen?»

«Leider doch! Doch sie selbst war es, die aus ihrer edlen Seele heraus mich dazu zwang, den Weg der Pflicht und der Erfüllung des Gelübdes wieder einzuschlagen...»

Sara begreift, was zwischen mir und jener Helena vorgefallen ist, von der sie nun reden hört, doch zartfühlend stellt sie keine Fragen. Isac hingegen läßt nicht locker und packt mich erneut bei meinem schwachen Punkt:

«Ihr geht also? Und laßt Sara allein zurück?»

Sara kommt mir zur Hilfe:

«Laß meinen Jungen, Isac. Er muß abreisen, denn dort in der Ferne liegt sein Schicksal. Was mich betrifft, so muß auch ich bald aufbrechen, und er würde in einem Land zurückbleiben, das nicht das seine ist.»

Wir umarmen uns mit Tränen in den Augen. Ich küsse sie, Sie küßt mich. Und sagt:

«Warte. Ich habe noch etwas für dich.»

Sie geht zu einer Briefmappe, öffnet sie und kommt mit einem kleinen Stück Papier in der Hand zurück.

«Oft habe ich Jakobus über diesem Papier grübeln sehen. Einmal habe ich ihn, ohne daß er mich bemerkt hätte, dabei überrascht, wie er murmelte: ‹Ich muß unbedingt nach Rom! Ich muß unbedingt nach Rom!› Eines Tages habe ich ihn gefragt, was ihn so sehr bedrücke. Er antwortete mir: ‹Weißt du, meine Liebe! Dieses Papier enthält vielleicht die Antwort auf vieles, was unseren João betrifft!› Nimm es. Hoffentlich kannst du es nutzen... Du wirst doch sicher durch jenes Rom kommen...»

Ich nehme das kleine Blatt Papier. Es ist eine von einem Stück Damastpapier abgerissene Ecke. Auf einer Seite steht eine Zahlenreihe von Preisen mit deren Summe, auf der anderen nur ein Buchstabe und eine Nummer: V 1391. An einer Ecke kann man nur mühsam, da Finger und Schweiß das mit einer anderen Tinte Geschriebene fast gelöscht haben, *Bor* entziffern. Sollte dies, denke ich mir, der Faden des Knäuels sein, mit dem das Wirrwar zu lösen ist?...

Wir brachen bald von Damaskus auf, da zudem Misser Galeaceo nicht versäumt hatte, seine Geschäfte abzuschließen, das einzunehmen, was man ihm schuldete und zu einem guten Preis das zu verkaufen, was er nicht mit sich nehmen konnte. Ich bemerkte, daß er einen großen Handel mit Löwen-, Tiger- und Leopardenfellen trieb, da ich ein Lager von ihm sah, welches ganz damit gefüllt war. Auch unsere Gefährten hatten sorgfältig alles vorbereitet, was wir für unsere Reise brauchten, wobei sie auch die Maultiertreiber nicht vergessen hatten, welche dort «mucaros» heißen. Isac Beiçudo verwandelte sich natürlich in einen «mucaro» mit einem zu einer Pyramide gerollten Turban auf dem Kopf, einem weißen Kaftan mit weiten Ärmeln, Pumphosen, die bis zu den Knöcheln reichen, wo sie sich verengen, die Füße in Pantoffeln mit hochgezogener Spitze. Kaspar, dessen Haar krauser ist als das eines Mohren, spielt, auf seiner Stute reitend und ein armseliges Maultier am Halfter hinter sich herziehend, welches mit vollgefüllten, ledernen Wasserschläuchen beladen ist, den Wasserträger. Da es nicht anders ging, wurden unsere italienischen Gefährten über das aufgeklärt, was geschah, wogegen sie nichts einwenden konnten, verbargen sie doch ihren französischen Flüchtling, und so saßen wir angesichts der gemeinsamen Gefahr alle im selben Boot.

Diese Gefahr kam schneller als erwartet...

Der Weg stieg, die Nähe des Libanon ankündigend, langsam an. Adamsfeigenbäume, Eichen, Pinien, Zypressen... Von einem Hügel aus sahen wir Damaskus, gegen das Licht im Osten hoben sich die filigranen Minarette und die Kuppeln von den flachen Dachterrassen ab, die wie unregelmäßige, wunderliche Treppen angeordnet sind. Wir kamen an der Stelle vorüber, an welcher, so erzählt man uns, Kain den Abel getötet hat. Die Mauren besitzen dort eine kleine achtteilige Moschee,welche über und über mit Ornamenten verziert ist und eher wie ein reich geschmückter Leuchtturm aussieht. Wir hielten ein wenig, um sie uns näher anzusehen.

«Welcher Ort auf dieser Welt», warf ich unvermittelt ein, «welcher Ort auf dieser Welt war nicht schon über die Jahrhunderte hinweg immer wieder Zeuge davon, wie Kain Abel und Abel Kain getötet hat?»

«Wieder eine Eurer Blasphemien?» fragte Bruder Zedillo.

«Nennt es, wie Ihr wollt», antwortete ich. «Doch ich glaube, daß die Geschichte der Menschheit über die Geschichte des Bruders, der seinen Bruder tötet, nicht hinausgekommen ist.»

Wir setzten unseren Weg immer am Fuße des Libanongebirges entlang wohlgemut bis zum Abend fort. Unsere «mucaros» waren sehr gepflegt, mit guten Kleidern und Schuhzeug angetan, nicht zerlumpt und abgerissen wie die Maultiertreiber in Europa. Es muß gegen acht Uhr gewesen sein, als wir in der Nähe der Stadt Cäsarea vorbeikamen, das die Einwohner heute Paneas nennen. Ein kleiner Ort inmitten eines dichten Waldes hochaufragender, schöner Bäume, schattenreicher Eichen, und, das zarte Grün der Kirschlorbeerbäume und Baumerdbeersträucher wie eine dunkelgrüne aufgerichtete Lanze überragend, schlanke Zypressen. Der ganze Berghang ist von dieser Vegetation bedeckt, die hier etwas niedriger ist als anderswo. Auf mein Bitten hin verließen wir den Weg für eine kurze Strecke, um die beiden berühmten Quellen Ior und Dan zu besuchen, aus denen der Jordan entspringt. Aus ihnen rinnt viel Wasser, und es heißt, daß sie aus einem tiefen, aber kleinen See stammen, welcher Fiala heißt und auf der andern Seite des Libanon liegt, dessen Wasser man jedoch nicht fließen sieht: es ist ruhig, regt sich nicht, doch tut man einige Strohhalme oder einige Tropfen Öl hinein, sieht man sie später, wird uns versichert, aus den zwei heiligen Quellen wieder herauskommen.

Eine halbe Meile weiter, dort wo wir an einer weiten Ebene wieder auf unseren Weg zurückkommen, führt der Jordan schon Wasser und einen Namen. Er breitet sich auf der Ebene in glitzernden, unruhigen, ungeduldigen kleinen Bächen aus, die an einen Wurf junger Hunde erinnern. An einem dieser Bäche, welcher schon größer ist und mehr Wasser hat, trafen wir acht Türken, die, nachdem sie ihre Pferde mit den Zügeln an einige Äste gebunden haben, nun dort ihrem Brauch folgend hockend Gesicht, Hände, Geschlechtsteile und Hinterteil wuschen. Wir begrüßten sie und sie uns, ohne sich im mindesten stören zu lassen. Wir setzten unseren Weg fort, und nach einer viertel Meile ritt ich meinen Gefährten etwas voraus. Ich hatte das Bedürfnis, allein zu sein, und gab vor, meine Stundengebete und besondere Andachten halten zu wollen. Kaspar gab dem Reittier den Sporn, folgte mir, lenkte sein Pferd neben meines und sagte voller Schrecken halblaut zu mir:

«Ach, Pater Pantaleone! Ich sterbe vor Angst! Die Türken, die wir am Fluß gesehen haben, verfolgen uns!...»

Ich blickte zurück und sah die Gruppe der türkischen Reiter unseren Gefährten in einem gewissen Abstand folgen.

«Beruhige dich!» sagte ich zu Kaspar. «Reite weiter neben mir, es wird schon nichts geschehen... und bete, wenn du es kannst.»

Was ging mir durch den Kopf, daß ich unvermittelt begann, Bruchstücke jener Verse zu trällern, die ich eines Tages, auf dem Rücken liegend aufs Geratewohl in den blauen Himmel gesungen hatte?

Moschus und Amber aus Arabien,
Myrthe und Calamus,
Lobet den Herrn!

Harze aus Sidon und Tyrus,
Olibanum und Myrrhe,
Lobet den Herrn!

Ich merke, daß man mir folgt. Auf seinem prächtigen und wohlgesattelten Pferd begibt sich einer der Türken an meine Seite, nachdem er mit einer herrischen Geste den armen Kaspar verscheucht, der eilig in die Gesellschaft der Gruppe zurückkehrte. Er trägt ein Wams aus Goldbrokat, lange Hosen aus Scharlachzeug, die von der Brust bis zum Spann reichen, wo sie zusammengenommen sind, einen großen Turban aus weißer Seide auf dem Kopf; im Gürtel zwei kunstvoll gearbeitete Pistolen mit Einlegearbeiten; einen großen, vergoldeten Bogen quer über dem Rücken mit einem Köcher voller Pfeile; an der Seite blitzt ein kostbarer Kurzsäbel und vom Handgelenk hängt eine Eisenkeule von der Art herab, wie diese sie zu tragen pflegen, und in einer Hand hält er eine andere Waffe in der Form einer langen, dünnen Hellebarde. Er ist ein Mann von etwa dreißig Jahren, gut gebaut, blond und bestens aussehend. Er begrüßt mich, ich erwidere seinen Gruß:

«Salam!»

«Salam 'alaik!»

Er spricht weiter arabisch mit mir, ich sage ihm, daß ich ihn nicht verstehe. Er fragt mich:

«Scis loquere latine? (Spricht du Latein?)»

«Scio loqui latine (Ich spreche Latein)» antworte ich ihm, den Fehler verbessernd.

Er zeigt sich erfreut und spricht mit mir in schlechtem Küchenlatein. Ich solle meinem Pferd die Peitsche geben, damit wir etwas weiter von der Gesellschaft entfernt weiterritten. Mit den Hacken treibe ich das Maultier an, während ich einen Blick zurück werfe. Die Gefährten kommen alle gemeinsam daher, Kaspar mit ihnen, doch von den anderen türkischen Reitern keine Spur. Unsere Maultiertreiber, die den Türken sehr wohl erkannt hatten, machen mir Zeichen, zu bleiben und rufen zwei- oder dreimal, ich solle auf die andern warten. Meine Gefährten, die wissen, daß ich weder Arabisch noch Vulgärgriechisch, noch Türkisch spreche, sind verwirrt, als sie sehen, wie wir beide so miteinander reden. Der Türke wendet sich um, als er sie derart rufen hört, und sie schweigen sogleich ängstlich und lassen uns zusammen weiterreiten, ohne zu erraten, weshalb wir es tun.

Er fragt mich nach vielen Dingen: wie es um die Christenheit bestellt sei und ob ich dem Orden eines Heiligen angehörte, der Wundmale an Händen und Füßen habe. Unsere Unterhaltung geht weiter, und er fragt:

«Unde venis?» (Woher kommst du?)

«Ab Hierusalem.» (Aus Jerusalem.)

«Fuisti quoque in Bethlem?» (warst du auch in Behtlehem?)

Ich bejahte dies und er begann laut zu singen:

«Puer natus in Bethlehem, mortuus in Hierusalem...» (Das Kind geboren in Bethlehem, starb in Jerusalem...)

Bruder Zedillo nähert sich, nachdem wir fast zwei Meilen zurückgelegt hatten, um zu sehen, was los sei, doch der Türke heißt ihn umgehend wieder umkehren.

«Martinus Luther est vivus? (Lebt Martin Luther noch?») fragt er mich.

«Abhinc multos annos mortuus est corpore et anima (Vor vielen Jahren ist er schon gestorben, körperlich und seelisch.)»

Er sagt, daß er ihn als junger Mann gekannt habe und fügt, sich mir zuwendend, voller Bewunderung hinzu:

«Pater, mi, Luther ille negabat Sanctissimum Sacramentum propter mulieres!» (Mein Vater, jener Luther hat aus Liebe zu den Frauen das Heilige Sakrament verleugnet) – und er beginnt mit lauter Stimme, die auf dem freien Feld wiederschallt: «Tantum ergo Sacramentum veneremur cernui...» bis zum Ende zu singen. Dann stimmt er mit seiner wohlklingen Stimme das große Credo der Messe an, wie es an Sonntagen und den wichtigsten Feiertagen in der Kirche gesungen wird...

Als ich so viele Zeichen eines Christen an ihm bemerke und er zudem so vertraut mit mir umgeht, wage ich, ihn zu fragen:

«Eure Kleider, mein Herr, sind die eines Türken, doch in den Worten erweist Ihr Euch als Christ. Deshalb bitte ich Euch, mir doch zu sagen, was Ihr seid.»

«Ach!» seufzt er aus tiefster Seele, und es herrscht einen Augenblick lang Schweigen. Er sei Christ und glaube wahrhaftig an den Herrn Jesus Christus. Seine Heimat sei Ungarn und sein Vater sei ein sehr bedeutender Mann gewesen, ein Sekretär des Kaisers Maximilian. Da der Sultan ständig im Krieg mit den Ungarn gelegen habe, sei er mit zwölf Jahren in einer Stadt, die jener eingenommen hatte, gefangengenommen worden. Da sie wußten, daß er der Sohn eines Edelmannes war und sein Vater den anderen türkischen Herren wohlbekannt war, und weil die Länder dicht beieinander lagen und sie in Friedenszeiten viel Handel miteinander trieben, beschlossen sie, ihm einen angemessenen Stand zu verleihen, indem sie ihn seinem väterlichen Glauben abschwören und Anhänger der Sekte des verdammten Mohammed werden ließen. Da er noch jung war, bedrängten sie ihn hinsichtlich der Zeremonien nicht besonders und beschnitten ihn auch nicht. Sie kleideten ihn auf die türkische Art und behandelten ihn wie den Sohn eines hochangesehenen Vaters. So erhielt er ein beträchtliches Kostgeld, das ihm der Herrscher Soliman zukommen ließ, und war nun der Ober-Subaschi für ganz Syrien und Palästina, ein Amt von großen Würden und nicht geringer Bezahlung. In Rechtsdingen wurde ausgeführt, was er befahl... Wieviele Tage ich in Damaskus gewesen sei?

«Etwas acht Tage.»

Ob ich nicht an der Hinrichtung auf dem Platz teilgenommen habe?

«Sprich nicht davon. Welch eine Barberei!»

Ja, die Türken seien Barbaren... doch ihm als Vorgesetzten bliebe nichts anderes übrig, als diese Hinrichtungen zu befehlen...

«Du?»

Ja, er! Jetzt blieben ihm noch zwei Aufgaben zu erfüllen.

«Darf ich wissen, welche?»

Er sei mit jenen türkischen Reitern unterwegs, welche ich gesehen hätte...

«Wo sind sie, denn ich sehe sie nicht mehr.»

Er habe sie einen anderen Weg einschlagen lassen, um mit mir freier reden zu können. Sie seien auf dem Weg nach Barudi, da sich in jenem Landstrich drei berühmte Räuber aufhielten, welche er fangen müsse. Er habe einen Befehl des Pascha für den Landvogt. Entweder würde der den Befehl geben, die Räuber gefangen nach Damaskus zu bringen, oder er würde den Landvogt gefangen zum Pascha bringen... Darauf zieht er aus seinem Turban ein Schreiben des Pascha hervor, das mit dessen Siegel versehen war, welches nur wenig mehr als drei Finger breit war, und zeigte es mir: Dieser Fetzen Papier enthielte das Leben des Landvogts von Barudi!

Ich vermeide es, einen Kommentar darüber abzugeben, doch scheint mir aus den Worten des Türken so etwas wie eine Befriedigung über die Befehlsgewalt und ein Anflug von Herzlosigkeit und Grausamkeit herauszuklingen, welche allen Henkern dieser Welt eigen sind.

«Und deine andere Mission?» frage ich.

Er reitet eine Weile mit finsterem Gesicht neben mir her und sagt schließlich:

«Aus der Karawane der Frau des Pascha, die aus Jerusalem kam, ist ein junger Mann entflohen, wahrscheinlich mit der Hilfe...

«Mit der Hilfe...», wiederhole ich, während mein Herz wie wild klopft.

«...mit Hilfe», sagt er, ein jedes Wort betonend, «einiger Pilger, die der Gesellschaft folgten... Diejenigen, die ihn decken, erwartet nicht weniger als die Todesstrafe.»

«Und dieser Flüchtling ist ein Türke?» frage ich, die Verwirrung überspielend, die sich meiner bemächtigt.

«Warum fragst du das?»

«Stell dir vor, es wäre einer jener jungen Christen, die wie du von den Türken gefangen genommen, ihren Eltern, ihrer Heimat, ihrem Glauben entrissen wurden... so wie du...»

«Und wenn es so wäre?» fordert er mich heraus.

«Dann wäre dies eine gute Gelegenheit, bei der du deine christliche Barmherzigkeit beweisen könntest. Du hältst das Schicksal dieses jungen Mannes in deinen Händen, so wie sie einst das Deine in ihren Händen hielten...»

Er reitet wiederum schweigend eine geraume Weile neben mir. In seinem Inneren muß er einen bitteren, heftigen Kampf ausfechten.

«Ich weiß, daß ich noch immer ein großer Sünder bin», sagt er. «Aber ich glaube an alles, woran unsere Heilige Mutter Kirche in Rom glaubt, und vertraue in unseren Herrn, daß ich als Christ unter Christen sterben werde...»

«Und...»

«Daß ich diesen Wunsch bis heute nicht verwirklicht habe, liegt daran, daß sie mir Fleisch und Blut gefesselt und gebunden haben. Ich lebe in großem Wohlstand, habe zwei außergewöhnlich schöne Frauen und Söhne von ihnen. Sie halten mich mit den festen Ketten der Vaterliebe gefangen, doch ich vertraue in Christus, daß ich sie bald mit Seiner Hilfe werde sprengen können.»

«So wie Euch», werfe ich ein, durch die Wendung ermuntert, die das Gespräch nahm, «wird es wohl in der ganzen Türkei viele Christen geben, welche von der Welt und dem Fleisch gefangen sind...»

«Ja, es sind Tausende. Sie bleiben wie ich, da sie die Armut und das große Elend fürchten, welches sie in der Christenwelt erleiden werden, wenn sie dorthin zurückkehren, da der Sultan den Ihren die Ländereien und den Reichtum genommen hat. Der Pascha von Damaskus ist wie ich Sohn von Christen. Manchmal bestehe ich darauf, weil wir eng befreundet sind, das Glaubensbekenntnis zu sprechen, doch er will nicht über das *Creatorem coeli et terrae* hinausgehen...»

«Ich habe schon häufiger von den Janitscharen gehört...»

«Die sind ein etwas anderer Fall. Sie werden von Gesetzes wegen vom Taufstein hinweggerissen. Wir, die geraubt oder als Geiseln genommen wurden, sind eine andere Art von Janitscharen. Jedenfalls können beide innerhalb der türkischen Hierarchie einen hochgestellten Posten erlangen...» und er schweigt abermals lange. «Was für ein Mensch ist der Guardian von Jerusalem?»

«Er ist Slowene, aus Ragusa. Aus Dobronica, wie es heute heißt. Er ist ein weiser, sehr frommer Mann!»

«Werde ich dort einen ungarischen Mönch antreffen?»

«Ganz sicher.»

«Im kommenden Sommer werde ich mit Gottes Hilfe alles Erdenkliche tun, um unter dem Vorwand einer Pilgerfahrt nach Jerusalem zu kommen, und dem Guardian meine Seele öffnen... Ich werde nach Zypern reisen, wenn ich dies tun kann, ohne die Mönche dadurch in Gefahr zu bringen.»

«Ich werde für dich beten», verspreche ich ihm.

Er sieht mich gerührt an und sagt:

«Seit der Stunde, in der ich gefangengenommen wurde, bis zum heutigen Tage habe ich nie eine größere Befriedigung erfahren, als diejenige, dich zur Tröstung meiner Seele auf meinem Wege getroffen zu haben. Ich sah dich in Damaskus, dich und deine Gefährten. Ich habe deine Abreise heimlich ausspähen lassen...»

«Du warst das also?»

«Ja, jemand in meinem Auftrag... Doch jetzt ist alles gut. Ich wäre glücklich, wenn ich *dir*» – und er betonte dies *dir* – «einen Dienst erweisen könnte. Bitte mich, um was du willst, wenn es in meiner Macht steht, es zu tun...»

Ich überlege einen Augenblick, suche nach den rechten Worten.

«Für mich würde es in diesem Moment eine unaussprechliche Wohltat und unendlichen Trost bedeuten, wenn du deine christlichen Gefühle des Verständnisses, der Vergebung und der Barmherzigkeit oberhand gewinnen ließest und es dir gelänge, dein Vorhaben durchzuführen...»

«Sind das deine persönlichen Wünsche? Mein Wohl und mein Glück, die Errettung meiner Seele?»

«Ja. Andere habe ich nicht.»

Es vergeht eine Weile, bis er wieder spricht, er läßt seinen Blick zu den Bergen, ins Leere schweifen, dreht sich im Sattel um, um ihn dann auf meine Gefährten zu richten, die in beträchtlicher Entfernung folgen.

«Und für deine Gefährten wünschst du nichts?»

«Wenn du das auf sie anwendest, was ich für dich wünsche, bitte ich um nichts weiter...»

«Und für Kaspar?»

«Ich wünsche mir für ihn dasselbe wie für dich», antworte ich ruhig, ohne durchblicken zu lassen, daß ich merkte, daß er Christophorus' falschen Namen kannte.

Er lächelt von einem Ohr zum anderen, wobei er seine blendend weißen Zähne zeigt:

«Es sei so... Aber du hättest nicht so viel Farbe verbrauchen müssen, denn der Schweiß, den der Weg kostet, läßt Spuren zurück...»

Als es dämmerte, kamen wir an einen kleinen, kühlen Ort mit einer Quelle, an der wir unseren Durst stillten... Als er sah, daß meine Gefährten näherkamen, verabschiedete er sich von mir, so als ob er sich ganz beiläufig entfernen würde. Seine Augen standen voller Tränen und er verweilte ein wenig an jenem Ort, um meine Gefährten ungezwungen zu betrachten. Die Sonne stand noch am Himmel, als wir dortselbst rasteten, da es nicht mehr zeitig genug war, um noch bis nach Barudi zu gelangen. Wie ich später erfuhr, übernachtete der Türke noch in derselben Nacht dort. Wir kamen erst am nächten Tag zwischen acht und neun Uhr morgens dort an und wurden mit vielen Freudenbezeugungen von unseren Brüdern des Klosters vom Heiligen Erlöser empfangen, die alle Freunde von mir waren, da ich es war, der sie in Venedig eingeschifft hatte, als sie aufbrachen, um die Unterabteilung unserer Ordensprovinz im Heiligen Land zu übernehmen.

Die Brüder baten uns, einige Tage bei ihnen zu verweilen:

«Uns zu trösten und zu stärken, Bruder Pantaleon», sagten sie, mich umringend, «und damit wir Euch gebührend die Ehre erweisen können...»

«Was meint Ihr?» fragte ich meine Gefährten.

«Uns hier länger aufhalten?» hielt mir Bruder Zedillo entgegen. «Habt Ihr vergessen, daß der Friede mit dem Türken gebrochen ist?»

«Welcher Friede gebrochen?» wunderten sich die Mönche.

«Zerbrecht Euch darüber nicht weiter den Kopf, Bruder Zedillo», warf Misser Galeaceo ein, «es war blinder Alarm, Gerüchte ohne

Grundlage, die da umliefen. Ich habe mich bei den Händlern der Stadt erkundigt.»

«So bleibt Ihr also?» fragten erneut die franziskanischen Brüder. «Sagt ja, Bruder Pantaleon.»

«Wenn das so ist...» lenkte mein Gefährte ein.

«Außerdem», mischte sich Misser Carlo ein, «müssen wir uns unbedingt ausruhen und uns selbst und unsere Hemden und die restliche Wäsche waschen. Wir werden nicht so leicht einen Ort finden, wo wir dies so gut machen könnten.»

«Und sollten es die Kosten sein, die Euch davon abhalten», kam der Guardian zur Hilfe, «so wißt, daß hier alles sehr billig ist und in einem solchen Überfluß vorhanden, daß sie einem den Fisch schon beinahe umsonst geben.»

«Also gut!» willigte ich unter dem großen Jubel der Bruderschaft ein. «Wir bleiben einige Tage, um Euch etwas Gesellschaft zu leisten.»

Isac Beiçudo, dem ich das Gespräch anvertraute, das ich mit dem türkischen Subaschi über den kretischen Jüngling geführt hatte, zeigte sich dennoch besorgt:

«Ich weiß nicht... Wenn es nun einen Verrat gibt? Das wäre typisch hier im Lande. Der Türke selbst kann von einem Tag zum anderen erleben, daß seine Güte ihm zu Fallstrick wird, und er die gleiche Strafe erleidet, die er den anderen heute auferlegt... Das Beste ist, den Jungen so schnell wie möglich einzuschiffen, solange ein günstiger Wind weht.»

Ich befand, daß dies vernünftig und klug sei, und so brach Isac mit Kaspar, welchem nunmehr seine wahre Persönlichkeit als Christophorus wiedergegeben war, mit dem ersten Schiff auf, das nach Zypern fuhr. Ich ging an den Hafen, um sie zu verabschieden. Christophorus strahlte vor Freude, und Isac empfahl mir gerührt:

«Reist über Korfu. Schreibt mir, wo immer Ihr seid. Über den Schiffsherrn irgend eines venezianischen Schiffes wird mich Eure Botschaft erreichen...» und er umarmte mich mit echter Freundschaft.

Das Schiff legte ab. Ich winkte ihnen, solange ich sie auf dem Deck des Schiffes erkennen konnte, das sich allmählich entfernte... In meinem Geiste flackerte, gleich einer Flamme im Wind, ein Gedanke, der mich jetzt nicht mehr quälte... Kaspar oder Christophorus? Was machte das schon aus, wo doch der arme Junge er selbst war, mit oder ohne Farbe, als Türke oder als Abessinier oder als Kreter gekleidet?... João oder Pantaleon? Was machte es schon aus, ob ich ich war, mit Etamin bekleidet war oder nackt an einem Bächlein in meinem blühenden Portugal in der Sone lag und meinem Schöpfer närrische Psalmen sang? ... Der einzige Unterschied... ein Erschauern der Seele!... Eine Tür, die sich öffnet, eine Überraschung, die tränennassen Jubelrufe, die warmen Arme einer Mutter, dort im lachenden Kreta!... Das kalte, glatte Grab in dem eisigen Boden irgendeiner düsteren Kapelle!...

Als ich sah, daß uns die Zeit Gelegenheit dazu gab, ließ ich den Guardian des Klosters meine Absicht wissen, den Aufenthalt zu nutzen, um zur Befriedigung meiner Neugier und um mich zu zerstreuen nach Tyros oder Sidon zu reisen.

«Bruder Pantaleon, mein bester Freund», antwortete er mir. «Macht, was Euch am meisten wohltut, doch nehmt einen guten Rat an: Da Ihr es nun schon einmal beschlossen habt, wird es besser sein, ein Schiff zu nehmen und über das Meer nach Tyrus zu reisen. Es ist weniger mühsam und zudem billiger. Auf dem Rückweg könnt Ihr über Land reisen und alle Stätten besuchen, die Ihr wollt.»

Ich bedankte mich für den Rat, der mit gut erschien, und beeilte mich, ihn Bruder Zedillo mitzuteilen, der sich sogleich bereit erklärte, mich zu begleiten. Doch der gute Wille des Guardians ging noch weiter, denn er sorgte dafür, daß uns am folgenden Morgen, mit allem Notwendigen ausgerüstet, das Schiff eines Christen erwartete, welcher den Mönchen sehr zugetan war und sie verehrte. Wir kreuzten an der Küste entlang, und zur Vesperstunde lag bereits Tyrus vor uns, «im Herzen des Meeres»!

«...in corde maris sita...» stammelte Bruder Zedillo, den Propheten zitierend.

Die Stadt ist in der Tat bis ins Meer hinein auf hartem Fels gebaut, besitzt hohe, breite Mauern an der Landseite, vier Einfriedungen, vier gewaltige Türme und mitten darin eine trutzige Festung. Sie ist nicht mehr strahlend wie einst, noch hat sie die majestätische Schönheit, den ungeheuren Reichtum, die sie zum Wunder für alle

Völker an den Ufern des Mittelmeers jenseits der Säulen des Herkules machte. Während das Schiff sich zum Land hin wandte, begann ich unvermittelt wie einst, eine Paraphrase des wunderbaren Klageliedes des Propheten Hesekiel zu rezitieren:

Eine bittere Klage stimme ich an über dich,
ein trauriges Lied singe ich über dich, mein Tyrus,
die Schönste unter den Schönen am Wasser,
auf hohem Fels gebaut,
im Herzen des Meeres!

Die Planken deiner Schiffe bauten sie
aus Zypressen vom Senir,
die hohen Zedern vom Libanon wurden zu Masten,
an denen sich Segel
aus feinstem ägyptischen Linnen entfalten.
Deine Ruder wurden gehobelt
aus Baschans kräftigen Eichen,
die Bänke der Ruderer
aus edlen Hölzern Siziliens,
und die Wände getäfelt
mit Elfenbein...
Auf deiner Flagge leuchteten
roter und blauer Purpur
im Herzen des Meeres!

Von überall her strömte Reichtum
in deinen Hafen...
aus dem schönen Tubal, dem fernen Iberien,
am Ende der Welt,
und aus Ionien und Griechenland und Mesech
im rauhen Kapadozien
kommen kräftige Sklaven
und glänzende Gefäße aus Metall...

Auf edlen Reitpferden und Rössern
kommen aus Togarma die Reiter.
Mit Gold und Silber, Zinn und Blei
füllt Karthago deine Märkte...

Dedan hat dir seine Söhne geschickt,
die Decken tauschen gegen
Elfenbein und Ebenholz...
Auch der Syrer treibt Handel mit dir,
und seltene Perlen, bestickte Stoffe,
schneeweißes Linnen und kostbare Seide
schafft er herbei...
Goldenen Weizen, Honig und Öl
bringen Juda und Israel
zusammen mit duftenden Harzen.
Süßer Wein aus Damaskus,
weiche Wolle aus Griechenland,
glänzendes Eisen aus Ursal
und Calmus und Myrrhe
liegen aus als Ware...
Neid erwecken die prächtigen Teppiche
und die Gurte für die Sättel der Pferde.
Balsam und Gold, kostbare Steine
brachten die Kaufleute aus Ragma und Saba,
und in deinen geschäftigen Straßen
treffen sich Händler aus Assur und Haran,
Kanne und Eden
mit violettblauen Ballen beladen
und bunten bestickten Stoffen...
Deine Schiffe fuhren in alle Teile der Welt.
Du bist sehr reich und herrlich geworden
im Herzen des Meeres.

Dein König besaß einen Thron
inmitteln des Garten Eden,
mit seltenen Steinen verziert
und von nie gesehener Schönheit
waren sein Mantel, sein Kleid, seine Krone...
den Sarder, den Topas und den Karneol,
den Jaspis, den Chrysoliten und den Saphir,
den Beryll, den Rubin und das Gold
trugest du und wandeltest inmitten

der feurigen Steine.
Durch deinen großen Handel wurdest du voll Frevel
und hast dich versündigt...
Siegreich haben dich die Ruderer
über tiefes Wasser gefahren,
doch jetzt zieht von Süden ein Sturm auf,
der dich zerbricht,
und du gehst unter,
im Herzen des Meeres.

Als ich endete, schwiegen alle. Die leichte Brise blähte sanft die Segel und das Schiff durchschnitt eilig die Wellen, die an die Bordwand schlugen. Bruder Zedillo schien zu meditieren. Nach langem Schweigen sagte ich zu ihm, während ich die Blicke die Küste Palästinas hinauf- und hinunterwandern ließ:

«Ein Land der Verwüstung, voller Ruinen, Klagen über den Verlust der Eltern, des Hauses, der Heimat! So viel Elend und Unheil, welches seinerzeit auf schreckliche Weise prophezeit wurde! Was für ein Fluch war das? Welch furchtbare Strafe? Was für ein Volk ist es, das sogar Gott kreuzigte? Oder durch das Gott sich kreuzigen ließ? Schmerz aller Schmerzen! Leiden aller Leiden! Wie blaß nehmen sich daneben die in den antiken Tragödien erzählten und beschriebenen Todesängste aus.»

Es wurde dunkel und so blieb an jenem Tag wenig Zeit, um die Stadt zu besichtigen.

Am nächsten Tag besuchten wir, nachdem wir früh gespeist hatten, die Stadt mit mehr Muße und begaben uns von dort zu dem eine halbe Meile entfernten Brunnen, den Born lebendigen Wassers, den Salomon in seinem *Hohelied* erwähnt.

Hier in Tyrus verabschiedete sich der Schiffer von uns, der nach Barudi zurückfuhr, und wir verließen noch am selben Nachmittag die Stadt und schliefen in einem Weiler an der Mündung des Flusses Eleuterius. Am nächsten Morgen wanderten wir bereits auf der königlichen Straße gen Norden. Nach etwa einer Meile gelangten wir nach Sidon, einer kleinen, mit ihren beiden Festungen dennoch sehr starken Stadt. Die eine war ebenso wie ein Teil der Stadt auf einem Felsen ins Meer gebaut, während die andere auf dem Lande lag. Ein guter Hafen, weshalb Sidon von allen Schiffen und Kaufleuten häufiger als die anderen Küstenorte der Gegend angelaufen wird.

Welch blühendes, fruchtbares Land ist dies, welches sich zwischen dem Meer und dem Libanongebirge von Acon, das unterhalb von Tyrus liegt und heute Acre heißt, bis nach Tripoli in Syrien hinzieht. Ein irdisches Paradies, reich an Gärten und Pflanzungen der verschiedensten Obstsorten, allen Arten von Zitrusfrüchten, welche indes größer und vollkommener sind als bei uns, einer Vielzahl von Zuckerrohrfeldern, Bananenpflanzungen, großen Olivenhainen und Weinbergen!...

Ein Schiff wollte gerade nach Barudi aufbrechen, während wir uns anschickten, die Reise zu Lande fortzusetzen. Doch einer der Christen führte uns so viele Gründe dagegen an, daß wir nichts mehr einwenden konnten. Es sei klüger, das Schiff zu nutzen, weil wir auf dem Landwege über einen Paß kommen würden, an dem man drei Mandim pro Person zahlen mußte. Zudem gebe es noch weitere Nachteile. Dank dieses guten Rates schifften wir uns ein und kamen zeitig in Barudi an. Die Mönche empfingen uns freudig wie immer. Der Guardian war nicht da. Er war an demselben Morgen nach Tripoli gereist, wohin ihn Kaufleute gerufen hatten, die die Beichte ablegen wollten, doch er hatte seinem Vertreter den Auftrag gegeben, uns mit allen Ehren solange dort aufzunehmen, wie wir wollten, und mir zu sagen, daß er uns in Tripoli erwartete.

In Barudi gibt es außer einer großen Auswahl an Seidenstoffen, die es hier überreichlich gibt, der fruchtbaren Erde und einer riesigen, schönen Moschee, die einst eine bischöfliche Kathedrale gewesen und Johannes dem Täufer geweiht war – den die Mauren ebenso verehren wie den heiligen Georg und den Heiligen Franziskus – wenig zu besichtigen und zu vermerken. Daher brachen wir am vierundzwanzigsten März bei Sonnenaufgang von Barudi nach Tripoli auf, in einem Schiff, das wir gemietet hatten. Wir segelten an der Küste entlang, immer mit Blick auf die Gärten und Obstpflanzungen, bis die Küste steiler und unwirtlicher wird. Es ist der Libanon, der mit seinem dichten Wald, seinen Schluchten, Abgründen und Hohlwegen bis ans Meer reicht! Spät in der Nacht kommen wir in Tripoli an.

XVII

Bruder Bär

... «ενι γαρ χεχρηνται σημαντηριω, τη χαμπανα, φημι, η τις εχ του χαμπον μετωνομαζεται. ως γαρ ο χαμπος, φασι, βουλομενοις εις οδοιποριαν ανεποδιστος προχειται, ουτω χαι της χαλχοστομου χωδωνος η μετεωρος διαλαλια τοις πασιν ευπροσιτος ηπλωται.»

...«Sie benutzen die Glocke, die «campana», welche ihren Namen von dem Worte «campus» hat, was Feld bedeutet, denn ebenso wie das Feld sich frei erstreckt vor jenen, die reisen wollen, erreicht auch jeden leicht und freundlich das laute Schwätzen der bronzenen Münder.»

(*Chronicon Veneto-Byzantinum*, an. 1420)

«Immer dasselbe Lied!» platzte Frei Zedillo heraus, als er die Hafenwachen herbeieilen sah, kaum daß wir einen Fuß an Land gesetzt hatten. «Diese Leute sind vielleicht geldgierig! Wegzoll und noch mehr Wegzoll!... Das hat uns gerade noch gefehlt!...»

«Mir auch», sagte ich, es käme mir überhaupt nicht zupaß, daß sie all die Dinge, die ich mit so viel Sorgfalt im Heiligen Land gesammelt habe, durchwühlten. «Das Beste wird sein, sie zu bestechen. Ich denke, zwei Madim für alle müßten reichen.»

«Ja», sagte Misser Galeaceo, «doch erst laßt sie uns fragen, wo wir eine Herberge finden können. Es ist schon zu spät, um noch Freunde zu behelligen, die ich in der Stadt habe.»

So geschah es. Nachdem sie uns zur Herberge gebracht haben, steckten wir ihnen die zwei Madim zu, und sie ließen uns in Frieden.

«Ich kann überhaupt nichts sehen!» das war Misser Antónios

Stimme aus dem Dunkel am Eingang des Hauses, der nicht wußte, wohin er er sich wenden sollte. «Es gibt kein Licht, und wir haben auch keine Öllampe, um uns zu leuchten.»

«Wartet einen Augenblick, und Eure Augen werden sich an den Mondschein gewöhnen, der durch die Fenster fällt. Kommt. Da ist eine Ecke, in der wir uns gut zur Ruhe legen können.»

«Nichts zu essen!... Und nichts zu trinken!... Ich habe einen Bärenhunger!... Und Durst!...» jammerte Bruder Zedillo, der wie wir alle seine Decke auf dem Boden ausbreitete.

«Als guter Spanier solltet Ihr zufrieden und stolz sein», sagte ich zu ihm.

«Warum?» fragte er, da er nicht verstand, was ich zu ihm sagte.

«Weil Ihr in einem Haus nächtigt, das alle Eigenschaften jenes Hauses besitzt, das von einem berühmten Autor so sehr gefeiert wurde.»

«Von welchem?»

«Sagt bloß, Ihr habt Euren Diego Hurtado de Mendoza nicht gelesen?»

«Nein, den habe ich nie gelesen. Außer an frommen Büchern und theologischen Kompendien bin ich an keiner Lektüre interessiert... Doch um welches Haus geht es da?»

«Es geht um das des Lazarillo de Tormes.»

«Und wie war das?»

«So wie dieses hier. Traurig und melancholisch...»

«Ach was!» rief mein Gefährte aus, dem nicht zum Lachen war. Eure Späße sind wirklich albern!» Sagte es, wickelte sich in seine Decke ein und drehte mir den Rücken zu.

Ich wickelte mich auch in die meine ein und wunderte mich selbst darüber, daß ich wieder zum Scherzen aufgelegt war. Was bedeutete das? Ein glückliches Genesen? Daß meine Probleme überwunden waren und sich der Friede endgültig in meiner Seele ausbreitete? Oder daß die Erschöpfung schließlich zum Aufgeben, zur Unempfindsamkeit, zur Gleichgültigkeit, zur Abtötung der Seele führte?... Ich versuche herauszufinden, ob Helena in mir noch Schmerzen hervorruft... Da sind sie, ganz deutlich, die Umrisse ihres Gesichtes, der Glanz ihrer Augen, die Wärme ihrer Lippen auf den Meinen!... Ihre samtene, langsame, zärtliche Stimme!... Der salzige Geschmack ihrer Tränen!... Ihre Hände liebkosen mich, ich sehe, wie sie aufrecht und schlank vor mir steht, wie die Falten ihres Leibrokkes bis zu den rosigen Füßen herabfallen, sich der Gürtel löst, fällt, wie das Kleid sich öffnet und der Körper, nackt, perlmuttfarben, eingerahmt von den goldenen Zöpfen... Ich wälze mich herum, kann nicht einschlafen... Begehre sie in meinen Armen zu halten... Das Bild verschwindet unter dem Ansturm der Gedanken. Ich versuche es zurückzuholen. Es kehrt nicht wieder. Bruchstücke anderer Bilder tauchen auf: eine Vase mit Blumen, der Klang einer Glokke auf einem glockenlosen Turm, der inmitten von Ruinen zu Staub zerfällt... eine endlose Wanderung durch eine trockene Ebene, Müdigkeit, Hunger, Durst... das Gefühl von Kälte, die in meine Knochen kriecht, während ich in meinen Mantel gewickelt auf einem rauhen, ungeschützten Berg mitten im Dunkeln unbequem auf Steinen liege... und ganz allmählich taucht in der Ferne ein Licht auf, kommt immer näher... und ist hier! Ich öffne die Augen. Es wird Tag. Mein Körper ist zerschlagen. Ich gehe hinaus.

Ein prächtiger Hafen, von allen im Orient derjenige, welcher von Kaufleuten aus aller Welt am häufigsten aufgesucht wird! Er ist voller Großsegler aus Ägypten, aus Konstantinopel, Ragusa, Albanien... Zwei französische Schiffe werden mit Galläpfeln beladen... Einige Matrosen dieser Schiffe gesellen sich zu mir, da sie sehen, daß ich Lateiner bin. Wir begrüßen einander freundschaftlich. Ich frage sie, wozu die Ladung dient.

«Das sind Galläpfel aus Aleppo, die berühmtesten der Welt...» und sie erzählten mir, wie sie in den kühlen, schattigen Eichenwäldern Syriens und Mesopotamiens geerntet werden, von ihrer großen Rolle in der Färberei, beim Gerben von Häuten und sogar, als Medizin, zu Vaginalirrigationen und zum Gurgeln bei Angina... Von ihnen erfuhr ich auch, was zu tun ist, um ein Schiff nach Zypern zu bekommen. Meine Gefährten kamen hinzu.

«Wenn Ihr wollt», sagten uns die französischen Matrosen, «könnt Ihr schon morgen aufbrechen.»

«Müssen wir uns so sehr beeilen?» fragte ich. «Und was ist mit einem Besuch der Stadt?»

«Die Stadt besuchen?» wunderte sich Misser Galeaceo. «Die liegt eine große Meile von hier entfernt, und genau besehen müßten wir,

Hin- und Rückweg und Besichtigung zusammengenommen... dort übernachten... Dann könnten wir uns morgen nicht einschiffen...»

«Ihr übertreibt sicher bei Euren Berechnungen!» entgegnete ich.

«In die Stadt gehen? Daran ist überhaupt nicht zu denken!» warf Misser Antonio ein, von Misser Galeacio unterstützt.

«Uns ist hier ein Schiff sicher...» half Misser Carlo nach.

«Wir müßten uns auch nicht den Unannehmlichkeiten aussetzen, die in großen Orten nie ausbleiben...», fuhr Misser Galeaceo fort.

«Und hier haben wir Franzosen, mit denen wir uns verständigen...», fügte Misser Carlo hinzu.

«Und Italiener werden auch nicht fehlen...», assistierte Misser Antonio.

«Nein», widersprach ich entschieden. «Auf gar keinen Fall! Heute ist der Tag unserer Heiligen Jungfrau von der Verkündigung und morgen ist Palmsonntag. Habt Ihr das vergessen?... Haltet Ihr es für richtig, Misser Antonio, ein solches Fest auf dem Meer zu feiern?»

«Um Gottes Willen, nein!...», zögerte Misser Antonio.

«Es gibt», fuhr ich fort, «lateinische Christen in der Stadt, mit denen wir es feiern werden. Wolltet Ihr Laien, daß wir Patres Euch an einem solchen Tage verlassen würden, wenn Ihr in der gleichen Lage wäret wie sie, in einem fremden Land, nur mit einem Guardian, welcher Euch allzu bekannt ist, und vom Wunsch beseelt, die Beichte ohne Hemmungen bei Patres abzulegen, die nur auf Durchreise sind?»

Wo die Frage nunmehr sie anging, lenkten sie ein, da sie, ehrlich oder aus Scham, nicht nein sagen konnten.

«Es sei denn, Bruder Pantaleon!» sagte Misser Galeaceo, «Wir schließen uns Eurer Meinung an.»

«Dann laßt uns abmachen, was wir tun werden», warf Misser Carlo ein.

«Ihr könnt in die Stadt gehen und Euch dort mit dem Guardian von Barudi treffen und über ihn von den Venezianern erfahren, ob es besser ist, im Hafen zu warten, da uns morgen ein Schiff sicher ist, oder ob wir in die Stadt kommen sollen, um uns dort etwas zu erholen.»

Ich ließ mich nicht lange bitten und brach sogleich in Begleitung zweier französischer Seeleute auf, von denen einer ein breitschultriger, wortkarger Bretone und der andere ein junger Mann aus Avignon war, der, wenn er nicht gerade mit mir oder seinem Gefährten schwatzte, alte Lieder sang, die von seiner Liebsten, dem Himmel und dem Wind seiner Heimat handelten. Wir kamen in Tripoli an. Eine flache, unweit des Meeres auf freiem Feld gelegene Stadt am Fuße des Berges Libanon, welcher in jenen Gegenden Mons Pardorum, der Leopardenberg, genannt wird. Im Umkreis von einer halben Meile um die Stadt herum nur Gärten und Pflanzungen von Obstbäumen, Orangen- und Zitronenbäumen, Bananen, Palmen mit großen Datteln. In einigen Erhebungen des Gebirges entspringt ein Fluß, welcher durch die Stadt fließt, von vielen Brücken überspannt, einige aus Stein, andere aus Holz. Überall verstreut unzählige Brunnen, an denen jeweils mit einer Kette zwei kleine Töpfe befestigt sind, damit die Leute daraus trinken können. Edle Häuser, gerade, breite Straßen. Ein Spital für Kranke, Pilger oder Bedürftige. Königliche Bäder, die von eben diesen natürlichen Wasseradern gespeist werden und Mauren und Christen gleichermaßen dienen, sehr sehenswert und zudem äußerst sauber. An ihrer Vorderseite ein gewaltiger Stein aus feinstem Marmor mit einem wunderbaren Bildnis der Muttergottes mit dem Kind im Arm. Die Friedhöfe der Mauren und Türken sind Parks und duftende Gärten, weil sie, sobald sie jemanden begraben haben, sofort rund um das Grab herum viel Salbei, Majoran, Alecrim, Lilien und andere Kräuter pflanzen, die es bei uns nicht gibt... Waren im Überfluß – allerlei Arten Seide; Kamelott, indes weniger als in Damaskus; weiße, duftende Seife in den verschiedensten Gestalten und Formen. Sie wird nach Konstantinopel und in die ganze Türkei, nach Venedig und in andere Teile der Welt gebracht. Aus Antiochia kommen vor allem Arzneipflanzen für die Apotheke – Rhabarber, Skammonium, Aloe, Röhrenkassie, welche nicht so gut ist wie die aus Ägypten, und weitere Drogen dieser Art... Die Fruchtbarkeit der Gegend erlaubt den Bewohnern, sich in Spielen und Zeitvertreib, in Festgelagen und Schlemmereien zu ergehen, so daß man versucht war, sie als irdisches Paradies darzustellen, aus dem die Nachfahren Adams und Evas bald vertrieben werden sollten...

Der Guardian von Barudi stellte mich den venezianischen Kaufleuten vor, die mich mit ausgesuchter Höflichkeit und großer Ehrerbietung empfingen. Ich setzte sie über die Lage ins Bild.

«Es wird besser sein», sagte einer von ihnen, nachdem er sich mit seinen Freunden beraten hatte, «wenn alle Gefährten hier in die Stadt kommen. Wir werden sie holen lassen...»

«...doch erst, wenn wir in Ruhe unsere Messe gefeiert haben», warf ein anderer ein, «denn heute ist das Fest unserer Lieben Jungfrau.»

Ich begriff sogleich, daß sie beschlossen hatten, uns erst nach Ostern abreisen zu lassen, damit sie ihre Beichte ungezwungener ablegen konnten. Sie hatten ihren Kapellan und der Guardian von Barudi war bei ihnen, doch die waren ihnen allzu vertraut. Den Fremden gegenüber fühlten sie sich weniger gehemmt, wie ich es im Hafen schon meinen Gefährten gesagt hatte. Die Messe las ihr Kapellan, ein alter Augustinerpater, welcher dort auf Kosten der Signoria von Venedig lebte und vom Klosterleben befreit war. Wir, einige venezianische Kaufleute und ich, dienten ihm als Ministranten und hinterher sangen wir die Vesper, so gut wir irgend konnten, mit unseren Septimen und Oktaven, worüber sie sich uns gegenüber sehr erfreut zeigten. Sie nahmen mich zum Essen mit in das Haus eines gewissen Misser Matia, wo sie mir ein Zimmer für mich ganz allein gaben, welches abgeschlossen und sehr schön war, mit einem sauberen, guten, von einer Damastdecke überzogenen Bett, einer ledergefütterten Truhe für die Kleider, einem Waschtisch mit den entsprechenden Wasserkrügen, schneeweißen, leinernen Handtüchern und mit prächtigen Perserteppichen. Sie empfingen mich so, wie es ihnen entsprach, doch ich war von all diesem Luxus verwirrt und ging um die Teppiche herum, um nicht mit den Füßen darauf zu treten. Meine Füße waren den Staub, die Steine und die Disteln am Wege gewohnt und mein Körper wußte nicht, was er mit so viel Weichheit anfangen sollte... Als wir uns gerade zu Tisch gesetzt hatten, erschien Misser Galeaceo, weil ihn meine Verspätung beunruhigt hatte. Da er allen bekannt war, empfingen sie ihn mit großer Artigkeit. Sie ließen die anderen holen und brachten sie im Hause eines Misser Regulo unter, wo sie meinem Gefährten ebenfalls eine eigene Schlafstätte und ein eigenes Zimmer gaben, das wie meines mit allem Notwendigen ausgestattet war. Sie behandelten uns so, weil sie uns die ganze Karwoche bei sich haben wollten. Und was machte es schon aus? Bruder Zedillo weigerte sich nicht, und ich blieb einfach, da ich es weder eilig hatte noch allzu große Lust verspürte abzureisen, und vertagte so in meinem Innersten den Augenblick, an dem ich mich wieder der Monotonie des Klosterlebens, der rauhen Wirklichkeit stellen mußte, die mich in der Heimat erwarteten...

Die Heimat! Unsinnige Gedanken kommen mir. Die Heimat, das Vaterland ist das *Land der Väter*... So gesehen habe ich kein Vaterland... Warum dann also zurückkehren, wenn das Vaterland mich weder erwartet, noch einen Platz für mich hat? Ich bin wie einer von jenen zahllosen namenlosen, vertriebenen Juden, über deren Leben man nichts weiß und die auf der Suche nach einer Unterkunft, nach Arbeit, nach Brot durch die Welt irren... Doch nicht das Vaterland hat sie vertrieben, sagt mir, auf meine Schulter gestützt, mein Zuschauer-Ich meinem Gewissen ins Ohr. Eine Handvoll Fanatiker haben sich der Religion Christi bemächtigt und sie verfälscht. Die Heimat gehört nicht dieser oder jener Idee, Sekte, Religion, nicht diesem Clan, jenem Stamm, dieser Rasse oder jener Klasse. Von allem unabhängig und universal ist sie die Mutter aller, die in ihr großgeworden sind. Sieh, wieviel Heimweh die Juden nach ihr haben, so fern sie auch ist! Sie hassen die Inquisitoren, doch nicht die Heimat, die ihre Geburt miterlebt hat. – Ich lehne mich dagegen auf, protestiere. Mein Ball ist ein anderer.

Ich bin vertrieben, weil... Sag nichts weiter. Ich kenne das schon. Doch was hat jener heilige Boden, den du Portugal nennst, mit deinem besonderen Fall zu tun?... Jener namenlose Bach vielleicht? An seinem Ufer hast du eines Tages Gott ein Loblied gesungen!... Kommt dir sein Murmeln nicht sanfter, sein kristallklares Wasser nicht bekömmlicher und frischer vor als das aller anderen Bäche auf der Welt?... Flöten die Amseln in deinem Land ihre Melodie nicht auf Portugiesisch? Heimweh klopft an meine Tür! Indes fühle ich, daß in diesen fremden Gegenden, die ich durchwandere, etwas von mir für immer bleiben wird... Bleiben, den Vorschlag jener Juden annehmen, die mir eine schöne, junge Frau, Güter und Reichtum anboten... Mein Verstand begehrt dagegen auf. Ich bin kein Jude und werde es nie werden, ich verkaufe meine Seele nicht... Ich kann meinen moralischen und religiösen Pflichten zuwiderhandeln, ich werde vor allem aus einer Nichtübereinstimmung mit mir selbst heraus sündigen, doch ich sage mich nicht los, betrachte es immer – ich selbst oder ich als mein immer wachsamer eigener Beobachter – als Übertretung, als etwas Unzulässiges... Mein Herz begehrt dagegen auf. Bleibe ich, so würde ich Helena suchen!... Warum ließ ich sie gehen? Warum gestatte ich Isac Beiçudo nicht, sie für mich zu suchen?... Vielleicht, weil sie es war – sie nämlich, die stärker war als ich – die mir den Weg wies. Ihre Worte klingen noch in meinen Ohren: «Du bist ein Gottesmann!... Möge Gott mir die Kraft gegen, zu tun, was ich tun muß...» Und muß ich nicht diese edle Haltung respektieren, ihrem Beispiel folgen? Muß nicht von ihr die Kraft kommen, die mir fehlt? Würde ich Helena wieder begegnen, wäre es dann nicht an mir zu sagen – du gehörst Gott! – und all meine Kraft zusammenzunehmen um sie ihren Weg weiterschreiten zu lassen?...

Ich blieb also einfach unter dem Vorwand, Ostern an Land zu verbringen und nicht wieder Messen ohne Wein wie damals auf dem Weg ins Heilige Land zelebrieren zu wollen, unter dem Vorwand, daß meine Pflichten als Priester den Christen gegenüber, die im Land der Ungläubigen meiner so notwendig bedürfen, mich dazu zwangen, unter dem Vorwand, daß Bruder Zedillo keinerlei Widerstand leistete...

Das gute Bett und das gute Essen verweichlichen mich!» murrte ich, zu meinem Gefährten gewandt.

Er lächelte und sagte:

«Einmal ist keinmal. Zumindest werden wir einen Augenblick lang für die Entbehrungen, das Ungemach, den Hunger und das Elend entschädigt...»

«Franziskaner... und das in der Fastenzeit!...» jammerte ich.

Palmsonntag. Ich bitte den Guardian von Barudi, alles so zu richten, daß wir für die Franzosen die Messe lesen.

«Seht», sagte ich zu ihm, «Ihr und Euer Gefährte, ich und mein Gefährte und Misser Antonio, wir sind zusammen fünf Priester. Sie haben nur ihren Kapellan. Laßt mich gehen und Euren Vertreter mit mir nehmen. Hier blieben dann vier und wir sind dort drei.»

Der Guardian wollte schon zustimmen, da griffen sehr verärgert die venezianischen Kaufleute ein:

«Laßt doch die Franzosen in Frieden! Ihr bleibt hier bei uns. Die haben dort doch ihren Kapellan. Sollen sie doch sehen, wie sie zurechtkommen.»

«Sagt, was ihr wollt», entgegnete ich entschieden, «mein priesterliches Gewissen heißt das nicht gut. Seid ihr Venezianer und die Franzosen nicht gleichermaßen Christen? Sitzt ihr nicht im selben Boot, das heißt, hier im Land der Ungläubigen? Dachtet ihr, ihr könntet einen armen Franziskaner nur für Euch haben, allein weil Ihr ihn fürstlich beherbergt? Glaubt ihr, er habe verlernt, im Freien zu schlafen, als Kopfkisssen nur einen Stein vom Wegesrand, nehmt ihr an, daß er nicht weiter zu Fuß durch die Welt wandert, um seine Mission zu erfüllen?» Diese Worte klangen in mir, als wären sie an mich selbst gerichtet. «Wollt ihr in diesem Geiste die heiligen Ostertage verbringen? Mit Groll im Herzen? Groll eines Christen gegen einen anderen Christen?...»

Ich fühlte wohl, daß ich ein wenig Theater spielte und rhetorische Kunstgriffe gebrauchte, Tricks, welche ich herausstrich, während ich vorgab, mich von ihnen in dem Maße hinreißen zu lassen, wie meine Gesprächspartner nachgaben.

«Ich bin es leid!» fuhr ich fort. «Überall im Heiligen Land sah ich nur Rivalitäten, Neid, sogar Haß zwischen den verschiedenen christlichen Nationen, welche die Türken, häufig so voller Verständnis und Toleranz, in ihrem Herrschaftsgebiet dulden... Jetzt führt ihr euch genauso auf. Ich ziehe es vor, zu gehen.»

«Nein! Nein, tut dies nicht!» erhoben sich Stimmen unter ihnen.

«Ich gehe und mein Herz ist voller Schmerzen und voll Mitleid mit Euch!...»

Natürlich ließen sie mich nicht gehen, doch ich wollte einen Nutzen aus ihrer Kapitulation ziehen.

«Ich gehe nur unter einer Bedingung nicht», sagte ich sehr ernst, indem ich den Worten einen salbungsvollen Klang gab.

«Unter welcher?»

«So sagt es doch...!»

«Wir nehmen Eure Bedingung an, wie sie auch immer lauten mag...»

«Nicht jede, nein!... Wenn sie für unser Seelenheil gut ist!»

«Ich bleibe nur, wenn Ihr mir versprecht...»

«Schon versprochen!»

«Schon versprochen? Was heißt hier schon versprochen! Laßt erst einmal hören...»

«...wenn Ihr mir versprecht, daß ihr am Ostersonntag mit Euren französischen Brüdern Frieden schließt.»

Gemurmel und ungehaltene, kritische Worte.

«Glaubt Ihr», trat mein Gastgeber, Misser Matia, hervor, «daß die Schuld für dieses ganze, nun, sagen wir, Mißverständnis, daß die Schuld dafür, daß wir mit den Franzosen Differenzen haben, alleine bei uns liegt? Und die Franzosen, die Ihr kaum kennt, sind das etwa Heilige?...»

«Überlaßt das mir. Deshalb will ich ja gerade dorthin und sie zu euch bringen, damit Ihr euch wie Kinder desselben Vaters Jesus Christus umarmt.»

Nachdem die Schlacht gewonnen war, ging ich, wie ich es gewünscht hatte, zu den Franzosen. Mich begleitete der Sekretär des Guardians von Barudi. Ein junger Mönch mit schütterem Bart auf den wächsernen, eingefallenen Wangen, gewölbten Schläfen, an denen die violetten Aderstränge hervortraten, fröstelnden Händen, die immer in den Ärmeln des Habits steckten. Bruder Tomasius. Aus Bari, der Stadt, die, wie er mir während des Weges erzählt, die Reliquien des Heiligen Nikolaus von Myra aufgenommen hat und sich im blauen Mittelmeer spiegelt. Myra im Süden, in Lykien und Nikomedia, im Norden, in Bithynien, und jene beiden Heiligen – will es mir nicht aus dem Sinn – deren Reliquien auf der Flucht übers Meer in christliche Länder kommen und dort Aufnahme finden: einer in Bari, der andere in... Miragaia!...

«Was ist das für eine Meinungsverschiedenheit oder was für ein Streit entzweit Venezianer und Franzosen?»

Vom Gehen außer Atem geraten, stieß er seine Antwort hervor. Seine Stimme war unerwartet tief für einen so zerbrechlichen Körper. Es gebe keinen aktuellen, deutlichen, konkreten Grund. Er glaube, der Grund seien eher Eifersüchteleien und Neid jener, die den gleichen Handel treiben, eine gleiche Natur und gleiche Herkunft haben... Ob ich, Pantaleon, das verstünde. Sie befänden sich in der gleichen Lage in einem fremden Land und versuchten nun vor den Augen aller als die ihren ebenbürtigen Brüdern Überlegenen dazustehen... So waren Menschen doch schon immer, nicht wahr?...

«Christen, römische Katholiken, alle beide... und dann das! Wie leben hier die beiden Gemeinschaften?»

Es sei, sollte ich wissen, in den Städten der Türkei, in denen venezianische, französische oder italienische Kaufleute Handel treiben wie in dieser Stadt Tripoli, in Aleppo, Barudi oder selbst in Alexandria, in Groß-Kairo und vielen anderen überall das Gleiche. Jene, die kommen, um für Jahre hier zu bleiben und ihr Glück machen wollen, lassen sich nieder und werden wie zu Bürgern des Landes...

«Und der Sultan gestattet dies?»

«Sie zahlen ihm jedes Jahr einen Kreuztaler Tribut. Sie leben in völliger Sicherheit im Lande, fürchten keinen Krieg, obwohl es den zwischen den Christen und dem Sultan gibt. Ganz im Gegenteil sind sie es, die dann die anderen Kaufleute begünstigen und jenen helfen, die keinen Wohnsitz dort haben, und ihnen die Waren verstecken oder in Sicherheit bringen, mit dem Argument, es seien ihre eigenen.»

«Und die anderen? Die sich nicht niederlassen wollen? Warum tun sie es nicht?»

Es gebe verschiedene Gründe dafür. Da seien einmal jene, die von einem Land ins andere ziehen und dort Handel treiben und sich nicht niederlassen können. Andere wiederum wollten sich nicht mit der Pflege und der Einrichtung eines Hauses belasten. Bei anderen sei es möglicherweise die Furcht, sich festzulegen, nicht mehr in der freien Zeit ihrer angeborenen Unstetigkeit folgen zu können... Es gebe in den Städten riesige Häuser mit vielen Zimmern, Magazinen und Wohnungen, so ähnlich wie Klöster...

«Eine Art großer Herberge...»

«Ja. Ganz recht. Eine Art Herberge, in der ihnen alles gestellt wird, was sie brauchen: Essen, Trinken, Bäder, das Waschen der Wäsche, alles schnell, überreichlich und so sauber, als befänden sie sich in ihren eigenen Häusern, und sogar noch besser...»

«Doch diese Dienstleistungen werden sehr teuer sein...»

Ob ich denn nicht bemerkt hätte, daß die Kaufleute, die in diesen Gegenden Handel treiben, alles sehr edle und bedeutende Männer seien, die von großen Geschäften leben und immense Reichtümer damit ansammeln?... An Geld fehle es ihnen nicht, das solle ich ihm glauben, um demjenigen einen bestimmten Betrag zu zahlen, der sie beherbergt und dem es obliegt, sie mit all dem zu versehen, was er vorher angeführt habe, und auch alle Dienste leistet, die sie sonst noch benötigen. So leben sie ruhig, ohne sich im Hause um etwas kümmern zu müssen.

Während des Gespräches erfuhr ich noch, daß diese Gästehäuser gemeinhin Herberge genannt werden. Der Besitzer ist nicht irgendwer. Eine bedeutende Persönlichkeit, die mit der Genehmigung des Sultans von der Signoria von Venedig eingesetzt wird und deren Bezahlung und Einkommen ansehnlich und einträglich ist. Die Gemeinschaft hat zudem die Genehmigung, einen eigenen Richter zu haben, der über die Zwistigkeiten unter ihnen entscheidet und jene gefangen nimmt und bestraft, die es verdienen, als wären sie in einem christlichen Land. Die Franzosen besitzen ebensolche Häuser mit einem Verwalter. Er wird Konsul genannt und hat vom Sultan die Gerichtsgewalt und die Autorität verliehen bekommen, seine Landsleute zu richten, so dies notwendig sein sollte. Beide, Venezianer wie Franzosen haben ihren Kapellan, bei dem sie aufgrund von Privilegien, die ihnen einige römische Päpste verliehen hatten, ihre Testamente zu verfassen verpflichtet sind, wenn sie im Sterben liegen.

«Hat die Stadt viele Einwohner?»

«Ja, sie hat viele und zudem sehr edle Einwohner. Viele Türken... Und außerdem gibt es immer Leute aus der Garnison. Zahllose Christen der östlichen Nationen, die hier mehr Freiheit genießen als anderswo.»

«Und Juden?»

«Etwa zweitausend. Die meisten sind Eure Landsleute... Die Synagoge ist riesig, jedoch häßlich und plump...»

Damit waren wir bei den Franzosen angelangt und zelebrierten die gesungene Messe zum Palmsonntag und machten die Prozession durch den hellen, sonnigen Kreuzgang und sangen dreistimmig die Passion mit einer solchen Freiheit, als befänden wir uns in einem

Ort der christlichen Welt. Da der Konsul mich sehr hartnäckig drängte, blieb ich bei ihnen, um mit ihnen eine Mahlzeit einzunehmen und, um mich noch würdiger zu empfangen, rief er seine Frau und seine Töchter mit an den Tisch. Ich versäumte es nicht, die Gelegenheit zu nutzen, sie darauf einzustimmen, Frieden mit den Venezianern zu schließen, was zur Zeit der Bußübungen nicht schwierig war, und am folgenden Ostersonntag vertrugen sie sich miteinander wie Gott mit seinen Engeln.

Als ich am Abend nach Hause kam, waren unsere italienischen Gefährten nach Zypern abgereist.

«Wie kommt das?» fragte ich zutiefst verwundert Misser Matia.

«Sie haben beschlossen abzureisen...», sagte er schulterzuckend und die Hände in einer hilflosen Geste ausbreitend.

«Und ohne sich von mir zu verabschieden!...» rief ich traurig aus. «Sie hätten mich doch zumindest rufen lassen können...»

«Wir befürchteten, Ihr hättet nicht bei uns bleiben wollen, um eine Gemeinschaft, die so viele Tage lang gedauert hat, zu lassen.»

«Eine Gemeinschaft, die so lange gedauert hat und in der das Zusammenleben und die Gespräche so angenehm gewesen sind... Ich werde sie vermissen...»

Ich solle nicht betrübt sein! Er versichere mir, daß weder sie noch wir vor einem, wenn nicht gar zwei Monaten ein Schiff nach Zypern bekommen würden. Und ohne ihre Empfehlung würden wir nicht abreisen. Ich solle beruhigt sein, denn sie würden für unsere Reise aufkommen.

Die Gerüchte, daß der Friede mit dem Sultan gebrochen sei, stellten sich abermals als falsch heraus... Und so blieben wir, Bruder Zedillo und ich. Es war wohl nicht nur Freundschaft, die meinen Gefährten bewog zu bleiben. Er zögerte aus anderen Gründen als ich den Zeitpunkt der Abreise von jenen heiligen Gegenden hinaus. Doch ich war über seine Gesellschaft erfreut, denn ich hatte ihn in den beinahe drei Jahren liebgewonnen... Die Karwoche wurde in der Herberge von Misser Matia gefeiert, wo ich untergebracht war, da es dort dafür alle Bequemlichkeiten gab. Alle Kaufleute des Ortes waren anwesend.

Nachdem ich meine religiösen Pflichten erfüllt hatte, verbrachte ich meine Zeit damit, mich in der Stadt umzutun. Meine jüdischen

Landsleute suchten mich auf. Ich war gerade mit meinem Gefährten und einigen anderen Mönchen, die über Aleppo aus Jerusalem gekommen waren, in der Herberge, als ein Jude, der wie eine wichtige Persönlichkeit aussah und einen gelben Turban trug, in den Raum stürmte.

«Wer von den Ehrwürden hier ist der Pater Bruder Pantaleon?» fragte er mit wohlklingender, sehr tiefer Stimme.

«Ich bin es.»

«Ich wollte euer Ehrwürden auf ein paar Worte bitten.»

Ich erhob mich und ging mit ihm auf eine Veranda, wo wir unter vier Augen miteinander reden konnten.

«Was wollt Ihr von mir?»

«Pater, mein Name ist Levi Guedelha. Wenn ich auch öffentlich dem jüdischen Glaube anhänge, so bin ich doch tief in meinem Innern Heide. Ich habe die Hoffnung auf das Kommen des Messias aufgegeben. Immer warten, warten... Schon meine Eltern warteten und meine Großeltern... Morgen würde er kommen, bald würde er kommen... Und nichts dergleichen!»

«Er ist einmal gekommen! Ihr wolltet es nicht glauben...»

«Das denkt Ihr, die Christen! Findet Ihr, daß die Welt besser geworden ist, seit Euer Retter, Euer Erlöser gekommen ist? Findet Ihr nicht, daß es nottut, daß er abermals kommt?... Oder daß ein anderer kommt?... Oder daß er überhaupt einmal kommt?...»

So war es immer. Sie suchten mich auf. Sie wollten nichts weiter als mit mir diskutieren. Warum antworten? Das Habit, das ich trage, erlegt mir eine einzige Antwort auf. Meine Gedanken hingegen, meine beiden *Ich* lehnen sich auf, sagen mir ganz tief drinnen, daß die Welt und selbst die Christenheit dringend das Kommen des Messias brauchen... Doch ist ER nicht längst gekommen? Die Juden haben ihn nicht erkannt. Und die Christen? Was haben sie über die Jahrhunderte mit Ihm gemacht? Ist seine Botschaft nicht mehr gültig? Gilt es nicht noch immer, sie zu verwirklichen? Waren es nicht die Menschen – die Reichen, Mächtigen, die Großen der Welt – die sich Seiner bemächtigt haben und Ihn für ihre Zwecke ausnützen? Waren es nicht jene, die die Religion ihren Absichten entsprechend formten? Sind sie es nicht, die die Vergebung der Sünden zu erkaufen versuchen, ein Stückchen vom Paradies erwerben wollen wie einen Acker? Das Wohlleben auf Erden in der Ewigkeit fortdauern lassen wollen? Ist der Sklave denn nicht weiterhin Sklave? Der Arme nicht weiterhin arm? Der Verfolgte nicht weiter gehetzt? Sprach nicht Christus vom Kamel, das durch das Nadelöhr geht? War es nicht unser Vater, der Heilige Franziskus, der versucht hat, Christus in seiner ursprünglichen Reinheit wieder in den Herzen der Menschen erstehen zu lassen?... Das ist es! Die Menschen müssen Ihn in ihren Herzen mit neuen Augen betrachten, Ihn dort wieder aufleben lassen... Hast du die Inquisition in Évora schon vergessen? Einen Damião de Goís? Einen Erasmus?... *Quid est veritas*? Gibt es denn nicht auch in einem Luther, einem Calvin etwas von der Suche nach der Wahrheit?...

«Ich glaube auch nicht an eine Auferstehung der Toten», drang von fern die Stimme Levi Guedelhos in den wirren Strom meiner Gedanken. Ich gab mir Mühe, in die Realität, das Jetzt und Hier zurückzufinden. Dort drüben hob sich nach Osten hin der Libanon wie ein dunkelgrüner Fleck von der fast weißen Helligkeit des blaßblauen, zartrosa Himmels ab, zu seinen Füßen die lichte Stadt...

«Bist du Sadduzäer? Ohne die Auferstehung wären wir nur Tiere... und wozu dann noch an etwas glauben?...»

Er erzählte mir sein Leben und wie er Portugal, einem Irrtum erlegen, verlassen hatte, was er bereute. Er entdeckte mir seine Nachkommenschaft mit vielen Einzelheiten, die mich dazu bewegten, Mitleid für seine Reue zu empfinden.

Ob er mich um etwas bitten dürfe?

Aber natürlich.

Ob es mir zuviele Umstände machen würde, einen Brief an seine Verwandten mit nach Portugal zu nehmen.

Ich willigte unter der Bedingung ein, daß er ihn mir zeigte, bevor er ihn versiegelte, damit ich mit selbigem nicht irgendwelche Gewissenszweifel mit mir herumtragen müsse.

Aufgrund dessen, was er über mich von vielen seiner jüdischen Bekannten in ganz Palästina und den angrenzenden Ländern gehört habe, insbesondere von einem seiner alten Freunde aus Jerusalem, der mich sehr gut gekannt hätte, als ich ein Kind gewesen und in der Judenschule gelernt hätte, sei er von meiner Mildtätigkeit und meinem guten Willen keineswegs überrascht. Ob es mir nicht aufgefallen wäre, daß wo immer ich ankäme, sogleich ein Schwarm von Juden, die es sich gegenseitig weitersagten, herbeieilte, um mich zu sehen und mit mir zu sprechen?

«Ich habe mich in der Tat schon sehr gewundert!»antwortete ich in Erwartung einer Erklärung.

Da entdeckte mir Levi Guedelho etwas Bestürzendes:

«Das kommt daher, daß alle wissen, daß Ihr ein getaufter Jude seid und in Euren Adern jüdisches Blut fließt... Und jüdisches Blut verleugnet kein jüdisches Blut, noch verstößt es dieses!... So erklärt sich Eure Sympathie für uns und unsere Freundschaft für Euch und der Empfang, den wir Euch bereiten...»

Ich hatte bereits selbst längst schon vermutet, Jude zu sein. Doch niemals hatte man mir es so deutlich gesagt. Ein getaufter Jude!... Zu einem anderen Zeitpunkt hätte mich diese Nachricht in Panik versetzt, doch wie viele Szenen, Bilder, Fakten ließ sie jetzt aus der alten, staubigen Truhe der vergessenen Dinge wieder hervorkommen! War nicht einer der letzten jene, daß mein Superior bei der Römischen Kurie, Bruder Antonius von Padua, getaufter Jude war?... Ein einfacher Zufall?... Sei es wie es wolle, diese Spekulationen beunruhigten mich nicht mehr. Ich dachte vielmehr, nachdem sich Levi zurückgezogen hatte und ich allein auf der Veranda war, über jene ungeheuerliche Tatsache – einen Auswurf oder ein Erbrechen des Geistes – nach, die darin besteht, daß die Christen in alte und neue Christen aufgeteilt werden, die einen aus der ersten Ernte mit Brief und Siegel und der Garantie einer ruhigen Überfahrt ins Paradies, die anderen mit zweifelhaften Freibriefen, gefälschten Siegeln, apokryphen Unterschriften, die peinlich genau und akkurat überprüft werden müssen, damit auch nicht in einer Falte des Körpers und der Seele etwas mit eingeschmuggelt wird, dessen Herkunft zweifelhaft ist, das Zeichen des Paktes mit dem Teufel trägt!... Der Beweis der Reinheit des Blutes!... Welches der Kinder Gottes hat unreines Blut?...

«Seid Ihr nachdenklich?» das war Bruder Zedillo, der sich über meine Abwesenheit gewundert hatte und sich zu mir gesellte, als er gesehen hatte, daß Levi Guedelho ging. «Ist irgend etwas geschehen? Erhieltet Ihr schlechte Nachrichten?»

«Nein, Bruder. Seid unbesorgt. Ich blickte von hier auf den

Libanon», wiegele ich ab, «und dachte gerade, daß ich ihn gern besuchen würde. Ich möchte sehen, wie unsere maronitischen Brüder dort oben auf dem Gipfel des Gebirges leben, außerdem habe ich so viel von seinen Zedern gelesen und gehört!...»

«Justus ut palma florebit: sicut cedrus Libani muliplicabitur...» kam Bruder Zedillo nicht umhin, den Psalm Salomons zu zitieren. (Der Gerechte wird grünen wie die Palme und er wird wachsen wie eine Zeder aus dem Libanon)

«Wir sind schon lange in der Stadt, wir haben noch viel Zeit... Hättet Ihr nicht Lust, mit mir den Patriarchen von Antiochia zu besuchen, der oben auf dem Libanon seinen Sitz hat?»

«Ich weiß nicht», antwortete er und legte die Stirn in Falten, «ob dieser Zeitpunkt für Ausflüge günstig ist...»

«Ausflüge!», entgegnete ich. «Er lebt dort, auf diesem großen Berg inmitten von frommen Männern, so wie es einst die Patres in den Einöden und Wüsten Ägyptens, Thebais und Palästinas fern von den Menschen taten.»

Mein Gefährte zögerte. Ich merkte, daß etwas Ernstes dahintersteckte. Was hatte er? Was war los?... Nichts. – Von wegen, ich hätte das ganz sichere Gefühl, daß er etwas verberge, irgend etwas Wichtiges!... Er lachte, eine Seltenheit bei ihm. – Oh! Sehr wichtig! Ich könnte es mir gar nicht vorstellen!... Er sei ein Monstrum. – Ein Monstrum?! – Ja – Er mache Witze. – Nein, durchaus nicht. – Leviathan? Behemoth? – Schlimmer! Viel schlimmer! – Ja, was denn? – Er könne nicht laufen... Ein Geschwür am Bein!...

Es war nichts zu machen. Ich mußte allein gehen. Ich sagte es den venezianischen Herren, denen ich meinen Gefährten anempfahl, und sogleich bot sich einer von ihnen an, mit mir zu gehen, einer der edelsten Jünglinge, namens Gianantonio Tozzolo, der, da er neu im Lande war, noch nicht wie die anderen Kaufleute im Sommer, dort zur Erholung und zum Zeitvertreib gewesen war. Gianantonio ließ noch am selben Nachmittag die Reittiere besorgen und alles weitere, was zur Reise notwendig war, damit wir am nächsten Tag im Morgengrauen aufbrechen konnten.

«Es sind nur fünf Meilen», sagte Misser Matia, der bei den Vorbereitungen half, «doch der Weg ist, sobald man zu steigen anfängt, so steil und unwegsam, daß man nicht darauf reiten kann. Ihr werdet es sehen!»

Kaum daß die Morgendämmerung heraufgezogen war, machten wir uns auf den Weg, wobei wir einen christlichen Maultiertreiber namens Philippus und einen mit den Venezianern befreundeten, mit ihnen gut bekannten Mauren mitnahmen.

Wir hatten schon einen großen Teil des Weges zurückgelegt, als wir an den Fuß des Gebirges gelangten. Ein breiter Bach mit glasklarem, kalten Wasser kam murmelnd vom Berg herab, beide Ufer waren mit schönen Platanen bewachsen. Wir machten Rast, um zu frühstücken, da der Ort dazu einlud und die Hitze schon stach. Ein trockener Baumstamm diente als Tisch, Steine, von denen ein jeder sich einen geeigneten aussuchte, waren die Bänke.

Nachdem wir uns gestärkt hatten, begannen wir den Berg auf einem sehr schmalen und steilen Hohlweg hinaufzusteigen, in dessen Mitte der Bach wild über Stromschnellen dahinschoß, welcher uns Angst machte, da wir zudem im Sattel sardischer Maultiere saßen, die gewohnt waren, wie Ziegen zwischen den Felsen umher zu springen... Es dauerte nicht lange, bis wir absteigen mußten. Wir konnten nicht weiterreiten, da der Weg derart schroff und schwierig war, daß wir uns zuweilen mit Händen und Füßen weiterhelfen mußten... Nachdem die Sonne zwei Stunden am Himmel stand, erreichten wir eine kleine, gleichsam zwischen diesen rauhen Bergen verborgene Ebene. Es waren einige Häuser zu sehen, und sobald man uns bemerkt hatte, begannen die Glocken fröhlich, hüpfend, springend, wie an einem Festtage zu läuten, zu klingen... Ich blieb wie angewurzelt stehen, als ich in den Schluchten und den Bergen das helle Läuten widerhallen hörte... Freudentränen traten in meine Augen, denn lange schon hatte ich diesen Klang nicht mehr gehört und war auf ihn nicht gefaßt gewesen, noch hatte ich gewußt, daß es dort Glocken gab, da ich gemeint hatte, sie seien in den Ländern der Türken und Mauren verboten...

Sogleich eilten zu unserem Empfang einige sehr ehrwürdige Alte herbei, die dort wie Einsiedler leben. Sie warfen sich mir zu Füßen und baten um meinen Segen, so wie es üblich ist, und ich, damit schon vertraut, ebenso, und nachdem sie mich alle umarmt hatten, brachten sie mich zur Kirche und dann zum Haus des Patriarchen, das direkt daneben liegt. Es erschienen zwei alte Schwestern des Patriarchen, die sich mir ebenfalls zu Füßen warfen und meinen Segen erhielten. Sie tun dies immer, wenn sie ein Mönch der Römischen Kirche besucht, der die Maroniten gehorsam und sehr ergeben sind. Der Patriarch, sagten uns die frommen Frauen, sei, obgleich er die Hundert schon überschritten habe, nach Jerusalem gereist, um dort Ostern zu feiern. Sie entschuldigten sich dafür, daß wir aufgrund seiner Abwesenheit nicht so geziemend beherbergt und empfangen würden... In angenehmer Gesellschaft verging der Nachmittag. Sie zeigten uns die kostbaren Ornate und Kleinodien ihres Kultes, die in ihrem Besitz waren, und wiesen mit besonderem Stolz auf einen weißen Bischofsornat, welcher mit erhabener Goldstickerei gearbeitet und mit Perlen besetzt war, und den ich sehr wohl kannte, da es selbiger war, den wenige Jahre zuvor Erzbischof Bruder Georg, als er sich mit mir in Venedig einschiffte, aus Rom mitgebracht hatte, wo er seiner Heiligkeit Papst Pius IV. in seinem Namen und dem der maronitischen Christen den Gehorsam ausgesprochen hatte. Es ist seit vielen Jahren Brauch, daß, wenn ein Papst in Rom gewählt wird, Gesandte der nicht im Schisma lebenden östlichen Christen, der Armenier, der Maroniten, der Kopten, der Syrer ihn ihres Gehorsams erneut versichern. Seine Heiligkeit läßt sie nicht mit leeren Händen ziehen und schenkt ihnen neben vielen anderen Dingen ein gebrauchtes Bischofsornat.

Das Gespräch zog sich bis in die Nacht hinein, und während des Abendessens erfuhr ich einige Dinge, die ich bereits gehörte hatte, so die Anzahl der dort lebenden Christen, und andere, die meine Neugier weckten.

«Aus welchem Grunde», fragte ich, «lebt der Patriarch von Antiochia hier auf dem Berg Libanon, wo er doch seinen Patriarchensitz in der Stadt hat?»

Dies hier sei für das klösterliche Leben, für den einsiedlerischen Gottesdienst der geeignetste Ort!... Hier auf der Höhe gäbe es weite, äußerst fruchtbare und ertragreiche Felder, reichlich gutes Wasser!... Seit uralten Zeiten schon sei der Libanon von Christen bewohnt gewesen, die hier ruhig lebten, insbesondere seit die Ungläubigen begannen, das Land zu erobern. Der Grund dafür war, daß es viele uneinnehmbare Pässe gab, die nicht Menschenwerk, sondern von der Natur so geschaffen waren. Daher sei der Patriarch hierher, an diesen Ort gezogen, um ruhiger zu leben.

«Und die Glocken, die Ihr hier habt? Wie ist das zu verstehen, wo doch dies im ganzen Reich des Sultans etwas Verbotenes ist und ich nur stumme Glockentürme ohne Glocken gesehen habe.»

«Mein Bruder stand am Anfang seiner Amtszeit als Patriarch», antwortete eine der alten Frauen, «als der Großtürke mit der Eroberung Palästinas begann und einen großen Teil Syriens, welches dem Sultan von Ägypten gehörte...»

«Ich war noch klein», unterbrach die andere Schwester, «doch ich erinnere mich noch sehr gut daran... wie er besiegt und mit all den Seinen in die Flucht geschlagen wurde, während der Sultan von Ägypten siegreich war!...»

«Er entkam, wie es heißt, in letzter Minute», fügte einer der Alten, die dort anwesen waren, hinzu, «und suchte Zuflucht an eben diesem Orte, wo unser Patriarch bereits lebte...»

«Er wurde von einigen unserer maronitischen Brüder geführt, die seinem Heerlager angehörten und mit ihm geflohen waren. Sie kannten die unwegsamen Pfade, von denen sonst niemand wußte, und brachten ihn durch die tiefsten Schluchten und steilsten Pässe zur unzugänglichsten und unerreichbarsten Stelle des Gebirges.»

Sie waren alle nur allzu bereit, mir jene Geschichte zu erzählen, und so erfuhr ich, daß der Patriarch dem Großtürken Zuflucht in seinem Hause gewährte und allen, die ihn begleitet hatten. Er versorgte sie, so gut er konnte, reichlich mit allem. Doch jenen Leuten stand der Sinn nicht nach Haschee und süßen Speisen wie den Unsrigen im Frankenland. Die Türken und die Mauren sterben nicht am übermäßigen Essen wie viele bei uns im Abendland, denen ihr Leben lang durch Vielfalt der Speisen der Magen und die Sitten verdorben werden. Unsere Natur sei so leicht zu befriedigen, das fände ich doch auch, nicht wahr? Von dem, was wir ihr geben, erhält sie sich... Der Großtürke zeigte sich dem Patriarchen ob der guten Behandlung, die jener ihm angedeihen ließ, so sehr verpflichtet, daß er ihn später, als er Herrscher des Landes und der Sultan von Ägypten in der Schlacht gefallen war, zu sich rufen ließ und ihm unter vielen anderen Gunstbeweisen diesen Teil des Berges Libanon für immer überließ und ihm und allen maronitischen Christen einen Gerichtssprengel einräumte, in welchem dem Patriarchen die Rechtsprechung und die Regierung oblag, wenn sie auch zum Zeichen des Vasallentums immer einen türkischen oder maurischen Subaschi haben mußten, indes einen, den sie selbst erbäten und wollten. Er gestattete ihnen zudem, daß sie in der bischöflichen Kirche Glocken haben dürften, was ein ganz besonderes Zugeständnis war, da es die einzige Ausnahme im ganzen Reich des Großtürken war.

«Im Gerichtssprengel des Patriarchen», sagten sie mir, «gibt es sogar vierzigtausend Männer, die mit Schleudern, Bögen und anderen Waffen dieser Art in die Schlacht ziehen können...»

«Ich habe meinen Bruder häufig sagen hören, daß er, falls die Christen und Lateiner kämen, um das Heilige Land zu erobern, sich verpflichtete, ihnen zwanzigtausend Mann zu stellen, alles tadellose und eigens dazu ausgewählte Leute.»

«Und weiß der Subaschi das?»

Nun ja! Der Subaschi, den sie hätten, sei ein besserer und frommerer Christ als sie alle miteinander!...

Es war Zeit, schlafen zu gehen. Die Schwestern des Patriarchen richteten mir das Bett. Auf den Bettüchern und auf der Decke befand sich an einer der Ecken und in der Mitte ein blaues Kreuz, das Zeichen, das die Maroniten auf all ihren Gegenständen und Hausgeräten anbringen, um, unter Ungläubigen lebend, zu zeigen, welchem Glauben sie angehören.

Bei Tagesanbruch sind wir längst schon wieder unterwegs und steigen den unwegsamen, steilen Pfad hinauf, um die berühmten Zedern zu sehen. Uns begleiten einige maronitische Jünglinge, um uns den Weg zu zeigen. Auf dem Gipfel des Gebirges stoßen wir auf eine große, freie Lichtung... Weißer Schnee, Kälte, die in die Knochen der nach Franziskanerart nackten Füße dringt, eine Stille, die das Summen des Windes im Astwerk der Bäume noch unterstreicht!... Ein überwältigender, weiter Ausblick! Eine Gebirgskette verläuft von Osten, vom Land der Moabiter und der Nabatäer und von ganz Kölesyrien und der trachonitischen Region her, nimmt dann nordöstliche Richtung, wobei sie verschiedene Namen annimmt und andere Berge bis hin zum Berg Karmel mit einschließt. Sie ist an einigen Stellen sehr hoch, von tief eingeschnittenen Tälern und Schluchten durchzogen, wie jene, die ich in unserer Serra da Estrela, den Pyrenäen und den Alpen gesehen habe. Doch der Ort, an dem wir uns befinden wird Libanon genannt, wegen des vielen Schnees, den es dort gibt, denn *libano* heißt rein, weiß und schön, was mich aus meiner Bewunderung heraus dazu bringt, laut den guten Horaz zu zitieren:

Vides ut alta stet nive candidus
Libanus...

Ich mache mir nicht die Mühe, ihn auf Portugiesisch herzusagen, da ich merke, daß meine Gefährten noch weit zurückgeblieben sind. Ich beeile mich vielmehr, zu den Zedern zu kommen, und betrachte, die Nase in die Luft gereckt, sprachlos die riesigen Bäume, welche, hoch in den Himmel aufragend, mit ihrem Umfang und ihrer Höhe ihre Dauerhaftigkeit beweisen wollen! Als ich am vom Schnee gedämpften Geräusch von Schritten merke, daß ich nicht allein bin, rufe ich:

«Welch Majestät, mein Freund! Wie herrlich ist doch Gottes Schöpfung! Hier liegt ein Hauch von Ewigkeit!» und ich stimme den Psalm Davids an:

Ihr Berge und Hügel
fruchttragende Bäume, Zedern des Libanon
Lobet den Herrn

Ich schiebe die weit ausladenden Zweige auseinander, von denen Schneeflocken auf meinen Kopf und meine Schulter rieseln, und nähere mich einem Stamm, um den Baum ganz genau zu betrachten, die Blätter, die wie kleine Stacheln aussehen, die Früchte, Tannenzapfen mit kleinen, schwarzen Kernen darin. Mein Gefährte ist sicher erschöpft vom Steigen, denn ich höre, wie er sich auf einen herabgefallenen Ast setzt und schnaufend an irgend etwas kaut.

«Nicht einmal fünf Männer», sage ich zu ihm, während ich versuche, den Stamm zu umfassen, «reichen aus, um diesen Baum ganz zu umarmen! Kommt her und gebt mir Eure Hand!» und ich strekke die meine aus. Als ich keine Antwort vernehme, sehe ich mich um... doch in diesem Augenblick wird mein Herzschlag von den

Rufen und vom Geschrei meiner Gefährten beschleunigt, die näherkommen:

«Pantaleon! Pantaleon! Vorsicht! Macht Euch davon!»

«Heh! Schnell weg! Los! Los!»

«Lauf! Schnell!»

Ich lehne mich mehr tot als lebendig an die Zeder... doch mein «Gefährte» verschwindet verschämt, ebenso schweigend wie er gekommen war, einen Kegelwurf weiter im Dickicht des Waldes... Es war dies das erste und einzige Mal, daß ich mich mit einem Bären unterhielt!... Als ich mich vom Schrecken erholt hatte, fragte ich Gianantonio:

«Glaubt ihr, daß er mich mit meiner braunen Kutte und der Kapuze für seinesgleichen gehalten hat?»

Und der Zwischenfall endet in großem Gelächter...

Nachdem wir im Schatten dieser Zedern, die ich für eines der Weltwunder halte, unsere Siesta abgehalten haben, führen uns die maronitischen Jünglinge auf einem anderen, längeren, indes sanfteren und lieblicheren Weg voller Wasserläufe, Weinberge und Felder wieder zurück... Dörfer ziehen vorüber, Tische am Wegesrand, auf denen Brot, Wein, Eier und Milchspeisen liegen, damit wir davon essen. Es ist dies ein uralter Brauch, wenn lateinische Christen kommen, besonders Brüder unseres Ordens. Die Leute wollen so die Verehrung zeigen, die sie uns entgegenbringen und die Dankbarkeit dafür, daß wir sie in Jerusalem beherbergen, wo sie keine andere Unterkunft haben. Sie sind sehr gekränkt, wenn wir nicht annehmen, was sie uns anbieten, denn sie tun dies ohne irgendwelche Hintergedanken... Es ist schon fast dunkel, als wir zu Hause ankommen. Die Schwestern des Patriarchen empfangen uns. Ich bemerke, daß sie vertraulicher und weniger gehemmt mit uns umgehen, was auf die Unterhaltung vom Vortage zurückzuführen ist. Abermals höre ich die Glocken festlich läuten... Am frühen Morgen lese ich die Messe. In der Kirche drängen sich Männer und Frauen, die andächtig daran teilnehmen. Nachdem wir Abschied genommen haben, rasten wir nicht, bis wir wieder in Tripoli sind, wo wir zu gelegener Zeit ankommen.

XVIII

Türkische Drohungen

…«χαι ετι χατασχευασεις δρομωνας ελαττους δρομιχοτατους, οιωνει γαλαιας, η μονηρεις λεγομενους, ταχινους χαι ελαφους...»

…«Und du wirst noch versuchen Rennschiffe auszurüsten, die kleiner sind und schneller, du wirst flinke, leichte, mit Segeln versehene Galeeren bereitstellen von jenen, die man einrudrig nennt…»

(Leo in *Tacticis*, 19.10)

Je mehr Zeit verstrich, umso lästiger wird Bruder Zedillo und mir der Aufenthalt in Tripoli. Wir drängten die Venezianer, Vorkehrungen für unsere Abreise zu treffen, denn sie wußten sehr wohl, wann unser Schiff von Zypern nach Venedig ging. Jede Woche hatten sie neue Aufträge für Waren, die darauf verschifft werden sollten. Wir sollten uns nicht aufregen, sagte Misser Matia immer wieder! Sie würden für unsere Abreise aufkommen, die mit Gottes Hilfe sehr bald schon stattfinden werde!...

Ich traute dieser «Hilfe Gottes» nicht so sehr, sondern hatte vielmehr das Gefühl, daß jeder Vorwand, um uns aufzuhalten, eher eine andere Art von Hilfe war, die von wem auch immer kam und gegen mich gerichtet war. Ich beschloß daraufhin, etwas zu unternehmen, und als ich hörte, daß ein Schiff aus Marseille im Hafen lag, welches sich zur Abreise fertig machte, gingen mein Gefährte und ich, ohne uns um das Mißtrauen unserer Gastgeber zu kümmern, zum Konsul der Franzosen und setzen ihn von unserem Entschluß in Kenntnis. Der Schiffsherr, der sich in der Stadt befand, wurde gerufen, und wir kamen überein, mit ihm abzureisen, sobald das Schiff den Hafen verließ.

«Es tut mir leid, Euch nicht umsonst mitnehmen zu können», entschuldigte er sich, «aber ich bin arm...»

Wir gingen in den Hafen, um uns das Schiff anzusehen. Welch eine Enttäuschung! Die Unterkunft, die sie für uns vorgesehen hatten, war äußerst klein und unbequem, ebenso das Schiff, welches von Waren übervoll, die Franzosen dreckig, zerlumpt und frech... Wir gingen wieder und beschlossen, ganz entgegen unseren Wünschen solange zu warten, wie es den Venezianern gefiel.

«In der Tat», entschuldigte sich Bruder Zedillo bei Misser Matia und Misser Regulo, «kann man eine so ausgedehnte Seereise nicht anders als gut untergebracht auf einem sehr guten Schiff machen...»

«...und zudem im Sommer!» fügte ich hinzu.

«...ist das der Tod!»

«Natürlich!» pflichtete ihm Misser Matia bei. «Wir wußten, daß das so ausgehen würde. Deshalb haben wir nichts gesagt und dachten, die Erfahrung würde Euch lehren, daß wir Recht hatten.»

«Verzeiht uns!» sagte ich. «Aber unser Wunsch wieder in einem christlichen Land zu sein, ist sehr groß...»

«Macht Euch keine Sorgen!» warf Misser Regulo an mich gewandt ein. «Euer Gastgeber Misser Matia wird in wenigen Tagen ein Schiff zur Abreise bereit haben.»

Misser Matia bestätigte dies:

«Ich habe Euch nichts gesagt. Ich wollte Euch eine Überraschung machen... Das ist wirklich wahr! In drei Tagen!...»

Wir freuten uns sehr über diese Neuigkeit und ich in doppelteer Hinsicht, denn der Verdacht, der mich hinsichtlich der Absichten meines Gastgebers überkommen hatte, begann so, sich zu zerstreuen. In wenigen Tagen ein mit Waren beladenes Schiff nach Venedig... Ohne unser Wissen hatte Misser Matia, wie er nun einmal war, für reichlichen Mundvorrat und alles fürstlich auf seine Kosten sorgen lassen, was wir auf dem Meer brauchten. Als wir davon erfuhren, sagte ich zu ihm:

«Misser Matia! So viele Umstände unsretwegen! Wir danken Euch sehr dafür und werden, das ist unsere Münze, für Euch beten.

Doch es ist genug, wenn es bis Zypern reicht, denn dort werden wir uns mit dem versorgen, was wir noch brauchen.»

«Das kommt gar nicht in Frage!» entgegnete er.

«Das werden wir nicht zulassen!» fügte Misser Regulo hinzu. «Und mehr noch: auf gemeinsamen Beschluß werden wir unter allen Venezianern eine Kollekte machen und Geld sammeln, das Ihr mit Euch nehmt...»

«Wie bitte?» wunderte sich Bruder Zedillo.

«Misser Matia!» sagte ich sehr ernst, «Misser Regulo! Dies werden wir auf gar keinen Fall erlauben.»

«Ist es denn nicht genug, daß Ihr uns aufgenommen, die ganze Zeit Eure Gastfreundschaft gewährt habt?...»

«Und seht Ihr denn den weiten Weg nicht, den Ihr noch zurücklegen müßt», entgegnete Misser Matia.

«Es sind viele Tagesreisen, bis Ihr in jenes Spanien, jenes Portugal gelangt!»

«Besteht nicht darauf!» antwortete ich. «Wir werden auf gar keinen Fall Geld annehmen. Habt Ihr vergessen, daß wir Franziskaner sind?»

Einstweilen fügten sich unsere Freunde darein und nahmen von einer öffentlichen Kollekte Abstand, doch bei der Abreise der Karavelle kamen sie darauf zurück. Wir nahmen von den vielen Venezianern und anderen Kaufleuten Abschied, die uns zum Hafen begleitet hatten und uns unter vielen guten Wünschen und Bitten um Vergebung um unseren Segen baten. Sie gaben uns viele Empfehlungsschreiben für den Hafenkapitän von Famagusta, wo die Karavelle zuerst anlegen würde und wir an Land gehen würden, und für die anderen Edelleute der Stadt, welche ihnen bekannt waren. Misser Matia und Misser Regulo nahmen uns beiseite. Wir sollten es ihnen nicht übelnehmen, doch, da wir einer öffentlichen Kollekte nicht zugestimmt hätten, hätten sie heimlich untereinander eine gemacht und bäten uns nun vielmals darum, eingedenk der Länge und der Mühen unserer Reise in das ferne Iberien, wie sie wortreich sagten, diese milde Gabe anzunehmen.

Unser Entschluß war indes unerschütterlich, und als sie sahen, daß wir mit nichts dazu zu bringen waren, ihren lästigen Bitten nachzukommen, waren sie von unserer Bescheidenheit höchst erbaut und priesen sie einander als etwas sehr Erstaunliches. In Wahrheit enstammte unsere Haltung keineswegs der Tugend, sondern der Tatsache, daß wir es einfach nicht brauchten. So brachen wir nach Zypern auf... Voller Rührung und Wehmut, dieses Land für immer zu verlassen!...

Mit jedem Tag, der verging, empfand ich mich als jemand anderes, jemand, der neu geboren wird, und das Gefühl für die Realität schwankte, vermischte sich, ohne scharfe Grenzen, mit dem Traum... Ich führte lange, innere Zwiegespräche mit mir und es kam vor, daß das, was gestern die Meinung des einen *Ich* gewesen war, heute die des anderen war... Zergehen, Zerrinnen... und Auseinanderfließen... So daß ich der Ehrlichkeit meiner Gefühle und der Objektivität meiner Gedanken weiterhin nicht traute. – Du bist ein Heuchler! sagte ich mir, und manchmal hörte ich mich sagen – Wann wirst du endlich klar sehen – ... Doch darüber, irgendwo außerhalb meiner selbst, gab es noch eine dritte Stimme, die frech über alles lachte, was ich dachte, fühlte und tat, die kritisierte, analysierte, zerpflückte, sezierte, Stück für Stück in seine Bestandteile zerlegte, zerstörte, zersetzte... und mich zerstückelte, der ich unter großen Mühen versuchte, die Teile wieder zusammenzufügen, wieder er selbst zu werden.Es gab noch eine andere, ruhige, vernünftige Stimme, die mir zuflüsterte: Zersplittere dich nicht, werde zu einem Einzigen, um aufrichtig zu sein, du selbst zu sein, zu einem Einzigen im Verstand und im Herzen. Sie erteilte Ratschläge, machte Absichtserklärungen, mehr nicht...

Rührung und Wehmut!... Das empfand ich, glaubte ich zu empfinden oder in einer Situation wie dieser empfinden zu müssen. Wir legten in Tripoli bei günstigem Wind ab. Es war später Nachmittag. Schwärme von Möwen verließen, als die Segel gesetzt wurden und die Ankerkette lärmend heraufgezogen wurde, die Rahen und Stenge und flogen in großen, ruhigen Kreisen um die Karavelle herum. Ich blieb allein an der Decksbrüstung stehen, sah, wie jenes gelobte Land sich entfernte und die violetten Lider der Nacht sich über dem Libanon... dem Karmel... Tyrus... Sidon schläfrig schlossen... sah nach Süden hin den purpurschwarzen Streifen der Ebene Esdrelon... – Japho... bis ich es aus den Augen verlor. Die Tauben, die uns bei unserer Ankunft willkommen geheißen hatten, waren zu unserem Abschied nicht gekommen, doch um mich herum flatterten die Flügel meiner Gedanken, ließen die Wärme der Wehmut und der Rührung, die meine Seele erfüllen, erkalten... Rührung und Wehmut... Das war es, was ich unter diesen Umständen fühlen sollte... literarische Gefühle... Poesie in der Stunde der Abreise!... Selbstmitleid!... Egoismus, Schmerz, Bedrängnis, Zorn, ist es nicht das, was bleibt und in der Erinnerung verwahrt wird, was man erlebt hat, sondern das, was man auf immer verliert, wenn man dieses Land verläßt? Die Freiheit, die gelockerten Zügel der klösterlichen Disziplin und des Gehorsams, das ständige, abwechslungsreiche Umherziehen, überall hin, nach Lust und Laune, und auch die Möglichkeit, Helena wiederzusehen! Mit der Abreise die Qual, erneut in mir die Entscheidung für mein Gelübde zu bewegen... wie beim ersten Mal!... Das Dilemma meiner Identität, in dem Augenblick, wo ich zu Hause ankomme!... Wer bin ich denn schließlich? Wer bin ich, wenn ich ankomme? Pantaleon? João? Was ist schon ein Name?... Komm zu mir, innere Landschaft! Ich habe dich nur wenig betrachtet! Meine Augen sind nach außen gerichtet, gewohnt, die winzigsten Unterschiede zu sehen... doch wie kurzsichtig bin ich, was mich selbst betrifft! Lege deinen Namen ab und deine Kleider! Lege deine Familie und deine Sippschaft ab! Lege alles ab, was du in den Büchern, in den Schulen und im Kathechismusunterricht gelernt hast! Lege die Kanzeln, die Emporen und die Lehrstühle der Gelehrten ab!... Nur so, nackt der Sonne, dem Wind, dem Wetter und dem Sturm ausgesetzt, unter den Konstellationen der Gestirne, auf dem Gipfel der Berge oder den endlosen Ebenen, dort wo die salzigen Wellen am Strand sich brechen oder am Ufer eines Baches, wenn du den Syllogismen des Wassers zuhörst, das auf den Kieseln des Grundes glucksend lacht, den Sophismen der gefleckten Eidechsen, die sich faul auf den Mauervorsprüngen wärmen, den Axiomen allen Gezwitschers und Trällerns im Laubwerk der Bäume, nur so wirst du fühlen, daß du nur ein Mensch innerhalb der Schöpfung bist... Dann geh nach Haus zurück, lege deinen Namen und dein Habit wieder an, bedecke dich mit allen Dingen, die deine Intelligenz und dein Herz kleideten, wehre das drängende Gefühl nicht ab, jetzt die Rührung und die Wehmut in dir zu fühlen, denn dies alles ist der Augenblick, der Moment des Menschen, der du bist...

«Bruder Pantaleon!» rief mich Bruder Zedillo. «Seid Ihr so zerstreut und so in Euch gekehrt, daß Ihr nicht einmal die Schiffsglokke gehört habt, die zum Abendessen rief?»

«Ich komme schon...», antwortete ich und dachte, daß Essen das letzte wäre, was mir in einem solchen Augenblick einfallen würde.

Doch da er drängte, löste ich mich von der Decksbrüstung und ging hinein. Ohne daß ich es gemerkt hatte, war es war vollends Nacht geworden, und von Tripoli, vom ganzen Land, war nichts mehr zu sehen, dennoch versuchten meine Augen ein letztes Mal, die Finsternis in jener Richtung zu durchdringen, ließ ich in der Erinnerung alles vorüberziehen, was ich während meiner Zeit in Palästina erlebt hatte...

Drei Tage später war am Morgen Famagusta in Sicht! Als wir von Bord gingen, erwarteten uns große, unerwartete Unannehmlichkeiten: die Tore der Stadt waren verschlossen, und niemandem war es erlaubt sie zu betreten. Davor drängten sich mit Gepäck beladene Menschen.

«Was ist los?» fragte ich, während ich mich näherte.

«Sie schützen sich vor der Pest. Anscheinend gibt es sie im Heiligen Land.»

«Das ist wahr!» sagte ein Kaufmann. «Ich war in Tyrus und dort trafen schon die Menschen ein, welche aus Jerusalem geflohen waren. In der Karwoche ist dort die Pest ausgebrochen. Denn es haben sich dieses Jahr so viele Nationen zu Ostern dort eingefunden, daß ein fürchterlicher Gestank über der Stadt lag, ganz davon abgesehen, daß die Leute dort sowieso in großem Schmutz lebten.»

«Aber als wir von dort abgereist sind», protestierte Bruder Zedillo, «gab es überhaupt noch keine Pest!...»

Unsere Empfehlungsbriefe reichten nicht aus, ebenso wenig wie die genaue Angabe des Zeitpunktes, an dem wir Jerusalem verlassen und uns in Damaskus und Tripoli aufgehalten hatten. Wir wurden nicht in die Stadt hineingelassen. Sie stellten uns jedoch eine an die Mauern gebaute, am Meer liegende Eremitei zur Verfügung, in welcher wir in Begleitung eines ehrbaren, in Famagusta geborenen und dort verheirateten Mannes namens Himerio Caritopuli nächtigen konnten. Im Vergleich zu den Bedingungen, unter denen die meisten anderen verbleiben mußten, war dies ein großes Privileg und ein großer Trost. Ein trauriger Anblick waren jene Armen dort auf dem schmalen Sand und Steinstreifen, den die Gezeiten jenseits des Hafens zwischen dem Wasser und den Stadtmauern freiließen! Sie konnten sich nicht einmal ins Landesinnere verziehen, da das felsige Gebirge, welches bis ins Meer hineinragte, sie daran hinderte. Hunger, Durst, Kälte, die feuchte Meeresluft, der Mangel an wärmender Kleidung... so viele Tage lang!... Die Gesellschaft dieses Mannes aus Famagusta war uns eine große Hilfe, denn jeden Tag erschienen seine Frau und seine Schwiegermutter.

«Himerio!» rief die Frau von der Mauer oberhalb unserer Hütte herab.

«Ich komme schon!» antwortete er und ging hinaus.

Wir eilten auch hinzu, um dabei zu helfen, die Nahrungsmittel in Empfang zu nehmen, die an einem langen Seil von der Mauer herabgelassen wurden. Eine Kanne guten Zypernweins gegen die feuchte Kühle der Nacht war immer dabei.

Der Hafenkapitän von Famagusta ließ uns, nachdem er die Briefe gesehen hatte, die wir ihm geschickt hatten und die wiederholten Empfehlungen der venezianischen Edelleute aus Tripoli, seine Entschuldigung dafür übermitteln, daß er uns nicht sogleich in die Stadt hineingelassen habe. Es gäbe einige ehrbare Leute, die zudem seine Freunde seien, die gleichermaßen dort verbannt und noch weniger gut untergebracht waren als wir. Es wäre ein Unding, uns und nicht sie in die Stadt zu lassen, obwohl er wisse, daß wir keine Pest mit uns brächten, doch er würde sich in unserem Falle mit acht Tagen zufriedengeben, während die anderen, so wie es in diesen Gegenden Brauch war, vierzig Tage lang dort bleiben müßten... So sagte man uns. Eines Nachmittags kam er persönlich und sprach von der Mauer herab mit uns, was eine große Ehre und eine nicht geringe Gunst bedeutete. Der Guardian fehlte an keinem einzigen Tag, um uns mit seinen Worten Trost zu spenden und uns im Überfluß mit all dem Notwendigen zu versorgen, das er uns auf meine Bitten hin gab, damit wir den anderen, Bedürftigeren helfen konnten. Mein Gefährte und ich verbrachten die Tage damit, jenen Menschen beizustehen und lasen jeden Morgen in der kleinen Kapelle die Messe, an welcher alle andächtig teilnahmen.

Nachdem die acht Tage der Verbannung vorüber waren, ließ uns der Hafenkapitän in Begleitung einiger seiner Freunde hinein, und unsere erste Sorge war es, ihn aufzusuchen, um uns für die Hochschätzung zu bedanken, die er uns angedeihen ließ. Darauf quartierten wir uns in unserem Kloster des Heiligen Franziskus ein, wo uns die Konventualen mit großen Freudenbezeugungen aufnahmen. Wir nutzten die fünf Tage unseres Aufenthaltes in Famagusta, um Zwieback und all den anderen Mundvorrat zuzubereiten, den wir für die Seereise brauchen würden, und brachen von dort nach Salamis auf, wo sich zwei venezianische Großsegler befanden, welche bereits beladen waren und gutes Wetter abwarteten, um auszulaufen. Den ganzen Strand entlang bot sich wieder das traurige Schauspiel der armen Menschen, die in Quarantäne verbannt waren, weil sie aus dem Heiligen Land gekommen waren. Unter ihnen drei portugiesische Frauen, ein junges Mädchen aus Ceuta und zwei Alte, eine aus Moura, mit dem Spitznamen «die Tapfere» und eine andere aus Lissabon, welche mit Zunamen Faluga hieß. Sie waren sehr bedürftig und waren hocherfreut über unsere Ankunft, denn wir versahen sie mit allem Notwendigen, da sie uns am nächsten standen.

Wir quartierten uns auf einem der venezianischen Schiffe ein, welches bereit war, bei günstigem Wind jederzeit auszulaufen. Verdrießlich waren jene Tage, an denen die Segel reglos herunterhingen ohne den kleinsten Windhauch, der sie hätte beleben können!... In die Stadt konnte man nicht herein, der Strand wimmelte von Menschen, die in Quarantäne waren... Mich überkam die Langeweile, eine Langeweile, die ärger war als all jene klösterliche Schwermut, die mich manchmal überfiel.

Um mich zu beschäftigen, begann ich meine Reiseaufzeichnungen zu ordnen. Wieviele waren es, und wie unterschiedlich! Ich fügte Angaben hinzu, die ich noch frisch im Gedächtnis hatte, machte Zusätze zu biblischen Hinweisen oder aus weltlichen Büchern zu Orten, durch die wir gekommen waren. Bruder Zedillo, dem das Nichtstun auch zu schaffen machte, setzte sich häufig neben mich und half mir bei den historischen Zitaten. Hatte er auch keine Neigung zum Schreiben, so zeigte er dennoch eine große Begeisterung dabei, mir bei der Entstehung einer *Reisebeschreibung des Heiligen Landes* zu helfen. Wir befanden uns auf dem oberen Hinterdeck, wo wir uns wie die Eidechsen sonnten.

«Wenn Ihr es herausgebt, vergeßt nicht, mir ein Exemplar zu schicken.»

«Keine Sorge, mein Bruder. Ihr werdet der erste sein, der bedacht wird, wenn ich es je herausgeben sollte...»

«Wenn jemals?... Habt ihr denn nicht die Absicht?...»

«Ich habe sie nicht deshalb geschrieben...»

«Ihr kommt immer auf dasselbe zurück? Wir haben bereits darüber gesprochen, und Ihr verspracht...»

«Ich weiß nicht!... Ich bin so unentschlossen...!»

Matrosen kamen zur Decksbrüstung gerannt, um zum Hafen hinüberzusehen. Stimmengewirr an Bord und am Strand. Zehn türkische Galeeren mit roten Segeln, dem Halbmond und dem Stern darauf, liefen in den Hafen ein, die dichten Reihen der Ruder schlugen in gleichmäßigem Rhythmus aufs Wasser. Sie waren lang, hatten einen scharfen Sporn am Bug, am spitzen Schiffsschnabel, und glitten schnell dahin.

«Es sind Türken! Es sind Türken!» riefen ängstliche Stimmen, doch der Schiffsherr, ein erfahrener, ruhiger Mann, beschwichtigte sie:

«Es sind friedliche Leute! Sie gehören zur Wache von Rhodos. Sie werden des Proviants wegen hierherkommen. Kein Grund zur Aufregung.»

Und er befahl, von unserem Schiff zur Begrüßung der türkischen Galeeren aus den Geschützen Salut abzufeuern. Die venezianische Nau, welche neben uns lag und deren Schiffsherr Davo hieß, tat desgleichen, doch aus Nachlässigkeit oder Zufall war eines der Geschosse aus Gußeisen, was die Türken sehr verärgerte, obwohl es keinen Schaden anrichtete. Da jedoch die Naus gut bewaffnet und mit Geschützen versehen, und weitere Geleitschiffe vorhanden waren, gingen sie über die Beleidigung hinweg, da sie keine Möglichkeit sahen, sie zu rächen.

An Land gab es einigen Ärger. Die Türken wollten von Bord, doch sogleich kamen viele Menschen zu Fuß und auf Pferden herbei, die es ihnen untersagten. Dennoch versorgten sie sie mit Fleisch und anderen Erfrischungen des Landes, und die Lage entspannte sich...

Es war die Zeit ihres Osterfestes, und sie blieben drei Tage dort. Sie feierten es, indem die geschmückten und beleuchteten Galeeren ständig mit ihren Geschützen feuerten und einer Art Feuerwerk veranstalteten. Bei ihren Schüssen mangelten es ihnen nicht an Arglist, denn drei oder viermal waren nachts auch Geschosse aus Gußeisen darunter. Ich hatte dabei nicht das Gefühl, daß es ihnen allein darum ging, den Zwischenfall mit Davo zu rächen: es lag darin eine geheime Provokation, ein Kräftemessen, das – wie die Geschichte lehrt – den Kriegen vorausgeht. Die zukünftigen Ereignisse sollten mir Recht geben!... Nach drei Tagen brachen sie auf und drohten Davo, daß aufgeschoben nicht aufgehoben sei.

Endlich wehte uns ein günstiger Wind, der die Segel blähte, und fröhlich stachen wir in See. Wir segelten die ganze Insel entlang und befanden uns schon im Golf von Attalia, als uns eine Flaute und große Strudel zu schaffen machten, die das Schiff zum Schlingern brachten, und die Passagiere, vor allem jene, die solche Reisen nicht gewohnt waren, seekrank werden ließen. Da es derer viele waren, etwa hundert, und darunter auch einige Frauen mit ihren Ehemännern, sah man, wie sie, über die Deckbrüstung gebeugt, versuchten, unter großen Qualen dem Meer die Seele und den leeren Magen zu überantworten. Bruder Zedillo verließ seine Kajüte nicht, er hatte nicht einmal mehr die Kraft, sein Bett zu verlassen, so abgezehrt und bleich war er. Ich lief an Deck umher, um so gut es ging Beistand zu leisten und nicht selten jenen die Beichte abzunehmen, die glaubten, mit ihrem Eingeweide auch das Leben aus sich herauszuwürgen. Dieses Ungemach dauerte so lange, daß der Schiffsherr auf Anraten des Lotsen und der anderen Offiziere an Bord beschloß, Land anzulaufen, um besseres Wetter für die Weiterreise abzuwarten. Wir segelten ein Stück zurück und liefen den Hafen von Paphos an, wo wir auf dem Hinwege wegen des Sturmes schon einen Monat gelegen hatten. Das Schiff leerte sich, alle, die an Bord waren, sehnten sich danach, an Land zu gehen. Mein Gefährte und ich suchten sogleich unseren Freund Constantin Polachi auf, der uns das letzte Mal so freundlich empfangen und uns nach Jerusalem geschrieben und inständig gebeten hatte, ihn zu besuchen, wenn wir auf dem Rückweg nach Paphos kämen. Der Empfang, den er uns bereitete, war unbeschreiblich! Er weinte Freudentränen, umarmte uns und ließ nicht locker, bis er uns in sein Haus eingeladen hatte und während der acht Tage, die das Schiff im Hafen von Paphos lag, die besten Leckereien und Erfrischungen des Landes für uns herbeischaffte.

«Was möchtest du», sagte ich in der Stundes unseres Abschieds zu ihm, «das wir dir aus Venedig schicken?»

«In diesem Leben», antwortete er mit tränenfeuchten Augen, «wünsche ich nichts mehr, als daß Ihr mich im Gedächtnis behalten möget...»

«Hier, mein Freund Constantin, das Angedenken an dich!... An eine reine Freundschaft, die um nichts bat und in sich selbst ihr Ziel hatte, aus der selbst die geringste Spur von Egoismus getilgt war und deren Befriedigung darin bestand, zu geben. Möge ihr Wohlgeruch sich über die Jahrhunderte hinweg verströmen!...»

Uns kam halbwegs ordentliches Wetter zur Hilfe, und so setzen wir die Segel und schifften durch den großen Golf von Attalia. Uns kamen die Galeeren von Rhodos entgegen, die im Hafen von Salamis gelegen hatten. Der Anblick der zehn dicken Schiffsrümpfe war furchterregend, wie sie, mit den geblähten roten Segeln, darauf den gelben Halbmond, die Reihen der Ruder, die im Takt schlagend, schnell näherkamen und uns umzingelten, vier zu unserer Rechten und vier zu unserer Linken und in der Mitte die Admiralsgaleere mit ihrem Begleitschiff...!

«Oh, mein Gott!» jammerte eine Frau an ihren Ehemann geklammert, «Das ist unser Ende!»

Bei den meisten indes war Schweigen der Ausdruck einer großen Angst. Sogar die Besatzung war eingeschüchtert.

«Wir haben zu wenig Wind!» sagte ein Offizier neben dem Kapitän des Schiffes. «Sonst würden sie uns nicht zu fassen bekommen und wir hätten nichts zu befürchten.»

«Offizier!» befahl der Kapitän, «Laßt das Großsegel zum Zeichen des Gehorsams ein wenig nieder.»

«Das Großsegel niederlassen!» schrie der Offizier, während der Kapitän bereits dem Schreiber Befehle gab, der sich sogleich mit zwei Schiffsjungen in ein Boot begab und mit ihnen zur Admiralsgaleere ruderte, die den anderen in der Mitte folgte. Als sie dort angelangt war, lagen die sechs Galeeren schon gleich auf mit unserer Nau und warteten auf Befehle der Admiralsgaleere. Die Zeit und unsere Herzen schienen stillzustehen. Vor uns stand der Tod. Er sprach aus der kalten, empfindungslosen und unbeugsamen Miene in den Gesichtern jener Männer mit struppigem Bart, von der Sonne verbrannter Brust, kräftigen Armen, die in den Händen Schwerter und Pistolen hielten und scharfe Dolche im Gürtel trugen. Finstere Gesichter waren es, die in ihrer Teilnahmslosigkeit weder Haß noch Groll, weder Barmherzigkeit noch irgendein Gefühl zeigten. Auf ein Zeichen der Admiralsgaleere hin würde unser Schiff gekapert, gestürmt werden und die Klingen und die Kugeln würden ihre Mission erfüllen... wenige Sekunden später würde das Blut dieser hundert Christen das Meer rot färben, welche in dem riesigen brennenden Sarg begraben würden, der dann unser Schiff wäre!... Unser Kapitän sah bemitleidenswert aus, und alle anderen waren verwirrt und verängstigt wie jemand in der Stunde seines Todeskampfes...

Das Admiralsschiff gab ein Zeichen, welches wir, die wir keine Seeleute waren, nicht verstanden, doch die Galeeren begannen sich augenblicklich zu entfernen und unser Kapitän und seine Offiziere atmeten, von diesem Alptraum erlöst, tief durch, und unsere Gemüter beruhigten sich, als wir dies sahen, ohne daß ein einziges Wort gewechselt wurde, denn wir konnten alle nicht einmal mehr stammeln. Sobald der Schreiber zur Nau zurückgekehrt war, berichtete er, daß jener, der mit der Admiralsgaleere kam, ihn, nachdem er ihm den Gehorsam seitens des Kapitäns ausgerichtet hatte, fragte, wer der Kapitän der Nau sei. Als er die Antwort vernahm, machte er sofort das Friedenszeichen und bot uns von dem an, was er mit sich führte, ob wir Wasser, Feuerholz oder irgend etwas anderen brauchten. Er fragte nach Davo und wo der geblieben sei, und sagte, er würde auf ihn warten.

«Ich werde mich», sagte er, «für die Beleidigung rächen, die er mir in Salamis angetan hat, als er von seinem Schiff aus mit Geschossen Salut auf mich gefeuert hat.»

Der Gefahr entronnen, folgten wir unserem Kurs, und von der Gefahr befreit segelten wir in Sichtweite an der Küste von Karaman entlang, wandten uns nach Nordosten und an einem Samstagnachmittag dieses Jahres fünfzehnhundertfünfundsechzig, am Tage vor dem Fest des Heiligen Johannes, suchten wir an Afrikas Küste, unterhalb von Ägypten, einen Hafen auf, welcher uns trotz seiner Unwirtlichkeit wie die schönste, blühendste Oase vorkam, denn das Land ist im Vergleich zu den Unbilden und der Abgeschlossenheit an Bord immer eine Erholung. Wir sammelten dort, was uns als Feuerholz dienen könnte, Planken von untergegangenen Schiffen, welche die Wellen an den Strand gespült hatten, einige vertrocknete Palmzweige, einige große Bündel Reisig und trockenes Gras, die der Wind über die Dünen wehte, und holten auch vom Schiff noch Holz, da es an diesem Ort nur wenig gab, und machten unsere Feuer. Um sie herum versammelt nahmen wir unsere Abendessen ein, dazu den guten Zypernwein. Dann sangen wir bis in die Nacht hinein, Männer und Frauen und ich mit ihnen, um das Feuer herum einen Kreis bildend und einander an den Händen fassend. Immer wieder baten die Jüngeren darum, durchgelassen zu werden, nahmen Anlauf und sprangen über die Flammen.

«Bruder Pantaleon!» forderte mich ein junges, sehr anmutiges, fröhliches Mädchen aus Bergamo mit großen schwarzen Augen heraus. «Ihr seid jetzt mit Springen dran... Aber versengt Eure Kutte nicht!»

Alle hießen diesen Einfall gut, und ein anderes Mädchen meinte schelmisch:

«Und was gibst du ihm, meine Beste, wenn er springt?»

«Was ich ihm gebe! Nun ja! Hellen Honig für zehn Reale!»

«Her damit!» rief ich, auf das Spiel eingehend, unter dem Beifall aller.

«Und woher nimmst du den Honig?» fragte die Freundin. «Höchstens doch aus deinen Küssen!...»

Die Gesellschaft unterstützte den Vorschlag mit großem Geschrei und Händeklatschen.

«Bravo! Bravo!»

«Ein Kuß! Ein Kuß!»

«Nun gut!» stimmte das Mädchen tief errötend zu. «Ich gebe ihm einen Kuß, wenn er über das Feuer springt.»

Ich ließ mich nicht lange bitten, und alle machten Platz, um mich springen zu sehen, als wäre es etwas ganz Besonderes, einen Franziskaner über das Feuer springen zu sehen, zumal über ein Johannisfeuer, war doch mein Name als Kind João, Johannes, gewesen.

Ich tat es mit Geschick und ohne viel Aufhebens, denn ich war, was meine Beine betraf, immer behende gewesen.

«Und meine Kutte habe ich auch nicht versengt!» rief ich, als ich auf der anderen Seite des Feuers wieder aufkam.

Gewaltiger Beifall krönte die Heldentat, doch er schwoll noch an, als das Mädchen sich mir näherte und mich auf die Wange küßte, wofür ich mich mit einem Kuß auf ihre Stirn bedankte und ihr eine Hand auf das Haupt legte, was dieser Geste jede Zweideutigkeit nahm und auch von den anderen so aufgenommen wurde, außer von Bruder Zedillo, der empört war.

So verging die Nacht, und als im Morgengrauen die Glut erlosch, kehrten wir aufs Schiff zurück und sezten unsere Reise fort. An Bord wurde das Wasser knapp, es mußte rationiert werden. Zudem wurde es trüb und übelriechend. Da wir an Kreta vorbeisegelten, wollte der Kapitän sich dort mit Wasser versorgen, doch als die Vorbereitungen getroffen wurden, den Anker zu werfen, überlegte er es sich anders. Wir sollten Wein trinken! Wir hätten genug davon an Bord... Wir liefen Zante und Cefalonia an, wo wir nur kurzen Aufenthalt hatten, und kamen eines Morgens zur Insel Korfu. Isac Beiçudo erwartete mich im Hafen.

«Wußtet Ihr, daß ich kommen würde?» fragte ich ihn, während ich ihn umarmte, als mein Gefährte und ich von Bord gingen.

«Nein», antwortete er, «Aber ich habe alle Schiffe, die ankamen, immer genau beobachtet. Kommt. Eßt mit mir in meinem Hause.»

Auf dem Weg dorthin wollte ich wissen, wie es Christophorus ginge. Er habe ihn auf steinigen, mit Stechginster gesäumten Pfaden über das Gebirge hinweg begleitet, als sie Kreta, von dem kleinen Hafen vom Süden der Insel, in welchem sie Anker geworfen hatten, nach Norden bis in die Stadt Heraklion durchquert hatten, wo die Eltern des Jünglings lebten. Ich sollte mir einmal die Rührung vorstellen, die sie empfanden, als sich die Tür öffnete, und sie ganz unerwartet den Sohn hereinkommen sahen, den sie verloren glaubten!... Er habe ihnen erzählen müssen, wie sich alles zugetragen hatte. Sie seien uns natürlich sehr dankbar...

«...doch vor allem Euch, Bruder Pantaleon!»

«Warum mir?»

«Warum wohl? Christophorus betonte seinen Eltern gegenüber, – und wir wissen alle, daß es so war, – daß er allein nie den Mut gehabt hätte, die Flucht zu wagen, wenn Ihr ihn nicht dazu bewogen und ermutigt hättet.

«Nun gut! Aber wenn er Euch nicht getroffen hätte... !»

«Sie wollten Euch unbedingt schreiben. Ich gab ihnen die Adresse Eurer Kurie in Rom. Dort wird ein Brief auf Euch warten. Ihr werdet doch dort vorbeikommen, nicht wahr?»

«Ich weiß nicht», sagte Bruder Zedillo.

«Ich ja», bestätigte ich meinerseits. «Ich habe es nicht eilig, nach Portugal weiterzureisen. Ich werde versuchen, noch mindestens drei Jahre bei der Kurie zu bleiben...»

Isac blieb unvermittelt stehen, legte mir seine Hand auf den Arm, um auch mich zum Stehenbleiben zu zwingen, schien etwas fragen zu wollen, doch dann überlegte er es sich anders. Wir gingen weiter durch das Gewirr der Straßen der Stadt zum Hause Isacs, wo die alte – wie hieß sie noch? ... – Mutter, Tante, Verwandte meines geheimnisvollen Freundes, oder was auch immer sie war, uns hocherfreut und freundschaftlich empfing und sich sofort eifrig daran machte, uns Brot, Wein, Käse und getrocknete Weinbeeren und andere Speisen aufzutischen...

«Dies nur, um Euren Appetit zu wecken,» sagte sie, «damit ich noch Zeit habe, Euch zum Frühstück etwas Gehaltvolleres zuzubereiten.»

Während wir aßen, unterhielten wir uns.

«Vor kurzem, auf dem Wege,» sagte ich zu Isac, «schien es mir, als wolltet Ihr mir etwas sagen... dann habt Ihr es Euch indes anders überlegt... »

«Ja. Ich weiß nicht, ob ich es sagen soll...»

«Sagt es trotzdem. Ich bin sehr neugierig. Ihr habt mich daran gewöhnt, in Euch so etwas wie einen Magier zu sehen!...»

«Ich weiß nicht, ob ich es sagen soll!» wiederholte Isac. «Es geht Euch an, es geht Euch in Eurem geheimsten Innern an...»

«Sprecht ohne Angst. Bruder Zedillo weiß so viel wie Ihr.»

«In Rom...», sagte er zögernd. «Euer Geheimnis...? Werdet Ihr versuchen...?»

«Es zu enthüllen? Ich habe viel darüber nachgedacht. Mein Geheimnis kenne ich nun. Was will ich mehr.»

«Ihr wißt, soweit ich weiß, nicht, wer versucht hat, Euch in Kreta, im Heiligen Land zu töten...»

«Weiß Gott!» erinnerte sich mit einem Schauder mein Gefährte daran. «Der Irrtum war beinahe tödlich für mich!...»

«..noch seid Ihr vor einem neuen Versuch gefeit...»

«Malt nicht den Teufel an die Wand!»

«Von wegen! Wißt Ihr, wer vor einigen Tagen hier von der Nau an Land ging, die neben der Euren liegt?»

«Nein.»

«Ratet einmal.»

«Ich weiß nicht.»

«Der Sekretär oder Ex-Sekretär des Bischofs von Coimbra! Ein «Freund» von Euch!...»

«Der Kanonikus Miguel?!»

«Genau der! Er begleitet einen gewissen Doktor António Pinto, den Sekretär der portugiesischen Gesandtschaft in Rom, der hochgeschätzte persönliche Agent des prinzlichen Kardinals D. Henrique...»

«Hmmm! Ich habe ihn einmal gesehen», sagte ich, «jenen D. Henrique, als er einem Autodafé in Évora vorsaß, einem Schauspiel, das ich in trauriger Erinnerung habe. Ich weiß nicht warum, aber ich mochte ihn schon gleich nicht, als ich ihn zum ersten Mal sah... Gott möge mir verzeihen!... Doch dieser Pinto... ?»

«Es geschehen die merkwürdigsten und erstaunlichsten Dinge im Königreich! Ich müßte mich schon sehr irren, wenn dies nicht der Beginn einer tiefen Krise ist, welche zu einem großen Unglück führen wird. Der König ist minderjährig. Der Kardinal will D. Catarina von Österreich die Regentschaft entziehen. Es schälen sich zwei Fraktionen heraus, die sich stumm bekämpfen. Beide versuchen den Papst für sich zu gewinnen. Ein Botschafter folgt auf den anderen, doch Pinto steht wie ein Fels in der Brandung. Es scheint, daß der Kardinal die Schlacht gewinnen wird...»

«Als ich mich von Venedig ins Heilige Land einschiffte, reiste gerade D. Lourenço Pires de Távora zurück ins Reich, sehr unzufrieden und verletzt wegen der Bezahlung, die er vom Kardinal empfangen hatte, nachdem er so viel für ihn erreicht hatte...»

«Ja. Er hat ihn fast zum Papst gemacht!»

«Zum Papst?!» wunderte sich Bruder Zedillo.

«Die fünfzehn Stimmen, die der Kardinal im Konklave erhalten hat, das sich wegen des Todes von Paul IV. versammelt hatte, waren das Ergebnis subtilster diplomatischer Arbeit des unermüdlichen portugiesischen Gesandten.»

«Den kannte ich sehr gut», sagte Isac. «Wir haben häufig miteinander korrespondiert und ich habe mich mit ihm irgendwo in Italien unter vier Augen getroffen. Ein mutiger Mann, der Erfahrung in den Kriegen in Nordafrika und der Eroberung Ostindiens gesammelt hat!... Ein Freund des Vizekönigs D. João de Castro...! Ein Mann, der nicht nur in Kriegsdingen, sondern auch in Angelegenheiten des Friedens sehr erfahren ist!... Ein guter Menschenkenner! Dem Papst diente er beinah als privater Berater und der bat den portugiesischen Hof, ihn länger in Rom zu belassen, als es normalerweise für die Ausübung des Amtes üblich ist. Als D. Lourenço Pires de Távora für D. Henrique jene Vorteile und Privilegien erreichte, die Wiederherstellung der Würde des Legats *a latere*, die von Paul IV. suspendiert worden war, und andere mehr, regte er an, man möge zum Zeichen der Dankbarkeit dem Papst irgendein wertvolles Geschenk machen. Er schlug einen Elefanten, Ringe vor... Ich weiß nicht, was daraus geworden ist. Wie Ihr wißt, mußte ich unterdes in die Levante reisen...»

«Das war mehr oder weniger zu dem Zeitpunkt, als D. Fernando de Meneses nach Trient kam, um D. Lourenço abzulösen. Ich erinnere mich an jenen traurigen Disput, darüber, wer die Rede bei der Investitur Pius IV. schreiben oder lesen sollte. Aquiles Estaço, ein Humanist erster Güte, willigte nicht darin ein, eine Rede zu halten, die ihm aufgezwungen wurde, hatte er doch selbst die seine mit Zustimmung des Gesandten Lourenço Pires de Távora verfaßt. Schließlich las der gelehrte Dominikaner Francisco Foreiro dieses rhetorische Kunstwerk...»

Esther kam (Wie war noch Euer Name – Esther, mein Herr, Euer Ehrwürden zu Diensten!) mit einer Terrine voll dampfender, duftender Gemüsebrühe mit Bohnen, die mit hineingebröckeltem Roggenbrot sogleich in Angriff genommen wurde und ein wahres Labsal für unsere vom faden, tristen Essen an Bord malträtierten Mägen war. Während des Essens versuchten unsere Gedanken den Faden des Gesprächs wieder aufzunehmen.

«Aber was macht er hier», fragte ich, «der Sekretär der Gesandtschaft?»

«Ich weiß es nicht!» antwortete Isac. «Er war mit in gewisser Weise wichtigen und heiklen Missonen beauftragt. Als das Konzil fortgesetzt wurde, schickte man ihn mit Briefen von Pius IV. und D. Sebastião nach Äthiopien, an den Hof des Priesters Johannes, in denen um die Entsendung von äthiopischen Botschaftern nach Trient gebeten wurde. Er rastete nicht, bis er sah, wie jene sich in Groß-Kairo nach Rom einschifften. Dann trat er ohne Eile den Rückweg an, über das Heilige Land, wo er den Kanonikus Miguel traf und unter seine Fittiche nahm, den der Bischof D. João Soares aus Gründen, die wir drei kennen, aus seiner Gesellschaft verbannt hatte. Er nahm ihn nach Rom mit, und es scheint, daß sie unzertrennlich sind. Was er nun hier macht, weiß ich nicht. Sie kommen von Venedig...»

«Sie werden nicht Gutes im Sinn haben!» warf Bruder Zedillo ein.

«Ich habe sie heimlich überwachen lassen...»

«Und?»

«Anscheinend nichts Verdächtiges. Sie sind nicht einmal ständig zusammen. Neulich haben sie nachts einen merkwürdigen Ausflug gemacht, sie haben sich in das Boot eines Fischers gesetzt, welcher mit jenen freundschaftlichen Umgang hat, die auf der anderen Seite der Meerenge an der griechischen Küste leben, die, wie Ihr wißt, den Türken gehört.»

«Macht Euch deswegen keine Sorgen. Seht. Mit mir hat das nichts zu tun. Der Kanonikus kann doch überhaupt nicht wissen, daß ich hier bin...»

«Seid Euch dessen nicht so sicher. Ich habe ihn im Hafen gesehen, als euer Schiff ankam. Er muß gesehen haben, wie Ihr an Land gegangen seid...»

«Nun ja! Ich werde aufpassen. Ich weiß auf der Hut zu sein, und außerdem werde ich, solange ich hier bin, immer in Eurer Gesellschaft sein...» und das Thema wechselnd, fügte ich hinzu: «Werdet Ihr mich besuchen, wenn Ihr nach Rom kommt?»

«Ja. Ich werde im nächsten Monat dorthin reisen. Ich habe wichtige Geschäfte zu erledigen.»

Er wollte offensichtlich nicht sagen, daß jene «Geschäfte» geheime Botschaften für unseren Gesandten waren, doch ich ließ nicht locker:

«Ihr habt hier den Sekretär der Gesandtschaft zur Hand. Warum verhandelt Ihr nicht mit ihm?»

«Meine Kontakte mit der Gesandtschaft», antwortete er, mit dem Tonfall größter Wichtigkeit, «fanden immer unmittelbar mit dem Botschafter statt, zu einem geheimen Zeitpunkt an einem geheimen Ort, unter dem Siegel der Verschwiegenheit, es erübrigt sich wohl zu sagen, warum.»

«Ist gerade etwas Außergewöhnliches im Gange? Mir schien, als ich jetzt in Zypern war, daß die Türken mit dem Säbel rasseln... Wenn sie eines unserer Schiffe allein segelnd antreffen, spielen sie sich wie die Herren des Meeres auf...»

«Ja! Das und noch viel mehr, was nicht nur mit ihren Ambitionen bezüglich Europa und dem Mittelmeer zusammenhängt, sondern vielmehr mit dem gesamten Gebiet um den Persischen Golf, das Rote Meer und Ostindien.»

Der köstliche Kochfisch, den die Gastgeberin uns auftischte, lenkte uns ab; wir gingen zu leichteren, freundlicheren Gedanken über, so daß die Zeit ganz unmerklich verging. Am späten Nachmittag kehrten wir in Begleitung unseres Freundes zum Schiff zurück, der befürchtete, uns könne etwas zustoßen. In den darauf folgenden Tagen geschah nichts. Mein Gefährte und ich begannen, uns sorglos in der Stadt zu bewegen, was Isac zutiefst mißfiel, umso mehr, als er Geschäfte zu erledigen hatte – das verstünden wir doch – die ihm keine Zeit ließen, uns notfalls zu helfen.

«Da ist noch eine Frage, die ich Euch schon lange stellen wollte. Wer hat Euch den Auftrag gegeben, mich im Heiligen Land zu beschützen?»

«Ihr stellt die Frage auf sehr merkwürdige Weise! Wollt Ihr damit sagen, daß Ihr Euch nur auf das Heilige Land bezieht, wo doch schon in Zypern...»

«In Zypern hat mich der Zufall gerettet.»

«Ja, der Zufall. Ich hatte nicht rechtzeitig kommen können, um Euch schon seit Korfu zu begleiten, weil ich irgendwo in der Wüste am Sinai auf dem Wege von Aden und Hormuz mit einer Karawane von einem Sandsturm aufgehalten wurde.»

«Dann wart Ihr also schon seit Korfu damit beauftragt, mich zu «beschützen». Wer gab Euch den Auftrag?»

«Es steht mir nicht zu, Euch dies zu sagen, wenn Ihr es nicht schon aus dem habt erraten können, was Meister Jakobus Euch erzählt hat. Wenn Ihr es nicht wißt, wie aus Eurer Frage zu entnehmen ist, so werdet Ihr es sehr bald erfahren... von ganz alleine. Es wird niemandes bedürfen, der es Euch sagt...»

Isac Beiçudo war offenkundig ein zuverlässiger Mann. Eben deshalb konnte man ihm vertrauen, selbst in Bezug auf die furchtbarsten Geheimnisse. Er war der richtige Mann, um Spion für Portugal zu sein in einem so kritischen und gefährlichen Gebiet, das von Portugal bis Indien reichte, und in dem Interessen und Ambitionen nicht nur der wichtigsten europäischen Nationen, sondern auch der Asiens und Nordafrikas auf dem Spiel standen, Interessen und Ambitionen, welche sich bereits bis auf das westliche Indien und die Länder des Pazifik auszudehnen begannen.

«António Pinto ist ein kriecherischer, schleimiger Mensch. Er ist der Prototyp des liebedienerischen Neu-Christen. Sein Großvater mütterlicherseit wurde von der Inquisition verbrannt und er bekomt noch Gänsehaut, wenn er daran denkt!»

Isac machte seinem Ärger Luft, sagte indes nicht alles, was er wußte.

«Habt auf Euch acht!» riet er mir eindringlich. Was ahnte er voraus?...

Der siebte Tag meines Aufenthaltes in Korfu ist ein Tag voller Gewalt, und mein Leben oder mein Schicksal waren ernsthaft in Gefahr. Es ist merkwürdigerweise ein Tag, an dem ich mich selbst nicht fühle. Alles geschieht mir wie im Traum. Die Dinge um mich herum verstummen und ich höre nicht, was mich umgibt. Ich höre weder Stimmen, noch Schreie, mich durchdringt weder die Kälte, noch quält mich die Hitze, ich fühle weder Schmerz noch Lust, noch tiefinnere Todesangst. Ich sehe mich an, befühle mich. Wenn dies *mein* Körper ist, – sage ich zu mir selbst, – so bin ich es doch nicht, bin ich nicht er. Ist es *meiner*, so ist er nichts als ein Besitz, ein Objekt, wie das Medaillon, das ich um den Hals trage und schon wieder aus dem Saum meiner Kutte hervorgeholt habe. Er existiert außerhalb von mir. Mein Körper ist wie mein Habit. Ich kann es jederzeit ablegen...

Ist es wirklich so? Welch sonderbare Fühllosigkeit überkommt mich an jenem warmen späten Nachmittag, an dem die Luft zu stehen scheint, während ich mit meinem Gefährten am verlassenen Strand der Insel entlanggehe!... Mich plötzlich von einem Haufen von sechs Männern umringt zu sehen, die in drohender Haltung Stöcke, spitze Misser in den Händen halten, bedeutet in diesem Augenblick kaum mehr, als zufällig auf die schaumigen Wellen oder einen Möwenschwarm zu blicken, die auf dem Sand stehen und, die Füße einziehend, auffliegen, als wir uns nähern. Woher waren die hier aufgetaucht? Vielleicht hinter den Felsen hervor... Ich hatte es nicht bemerkt. Ich hatte das undeutliche Gefühl gehabt, daß Bruder Zedillo mir etwas sagen wollte, was ich nicht hörte, und dann schrie er plötzlich auf, begann zu fliehen. Zwei der Männer folgen ihm, so daß er noch schneller davonläuft, sie machen sich indes nicht die Mühe, ihn einzuholen, sondern kehren zur Gruppe der anderen zurück, als sie ihn jenseits der Felsen verschwinden sehen... Es fallen keine Worte, und ich glaube, daß all die gezückten Misser und drohend erhobenen Stöcke meinen Gefährten in die Flucht schlagen sollten. Sie stecken die Misser wieder in ihren Gürtel, werfen die Stöcke weg, als sie mich abwesend und untätig sehen, und einer der Männer bindet mir die Handgelenke auf dem Rücken, oberhalb der Nieren, zusammen. Sie führen mich zu einer kleinen Bucht, welche dort verborgen zwischen den Felsen liegt. Ein Boot an dem Sandstrand scheint uns zu erwarten. Sie reden miteinander. Wenige Worte, aber genug, damit ich verstehen kann, daß sie Türken sind. Die Wirklichkeit beginnt sich mir in der Gestalt von Versen zu nähern, die mir in den Sinn und über meinen Lippen kommen...

...dort in der Ferne wird es keine Tränen geben
in den Augen einer Frau...

Einige schieben, nach vorn gebeugt, die nackten Füße in den Sand gestemmt, das Boot ins Wasser...

...im Kreuzgang des Kloster
wird kein Choral mehr widerhallen...

Schon bringen mich zwei Männer zum Boot, als Schüsse von den Felsen her hallen. Drei von ihnen fallen verletzt oder tot zu Boden, ich weiß es nicht. Die anderen flüchten sich hinter die Felsen und lassen mich allein auf dem freien Strand stehen. Wachen kommen mit gezogenen Waffen herunter und stellen die Geflohenen an einen großen Felsen. Der Anführer der Wache sagt etwas, auf Türkisch. Ich nehme an, daß er ihnen erklärt, dies hier sei venezianisches Gebiet, und falls sie es noch einmal betreten, würden alle getötet. Dann befiehlt er ihnen, das Boot zu besteigen und alle mitzunehmen, die auf dem Boden liegen. Wir stehen starr wie Statuen da und sehen, wie das Boot sich entfernt. Man hört nur die sich brechenden Wellen am Strand und den regelmäßigen Schlag der Ruder. Als das Schiff schon weit entfernt ist, wendet sich der Anführer an jemanden, den ich bislang noch nicht gesehen hatte, und sagt auf Venezianisch zu ihm:

«Hier habt Ihr Euren Mönch, Herr Doktor. Ihr könnt ihn mitnehmen.»

Die Wachen ziehen sich zurück, und ich sehe die Person an, die von den Felsen heruntergestiegen ist und auf mich zu kommt. Es ist ein Mann mittleren Alters, mit schlaffen Zügen, einem Spitzbart, dichten, grauen Augenbrauen, einer Glatze, welche sichtbar wird, als er seinen großen, breitkrempigen Hut in einer tiefen Verbeugung vor mir zieht. Er hebt dabei den rechten Fuß in seinem Schnallenschuh, das Bein in engen Strümpfen bis zum Knie, die Pumphosen bis zur Taille geschlitzt, mit einer dicken Silberkette auf dem weißen Spitzeneinsatz des offenen, weiten Wamses.

«António Pinto», stellt er sich mit unterwürfiger, kriecherischer Stimme vor, «Eurer Ehrwürden ergebenster Diener.»

Ohne ein Wort zu sagen, drehe ich ihm den Rücken zu, um ihm

meine gebundenen Hände zu zeigen. Er unternimmt sofort den Versuch, mich loszubinden. Ihm zittern die Hände, und er hat Schwierigkeiten, die Knoten im Strick zu lösen. Schließlich gelingt es ihm.

«Ich denke», sage ich zu ihm, während ich mir meine Handgelenke reibe, daß Ihr mir erklären könnt, was hier vorgeht.»

«Ihr werdet es sehr bald erfahren. Jetzt gilt es, keine Zeit zu verlieren, denn wir müssen jemanden befreien, der entführt wurde!» antwortete er, während er, so hurtig er konnte, losmarschierte.

Ich folge ihm und denke dabei an meinen Gefährten, Bruder Zedillo. Ob ihm etwas geschehen ist? Wir gehen durch einige Gassen, und als Pinto stehen bleibt, befinden wir uns zu meiner großen Verwunderung vor der Tür Isac Beiçudos. Wir brauchen nicht zu klopfen. Die Tür öffnet sich und Isac erscheint, hinter ihm Bruder Zedillo.

«Das ist ein Tag voller Überraschungen!» fällt mir in meiner Verwirrung ein, als Isac mich umarmt.

«Wie einfach und ruhig Ihr dieses sagt! Als hättet Ihr nicht im Mittelpunkt all dessen gestanden!... Ja. Ein Tag voller Überraschungen, und die größten werdet Ihr gleich erfahren. Tretet ein.»

Ich trat ein. António Pinto sagte, ohne sich zu bewegen:

«Ich brauche nicht hineinzukommen. Gebt mir meinen Gefährten, den Kanonikus Miguel, heraus, so wie es zwischen uns vereinbart war.»

«Da habt Ihr doch wahrlich eine barmherzige Tat getan!» stieß Isac zwischen den Zähnen hervor; sein Blick war schneidend und kalt wie die Klinge eines Dolches.

«Wie lange ist es her, daß Ihr dergleichen getan habt? Kommt dennoch hinein, Bruder! Laßt uns eine so große und selbstlose, hochsinnige Tat mit Malvasier feiern, die dazu führte, daß Ihr aus einer heroischen Regung des Großmuts heraus jenen retten ließet, den Eure Intrigen zum Tode oder für die Galeeren des Sultans bestimmt hattet!... Tretet ein!..» und er zog ihn kräftig am Arm zur Tür herein. Pinto keuchte, rot angelaufen, aufgebracht!

«Ihr habt versprochen, daß Ihr, wenn ich Euch den Franziskaner bringen würde...»

Nichts habe ich versprochen!» rief Isac Beiçudo zornig. «Ich habe es verlangt. Das ist etwas ganz anderes!... Und Ihr glaubt, daß Euch Eure Geste von Eurer Schuld befreit oder jene auslöscht?... Ist es nicht so, daß Ihr auf dem Wege die Wachmannschaft getroffen habt?»

«Ja. Ich habe sie sofort angesprochen und sie sind sogleich bereit gewesen, zu dem Ort zu eilen...»

«Ohne daß sie darauf gewartet hätten, daß Ihr ihnen sagt, wohin!... Woher hätten sie es gewußt, wenn ich sie nicht im Voraus instruiert hätte? Glaubt Ihr, ich hätte das Schicksal meines Freundes Eurem unbeständigen Gemüt ausgesetzt? Wie sehr irrt Ihr Euch da!... Ich wollte nur sehen, wie Ihr Euch angesichts der Tatsachen verhaltet... Ich wollte sehen, bis zu welchem Grade Ihr die Last des Gewissens spüren würdet... Jetzt weiß ich es!...»

Er führte uns in den hinteren Teil des Hauses, welcher auf einen Garten und eine Tenne hinausging. Es gab dort eine Art ebenerdigen Schuppen mit landwirtschaftlichen Geräten, Faßbändern, Tischlerwerkzeug darin und einem Amboß in einer Ecke, an welchen der Kanonikus Miguel an Händen und Füßen gefesselt war.

Es war eine schreckliche Sitzung! Anfangs wunderte ich mich über die Worte und Reden Isacs und bemerkte die für Bruder Zedillo ungewohnt ruhige Gleichgültigkeit nicht. Der Jude hatte die Tür mit einem Schlüssel verschlossen, diesen abgezogen und in die Tasche gesteckt. Mitleidig tat ich einen Schritt auf den Kanonikus zu, welcher erbärmlich aussah, mehr tot denn lebendig war, seelisch und körperlich am Ende.

«Genau, Bruder Pantaleon!» rief Isac sarkastisch aus. «Genau das hatte ich mir vorgestellt. Ihr solltet es sein, der die Fesseln Eures Henkers löst.»

Die Hände des Henkers von den Fesseln befreien?!... Von diesem Augenblick an wird für mich alles wirr, nebelhaft, wie bei vielen anderen ähnlichen Gelegenheiten. Man könnte glauben, daß mein Verstand sich schützte, indem er sich zurückzog, die Dinge wie ein fernes Echo in Zeit und Raum hörte, sie verschleiert sah, als würden sich die Umrisse auflösen. Isac schien ins Riesenhafte zu wachsen, mit seinem bedrohlich massigen Körper den Raum zu verdunkeln:

«Da sind wir also, wir vier ganz allein!» klang seine Stimme von fern. «Allein vor Gott... und dem Teufel... ha, ha, ha, die uns beide sehen...»

Bruder Zedillo bewegte stumm die Lippen, während er einen riesigen Rosenkranz mit gallapfelgroßen Perlen unglaublich schnell durch seine Finger gleiten ließ. Ich hatte gerade Miguel losgebunden, der leicht schwankend aufstand und seine Knöchel und seine Handgelenke rieb.

«Wie wäre es, wenn wir hier eine kleine Inquisition machten?...» fuhr Isac wie ein Possenreißer mit zynischer Stimme fort. «Eine Inquisition, die alles auf den Kopf stellt. Ihr, die Inquisitoren und Henker», und dabei verschlang er die beiden Unglücklichen mit fürchterlichen Blicken, «auf den Plätzen der Angeklagten...»

Ohne daß ich recht wußte wie, erschienen in seiner Hand eine Pistole, der alte maurische Säbel, den ich eines Tages im Sabas-Kloster an seiner Seite hängen gesehen hatte, zusammen mit einem schmalen, scharfen Dolch.

«Vergeßt nicht, daß Ihr Euch auf venezianischem Gebiet befindet. Hier ist nicht Euer Jagdgebiet, Eurer Provinzmarktplatz, den Ihr, die Ihr päpstlicher als der Papst seid, mit den Fackeln brennender Juden zu beleuchten trachtet.»

«Ihr habt kein Recht, uns festzunehmen!» protestierte António Pinto.

«Ihr habt nicht das Recht, den Franziskaner festzunehmen, den Franziskaner zu töten, den Franziskaner den türkischen Galeeren oder dem Sklaventum bei den Mauren zu überantworten!» dröhnte Isac. «Ihr seid goldrichtig für einen Gesandtschaftssekretär! Ihr wißt, wie man die Dolchspitzen benutzt, kennt die Geheimnisse der feinsten Gifte, Ihr seid wohl unterrichtet über die Macht, die eine Börse voll Gold auf gedungene Mörder ausübt... Aber für euch ist der Tag des Jüngsten Gerichtes angebrochen und die Vergebung ist aufgebraucht...»

«Was werdet Ihr tun?» fragte Miguel voller Schrecken und nähert sich Isac, der ihn mit der linken Hand auf der Höhe der Brust an der Soutane packte, während seine Rechte die Pistole erhebt und ihren Lauf an seiner Schläfe hin und herwandern ließ. Der Unglückliche war kalkweiß, sein Atem ging keuchend, kalter Schweiß bedeckte ihm Stirn und Nase. Der Jude legte ihm die Waffe an die

Stirn, nicht von vorn, sondern so, daß der Lauf parallel zu ihr lag, und drückte ab. Es gab einen fürchterlichen Knall in dem kleinen Raum, dem das Zerschellen eines Kruges folgte, der an der Wand gehangen hatte. Miguel stieß vor Schreck einen Schrei aus und fiel halb ohnmächtig zur Seite. Ich stützte ihn. Isac packte ihn an den Kleidern heftig im Nacken, um ihn aufzurichten, und wenige Sekunden lang war sein Gesicht dem Meinen ganz nah, seine Augen weitgeöffnet. Ohne daß jemand sonst es sah, zwinkerte er mir zu, und ich durchschaute jetzt die Verstellung und das Spiel...

«La... la... laßt mich gehen, i... i... ich ha... ha... be nichts da... da... damit zu tun. E... e... er war es, de... de... der... alles eingefädelt hat», stotterte António Pinto voller Entsetzen.

«Du lügst, du Hund!» schrie seinerseits Miguel wie ein Besessener, schäumend vor Wut. «Du lügst, du Mörder! Du hast mich in Trient angelockt, indem du mir versprachst...»

«Indem er Euch», unterbrach ihn Isac, «Reichtum, Protektion von höchster Stelle versprochen hat, und daß Ihr in der Hierarchie aufsteigen würdet... Dazu kommen wir noch. Ich habe es nicht eilig. Die Wahrheit muß gesagt werden... die ganze... heute... jetzt!...»

«...wenn Ihr uns gehen laßt...», fügte Pinto hinzu.

«Wenn!?» fuhr Isac dazwischen und tat sehr erstaunt. «Wenn!? Ihr stellt noch Bedingungen!? Von wegen!... Ich will die ganze Wahrheit, ohne Euch etwas zu versprechen. Die ganze Wahrheit, auch wenn ich Euch hinterher, wenn wir sie kennen, in Stücke teilen, zu Hackfleisch machen oder Euch bei lebendigem Leibe verbrennen muß, wie Ihr das in Eurem Land zu tun pflegt... Für Euch gibt es kein Lösegeld.»

António Pinto begann, mit entsetzten Blicken an die Wand gedrückt zur Tür zu schleichen. Isac tat, als bemerke er dies nicht. Miguel jaulte wie ein Hund.

«Ich werde Euch so schnell wie möglich zur Hölle schicken. Satan wartete schon ungeduldig auf Euch!... Ich kenne einen verlassenen Ort am persischen Golf, wo aus dem Boden eine schwarze, seltsame, stinkende, widerliche Flüssigkeit hervorsprudelt...» Und Isac näherte sich einem kleinen Faß, welches auf einer Tischlerbank stand, und goß einen Schwall einer dunklen, dickflüssigen, klebrigen Flüssigkeit, deren durchdringender Geruch sogleich in unsere

Nasen drang, in ein kleines Gefäß. «Wenn man Feuer daran hält», fuhr er fort, während er mit einem Feuerstahl Feuer schlug und es an die Flüssigkeit hielt, aus der sofort eine vielfarbige Flamme hochloderte, «brennt es in großen, schönen Flammen!... Ist das nicht wunderbar? Brennendes Wasser? Wo hat man so etwas schon einmal gesehen?»

«Das ist Hexerei! Magie! Ein Pakt mit dem Teufel!» schrie Miguel aus vollem Halse.

«Ich weiß», entgegnete Isac. «Befände ich mich in Évora oder in Lissabon oder an einem anderen Ort, wo Ihr die Herren und Inquisitoren seid, würde ich als Abtrünniger gefangengenommen, gefoltert und bei lebendigem Leibe verbrannt werden, weil ich eine Alraune besitze und zudem noch so ein Wunderwerk bei mir trage!... Euer Großvater, Doktor Pinto, hat wegen viel weniger dasselbe erlitten, der Arme!... Doch seid unbesorgt. Ihr befindet Euch nicht dort, noch sind wir Scharfrichter der Heiligen Inquisition... Ich habe schon immer gedacht, – wollt Ihr es wissen? – daß diese Zauberflüssigkeit gut dafür taugt, mit ihr einen Menschen zu übergießen, den man lebendig verbrennen will... Ich habe dort in dem Faß eine Menge davon... Glaubt Ihr, daß das Feuer alles läutert? Daß es wie das Reinigungswasser der alten Heiden ist? Ihr irrt. Euch kann nicht einmal das ewige Höllenfeuer von den Exkrementen, dem Kuhmist, dem Mist, der Kacke, der Scheiße reinigen, die Ihr seid!... Auswurf, Erbrochenes, ekelerregender Abschaum der Menschheit!...»

Miguel sank ganz zerstört zu Boden und weinte wie ein Kind. António Pinto lehnte mit irren Blicken an der geschlossenen Tür, die Hände auf dem Holz ausgebreitet. Isac minderte den Schrecken der beiden armen Teufel nicht:

«Wer von Euch beiden hat den anderen angesteckt, seid Ihr doch beide Fäulnis und Ausschlag? Euer Habit», und er zeigt mit der Pistole auf Miguel, «ist ein geweihtes Kleidungsstück. Zieht es aus. Es verdient nicht, verbrannt zu werden. Zieht Euch aus. Oder ist es an Eurem fauligem Eiter, dem stinkenden Geifer Eurer Seele festgeklebt?»

«Vergebung!» jammerte der Unglückliche.

«Spezereien aus Indien, Pfeffer, Muskatnuß und Paprika, um dieses auf dem Spieß gebratene Schweinefleisch zu würzen! Geräucherter Schinken, Meisterwerk der königlichen Küche!... Absengen...» Und Isac näherte sich nun Pinto, der den Ellenbogen vor dem Gesicht anbeugt, als wolle er sich vor einem Schlag oder einer Ohrfeige schützen... «absengen sollte man die struppigen, fettigen, dreckigen Borsten auf Eurer Haut!...»

Isac gebrauchte und mißbrauchte absichtlich die Häufung von Worten, die erdrückend wie Steine waren, Formulierungen, die in dem Maße wahnsinniger wurden, wie die Angst seiner Opfer ihre Wirkung zeigte!... Er griff auf ein Arsenal von Worten, rhetorischen Kunstgriffen zurück, die ich ihm nicht zugetraut hatte. Mit dem Ausbruch, der Eloquenz, dem Schwall von Substantiven, Adjektiven, Verben, im schlauen Gebrauch von Vergleichen, Metaphern, Synonymen, Anaphern und wer weiß was noch, hielten gleichzeitig der Schmutz, die Latrine, die Gosse, das Hurenhaus Einzug... Wie kann es angehen, wunderte ich mich, daß ich mich unter solchen Umständen dabei erwische, wie ich seine rhetorische Kunstfertigkeit, Intuition und sein Gespür dafür kühl, distanziert und unbeteiligt analysiere? Es war sicher auf sein Zwinkern zurückzuführen... Genau! Jene Worte waren für einen ruhigen, heiteren Zuhörer wirklich nur ein Augenzwinkern wert. Nur jemand, den ein schlechtes Gewissen beunruhigte, konnte sie ernst nehmen... Und war ich nicht selbst ein Prediger, der den Aufbau einer Rede erkennen kann, weiß ich nicht, daß die ganze Rhetorik ein Aufblähen, ein Verfälschen der Realität ist? Da war Bruder Zedillo, ganz anders als man es von seinem angeborenen Gemüt erwartet hätte, vollkommen gefaßt, wenngleich ernst und nachdenklich, denn der Grund und die Richtigkeit des Anlasses bringen einen, über die Kunstfertigkeit der Form hinaus, innerlich zum Schweigen. Isac spielte Theater... doch nicht nur!...

Nachdem die Unglücklichen alles herausgelassen, was sie zu erzählen hatten, auch die winzigsten Einzelheiten ans Licht gebracht und aufgedeckt hatten, band der Jude ihnen die Hände, schloß die Tür der Hütte auf und zwang sie, mit gezogener Waffe, vor ihm her zu gehen. Wir folgten ihnen in gewissem Abstand. Bald waren sie am Strand. Wir sahen, daß Isac sie in ein Boot setzte, ihnen auch die Füße fesselte, und wie sie dann in der Nacht verschwanden, aufgeschluckt von der Dunkelheit, während man nur hörte, wie das rhythmische Schlagen der Ruder zum anderen Ufer des Kanals hin allmählich verklang... Bruder Zedillo deutete an, daß er zurückgehen wollte, und begann sich langsam zu entfernen.Ich blieb dort stehen, wartete... wartete... bis ich das Geräusch der Ruderschläge wieder lauter werden hörte... Isac kam zurück. Allein. Wie ein Gespenst...

«Fürchtet Euch nicht, Euer Gnaden...» sagte er zu mir.

«Euer Gnaden!» wiederholte hinter mir Bruder Zedillo der nicht den Mut gehabt hatte wegzugehen.

«...Fürchtet Euch nicht! Ich habe sie nur in die Hände des Gerichtes Gottes übergeben. Ich bin zur anderen Seite des Kanals hinübergerudert, um sie in der Obhut einiger türkischer Freunde zu lassen, denen ich empfahl, sie nicht zu töten. Sie werden sie nur das erdulden lassen, was sie für Euch vorgesehen hatten. Einige Jahre auf den türkischen Galeeren, das wird sie gezwungenermaßen dazu bringen, die Freuden des Lebens besser zu würdigen!...

XIX

Idylle und Elegie

«Quant'è bella giovinezza
che si fugge tuttavia!
Chi vuol esser lieto, sia:
di doman non c'è certezza.»
«O wie schön die Jugendjahre,
Die so schnell vorübergleiten!
Wer will froh sein, sei's beizeiten,
sich die Sorg um's Morgen spare.
(Lorenzo de Medici, *Poesie*)

«Und nun?» fragt mich Bruder Zedillo, der sich neben mich an die Decksbrüstung gestellt hatte und auf die im goldenen Morgendunst entschwindende Insel Korfu blickt.

Wahrscheinlich dachten wir, uns an die zuletzt dort erlebten Ereignisse erinnernd, gleichzeitig dasselbe. Um uns herum standen noch andere Leute, die noch einmal einen Blick auf das bläulich verschwimmende Land zurückwarfen, und ich empfand das dringende Bedürfnis, allein zu sein, denn die Frage, die mein Gefährte mir gestellt hatte, war dieselbe, die auch mir eingefallen war und auf die ich eine Antwort zu geben suchte. An der anderen Bordseite war niemand. Dorthin wandte ich mich und setzte mich auf eine Taurolle, die dort am Boden des Oberdecks lag. Bruder Zedillo folgte mir nicht. Er mußte meinen Wunsch, mich abzusondern, bemerkt haben, und respektierte ihn.

Meer und Land verschmelzen im Dunst miteinander, welcher auf dieser Seite grau ist. Ich brauche den Blick nicht abzuwenden von dieser Einsamkeit, um meine innere Landschaft zu betrachten. Auch meine Seele trägt die Farbe von Asche, ist Nebel, nicht faßbarer, undeutlicher Staub aus Gedanken und widersprüchlichen Gefühlen, gegensätzlichen Strömungen, Wellen, die wogen und rauschen, gegeneinanderschlagen und schäumen... Welch ein Unterschied zwischen dem aufgewühlten, zerquältem Gemütszustand, in dem ich mich jetzt befinde, und der Ruhe, die sich meiner bemächtigte, nachdem ich der Beichte Meister Jakobus' gelauscht hatte, die von der erhabenen, ernsten, dem Tode vorausgehenden Lauterkeit erfüllt war, und durch die ich die wichtigsten Tatsachen erfahren hatte. Die öffentliche Enthüllung der Ereignisse, welche nun so gewaltsam bis hin zu den finstersten Verwicklungen ergänzt wurde, befreit mich von der Schweigepflicht, und dies bedeutet eine große Erleichterung für mich. Doch die Tatsache, daß sie von zwei Fremden gemacht wurde und zwei Menschen Zeugen davon waren, die, obwohl sie Freunde sind, mir nicht nahestehen, gibt mir das Gefühl, daß meine privatesten Angelegenheiten zum Gemeingut aller wurden. Mich bedrückt das Gefühl, daß sich auf mich der Haß der einen und die Barmherzigkeit und Sorge der anderen konzentrieren, es schmerzt mich, zu wissen, daß es seit vielen Jahren Pintos und Miguels gibt, die sich um mich «kümmern», ohne daß ich es gewußt habe... – Und nun? – fragt Bruder Zedillo. Selbst der neutralste, einfachste, abgestumpfteste und gleichgültigste aller Zuschauer der letzten Szene erwartet nun, daß die dort erfolgte Enthüllung, die Bekanntmachtung, die Anagnoresis, eine große, tragische Veränderung im Verlauf meines Schicksals nach sich ziehen müßte. Welch ein Irrtum! Ich bin nicht das Zentrum einer Tragödie. Andere waren es. Ich bin die Person, welche sie außerhalb der Geschichte untergebracht haben, fern des Geschehens, jenseits der Katastrophe, weit weg von der Kette der Ereignisse, in der Absicht, mich aus der großen Liebe heraus zu retten, die sie zu mir empfanden... Ich bin die schlecht erzählte Geschichte, die Geschichte, die verschwiegen, ja totgeschwiegen werden sollte, aus Liebe und aus Haß!...

Ich lasse in meinem Geiste, – wenn auch ohne die Deutlichkeit und mit den Lücken, welche natürlicherweise ein Bericht über Dinge haben muß, welche vor etwa vierzig Jahren geschehen sind und von Dritten, keineswegs Unbeteiligten, erzählt wurden, – jenen weit zurückliegenden, regnerischen kühlen Morgen im Januar des

Jahres 1527 wieder vor meinem geistigen Auge erstehen, genau den Augenblick, in dem sie mich aus dem Umkreis dieser Tragödie herausrissen, die der Himmel, wie die Götter der Antike, nicht mit seinem strafenden Zorn verschonte... Schwertergeklirr, aufblitzende Dolche zwischen zwei Gruppen vermummter Kontrahenten im Dunkel, nahe der hohen Mauer des Palastes von D. Francisco Coutinho, Graf von Marialva und Loulé, dem obersten Haftrichter des Königreiches. Jenseits der Mauer, im sturmgepeitschten Wald, als schwarze Masse das Haus, aus dessen Fenstern nicht der geringste Lichtschimmer dringt. Im rückwärtigen Teil des Hauses versucht eine Frau mit tränennassem Blick hinter leicht geöffneten Vorhängen, die Finsternis um das Landgut herum zu durchdringen. Er verliert sich in der Düsternis des dichten Waldes, und die Frau hält den Atem an, spitzt die Ohren, um die letzten Geräusche zu erhaschen, die nur sie aus dem Heulen des Sturmes heraushören kann, ein Galoppieren, das sich eilig entfernt. Der Reiter, welcher gebeugt auf seinem Tier sitzt, hat die weite Kapuze als Schutz vor dem peitschenden, eisigen Regen ins Gesicht gezogen und auf dem Schoß hält er in einem mit Wolle gepolsterten und mit Seide ausgeschlagenen Tragekorb, von den Falten des dicken, schwarzen Wollumhanges behütet, ein sechs Monate altes Kind, welches, den wiegenden Rhythmus des Pferdes für seine Wiege haltend, mit weit offenen Augen vor sich hin brabbelt und strampelt, während es ein goldenes Medaillon in den Mund steckt, das es um den Hals trägt. Pferd und Reiter schlagen unwegsame Pfade ein, vermeiden Ortschaften und verschwinden, niemand weiß wohin. Hinter dem Fenster, gegen das der Regen schlägt, bleibt die Mutter voller Bangigkeit stehen. Die Regenbäche, die an den Scheiben herunterrinnen, scheinen den Tränen zu entsprechen, die aus diesen armen, traurigen Augen strömen. Wie viele geheime und tiefe Freuden hat es seit jenem Tag im November 1518 gegeben, bis es nun zum Äußersten kommt, zu diesen Tränen und diesem Kummer!... Es war an jenem Tag...

König D. Manuel heiratete zum dritten Mal. Es war in der Ortschaft Crato. Der prächtige Hochzeitszug wandte sich, nachdem die religiösen Zeremonien beendet waren, von der Kirche zu den königlichen Palästen. Hinter den Herolden, die sehr anmutig aussahen mit ihren blauen, silberbestickten Umhängen, welche von der

Schulter über glänzende Harnische herabfielen, während sie die gelbblitzenden Trompeten schmetternd in die Luft halten, kam das königliche Paar auf seinen reichgeschmückten Reitpferden daher, umringt von den Prinzen D. João, D. Luís und D. Fernando, den Herzögen von Coimbra und Bragança und vielen anderen Vertretern des portugiesischen Hochadels. Ihnen folgte die jüngere Generation derselben Adelsfamilien, schöne Jungfrauen und treffliche Kavaliere, um die siebzehn Jahre alt. Viel Volk säumte die Straßen, ganze, weiter entfernt liegende Dörfer und Orte waren von ihren Bewohnern verlassen worden, um an einem so glänzenden Ereignis teilnehmen und ihre Königin, die Tochter Philipps I. von Kastilien und *Johanna der Wahnsinnigen*, feiern zu können. Wenngleich die Menge in zurückhaltender, respektvoller Haltung schwieg, war es dennoch möglich, hier und dort einen geflüsterten, freimütigen Kommentar zu vernehmen:

«Noch so jung!» hörte man, als die Prinzen D. Luís und D. Fernando, die erst elf und zehn Jahre alt waren, vorbeikamen.

Der Geleitzug zog langsam und feierlich vorüber.

«Wie hübsch sie ist!»

«Wer ist es?»

«Es ist Dona Guiomar Coutinho, die Tochter des Grafen von Marialva.

Die beiden jungen Kavaliere waren auch von der Anmut und der Schönheit der kleinen Adligen angezogen, die das erste Mal dem Hofe als Ehrendame Ihrer Hoheit, der Königin D. Leonor, diente. Das Protokoll mißachtend, ohne Rücksicht auf Alter und Herkunft, lenkt João de Lancastre sein Pferd neben die Araberstute von Guiomar.

«Seht, an diesem Frühlingsmorgen geht die Sonne auf und erleuchtet mit ihrer ganzen Helligkeit Körper und Seelen!

«...Meine Ehrerbietung, Senhora!»

«Pflegt Ihr die Damen mit Madrigalen anzusprechen?» fragte sie. «Sind der Herr D. João de Lancastre ein Dichter?»

«Angesichts Eurer Schönheit singen nicht nur die Vögel am Himmel und die Blumen auf dem Felde, sondern sogar die Steine auf dem Wege Euer Lob...»

«Ihr seid Dichter. Ihr sprecht in Metaphern wie alle anderen.»

«Mit scherzhaften Worten ehrt man die schönen Hirtinnen...»

«Meine Güte! Das wird ja immer besser!»

Ein zweiter Kavalier nähert sich und begibt sich an die Seite des Mädchens. Es ist D. Teodósio, der Sohn D. Jaimes von Bragança.

«Ich weiß nicht, was mit den Dichtern unseres Landes los ist,» fährt Guiomar sehr selbstsicher fort, ohne ein Anzeichen dafür, daß sie sich darauf, die zwei Erben der beiden besten Adelsgeschlechter Portugals zur Seite zu haben, etwas einbildet.

«Wenn das so weitergeht, versteht man eines Tages nicht mehr, was sie sagen wollen. Ich jedenfalls bin dagegen... anders als die Damen am Hofe, die bei Euren lügnerischen Galanterien verzückt lächeln und runde Augen bekommen.»

«Lügnerisch?»

«Ja. Habt Ihr nicht gerade von einem Frühlingsmorgen gesprochen, obwohl dies in Wirklichkeit ein kalter, rauher Morgen Ende November ist?»

«Ihr mögt in den meisten Fällen Recht haben, und die Dichter sind wahrhaft Lügner. Indes ist, was mich betrifft, an Eurer Seite immer Frühling... Wer könnte lügen, wenn er sagt, daß er die Sterne des Himmels in Euren Augen sieht...?»

Guiomar Coutinho sah den jungen Mann, der ihr den Hof machte, mit einem leicht ironischen Lächeln an, ließ ihr Reitpferd eine Wendung auf der Stelle machen, so daß es D. João gegenüberstand, und entgegnete:

«Seht vielmehr die Augen meine Stute an. Sie sind größer, in ihnen spiegelt sich mehr Himmel wieder...» und sie gab ihrem Tier, das hinter den anderen zurückgeblieben war, die Sporen.

«Oder die eines Esels, die sind nachdenklicher!» warf mit einem kurzen Lachen D. Teodósio ein, der dem jungen Mädchen folgte.

João de Lancastre blieb zurück, ohne besonders ärgerlich zu sein, und dachte, daß Eselsstimmen nicht zum Himmel gelangen. Am Abend gab es im Palast einen Ball. Der König liebte glänzende, fröhliche Feste, doch da er die Neigungen der Königin noch nicht allzu gut kannte, befahl er, sie etwas gemäßigter zu gestalten. Keine zu bewegten Tänze und keine Kostüme oder Masken. Für die Alten sollte es bei der Pavane und für die Jungen bei der Galliarda belassen werden. Ansonsten sollten sich die Damen damit vergnügen, den Dichtern ihre kurzen Denksprüche zu sagen und sich von ihnen die Antwort in verliebten Versen geben zu lassen. Guiomar Coutinho war kaum mit den anderen jungen Mädchen, welche die Königin begleiteten, in den weiten Saal getreten, als ihr Blick auf João de Lancastres Augen fiel, welche die ihren suchten. Sie lächelte ihm zu. Sie kamen einander kurz darauf näher, als der König den ersten Tanz mit der Braut begann, während hinter dem königlichen Paar die anderen Paare sich aufstellten. D. Teodósio von Bragança näherte sich auch, doch das junge Mädchen wandte sich entschieden dem Herren von Lancastre zu, der die Spitze ihrer bis auf Schulterhöhe erhobenen Hand ergriff und sich in den Reigen der Tanzenden einordnete, als er an der Reihe war.

«Habt Ihr viele Sterne gesehen?» fragte Guiomar scherzhaft, ohne auf die zornigen Grimassen zu achten, die der Bragança nur schlecht unterdrücken konnte.

«Vergebt mir, wenn ich Euch beleidigt habe!» entgegnete D. João halb lächelnd, halb ernsthaft.

«Aber Ihr habt mich nicht beleidigt!» protestierte sie schlicht. «Ich wollte meinen Worten nicht die Bedeutung geben, die ihnen der schwerfällige Scherz D. Teodósios von Bragança verleihen wollte...»

Der Tanz ging langsam, schleppend weiter, an den Säulen des Saales entlang zum gleichförmigen Rhythmus der Musikinstrumente, zu dem sich das Stimmengewirr sorgloser, fröhlicher Gespräche gesellte, die die Paare miteinander führten.

«Ihr habt es mir zu verstehen gegeben, und dafür danke ich Euch sehr...» sagte D. João, indem er sich mit zwei Rückwärtsschritten von seiner Tanzpartnerin entfernte und einer Verbeugung zu ihr hin machte.

«Wie bitte?» fragte Guiomar, als sich das Paar wieder bildete.

«Für einen wachen Geist wie dem Euren...»

«Fangt Ihr wieder mit den Galanterien an?»

«Keinesfalls. Hört...» und sie machten eine Drehung um sich selbst, wobei sie sich an den Händen hielten. «Ihr akzeptiert die Konventionen und Vorurteile nicht, bevor Ihr sie nicht durch den Filter der Prüfung gegossen habt...»

«Und ist das ein Fehler?»

«Im Gegenteil!» entgegnete D. João mit einer Verbeugung und ging in die Ausgangsstellung zurück. «Doch mir ist noch nie ein solcher Geist begegnet...»

«Das mag ein Geburtsfehler sein oder daran liegen, daß ich die einzige Tochter bin, ich weiß es nicht.»

«Ich habe es so verstanden, daß für Euch eine Galanterie, sprachliches Zierwerk...»

«Was ist damit?»

«...die kunstvolle Geschicklichkeit, mit der ein Satz gefügt ist... Versteht Ihr?»

«Ja.»

«...die Wahl eines besonderen, ungewöhnlichen Bildes für Euch...»

«Für mich?»

«Eine Beleidigung darstellen kann...»

«Oh!»

«...eine Geschmacklosigkeit, einen Angriff...»

«Ihr übertreibt!»

«...ein willkürlicher, unbedachter Angriff auf Eure Intelligenz...»

Guiomar schwieg, scheinbar auf die Tanzschritte konzentriert. Das überaus harmonische und anmutige Paar fiel auf. In einer Drehung berührten sich ihre Köpfe beinahe, von Angesicht zu Angesicht sahen sie einander tief in die Augen.

«Heißt das, daß nun keine Sterne mehr in meinen Augen sind?» fragte Guiomar lächelnd.

«Von wegen!» murmelte D. João bewegt.

Bis zum Ende des Tanzes wechselten sie kein Wort mehr, doch sie bemerkten auch nicht, was um sie herum geschah, als wäre die ganze Welt um sie herum verschwunden und als gäbe es nur sie und jene innere Bewegung, die beide fühlten. Vorschriften und Etikette hielten sie bis zum Ende des Balles voneinander fern, doch wo immer sie sich auch befanden, suchten sich ihre sprechenden Blicke. Teodósio von Bragança verhehlte seinen Zorn darüber nicht, daß er beim ersten Tanz von dem Lancastre zurückgesetzt wurde und wurde noch wütender, als der Herzog von Coimbra, ein Bewunderer hübscher junger Mädchen ihm die Partnerin vor der Nase wegschnappte, als er sie auffordern wollte. Beim dritten Mal stand er wieder linkisch da, denn diesmal war es Prinz D. João persönlich, der sie um den Tanz bat. Als es ihm schließlich gelang, mit ihr zu tanzen, schäumte er vor Wut, stotterte, war rot angelaufen, und zeigte bereits die krankhaft rachsüchtige Grausamkeit, die er von seinem Vater, dem berüchtigten D. Jaime von Bragança, geerbt hatte, welcher an einem finsteren Novembermorgen im Jahre 1512 in Vila Viçosa, von unbegründeter Eifersucht getrieben, seine unschuldige Gemahlin, D. Leonor de Mendonça, die Tochter des Grafen von Medina Sidónia erstach und befahl, den zu seinem Hause gehörigen jungen Adligen António Alcoforado zu töten.

«Du hast mich vor allen lächerlich gemacht!» beschwerte er sich, als er endlich, in den Reigen der Tanzenden eingereiht, etwas sagen konnte.

«Mein Herr!» erwiderte sofort Guiomar stolz. «Ich sehe, Ihr seid mißgestimmt. Wenn Ihr wollt, unterbrechen wir den Tanz, und ein jeder kehrt an seinen Platz zurück.»

Teodósio nahm, ohne den Tanz zu unterbrechen, Vernunft an und bemerkte wohl, daß er ungehörig gewesen war, doch, da er wegen der unbedachten Worte, die er ausgestoßen hatte, nicht um Entschuldigung bitten wollte, fand er nichts zu sagen, und auch Guiomar trug nichts zu einem Gespräch bei. Es war ein frostiger, quälender Tanz, den das junge Mädchen mit Würde überstand. Was ihren Partner betraf, so schien ihm, mit jedem Schritt, jeder Drehung oder Verbeugung, die sie machten, die Galle, die er im Herzen trug, noch höher zu steigen.

Der Hof verlagerte seinen Sitz von Almeirim, nach Santarém, nach Évora, aus Gründen der Abwechslung oder um der in Lissabon herrschenden Pest zu entgehen, und mit ihm Guiomar im Gefolge der Königin und João de Lancastre in dem des Thronfolgers. Sie trafen sich häufig bei Banketten, bei Bällen, bei Jagdgesellschaften, indes selten allein, was jenes wachsende Gefühl gedeihen ließ und nährte. Doch vor jenen, die die Bewegungen und die Gesten der beiden jungen Menschen aus der Nähe verfolgten, die sahen, wie sie miteinander umgingen, war es nicht mehr möglich, ihre gegenseitige Zuneigung zu verbergen. Teodósio spürte dem verliebten Paar in seiner finsteren, verqueren Eifersucht wütend nach, während Prinz D. João schon bald merkte, was sich abspielte und im Gespräch mit João de Lancastre, welcher nur ein Jahr älter war als er, in das Geheimnis der beiden eingeweiht wurde. Sie ritten am Ufer des Tejo auf der Höhe von Santarém entlang und entfernten sich auf ihren Pferden von den anderen Reitern.

«Mein Freund, mir ist aufgefallen, daß Ihr blaß seid und fast nichts eßt...» sagte der Prinz lächelnd.

«So ist es, mein Herr. Ich habe in letzter Zeit keinen Appetit...»

«Wie merkwürdig», fuhr der Thronfolger aufgeräumt und maliziös fort, «ich habe genau die gleichen Symptome bei einer jungen Hofdame bemerkt.»

«Kann man wissen, bei welcher?» fragte João de Lancastre, ohne zuzugeben, daß er ertappt war.

«Und das fragt Ihr mich? Aber D. João! Blässe, Appetitlosigkeit, Seufzer in den Ecken und in Fensternischen bei Kavalieren und Damen sind sichere Zeichen für Liebesleid. Nur ein Blinder sieht Eure glühenden Blicke nicht. Für diese Krankheit gibt es nur eine Art von Heilung...»

«Ich gestehe Euch, mein Herr, daß ich D. Guiomar Coutinho liebe. Seht Ihr darin etwas Schlechtes?»

«Warum sollte ich das schlecht finden?»

«Ihr wißt besser als ich, mein Herr, daß Personen unseres Standes am Hofe nur mit der Genehmigung Seiner Hoheit heiraten dürfen. Eines Tages werdet Ihr König sein, und...»

«Wenn Ihr Guiomar Coutinho liebt, und sie Euch, wenn in Euer beider Adern königliches Blut fließt, sehe ich keinen Grund gegen Eure Heirat.»

«Ich bin Euch für Eure Worte sehr dankbar, mein Herr.»

«Mir scheint es dennoch ein Hindernis zu geben...»

«Welches Hindernis?»

«...ein gewichtiges...»

«Wollt Ihr mir nicht sagen welches?»

«D. Francisco Coutinho ist ein alter, ehrgeiziger Fuchs. Für seine reiche und in doppelter Hinsicht edle Erbin wird er sehr wahrscheinlich den Blick noch höher wenden und nicht einwilligen...»

«Dann heirate ich eben heimlich!» rief João de Lancastre erregt aus.

Reiter näherten sich.

«Wollt Ihr den Rat eines Freundes? Überstürzt nichts!» sagte der Prinz, gab seinem Pferd die Sporen und stob, gefolgt von seinem Begleiter, im gestreckten Galopp davon.

Die Liebe ist in jenem Alter drängend und ungeduldig, unüberlegt, unbotmäßig, hartnäckig, entschlossen, grausam allem gegenüber, was sich ihr widersetzt. Was ist es, was in allen Zeitaltern die Jugend, die liebt, dazu bringt, sich gegen die Konventionen aufzulehnen, wenn sie in ihr Schicksal eingreifen? Die Liebe ist der Augenblick, in dem das Leben durch die schöpferische Energie des Universums angetrieben wird. Sie ist ein Weg, eine nicht aufzuhaltende Kraft. Sie stirbt lieber, als daß sie sich eingrenzen, erwürgen, ersticken läßt, als daß die Vorurteile des Blutes oder der Abstammung, die Berechnung von Reichtum und Besitz sie auszehren. Wenn sie kann, weicht sie von den Regeln ab, die die Gesetze und Religionen der Menschen ihr gaben. Sie akzeptiert sie weder noch toleriert sie sie, denn sie fühlt sich in ihrer kosmischen Reinheit befleckt, empfindet Zeugen als Eindringlinge, die Tatsache, daß andere daran teilnehmen, als werde sie zum Gemeingut erklärt, und daß sie Regeln, Normen, Traditionen, Formeln, die ihr Worte, Dinge, Gesten vorgeben, als Einmischung... Dies dachten und fühlten auch Guiomar und João, doch die Bindung an ihre Familien und der Druck der strengen Erziehung, die sie genossen hatten, waren zu stark, als daß sie mit einem Schlag reinen Tisch machen konnten. Es gab nur eine einzige Hintertür, einen Weg der Auflehnung. Sie wählten ihn. Die Heirat würde heimlich stattfinden, doch es wäre eine Heirat...

Es war in einer abseits liegenden Kapelle der Vorstadt... zu einer Zeit, als die Glocken der Kathedrale, der einzigen Kirche, die zu dieser frühen Stunde für den Gottesdienst geöffnet war, die Gläubigen zur Messe rief. Wer konnte ahnen, daß diese einsame Kapelle zu dieser Stunde und an diesem Tage jemanden erwartete?

Es geht hinaus die Jungfrau,
beichten will sie gehn,
eine Amme folgt ihr,
wie wild schlägt das Herz...

«Hier längs, mein Kind!» sagt Sara, die ganz verschleiert die schwere Kastanienholztür aufstößt, die in den Angeln quietscht.

Aus der Dunkelheit heraus treten die Gestalten João de Lancastres und Bruder Gaspars auf sie zu. Etwas entfernt steht demütig eine weitere Person. Es ist Meister Jakobus, Saras Mann, der erst vor kurzen sein Medizinstudium in Évora abgeschlossen hat. Er ist Arzt des Herzogs von Coimbra und seinem Sohn, D. João, sehr zugetan. Die Zeremonie ist einfach und schnell, voller Rührung wird das Ja-Wort gesprochen, die Ringe übergestreift, und so empfangen Guiomar Coutinho und João de Lancastre einander als Mann und Frau. Bruder Gaspar hat das Dokument schon selbst vorbereitet, die Brautzeugen, Jakobus und Sara beglaubigen es durch ihre Unterschrift.

Das Knäuel der Zeit wird langsam abgewickelt, und drei Jahre hindurch ahnt niemand etwas von der Heirat. Anfangs wundert sich D. Teodósio, daß Guiomar und João, wenn sie sich bei Hofe treffen, nur die übliche Begrüßung austauschen und nicht wie früher beieinander verweilen, doch er entdeckt trotzdem nicht das geringste Zeichen, nicht einmal in ihren Blicken, das ihn Verdacht schöpfen ließe, und er frohlockt innerlich, da er glaubt, das junge Mädchen habe seinen Rivalen zurückgewiesen, und er gibt seine Nachstellungen auf. Hätte er nicht in seinen Bemühungen nachgelassen, hätte er sicher den vermummten Reiter erkannt, der sich, von seinen Dienern begleitet, mitten in der Nacht auf nicht angelegten Wegen so leise wie möglich zum Palast Guiomar Coutinhos begibt, wobei die Hufe der Pferde, um das Getrappel zu dämpfen, mit Lederpantoffeln versehen waren, welche an den Fesseln befestigt wurden. Der Prinz D. João tut so, als bemerke er nicht die Veränderung im Verhalten der beiden jungen Leute zueinander. Begreift er, was geschieht? Tatsache ist, daß er die Angelegenheit nicht wieder erwähnt. Er, der mit jugendlichem Feuer selbst in Liebesabenteuer verwickelt gewesen war, zieht sich etwas zurück in jenem Jahre 1520, er will ein ernsthafter König werden und diesem Bild wahrhaft entsprechen. Ende März ernennt D. Manuel D. João de Lancastre zum Marquis de Torres Novas, was jenem eine größere Freiheit in Bezug auf den Hof verleiht. Sie begegnen einander jetzt nur noch selten. Das folgende Jahr ist voller Veränderungen. Inmitten all der großen Ereignisse – der Tod D. Manuels am dreizehnten Dezember und die Ausrufung D. Joãos III. zum König, gleich am neunzehnten – bemerkt kaum jemand, daß der Prinz Bastarde hervorzubringen beginnt: D. Duarte wird geboren, der spätere Erzbischof von Braga. Doch das Schicksal von Guiomar und João de Lancastre wird durch die Eröffnung des Testaments des verstorbenen Königs und der Verlesung des Kodizills verändert, in welchem D. Manuel am elften Dezember, zwei Tage vor seinem Tode, die Vereinbarungen bestätigt, die zwischen ihm und D. Francisco Coutinho getroffen worden waren. Ersteres enthält die Klauseln, in denen Guiomar Coutinho zur Gemahlin des Erbprinzen D. Fernando bestimmt wird, im Zweiten wird diese Absicht bestätigt und festgesetzt, daß, sollte diese Heirat nicht vollzogen werden, die Schenkung der Häuser Marialva und Loulé an D. Guiomar nicht erneuert wird. Jene ist verzeifelt, als der Vater ihr diese Neuigkeit mitteilt und ihr von dem Vertrag berichtet, der zwischen ihm und dem König geschlossen wurde. Sie lehnt sich dagegen auf:

«Ich ziehe es vor, ins Kloster zu gehen!»

«Bist du wahnsinnig geworden! Hast du vergessen, wessen Tochter du bist, daß du zur königlichen Familie gehörst, daß du Prinzessin sein wirst?»

«Lieber will ich sterben! Lieber will ich sterben!» antwortet sie hemmungslos weinend, das Herz von Todesqualen erfüllt.

Erzürnt über die verrückte Entschlossenheit seiner Tochter, ruft der Vater mit lauter Stimme, die in den Sälen des Palastes widerhallt:

«Das Wort, das D. Francisco Coutinho dem König gegeben hat, muß erfüllt werden... oder mit Blut freigekauft werden! Respektiert das weiße Haar Eures Vaters, Senhora!...»

Die Ereignisse überstürzen sich. Nachdem der junge Monarch von Gottes Gnaden mit den schweren Aufgaben der absoluten königlichen Macht ausgestattet wurde, interessiert ihn nur die Staatsräson. Den jungen Gefährten João de Lancastres an den Ufern des Tejo gibt es nicht mehr, an seine Stelle ist der König getreten. Da er erfüllen will, was sein Vater bestimmt hatte, ordnet Seine Hoheit an, den Vertrag am zehnten März im Hause des Grafen von Marialva zu unterzeichen, wobei die Heirat bis zu dem Zeitpunkt aufgeschoben werden soll, an dem D. Fernando siebzehn Jahre alt wird, was am fünften Juni 1524 der Fall ist. So wird die Angelegenheit publik. Der Marquis de Torres Novas erklärt in aller Öffentlichkeit, daß diese Ehe nicht vollzogen werden kann, da er schon heimlich mit D. Guiomar Coutinho die Ehe geschlossen habe, und verlangt von ihrem Vater, er möge ihm die Tochter übergeben, sonst werde er vor Gericht ziehen. Der Graf von Marialva und Loulé wird bei Hofe vorstellig, um dem König diesen außergewöhnlichen Streitfall zu unterbreiten. Der Edelmann, welcher die Siebzig schon überschritten und seit den Zeiten Afonso V. im Krieg und am Hofe gedient hat, und dessen Haus, das riesigen Landbesitz und viele Vasallen sein Eigen nennt, als eines der ersten im Königreich angesehen wird, was Einkünfte und Geld betrifft, ist tief gekränkt. Vor allem beschäftigt ihn, daß João de Lancastre sich erst jetzt offenbart.

«Zu Zeiten D. Manuels hat er es nicht gewagt!» sagt er sich immer wieder. «Es wird das Vertrauen sein, das er in diesen König setzt, der ebenso jung ist wie er. Sie sind zusammen aufgewachsen...»

Er bittet den König, ihn anzuhören. Er wird empfangen.

«Mein Herr!» sagt er, «Ich habe großen Kummer!»

«Nun, worum geht es, Graf?»

«Es ist ein alter Gesetzesbrauch in diesem Königreich, daß die Ritter, die sich von anderen beleidigt sehen, anstatt vor Gericht zu gehen und Klageschriften zu verfassen, den König bitten, ihnen zu einem festgelegten Datum einen Platz zuzuweisen, an welchem sie mit Waffen ihren Streit ausfechten.»

«Und wurdet Ihr beleidigt? Wer hat Euch beleidigt?»

«Ich küsse die Hände Eurer Hoheit, damit Ihr mir gegen den Marquis de Torres Novas Gerechtigkeit widerfahren laßt.» Der König runzelte die Stirn, dachte sich gleich, worum es sich handelte, während die Stimme des Grafen, zwischen welche sich die seines Gewissens schob, fortfuhr. – Jenes verstieße gegen die Vereinbarung, welche dem König, seinem Vater, den Gott selig haben möge, getroffen worden sei! – Er hat sie also doch heimlich geheiratet – Es verstieße gegen die Gesetze des Königreichs und gegen den Willen seines Vaters! Er behauptete, mit seiner Tochter, D. Guiomar, verheiratet zu sein, nenne eine Heirat rechtmäßig, die Gott nicht befohlen und seine Tochter nicht zugegeben habe. Die Besitzgier und die Falschheit des Marquis hätten dies erfunden!... – Wie kann ich da sicher sein – Es sei gewiß eine große Beleidigung, eine unschuldige Jungfrau zu diffamieren, nicht aufgrund von Liebe, sondern nur aufgrund des Begehrens, den väterlichen Reichtum zu erlangen! Seine Hoheit möge ihm angesichts einer so schwerwiegenden Forderung beistehen, und er hoffe, daß dieser Streit nicht das erste Beispiel einer Ungerechtigkeit des Königs werden möge, der Gottes Platz auf Erden einnehme, und ihm die Gerechtigkeit nicht zu verweigern...

Der König war von dieser Neuigkeit erschüttert und verhehlte den tiefen Schmerz nicht, den er bei der Erinnerung an das fühlte, was er von der Liebe Joãos' de Lancastre und Guiomar Coutinhos wußte, während er sich nun, aufgrund der Beschwerde des Grafen von Marialva, mit der Staatsräson, dem Ehrenwort seines Vater, des Königs, konfrontiert sah, welches er selbst bestätigt hatte.

Der Marquis solle begreifen, daß, da König Manuel seine Tochter zur Ehe versprochen habe, weder sie etwas anderes wünschen dürfe als dem König zu dienen, noch der Marquis einen anderen Wunsch haben dürfe. Seine Hoheit möge diesen Fall nicht wie eine Staatsangelegenheit behandeln. Der Marquis hielte ihn zwar dafür, doch es handele sich um seine, die Ehre des D. Francisco Coutinho, um die Zufriedenheit seines Lebens und die Rettung seiner Seele. Unglücklich wären seine siebzig Jahre, wenn er daran zweifeln müsse, daß so viel im Dienste von drei seiner Hoheit vorangegangenen Königen vergossenes Blut angesichts einer so schweren Beleidigung umsonst gewesen sein sollte. Eine Beleidigung, die nicht nur ihn, sondern auch einen König treffe, welcher erst gestern begraben worden sei, da es sich um die Verleumdung der Frau handele, welche derselbe mit Freuden zu seiner Schwiegertochter erkoren habe. Ein Mangel an Ehrerbietung Seiner Hoheit gegenüber, da diese Frau seine zukünftige Schwägerin sei. Ein Mangel an Achtung dem Alter des Königs gegenüber, denn wer vorhabe, diese Frau seinem Bruder wegzunehmen, müsse glauben, daß der König ihn entweder mehr liebte als seinen eigenen Bruder oder daß das geringe Alter den Verstand Seiner Hoheit mindere und Seine Hoheit dazu bringe, aufsässige und unbotmäßige Untertanen zu dulden.

«Das reicht, Graf!» sagte D. João III. sehr ernst und feierlich. «Ich werde den Wunsch meines Vaters, des Königs zu ehren wissen. Ihr könnt Euch zurückziehen.»

Schlaflos in der Einsamkeit der Nacht betrachtet der König die Facetten des Falles von allen Seiten, in den er in doppelter Hinsicht verwickelt ist, und prüft sie wieder und wieder. Sein Gewisen sagt ihm: nicht überstürzt handeln, ein Mittel finden, um den Fall zu schlichten... Doch er sieht sogleich, daß dies unmöglich ist. In Liebes- und Ehrenfragen gibt es zwischen den Rivalen keine Verständigung!... Er wälzt sich rastlos, beklommen, unentschlossen auf seinem Lager... Am Morgen, als seine Diener kommen, um ihn anzukleiden, zeigt sich nur cinc Scitc dcs Problems klar, deutlich, mathematisch, genau umgrenzt. Das Wort seines Vaters kann nicht bestritten werden... Sein eigenes Wort, das den Vertragsabschluß angeordnet hatte, kann nicht zurückgenomen werden. Er läßt D. João de Lancastre an den Hof bitten und wird sogleich innerlich mißgestimmt, als er ihn in Begleitung seines Vaters, des Herzogs von Coimbra, kommen sieht. D. João III. empfindet für jenen nicht die gleiche Zuneigung, die König Manuel ihm zeigte. Man könnte sagen, daß er immer eine verborgene Eifersucht für die Ehrerbietung gehegt hatte, die am Hofe dem Sohn des D. João II. entgegengebracht wurde... Die Hartnäckigkeit des Marquis de Torres Novas hinsichtlich seines angeblichen Rechtes auf Guiomar Coutinho und die impertinente Anspielung darauf, daß seine Hoheit, als sie noch Prinz gewesen sei, sehr wohl gewußt habe, was geschah und sogar seine Zustimmung gegeben habe, verärgern den König. Doch er verliert die Fassung erst, als er sieht, mit welcher Arroganz und welchem Hochmut D. Jorge seinem Sohn zur Hilfe kommt. Er befiehlt umgehend, daß sich der Herzog von Coimbra auf seine Güter in Setúbal zurückziehen solle und vom Hof verbannt werde, und läßt João de Lancastre in der Festung von Lissabon einkerkern. Das war an einem Montag im April 1522. Wieder allein, ist der König mit sich sehr uneins. In seinen Ohren und seinem Gewissen hallt der letzte Satz wider, den D. Jorge ausgesprochen hatte, als er sich mit einer Verbeugung zurückzog:

«Majestät! Ein König wird niemals böse, es sei denn sich selbst!...»

Der Herzog hatte Recht. Es waren dies Worte, die jemand ausgesprochen hatte, der selbst auf diesem Throne sitzen könnte, wenn das Schicksl es so gewollt hätte. Die Entscheidungen waren unter großer Verärgerung getroffen worden, und er erkannte jetzt, daß diese Verärgerung letztlich nur der Widerschein seiner innersten Gewissensbisse war. Er beschloß, in Zukunft klüger zu sein. Deshalb beschließt er, den Fall nicht mit Rückgriff auf seine absolute Machtbefugnis zu entscheiden, sondern den Streitfall dem kirchlichen Gericht zu übertragen, wofür er Theologen und Kanoniker berief. Jene machten sich zum Palast D. Francisco Coutinhos auf, um die Jungfrau zu befragen, die sie mit würdiger Ruhe, doch in schwermütiger Stimmung empfängt. Ihr Vater und ihre Mutter, die Gräfin D. Brites de Beneses, sind anwesend. Dennoch läßt sie sich nicht einschüchtern. Sie lauscht der Darstellung der Richter, in vollkommenes Schweigen gehüllt. Auf die erste Frage, ob der Marquis Torres Novas ihr den Hof gemacht habe, antwortet sie nicht und wartet auf die zweite. Sie beantwortet die zweite, ob sie D. João de Lancastre heimlich geheiratet habe, ebensowenig, und wartet, bis sie die dritte formulieren, ob sie mit dem Sohn D. Jorges Beziehungen wie Mann und Frau habe, auf die sie ebenfalls keine Antwort gibt. Die Gottesmänner sind verlegen. Als sie geendet haben, sagt Guiomar zu ihnen:

«Ich lasse es nicht zu, über Angelegenheiten befragt zu werden, die nur mich etwas angehen. Ihr seid nicht meine Beichtväter. Ich kann Euch nur sagen, daß ich in ein Kloster gehen will und den Profeß ablegen will...» Darauf zieht sie sich zurück und läßt den Vater zutiefst erzürnt, die Mutter in Tränen aufgelöst und die Richter völlig sprachlos zurück.

Der Marquis de Torres Novas gibt indes im Gefängnis nicht auf. Er legt Papiere vor, benennt Zeugen, gestikuliert und lärmt wie ein Mann, der nichts schuldet, nichts fürchtet, nicht lügt. Zweihundertundsechs Tage Gefangenschaft lassen ihn nicht müde werden. Obwohl sie bewacht wird – die Königin will sie nicht mehr am Hofe haben, bis der Fall nicht gelöst ist, und der Vater schickt sie mit einem großen Gefolge von Dienern auf ein fernes Landgut – gelingt es Guiomar, dem Gemahl Nachrichten zukommen zu lassen und über das auf dem Laufenden zu halten, was geschieht. Der Streitfall kommt durch die Machtlosigkeit des kirchlichen Gerichts, das aufgrund der Haltung des jungen Mädchens nicht zu einem Beschluß gelangen kann, und durch das augenscheinliche Desinteresse des Königs zum Erliegen, der die Angelegenheit vergessen zu haben scheint. Der Graf von Marialva lebt, vom Gram erfüllt, welcher ihn sichtlich verzehrt. Was wird sich der König ausdenken? Da zur Zeit nichts bewiesen werden kann, ist es schwierig, einen Adligen von so hoher Herkunft im Gefängnis zu behalten, ohne dem königlichen Ansehen zu schaden. Im Oktober befiehlt der König, D. João de Lancastre aus der Festung zu entlassen, und ordnet ihm an, sich ebenso wie sein Vater dem Hofe fernzuhalten. Er kommt nach Azeitão, wo er sich demütig und ehrfürchtig stellt, doch seine Seele läßt nicht zu, daß er lange untätig bleibt, nicht versucht, seine Frau zu sehen. Er schickt verkleidete Diener aus, um die Umgebung des Landgutes auszukundschaften und, so es geht, mit gut gefüllten Geldbörsen einige der Männer D. Franciscos zu bestechen. Das ist nicht schwierig, denn manch einfache Seele wird – hilft man mit Gold etwas nach – leicht Partei für Guiomar, für die von den Mächtigen verfolgte Liebe, ergreifen. Bald schon verständigen sich die beiden Liebenden nicht nur häufig, sondern sie machen bereits aus, wie sie sich treffen können. So vergeht das Jahr dreiundzwanzig und auch das folgende, das für die Heirat des Infanten D. Fernando festgelegte Datum. Dieser und sein Bruder D. Luis sind ungehalten, in ihrem prinzlichen Stolz verletzt. Ihnen schließt sich voller Schadenfreude Teodósio de Bragança an. Der Skandal schürt bei ihm mehr als bei allen anderen den Haß und läßt die Saat der Eifersucht aufgehen. Er sinnt und heckt sich Racheaktionen aus. Im Jahre fünfundzwanzig, zwei Jahre später, in denen sich der König dank seiner Macht und königlichen Freiheit und auch aufgrund seines jugendlichen Ungestüms mit Frauen zerstreute, von denen er Kinder bekam, hat der Hof den Fall von Guiomar und João de Lancastre vollends vergessen, da er sich an den Hochzeitsfeierlichkeiten des Monarchen ergötzte, der D. Catarina, die Schwester Karls V., in Crato heiratet. Nachts sieht Teodósio aus der Leibung eines Fensters während des Balles auf die Tanzenden hinunter und denkt an einen anderen Ball, der vor einigen Jahren in denselben Sälen stattgefunden hatte. Unvermittelt wird ihm die Abwesenheit von Guiomar und João so deutlich, daß sich ihm das Herz zusammenzieht und er sich vorstellt, wie sich beide, weit von hier, im fernen Landgut, die Welt vergessend, umarmen und küssen und nur ihrem Glück leben. Diese Vorstelllung schmerzt ihn so sehr, daß er sich selbst schwört, sie überwachen zu lassen.

«Ein zweites Mal werdet Ihr mir nicht ein X für ein U vormachen!» knurrt er.

Gegen Ende des Jahres erwacht Guiomar eines Morgens, ohne daß die erwarteten monatlichen Tage sich eingestellt haben.

Ich bin schwanger, denkt sie aufgewühlt und sogleich von den widersprüchlichsten Gefühlen und Gedanken erfüllt. Sie sucht die Einsamkeit, um sich zu prüfen. Sie irrt viele Stunden lang durch die Gärten und Wälder, in sich gekehrt, von einer Zukunft ohne Schatten träumend, dann wieder ein schlimmes Schicksal vorausahnend. Sie zwingt sich dann, sich zusammenzunehmen und kühl die Folgen einer solchen Tatsache unter den gegebenen Umständen abzuwägen. Es scheint ihr festzustehen, daß die Eltern, vor allem ihr Vater, nichts davon wissen dürfen, niemand, fast niemand darf es erfahren... Tränen stiegen in ihre Augen! Das arme Kind, welches heimlich geboren werden muß, als wäre es ein Kind der Sünde!... Trost und Hilfe findet sie in den Armen des Gatten, der aus einer plötzlichen Gefühlswallung heraus will, daß alles im Gegenteil im hellen Tageslicht geschehen soll, von der Sonne erleuchtet, wie die von Gott gesegneten Taten.

«Das wäre unser großes Argument, der höchste Beweis, und alle müssen sich den offenkundigen Tatsachen beugen!»

Die Frau beeilt sich, die weltfremde Begeisterung abzukühlen, und erinnert ihn daran, daß diese Argumente gegen das vom König eingesetzte Gericht nichts ausrichten können und es letzlich das Kind sein würde, das unter den Folgen leiden müßte, da es in aller Augen ein Bastard sein würde... Die Schwierigkeiten, die Verunglimpfungen, die sie, die Mutter und er, der Vater, erleiden müßten, zählten für sie nicht. Das Kind, vor allem das Kind mußte geschützt werden. João de Lancastre nimmt Vernunft an und stimmt seiner Frau zu, und beide beginnen die notwendigen Maßnahmen zu treffen, damit sich alles unter strengster Geheimhaltung vollzöge. Die Zurückgezogenheit, zu der sie ihr Vater gezwungen hat, der mit seiner Gemahlin, der Gräfin, bei Hofe ist, erleichtert es Guiomar, die Schwangerschaft geheimzuhalten, so daß nur ein ganz eingeschränkter Kreis vertrauenswürdiger Menschen davon weiß. Der Arzt und die Hebamme sind vom Marquis de Torres Novas ausgewählt: Meister Jakobus und seine Frau Sara. Am siebenundzwanzigsten Juli wurde ein Junge geboren, der umgehend von Bruder Gaspar auf den Namen João getauft wurde. Ein Mädchen vom Landgut namens Balbina, welches vor kurzem Mutter geworden war, gibt ihm die Brust, und das Kind geht als ihres durch. Niemand wundert sich, in dem Hause das Weinen eines Kindes zu hören, doch damals schon schleichen seltsame Schatten in der Dunkelheit der Nacht in den Wäldern der Umgebung herum und Augen spähen das Kommen und Gehen D. João de Lancastres aus. Dieser fühlt sich verfolgt. Er fürchtet nichts für sich, denn er ist tapfer und führt immer eine starke Eskorte mit sich, doch er hat Angst um seinen Sohn. Die Mutter ist mit ihm einer Meinung, daß es dringend notwendig wird, ihn zu beschützen, ihn aus dem Umkeis ihres Lebens herauszunehmen, für eine gewisse Zeit zumindest, bis ihr Schicksal sich geklärt hat.

«Unser Fall ist beim kirchlichen Gericht noch immer anhängig», sagt Guiomar. «Wir wissen nicht, wie er ausgeht. Hast Du schon einmal daran gedacht, mein Gemahl, was geschieht, wenn die Richter zum Schluß kommen, daß unsere Ehe nie bestanden hat, nichtig ist oder falsch! Wenn ich nur daran denke, ist meine Seele von Bitterkeit erfüllt! Es kann durchaus so sein, daß ich alles aufgeben muß, alles!... Es sind nicht die Reichtümer, nein... noch die Adelstitel!... Du bist es und unser Sohn. Vielleicht muß ich mich in ein Kloster zurückziehen!... Den Prinzen heiraten, das allerdings nicht!...

«Hör mir zu! Wir könnten fliehen...»

«Fliehen, wohin?»

«Ich habe Verwandte in Spanien. Sie werden uns helfen.»

«Welch ein Wahnsinn! Glaubst du, daß der Fluch des Hofes von Karl V. nicht auch auf sie fällt, wo dieser mit unserem König so viele gemeinsame Verträge hat?... Wir würden ausgeschlossen sein, allein auf der Welt, was nicht so schlimm wäre, solange wir beieinander sind... Aber unser Sohn? Wie könnten wir ihn schützen?... Ich werde in ein Kloster gehen, das Habit nehmen... Dein Haus wird mächtig sein. Der König wird dir eine Braut beschaffen, die deiner Stellung entspricht...», sagte die unglückliche Guiomar bitterlich weinend.

«Schweig!»

«...Doch du wirst die Freiheit haben, ihn zu beschützen... ihn zu führen... Vielleicht sterbe ich sogar!... Das wäre das Beste... sterben!... Ach! Küß mich!»

Sie machen ab, daß Meister Jakobus unter strengster Geheimhaltung das Kind in einer der folgenden Nächte weit von dort wegbringen soll. Sie haben ihm eine goldene Kette mit einem Medaillon umgehängt, das João de Lancastre hatte anfertigen lassen. Das Medaillon bestand aus einem kleinen Kästchen, in welchem eine Reliquie des Heiligen Pantaleon verwahrt wurde, die der Herzog von Coimbra aus Porto mitgebracht hatte, als er mit König Manuel an der Überführung der Reliquien des Heiligen in einen ihm angemessenen Schrein teilgenommen hatte, womit er ein Gelübde seines Vorgängers erfüllte. Innen im Medaillion war auf einer Seite eine Zeichnung eingraviert, die Guiomar und João sehr gern hatten. Sie erinnerte sie an jene idyllischen Zeiten, in denen sie sich heimlich trafen, einander Küsse und Umarmungen im Schatten der Bäume in den königlichen Parks und Wäldern raubten und ewige Liebesschwüre in die Baumstämme ritzten: João liebt Guiomar, Guiomar liebt João, für immer... und dann folgte das Datum, viele Daten... verstreut auf vielen Platanen, Buchen, Ulmen und Eschen und Mimosensträuchern... Eines Tages schnitt João mit der Spitze seines Dolches die Zeichnung eines Pelikans in den blutroten Stamm einer entrindeten Korkeiche. Es war das Emblem des Wappens seines Vaters, das er von João II. erhalten hatte.

«Gib ihn mir», sagte Guiomar, und nahm die Waffe, die er ihr am Griff reichte. «Dieser Pelikan muß im Herzen ein besonderes Symbol tragen.» Und sie ritzte in die Brust des Pelikans einen fünfzackigen Stern, wie jene, die im Wappen der Coutinhos waren.

João de Lancastre läßt im Inneren des Medaillons den Pelikan mit dem Stern auf der Brust eingravieren und das Datum siebenundzwanzigster Juli 1526.

Eines Tages macht sich Sara im Morgengrauen in Richtung Süden auf, um ihren Mann in einer Herberge am Wege zu erwarten, deren

Besitzer jüdische Verwandte von ihr waren. Draußen tobt der Sturm, und die arme Frau preßt ihr Gesicht an die Fensterscheiben, um zu sehen, ob aus der wind- und regengepeitschten Dunkelheit die gespenstische Gestalt eines Pferdes mit einem schwarzen Reiter auftaucht. Ihr Herz zieht sich bei dem Gedanken an das kleine Kind zusammen, das dort in seinem seidenausgeschlagenen Tragekorb durch den entfesselten Sturm kam. In einer Ecke warten tröstlich die tänzelnden, orangeroten und blauen Flammen eines Feuers aus Eiche und Olivenbaumholz im Kamin... Irgendwo, sehr weit von hier, an der Mauer des Landgutes von Francisco Coutinho, klirren die Schwerter, blitzen Dolche todbringend auf, und die von D. Teodósio von Bragança gedungenen Meuchelmörder gehen schwerverletzt aus dem Kampf hervor, müssen überstürzt durch steiniges Unterholz fliehen und die Verletzten auf dem Bauch liegend, bluttriefend auf dem Sattel der Pferde mitnehmen... Tage später kommt Meister Jakobus mit seiner Frau Sara, die ein Kind in ihrem Arm trägt, das alle für das ihre halten, nach Tavira. Sie geben sich nicht die Mühe, dies richtigzustellen.

Truditur dies die... Die Zeit vergeht, verraucht. An einem Tage gemahnt die Sonne hinter den blutroten, fliehenden Wolken an den unheilvoll funkelnden Widerschein einer Königskrone, und nachts gleicht das Glitzern der Sterne den Diamanten und Rubinen auf seinem dunkelvioletten Purpurmantel und der Mond übernimmt die Rolle der grausigen, silbrigen Hippe... Wie eisiges Flattern bleicher Flügel klingt das Heulen des Windes... und im undeutlichen Echo der Zeit und des Raumes steigen die apokalyptischen Scharen herab... Und die Braut der Nacht und der ewigen Stille naht. Sie sucht reichliche Beute, einen saftigen Schmaus. Sie klopft an die Tore des Königs... Sie hält sich nicht mit den Söhnen auf. Zwar droht sie, hat aber ihr Augenmerk in die Ferne, auf das Reich selber gerichtet!... auf ihrem Weg, mäht sie hier und da, schärft die Sichel für die Felder von Alcácer...

Der Graf von Marialva wird dahingerafft. Es ist im Jahre fünfzehnhundertneunundzwanzig. Der Monarch drängt daraufhin, daß das kirchliche Gericht ein für alle Mal über den die angeblichen Heirat von Guiomar mit João de Lancastre betreffenden Streit entscheidet, welcher seit neun Jahren anhängig ist. Er rät, die Tochter

Francisco Coutinhos anzuhören und daß sie «frei und ohne Furcht», Zwang oder Drohung sagen möge, ob sie mit dem Marquis de Torres Novas verheiratet ist oder nicht. Zudem solle man ihr nicht verbergen, daß gemäß der Bestimmungen König Manuels die Titel und Schenkungen des Hauses Marialva und Loulé nicht auf sie übergehen werden, wenn die Heirat mit dem Infanten D. Fernando nicht durchgeführt wird. D. João III. will die absolute Macht nicht ausnutzen, welche ihm in einem so schwerwiegenden Rechtstreit zusteht, in dem das Wort zweier Könige eine Rolle spielt, doch das Mindeste, was er als Ausgang dieser bedauerlichen Angelegenheit akzeptieren könnte, ist, falls Guiomar Coutinho sich weiterhin unbeugsam zeigen sollte, das Kloster. Sie läßt sich nicht beirren, als die Richter in ihr Haus kommen. Sie empfängt sie im Prachtsaal, stehend, ganz in Schwarz wegen des kürzlichen Trauerfalls, auf die geschnitzte Lehne eines großen Stuhls gestützt. Sie täuscht Gelassenheit vor, doch ihr Inneres gleicht einem Vulkan. Den Prinzen heiraten? Niemals! Sie erinnert sich daran, wie die Witwe König Manuels nach Frankreich fuhr, um König Franz I. zu heiraten. Ein Rasseweibchen für einen königlichen Deckhengst! – es gelingt ihr nicht, rohe und harte Gedanken zu unterdrücken, derer sie sich nie fähig geglaubt hatte. Hier hat sie geworfen und dort wird sie weiter werfen. Nichts anderes sind die hochgestellten Damen! Weibchen, die gedeckt werden, um reinrassige Junge zu werfen!... Zur Befriedigung ihrer Instinkte, ihrer fleischlichen Begierden stehen den Adligen andere Frauen zur Verfügung, von der Waschfrau bis zur Köchin, den Ehefrauen und Töchtern der Hausmeister, Verwalter und Diener, von den Zofen bis zu den Hofdamen der Königinnen und anderen Fürstinnen. Wenn ihnen die eigenen Gemahlinnen untreu sind, töten sie sie, doch sie lassen nicht zu, daß sich ihre Vasallen gekränkt fühlen, wenn sie ihnen die Hörner aufsetzen, sie meinen vielmehr, jene sollten sich von dem goldenen, königlichen Geweih geehrt fühlen. Die dicken Mauern der Paläste, die schweren Kastanienholztüren, das Dickicht der Wälder, die Einsamkeit der Jagdschlößchen können die Seufzer der allgemeinen Unzucht nicht mehr ersticken, welche bei Tag und bei Nacht stattfindet. Die Mönchsklöster sind randvoll mit blaublütigen Bastarden und die Nonnenklöster voll der Geliebten von Königen, Prinzen, Adligen, die das Privileg haben, nicht nur einfache Abkommen Adams zu sein. Die bischöflichen Kanzeln sind den natürlichen Söhnen der Adligen ebenso vorbehalten wie die Lehrstühle, die Meisterwürde der militärischen Orden, die Statthalterschaft, das Amt eines Alkalden, der Posten eines Grenzgouverneurs des Reiches... Man kann Bischof oder Kardinal mit elf Jahren werden!... Guiomar Coutinho weigert sich, ein Weibchen zu sein, wegen eines Vertrages, den sie nicht geschlossen hat, von einem Prinzen gedeckt zu werden, der sehr viel jünger ist als sie und den sie nicht liebt. Sie fühlt in sich eine Welle des Ekels aufsteigen, der in ihrem Inneren brodelt, und sie widersetzt sich, ist bereit, dem Druck der Richter, des Königs zu widerstehen... Gelassenheit, Ruhe nach außen hin. Drinnen ein Strudel!... Sie hört die Priester reden. Kloster!? Ach! Ja! Auch sie ist begeistert von dieser Lösung, und dann soll nie wieder ein Wort über die Angelegenheit verloren werden... Sie sollen sie in Ruhe lassen... Die Richter sind beunruhigt, weil sie wissen, daß dies nicht der Ausgang ist, der vom König gewünscht wird, sondern nur seine Drohung. Sie sehen einander sprachlos an. Und das eigene Prestige, das auf dem Spiel steht?... Einer von ihnen beschließt, von einem feinen Instinkt geleitet, sich weiter vor in das Innere dieser Frau zu wagen. Wenn es ihr schon gleichgültig sei, ihren Namen, ihre Stellung, ihre Macht, ihren Reichtum, das Leben und den Glanz am Hofe zu verlieren, und sie es vorziehe, alles für das Habit einer Nonne herzugeben, wenn ihr Gewissen es aushielte, daß zwei Geschlechter wie die der Marialva und Loulé ausgelöscht würden, die so viel Glanz und Größe besäßen, würde sie aber die Last der Verantwortung dafür tragen wollen, der Grund dafür zu sein, daß Dritte Stellung, Macht, Reichtum und Namen verlören?...

«Wie das?» schreckt Guiomar auf.

«...das Verschwinden eines Adelshauses, das schon sehr bedeutend ist und noch größer werden kann, das des Erben des Prinzen D. Jorge und Herzogs von Coimbra, Herren von Aveiro, und das ist der Herr Marquis de Torres Novas, D. João de Lancastre?»

«Oh! Mein Gott!» ruft sie aus und von Schwindel befallen sinkt sie in den Sessel. «Das darf nicht sein! Das darf nicht sein!... Ist es möglich?»

«Genau das wird geschehen, Senhora. Zudem wird D. João de

Lancastre damit rechnen müssen, in das Gefängnis der Festung in Lissabon zurückzukehren und diesmal, um es nie wieder zu verlassen...»

Plötzlich bricht über der Unglücklichen alles zusammen... Verwirrung, Angst, Todesqualen, das Zerrinnen des letzten bißchen Hoffnung... Und der Sohn? Und der Sohn? Der Sohn muß gerettet werden. Koste es, was es wolle!...

«Ich nehme an, Ihr habt eine Erklärung vorbereitet, die ich unterzeichnen soll, im Falle daß...» sagt sie mit tonloser Stimme, ohne die Henker anzusehen, mit Tränen in den Augen.

«Hier ist sie.»

«Ich unterzeichne.» Und mit zitternder Hand unterschreibt sie die Urkunde und fällt ohnmächtig zu Boden.

Der König beeilt sich, den Bruder, D. Fernando, mit Guiomar Coutinho zu verheiraten... eine einfache Hochzeit ohne jeden Pomp... Was fürchteten sie? – um die Titel und Schenkungen der Häuser Marialva und Loulé auf ihren Namen übergehen zu lassen. Es geschieht dies im Jahre fünfzehnhundertdreißig. Die Tochter des Obersten Haftrichters des Königreiches wird, schon selbst zweifach Gräfin, Herzogin von Guarda und Trancoso, Prinzessin von Portugal... Doch dann naht der Schlund, der unersättliche, makabre Strudel des Todes. Er entreißt ihnen den ersten Sohn gleich nach der Geburt, nimmt ihnen unbarmherzig den zweiten. Das dritte Kind wird geboren, ein Mädchen, und in einer Nacht schwebt über dem Palast ein klebriger, schlangengiftgetränkter, dunkelgrüner Mantel, und über den Dächern der Schrei unheilkündender Fledermäuse. Fern von Abrantes befindet sich der Prinz wegen dringender Geschäfte in der Stadt Azinhaga, doch er fühlt in seinen Träumen bedrohliche Schwingungen. Als er am Morgen aufsteht, sagt er zu denen, die ihn ankleiden:

«Einen merkwürdigen Alptraum hatte ich heute Nacht!»

«Das Geschwätz eines Verliebten! Die kürzeste Abwesenheit der geliebten Frau ist ein Alptraum!...»

«Mir träumte, daß ich in Abrantes war...»

«Die Vaterliebe erträgt es nicht, lange von der geliebten Tochter entfernt zu sein!...»

«Dichter Nebel umhüllt den Eingang zu meinem Hause, und aus

der schwarzen Öffnung der Tür, deren zwei Flügel sich öffnen, als habe ein kaum spürbarer Wind sie aufgestoßen, sehe ich in einer langsamen Prozession, einen nach dem anderen, von schwarzem Samt bedeckt, das goldgestickte Kreuz darauf im Schein der Fakkeln schimmernd, drei Särge herauskommen...»

«Mein Gott, welch finsteres Zeichen! Welches Unheil kündigt es an?»

«...dahinter tauchten tausend Klageweiber auf, die mit langsamen Bewegungen schmerzliche Gesten andeuteten und ihr Weinen in den Falten wehender, nachtfarbener Schleier verbargen...»

«Oh! Welch furchtbare Vision! Welche Tragödie kündet sie an?... Doch da kommt ein Page...»

«Was wünschst du, Page? Welche Nachricht bringst du mir? In deinem Antlitz haben sich Schatten eingenistet, die mich erschrekken, und in deinen Augen sehe ich den Flügelschlag des Todesengels...»

«Ich bringe Euch eine traurige Nachricht, Herr. Eure Tochter ist gestorben...»

Das war im Oktober fünfzehnhundertvierunddreißig. Der Infant eilt nach Abrantes, um seine Gemahlin zu trösten. Er wird alsbald krank, und am siebten November sieht man seinen Sarg aus dem Portal des Hauses herauskommen. Guiomar Coutinho braucht keine neuen Trauergewänder anzulegen. Unter den Augen und um die Lippen nisten sich die Schatten der Trauer ein, die aus der dunklen Nacht ihrer verbitterten Seele stammen. Eine Strafe des Himmels? Es ist gleichgültig! Sie hatte alles aus Liebe getan... Liebe erlöst... Sie weiß, daß sie sterben wird, sie fühlt auch in ihrem Inneren die kalte Berührung einer weißen Hand, die sie umschwebt. Nachts irrt sie wie ein Gespenst durch die leeren Säle des Palastes. Sie denkt an ihr Leben, den kleinen Sohn, der irgendwo in der Ferne ist und ein goldenes Medaillon am Halse trägt. Er wird jetzt acht Jahre alt sein, der Arme!... Ein Pelikan mit einem fünfzackigen Stern auf der Brust... Denkt an den Geliebten... Sie setzt sich an einen Sekretär. Adieu! Verzeih! steht auf dem Papier, welches am folgenden Morgen, als sie sie tot vorfanden, unter dem Gesicht entdeckt wird, das auf den Tisch gesunken war. Es ist der neunte Dezember jenes Unglücksjahres...

Das Gerede, das dieser Fall von Anfang an hervorgerufen hatte, sorgte für Aufruhr bei Hofe und in der ganzen Nation, von den näher beteiligten Adligen bis hin zum entferntesten, einfachsten Bauern. Mit der Heirat des Prinzen wurde es ruhiger darum und der Fall war fast vergessen, als jener dramatische Ausgang die gläubigen, gottesfürchtigen Seelen aller erschütterte. Gemeinhin wurde gesagt, daß es Gottes Hand war, und der Beweis dafür, daß die vom König erzwungene Heirat unrechtmäßig und sündig war. Den Monarchen selbst treffen die Nachrichten der aufeinander folgenden Todesfälle immer schwerer. Seine Neigung zu Melancholie und Verschlossenheit verstärkt sich, als auch seine Söhne ihm wegsterben. Bei der Nachricht vom Tode Guiomars, murmelte er nur, ich hatte es schon erwartet, und verbirgt, aus dem Fenster schauend, die tränennassen Augen. Wie hatte alles geendet! Alles hatte der Tod weggefegt, die Adelsgeschlechter, die persönliche Befriedigung an Reichtum und Befehlsgewalt, den Gehorsam gegenüber der Göttlichen Macht!... Guiomar entzog sich einer Heirat, die sie nicht wollte... Nichts war geblieben, nichts!... Oh, doch! Er lebte noch, der Marquis de Torres Novas... Er blieb mit seinem Vater weiterhin vom Hofe verbannt... Und nun zeigte Gottes unergründlicher Ratschluß dem König, wie sehr er sich geirrt hatte!... Wieder gutmachen, wieder gutmachen, was noch irgend wieder gut zu machen war... Vor zwei Jahren war das Haus Bragança auf D. Teodósio übergegangen, da D. Jaime gestorben war. Das Geschlecht der Lancastres war nicht weniger edel... Er würde anordnen, daß D. Jorge und sein Sohn an den Hof zurückkehren sollten... D. João de Lancastre würde er auch zum Herzog machen... zum Herzog von Aveiro!...

Aus vergangengen Zeiten klingt von weither das Echo einer Stimme:

«Pantaleon ja, aber nicht von Miragaia: Pantaleon von Aveiro... von Aveiro... von Aveiro.»

XX

Rache

…«Nachdem er regierte, drei oder vier Monate später, wurde ich gefangengenommen und vom Hof verbannt, wegen Vergehen, derer ich beschuldigt wurde, die ich indes nicht gestehen würde, selbst wenn Gott es wollte; sie waren die anderer, und nicht meine noch die Seiner Hoheit auf Grund unseres Alters; und dafür kann ich, damit es nicht so aussieht, als wollte ich nur tote Zeugen anführen, Papiere oder ein Papier vorlegen, mit dem ich meine Unschuld denen gegenüber beweise, die mich beschuldigen…»

(Brief des Marquis de Torres Novas und Duque de Aveiro D. João de Lancastre an D. Catarina, die Regentin während der Minderjährigkeit von D. Sebastião.)

Der Wind hatte ganz entschieden mit uns nichts im Sinn. Entweder brachte er uns in gefährliche Nähe der Küste der Türken oder er warf uns nach Italien hinüber, ohne daß die Reise voranging. Der Schiffsherr beschloß besseres Wetter abzuwarten und ging in einer Bucht in der Nähe eines Ortes namens Madonna di Gallipoli vor Anker. Wir standen an die Decksbrüstung gelehnt und sahen dem Landemanöver zu, als Bruder Zedillos Stimme das Schweigen brach: ob wir nicht die Gelegenheit wahrnehmen sollten, um uns von den Unbilden des Meeres zu befreien? Ich antwortete nicht gleich. Wir gingen an Land, um uns die Beine zu vertreten und damit sich der Magen vom Wellengang erhole... Ob ich nicht den Rest des Rückweges zu Lande machen wollte? beharrte mein Gefährte. Er war des Schiffes so sehr überdrüssig, daß er Argumente suchte, um mich zu verlocken. Dort liege doch gleich das Königreich Neapel, mit den Ebenen Apuliens und den Bergen der Campagna! Hätte ich ihm nicht einmal gesagt, daß ich Italien nicht verlassen wollte, ohne vorher diese Gegenden gesehen zu haben?... Ich nahm den Vorschlag gerne auf. Ein Franziskaner soll nicht an einem Ort verharren, und für mich wäre zu einem Zeitpunkt, da das Nichtstun meine Gedanken zum Überschlagen brachte und ich dringend mein inneres Gleichgewicht wiedererlangen mußte, nichts nützlicher als eine lange Wanderung durch die schöpferische Natur, deren belebende balsamische Düfte ich mit all meinen Sinne aufnehmen würde... Das Meer hinter sich lassen und jene feuchte, graue Nebelatmosphäre, die alles auflöst und gleichmacht, und den Fuß an Land setzen ist so, als wiederholte man die göttliche Geste der Genesis und träte aus dem gestaltlosen Chaos in den geordneten Kosmos, aus dem Universum des Absoluten und Unbestimmten in die Welt des Zufälligen, der von Zeit und Raum umgrenzten Farben und Formen und Düfte. Mit diesem läuternden und zugleich franziskanischen Bad in den geringen und vergänglichen Dingen des Lebens würde auch meine innere Landschaft nicht mehr nur aschgraue Dämmerung des Vergangenen und ferner Trauer sein... Mein Gefährte kümmerte sich sogleich darum, in den nahegelegenen Ort zu gehen, um dort Reittiere für den darauf folgenden Tag zu mieten und sich mit allem Notwendigen für die Reise zu versehen. In jener Nacht schliefen wir auf dem Schiff. Wir verabschiedeten uns vom Kapitän, welcher unsere Überlegung sehr wohl verstand: Ach, wenn er frei wäre, wäre er der erste, der mit uns käme... und er schlug mit der flachen Hand durch das halboffene Hemd auf seine gewölbte, kräftige, behaarte Brust, – selbst wenn er blind wäre, das sollten wir ihm glauben!... – Die wertvollsten Dinge ließen wir in seiner Obhut in seiner Kabine verschlossen und versiegelt zurück, und der Rest unserer Wäsche und Gerätschaften wurde einem venezianischen Jüngling anvertraut, welcher uns auf dem Schiff zu Diensten gewesen war. Alles würden wir später in Venedig wieder abholen. So machten wir uns bei Tagesanbruch auf den Weg. Es war der zweite August fünfzehnhundertfünfundsechzig... Ländereien mit Olivenbäumen und Weinbergen, duftende Apfel – und Orangenhaine, in denen viele Amseln ihre Nester gebaut hatten, Schafherden, die im Gegenlicht der aufgehenden Sonne, wie Schnee den

Hang hinunter, sich ausbreiteten, Ziegen und Schafe, deren Schellen läuten, der eifrige Hirtenhund mit wachem Auge und gespitzem Ohr, hier und dort ein üppiger kleiner Gemüsegarten mit Kichererbsen, Saubohnen, Brechbohnen und Tomatenstauden, oder das Heidekraut auf dem Berg, das Pfriemenkraut, der Rosmarinbusch, der Baumerdbeerstrauch, der Stechginster und das Alecrim, eine Unzahl kriechender, stark duftender Pflanzen, oder die hohen, ausladenden dunkelgrünen Pinienwipfel, in denen der Kuckuck ruft und der Häher flattert... ich fühle mich wie in Setúbal, Arrábida, Azeitão... und meine Seele beginnt zu genesen. Wir kamen in Tarent vorbei, wandten uns dem apulischen Flachland zu, besuchten an der Adria den Hafen von Bari und das Heiligtum des Heiligen Nikolaus, schlugen dann den Weg ins Innere des Landes, nach Neapel ein, überquerten den Apennin, und wanderten immer weiter nach Rom. Eine ruhige Reise, die mit Muße verlief, ohne feste Zeiten, unter einer strahlenden, tröstlichen Sommersonne, eine Reise, die uns Zeit ließ, in den Obstgärten die Früchte zu genießen und das frische Brot, welches sie in dieser Gegend backen, vom reinen Wasser der Quellen zu trinken, die aus den Bergen entspringen, und friedlich miteinander zu reden, alles ganz gemach... Angesichts des Vesuvs, der Lava spuckt, Flammen, Höllenrauch, kommen mir Bruchstücke von Versen hoch... Einige waren noch immer von Blut und Tod schmerzlich erfüllt, indes schon ausgefeilter, ein Zeichen dafür, daß der Schmerz weniger ehrlich war, und ich wandte mich, wieder der alte kritische Zuschauer meiner selbst, schwärmerisch der Form zu:

Seinen Todesodem stieß aus
das Magma des Felsens
und wurde erstarrend zum Grabstein...

Es sei höchste Zeit – das war Bruder Zedillo, der mir zugehört hatte – daß dieser Schmerz, der mich bedrückte, christianisiert würde. Ich solle die Natur ansehen und die Lehre, die sie mir erteilt, indem sie sich aus den Trümmern und den Verheerungen durch Stürme immer wieder erneuerte. Sei es nicht ein Lieblingsthema der heutigen Dichter, einen Vergleich der inneren mit der äußeren Landschaft vorzunehmen?... Mein Gefährte hielt mich für kränker und angegriffener, als ich es in Wahrheit war. Die höchst ungewöhnliche Geschichte meiner Mutter und ihr Tod hatten mich tief beeindruckt und verstört, doch der zeitliche Abstand und die räumliche Entfernung ließen sie mich gleichsam gedämpft, wie in einem Traum empfinden. Wenn ich Traurigkeit verspürte, so war dies eine kühle, verstandesmäßige Trauer. Ich vergoß keine Träne... Wir sprachen über dies und jenes, während wir unseren Weg zurücklegten, und irgendwann fragte er mich:

«Es gibt da etwas, was ich bei diesen bedauernswerten Vorfällen einfach nicht begreife. Eifersucht und Rache ergänzen einander, das weiß man, die Welt ist voll davon, und wir Beichtväter wissen dies wohl... Doch eine Rache, die so weit greift, bis hin in eine andere, jüngere Generation, quer durch die Welt, eine Rache, deren Opfer Ihr seid, obwohl Ihr außerhalb des Ganges der Ereignisse standet, warum?... Auf Kreta, in Palästina an einem so unwirtlichen Ort, auf Korfu, einer im adriatischen Meer verlorenen Insel... ! Gott allein weiß, an welchen anderen Orten sie vorbereitet und aus irgendeinem Grunde vereitelt wurde...

«Wobei Ihr mit einem blauen Auge davongekommen seid, Bruder!» sagte ich gutgelaunt.

«Denn einmal wart Ihr mein Schild, im Sabas-Kloster, und ein anderes mal hätten sie Euch auf Korfu möglicherweise an meiner Stelle übel zugerichtet, hätten Eure Beine Euch nicht weit weggetragen... auf der Suche nach Hilfe...»

Ich hätte eben irgendeinen Schutzheiligen, der über mich wachte... Doch auf Korfu sei die Sache ernster gewesen, erinnerte ich mich. Unsere Brüder sind gestorben... Es habe ganz offensichtlich die Absicht gegeben, entgegnete er, – und da besteht nicht der leiseste Zweifel –, mich zu töten, mich auszuschalten... Warum? Warum?...

Im Grunde genommen wunderte mich das Unverständnis meines Gefährten nicht. Ich selbst hatte mir bereits die Frage gestellt und fand anfangs eine derart hartnäckige, beharrliche und entschlossene Verfolgung auch merkwürdig. Dieser starrsinnige Haß wurde von zwei Quellen gespeist: Der Wahnsinn D. Teodósios rührte von einer krankhaften, ungesunden Leidenschaft her, die, als sie abgewiesen wird, nicht erträgt, daß es auch nur die geringste Spur einer rivalisierenden und erwiderten Liebe gibt; hinzu kam seine methodische Akribie, die peinliche Genauigkeit, mit der er von den wichtigsten Punkten Europas und Asiens aus ein enges Netz von Agenten aufbaute, welche gut bezahlt wurden und ihm erlaubten immer im Bilde über das zu sein, was sich im Welttheater abspielte, deren Nachrichten er geduldig sammelte und in Bände eintrug, denen er den Titel *Os Livros de Muitas Coisas*, die Bücher über vielerlei Dinge gab. Guiomars Tod verstärkte diesen unkontrollierbaren Wahnsinn. Für Teodósio gab es nur einen Schuldigen, den Herrn von Lancastre, und die Tatsache, daß er mitansehen muß, wie der König seinen Feind zum Herzog von Aveiro ernennt und ihm eine hervorragende, angesehene Stellung gab, nachdem er ihn ins Gefängnis geworfen hatte, erfüllte ihn mit unerträglichem und schmerzlichem Groll. Doch als er durch einen glücklichen Zufall die unglaubliche Tatsache erfuhr, daß es irgendwo, was nie vermutet worden war, einen Sohn von Guiomar und João gab, da träufelte und sickerte der ganze klebrige Geifer schlecht vergorenen Hasses aus seiner Seele, der Bodensatz des Neides, der im Finsteren die gemeinste Rache schwor, an einem Hofe, an dem stündlich in den Falten der Vorhänge, dem Halbdunkel der Vorzimmer, in den verborgensten Schlupfwinkeln der Keller die scharfen Dolche blitzten, an dem das tödlichste Gift zur Hand war, der Pestgeruch von Alraunen, widerlichste Zaubertränke, die in den gotteslästerlichen schwarzen Messen beim Hexensabbat gebraut wurden...

Und durch welchen Zufall, unterbrach mich mein Gefährte, habe er von meiner Existenz erfahren ? Er könne sich nicht daran erinnern, darüber etwas bei den Beichten gehört zu haben, die Isac Beiçudo auf der Insel Korfu erzwungen hat... Vielleicht sei er unaufmerksam gewesen, als er den Rosenkranz gebetet habe...»

«Es war so, daß mit der Auflösung des Hauses des Prinzen D. Fernando und seiner Gemahlin jenes Mädchen, das meine Amme gewesen war... Wie hieß sie noch... Sie hieß Balbina – Sie war inzwischen verwitwet. Sie war nach der Hochzeit im Gefolge der Dienerschaft ihrer Herrin nach Abrantes gekommen. Aber nun war ihre Herrin auch tot!... Was machte sie dort an einem unbekannten Ort?... Sie beschloß, zu ihrer Mutter nach Vila Viçosa zurückzugehen. Es war nicht schwer für sie, Arbeit im Hause der Herren von

Bragança zu finden. Dem Hausmeister, einem Mann von etwa dreißig Jahren, welcher groß, und mager war und eine lange, ihn entstellende Narbe auf der rechten Wange hatte, die vom Augenwinkel bis zum Kinn verlief, gefiel das Mädchen und er ihr. Es dauerte nicht lange, bis sie seine Geliebte wurde. In einer vertrauten Stunde fragte Balbina ihn, wie er zu jener so schrecklich langen, tiefen Wunde gekommen sei... Es mußte ganz entsetzlich gewesen sein, für ihn, ihren armen Liebsten!... Und er erzählte ihr, während er ihr tiefschwarzes, über ihre milchweißen Schultern fallende Haar streichelte, von einer stürmischen regnerischen Nacht, dort, bei der Mauer des Hauses vom Grafen von Marialva... «Vom Grafen von Marialva?» rief sie, hob ihren Kopf von der Brust ihres Liebsten und sah ihn mit aufgerissenen Augen an. – Sie habe in jenem Hause gedient! Was er dort in Regen und Wind gemacht habe?... Und er antwortete, daß er dort mit einer Gruppe von Dienern war, die von D. Teodósio angeführt dem Marquis de Torres Novas auflauerten... Es habe einen Kampf gegeben, er sei verletzt worden, doch er habe die Hoffnung noch nicht aufgeben, sich an dem Schuft zu rächen, der ihm das Fleisch mit einem Dolch aufgeschlitzt habe... Doch was habe sie im Haus der Marialvas gemacht? Sei sie Magd gewesen?... – Mehr als das, mein Liebster. Aber das sei ein großes Geheimnis! sagt sie erschreckt und schlägt eine Hand vor den Mund, um zu verhindern, daß die letzten Worte herauskämen. Der Geliebte besteht unter Zärtlichkeiten darauf, daß sie ihm ein so großes Geheimnis anvertrauen möge. – Ob es etwas mit Dona Guiomar zu tun habe, bohrt er nach. Das sei doch nun unwichtig. Alles sei zu Ende gegangen. Sie sei gestorben und mit ihr alle Geheimnisse... Balbina erwiderte: Ganz im Gegenteil! Jetzt gehöre das Geheimnis dem Grabe an, es gehöre Gott, dem Tod!... – Er tat so, als sei er beleidigt: sie liebte ihn wohl nicht, hätte kein Vertrauen in ihn... und er küßte sie auf den Hals, den Nacken, hinters Ohr... – Das sei nicht wahr, protestierte sie, halbwegs besiegt... – Aber das Geheimnis gehöre ihr nicht, das müsse er verstehen... Sie habe geschworen... geschworen... Er solle sie in Gottes Namen nicht fragen!... Der Mann verließ unvermittelt das Bett, tat, als wolle er sich anziehen, spielte den Gleichgültigen, Kalten, Ärgerlichen: Also gut, ich habe verstanden!... Sie zieht in zärtlich an der Hand, umarmt, küßt ihn:

Ich erzähle es nur dir, hörst du?... Niemandem sonst... Schwör mir, daß du es niemals... niemandem sagst! Schwör es! Schwör es! – Ich schwöre es! – Wenn du es weitersagst, sterbe ich...»

Die Maultiertreiber hielten am Ufer eines Baches, um zu trinken und Gras zu mähen. Da ich aufgehört hatte zu reden und sie mit abwesendem Blick ansah, ohne sie zu wirklich wahrzunehmen, fragte Bruder Zedillo: «Und dann?»

«Und dann...», antworte ich... «wurde wenige Tage später Balbina ertrunken in einem Brunnen hinten auf dem Landgut gefunden. Der Brunnen war immer noch der letzte Ausweg für die Regelung von Ehrenfragen unter Leuten des Volkes. Teodósio wußte von Jakobus und einem Jungen mit einem Goldmedaillon um den Hals. Er wußte nur nicht, wo sie waren. Er würde es bald herausfinden. Er schickte Späher in die verschiedensten Richtungen aus, und bald schon machten sie den jüdischen Arzt in Tavira aus. Er war wütend und verwirrt, als sie ihm sagten, daß Jakobus und Sara keinen Sohn bei sich hätten. Er ordnete an, die Nachforschungen weiterzuführen, und eine Denunziation des jüdischen Arztes bei der Inquisition sollte dem Racheakt einen frommen Anstrich geben. Ohne es zu ahnen, sollte ich der Überbringer der dringenden Botschaft an Meister Jakobus sein, die ihm sagte, er solle aus dem Königreich fliehen, wenn er nicht auf dem Scheiterhaufen sterben wolle. Der Abt unseres franziskanischen Klosters in Évora, in dem ich als Novize weilte, war von D. João de Lancastre gewarnt worden. Dessen Beichtvater war Mitglied des Inquisitionsgerichtes. Ich habe ihn gut kennengelernt: Bruder D. João Soares... Unter dem Vorwand meines Zögerns, das Habit endgültig zu nehmen, schickt mich der Superior mit einem anderen Novizen namens Diogo zu einem Besuch unserer anderen Klöster im Süden. Ich komme nach Tavira und besuchte Frei Gaspar, dem Diogo eine geschriebene Botschaft des Abtes von Évora übergibt. Wir drei besuchen wie zufällig Meister Jakobus und seine Frau Sara, von denen ich nicht im entferntesten wußte, wer sie waren. Damals konnte ich die überschwengliche Zärtlichkeit, mit der sie mich empfingen, nicht verstehen, ihre feuchten Augen, die Rührung, mit der sie sich von mir wie von einem Sohn verabschieden, den sie nie wiedersehen würden. Bei Anbruch des Abends zerstört ein Erdbeben Tavira fast vollständig. Unter den hunderten von Toten, die wir begraben helfen, ist auch Bruder Gaspar. Als ich wenige Tage später zum Hause Meister Jakobus' eile, finde ich nur Trümmer vor. Nachbarn sagen mir, daß die beiden unter diesem Schutt begraben sind. Ihre Leichen werden nie gefunden, doch auf einem Schiff, das nach Venedig ausläuft, sehe ich im Bruchteil eines Augenblicks Sara, die weinend unter den Passagieren steht, die sich an der Decksbrüstung drängen, und mir zum Abschied winkt. Meister Jakobus wird wenig später *in effigie* bei einem Autodafé in Évora verbrannt. Ich war dabei.

Mein Gefährte und ich setzten, lange Zeit schweigend, unseren Weg fort. Wozu Worte? Schweigen, Eloquenz... Indes wußte ich wohl, daß mein Gefährte gern wissen wollte, wie Teodósio... Er habe es nicht erraten können... Wie sollte er ahnen, wer von den beiden Novizen der Sohn von Guiomar Coutinho war?... Bruder Zedillo brannte darauf, zu sehen, wie ich die Tatsachen rekonstruierte. Die Rache an meiner Person müßte doch von einem bestimmten Augenblick an entfesselt worden sein. Ab wann?... Nun! Jenes goldene Medaillon war eine Unbesonnenheit gewesen, dort an meinem Hals, für alle sichtbar in jenem feierlichen Augenblick, als vor dem König und seinem zahlreichen, adligen Gefolge ein armer Novize in der Kathedrale von Évora das Habit eines Franziskaners nahm:

«Pantaleon von Aveiro», rief die laute, wohltönende Stimme des Bischofs.

Der Herzog von Bragança war dort, direkt neben dem Herzog von Coimbra und dessen Sohn D. João de Lancastre. Es überkam ihn wie eine Erleuchtung: das goldene Medaillon und jener Name «de Aveiro»!... Er blickte zu seinem Nachbarn herüber, und das genügte schon, um die Wahrheit zu wissen, die in der Bewegung der Gesichtsmuskeln ganz deutlich wurde, die sich anspannten, um sich zu beherrschen, ganz abgesehen von dem nur einen Augenblick dauernden Aufblitzen eines Lichtreflexes in der Träne, die aus einem Auge gerollt und sogleich im blonden Bart verschwunden war.

«De Aveiro!» murmelte er mit zusammengebissenen Zähnen... «Und ich habe es gehört, während mein Herzschlag aussetze. «Doch der Herzog von Aveiro hat es auch gehört...»

Meine ständigen Ortsveränderungen vereitelten einen möglichen Hinterhalt, und im Franziskanerkloster wußte niemand, wo ich mich aufhielt, als seien alle an Gedächtnisschwund erkrankt, der ihre Köpfe leergefegt hatte. Welche Gefahr konnte jener junge Franziskanermönch laufen, der gemach die Serra da Arrabida hinaufstieg und das Schiff mit den Blicken verfolgte, das seinen Freund Diogo nach Brasilien brachte? Es war allerdings gefährlich für die Meuchelmörder des Hauses Bragança, sich in den Ländereien des Herzogtums von Coimbra und Aveiro aufzuhalten. Auch in Lissabon fanden sie keine Spur von mir. Man kann sich vorstellen, wie verzweifelt Teodósio war und wie zurückgedrängter Haß noch mehr Haß zeugte... Dieselbe unsichtbare Hand – das verstehe ich jetzt – die meine Schritte lenkt, um mich zu schützen, schickte mich als Sekretär Bruder Antónios von Padua nach Rom an die Kurie. Kardinal D. Henrique, der mit Bruder Christophorus von Abrantes einen Mann seines Vertrauens in der Kurie unterbringen wollte, sah die Nominierung Antonius' von Padua mit scheelen Augen, «einen getauften Christen *de patre et matre*», wie er in einem säuerlichen Brief an den Kanzler des Papstes sich nicht verkneifen kann. Ein kleiner diplomatischer Skandal in der engumgrenzten Welt derer, die hohe Posten bekleiden ohne irgendwelche persönlichen Meriten. In der portugiesischen Gesandtschaft am Vatikan wird der Fall natürlich beredet und kommentiert. António Pinto ist Sekretär, während er gleichzeitig Teil des von Teodósio von Bragança gewebten Netzes ist. Er versäumt es nicht, ihm diese Ereignisse mitzuteilen. Das wäre nicht unbedingt notwendig gewesen, da der Herzog von Bragança Vertrauter des Kardinals war und daher den Streit bereits kannte. Doch im Brief Pintos gibt es ein Detail, das sich dort nur aufgrund der üblichen peinlichen Genauigkeit findet: der Hinweis auf den unbedeutenden, unbekannten Franziskanermönch, der kam, um Antonius von Pádua zu helfen, ein gewisser Pantaleon von Aveiro!...»

«Von dem Augenblick an...» dachte Bruder Zedillo laut.

«Von dem Augenblick an wird das große Spinnennetz gewoben, welches indes sogleich genarrt wird und nichts ausrichtet, als Bruder Bonifazius von Aragusa ein enger Freund des berühmten Brudes D Bartolomeu dos Mártires wird, mich auf Vorschlag desselben in Rom abholt und mit durch ganz Italien zieht, um die neue franziskanische Familie für das Heilige Land zusammenzustellen, ein Hin und Her, Rom, Trient, Venedig..., das sie gedungenen Leute António Pintos verwirrt.

«...bis eine sichere Angabe auftaucht...», führte mein aufmerksamer Gefährte meinen Gedankengang zu Ende.

«Ja, die sichere Angabe ist die, daß ich mich, in die Enge getrieben, auf einem Schiff auf dem Wege nach Palästina befand... So konnte ich letztlich nicht mehr entkommen...»

«Wenn es nicht einen Zufall gegeben hätte, wie den auf Kreta...»

«Ja. Die schützende Hand Isac Beiçudos hatte noch nicht bis dorthin gereicht, welcher auch in Zypern fast versagt hätte, hätte sich dort nicht der furchtbare Schiffbruch in Paphos ereignet, bei dem Argiropolus starb.»

«Und wie kommt Isac in diese ganze Geschichte hinein?» verlangte die Neugier meines Gefährten zu wissen.

«Das ist doch ganz augenfällig. Isac Beiçudo ist ein portugiesischer Jude, ein Freund von Jakobus und Joseph, dem portugiesischen Buchhändler in Venedig. Joseph ist über seinen Sohn Joaquim, der als Kind mein Schulkamerad war und jetzt Arzt in Setúbal, der geheime Verbindungspunkt zwischen João de Lancastre und Meister Jakobus, vor allem als Pantaleon von Aveiro, dieser arme Franziskaner, der von dem ganzen verzweigten Komplott, welches um ihn herum geschmiedet wird, nichts ahnt, sich auf dem Weg nach Jerusalem befindet. Andere Agenten des Herzogs von Aveiro in meiner Nähe in Rom sind Bruder D. Bartolomeu dos Mártires, ein enger Freund des Herzogs, ein häufiger Gast in seinem Hause in Azeitão, bevor er Erzbischof von Coimbra wird, und Bruder D. João Soares, der Bischof von Coimbra. Diese beiden Prälaten kommen eigens von Trient, um in Venedig an meiner Abreise ins Heilige Land teilzunehmen, als wollten sie sich vergewissern, daß alles in bester Ordnung verläuft. Das zweite Mal in meinem Leben bin ich, ohne es zu ahnen, der Überbringer einer Botschaft, die mich betrifft. Sie soll Isac in Korfu übergeben werden, Isac, der, von Meister Jakobus unterrichtet, mir schon entgegeneilt. Er schifft sich in Salamis auf der *Quirina* ein, segelt auf den Schiffbruch und vielleicht sogar den Tod in Paphos zu, wäre er nicht in

Limassol an Land gegangen, um etwas über die Ankunft des Schiffes aus Venedig zu erfahren. Im Vertrauen darauf, daß die Windstille ihn einige Tage dort aufhalten wird, bleibt er bei Freunden an Land, und als er am Hafen ankommt, um wieder an Bord zu gehen, ist die *Quirina* schon auf dem Weg in ihr Verderben. Wer sich zu seinem Unglück auf ihr eingeschifft hatte, war Argiropolus, der das Schiff aus Venedig, auf dem wir kamen, in Paphos einholen wollte. Isac nimmt darauf ein französisches Schiff, welches mit Galläpfeln beladen aus Tyros kommt und sogleich auf das freie Meer hinaussegelt, als der Sturm über die Insel hereinbricht. So verfehlten wir uns und sollten dies auch noch länger tun, doch es wird noch länger gedauert haben, bis Pinto zu Ohren kam, was in Kreta geschah und daß die *Quirina* untergegangen war, auf der Argiropolos den Tod fand...»

«Wenn er es überhaupt erfahren hat...», bemerkte mein Gefährte.

«Ja. Wir können durchaus annehmen, daß er nur gefolgert hat, daß irgendetwas fehlgeschlagen sein mußte, als er aus dem Heiligen Land die Nachricht erhielt, daß der Guardian von Jerusalem und sein portugiesischer Begleiter, Bruder Pantaleon, bei bester Gesundheit waren. Zu diesem Zeitpunkt bricht der Bischof von Coimbra zu einer Pilgerfahrt ins Heilige Land auf. Pinto lockt Miguel, dessen Sekretär, mit Versprechen, die das Gewissen des ehrgeizigen Kanonikus zum Schweigen bringen. Er gibt ihm Gold, damit er denjenigen bezahlen kann, der den Plan durchführt, das unglückliche Opfer zu beseitigen... Und den Rest...»

«Den Rest kenne ich!» lachte Bruder Zedillo, der jetzt, aus dem zeitlichen Abstand heraus ganz vergessen hat, wie sehr er damals im Eifer des Gefechts gezittert und mit den Zähnen geklappert hatte.

«Doch zum Glück war Isac Beiçudo da, aus dem Dunkel und dem Nichts gekommen wie ein Gespenst...»

Wir nähern uns Rom, dessen Umrisse sich, aus der lieblichen Ebene emporwachsend, schon in der Ferne dunkel abzeichnen. Das gleichmäßige Hufgetrappel der Maulesel auf der mit großen Basaltsteinen gepflasterten Straße dröhnt in der windstillen Luft. Es ist die Via Appia, welche wir während der Reise hier und dort fast vollkommen erhalten vorfanden. Zu beiden Seiten Ruinen edler römischer Häuser und uralter Grabmäler, die im sanften Licht zerfallen, das durch die dunkelgrünen, ausladenden Wipfel der Pinien und die der schlanken Zypressen fällt. Die Schatten des Crassus, Metellus und der Scipionen schweben in der Luft, und hinter den Säulen und den herabgefallenen Grabsteinen der heiligen Opferaltäre lugen schwermütig die Seelen der verstorbenen Patrizier hervor. Teile eines Aquädukts ziehen an uns vorüber, das, von den fernen Bergen und über die Ebene hinweg bis zur Stadt reichend, beharrlich stehengeblieben ist. Einen Augenblick lang ist mir, als hörte ich die lauten, schweren Schritte der kaiserlichen Legionen in ihren eisenbeschlagenen Schuhen, das Huftrappeln der Kavallerie, das Rattern der Wagenräder der Nachhut. Doch die Urne dort aus weißem Marmor mit den ausgeglühten Knochen sagt mir, daß alles zu Asche geworden ist.

«Da habt Ihr», sage ich zu meinem Gefährten, «was aus Liebe und Haß geworden ist...»

«Eine Hand voll Staub, welche man in einer kleinen Schachtel aufbewahren oder in alle Winde verstreuen kann. Deshalb sagte ich, es sei an der Zeit, daß Ihr Euren Schmerz christianisiert...»

Als wir in Rom angekommen sind, will sich Bruder Zedillo von mir verabschieden, hat es eilig, seinen Weg fortzusetzen, seine Sachen in Venedig abzuholen und die Rückreise nach Spanien anzutreten. – Ihr bleibt bei der Kurie, nicht wahr? – Ich bitte ihn, solange zu warten, bis ich ihm bestätigten kann, daß ich noch eine zeitlang im Vatikan bleiben werde. Dann würde ich ihn nach Venedig begleiten und dort würden wir uns voneinander verabschieden. So geschieht es. Bruder Antonius von Padua empfängt uns, als seien wir, die wir kurz zuvor von den Heiligen Stätten zurückgekommen waren, vom Geist Christi daselbst gesalbt. Natürlich solle ich bleiben, der Platz in der Kurie wartete solange auf mich, wie ich wolle, er habe mitnichten etwas anderes erwartet. Ich fühle in dem ehrerbietigen Empfang, den er mir bereitet, wie mich die Hand leicht und diskret berührt, die mich von weitem schützt. Bruder Zedillo empfindet dies auch so, als er, sobald wir uns zurückgezogen und den Weg nach Venedig eingeschlagen hatten, zu mir sagt:

«Flieht Ihr vor einer Rückkehr nach Portugal? Jeder würde im Gegenteil jetzt, wo Ihr alles wißt, annehmen, daß Ihr...»

«Was soll schon geschehen? Versetzt Euch in meine Lage. Da käme nun ein armer Franziskaner, mit hölzernem Schuhwerk und mit Sackleinen bekleidet, einen Strick um den Bauch in so edle Paläste, wie jene es sind, käme in eine geordnete Familie, stünde vor der Herzogin D. Juliana de Lara und ihren Söhnen, D. Jorge de Lancastre und D. Pedro Dinis de Lancastre... Mit welcher Miene? Mit welchem Recht? Mit welcher Absicht?... Wenn jene nicht einmal wissen, daß es mich gibt...»

Doch *er* würde mich doch sicher gern sehen, beharrt mein Gefährte. Mir selbst... gefiele diese Situation nicht. Eine Gestalt außerhalb der Geschichte, das wolle ich bleiben... Ein Eindringling... niemals! – Ein Eindringling? Ich hätte doch Rechte! Ich solle doch bedenken, daß ich ein ehelicher Sohn sei!... – Es müßte bewiesen werden. In den Augen der Leute sei ich es nicht. Das kirchliche Gericht hatte die Beweise für nicht ausreichend und die von João de Lancastre angeführten Zeugen für nicht glaubwürdig gehalten... – Und warum nicht versuchen, es zu beweisen, jetzt, wo die Leidenschaften sich abgekühlt und sich der Verstand der Menschen beruhigt hätten, provozierte mich mein Gefährte? Vielleicht gäbe es noch Beweise, Papiere...

«Ich habe die Absicht, es zu tun», antworte ich Bruder Zedillo sehr ernst. «Nicht meinetwegen, denn mich stört es nicht, das zu sein, was manche einen Bastard nennen. Vor Gott gibt es keine Bastarde...»

«Blasphemien!»

«...es gibt, wenn überhaupt, Bastardeltern. Ich will es ihretwegen tun. Vor allem für sie... Um der Welt zu zeigen, daß sie der zweiten Heirat zugestimmt hat, um den Mann vor der Rache des Hofes zu bewahren, und vor allem um den Sohn zu schützen. Um der Welt zu zeigen, daß die Strafe des Himmels dem Machtmißbrauch einer Schutzlosen gegenüber galt, dem Vorurteil der Unfehlbarkeit und der Allmächtigkeit des königlichen Wortes, der Anmaßung, etwas zu anullieren, was ein heiliges Sakrament vereint hatte, der Sünde zu behaupten, etwas sei kein Ehebruch, nur weil ein König, ein Prinz, ein Vater ihn sanktionieren, aus Stolz auf sein nutzloses Adelsgeschlecht... Guiomar Coutinho starb nicht im Dezember fünfzehnhundertvierunddreißig, sondern im März fünfzehnhundertunddreißig, als man sie mit dem Prinzen D. Fernando verheiratete. In diesem Augenblick begann ihre Agonie...»

«Ihr sagt furchtbare Dinge!... Doch wo wollt Ihr diese Papiere finden? Denn die Menschen, die Zeugen sterben weg, verschwinden allmählich...»

Ich hätte etwas in der Bibliothek des Vatikan zu tun. Eine kleine, kaum lesbare, von Meister Jakobus zurückgelassene Anmerkung, die Sara mir in Damaskus gegeben hatte. Vielleicht würde ich dort etwas finden. Was er, Bruder Zedillo, dazu meine? Wer weiß! Wer weiß?! Vielleicht in Azeitao, im Besitz desjenigen, den es am meisten anginge, des Herzogs von Aveiro...

Der September begann, und das samtige Licht der orangeroten, ins violette gehenden Sonnenuntergänge bekam eine sanftere Färbung in den zarten Zwischentönen der Abenddämmerung, welche die Lider der Nacht im Halbrund der Täler veilchenfarben schimmern ließ. In Venedig verabschiedete sich mein Gefährte eilig. Er wolle die Alpen noch vor den großen Schneefällen überqueren, das verstünde ich doch. Er, der immer kühl, vom Verstand geleitet war, sagte mir, als wir uns ein letztes Mal umarmten, etwas erstaunlich Gefühlvolles:

«Ich weiß nicht, wie ich ohne Eure Gesellschaft auskommen soll. Ich muß mich ganz und gar erneut prüfen, als hätte ich es nie vorher getan. Ich fühle mich zutiefst verstört!»...

Ich kehre mit den ersten Regenfällen nach Rom zurück, die meine Reise verzögern. Eine gute Gelegenheit, um meiner Neigung zu frönen, die Dinge genau zu betrachten. Der Besuch der Toskana ist mehr noch als ein geistiges Vergnügen, das alte Etrurien erinnert mich an meinen ersten Lateinunterricht und die Wiederholungsstunden am Sonntag, und Florenz, dieser Sammelplatz von Künstlern und höchstem Erfindungsgeist, diese Stadt mit ihren Kirchen und Palästen, welche alle in strengen, geraden Linien klassischer Ausgewogenheit gebaut sind, und so die runden Formen der Vergangenheit, die Bögen und Spitzbögen, aufhebt und sich ihnen widersetzt. Wie veränderlich sind doch des Menschen ästhetische Maßstäbe!...

Ich komme an Arezzo vorbei, gehe an den nebligen Ufern des Trasimenischen Sees entlang, wo ich mich der Legion des Flaminius entsinne, die, kaum hatte sich der Nebel gelichtet, von der unaufhaltsamen, schweren, den Boden erschütternden Masse der Elefanten Hannibals erdrückt wurde, welche trompetend die zwischen dem Gebirge und dem See eingekesselten Römer hinwegfegten. Von Perugia mit seinen engen, gewundenen, steilen Straßen mache ich einen Umweg über Assisi, um dort auf einer Wallfahrt am seraphischen Grab in mich zu gehen. In mich gehen! Konnte man das so nennen? Mein Blick kehrte sich nicht nach innen. Er irrte, sprang von Wand zu Wand, von den Fresken Cimabues zu denen Giottos. «Die Heilige Vermählung des Franziskus mit der Dame Armut»! Und mein tadelssüchtiger Geist – warum ist er nur so bitter? – dreht dies um und stellt sich als Kontrapunkt «Die gotteslästerliche Vermählung des Jedermann mit der Dame Reichtum» vor... Gefangengenommen, zu sehr der Erde verhaftet bin ich!... Hier liegt der heilige Mann begraben, den Gregorius IX. schon zwei Jahre nach dessen Tod kanonisierte. Eine schnelle Kanonisierung! Ich erinnere mich an die Worte, welche mir eines Tages in Damaskus ein Jude gesagt hatte: Christus ist nach so vielen Jahrhunderten immer noch nicht kanonisiert worden. Mein Geist lehnt sich damals auf: Niemand kanonisiert Gott!... Doch jener, der hier in diesem Grabe liegt, ist ein weiterer Christus, er wollte Christus in seiner ursprünglichen Lauterkeit wieder einsetzen... Die Juden warten, allerorten, wo ich vorbeikam, immer noch auf den Messias. Der erste kam, sie erkannten ihn nicht an. Der zweite kommt... sogar der Papst beschränkt dessen Tätigkeit und grenzt sie ein... Wie oft wird noch ein Messias kommen, um die Menschheit zu retten, die untergeht?... Ich verzweifle und beginne von neuem! Ich verzweifle an allem, beginne wieder einmal, den Glauben an alles zu verlieren...

Nachdem ich Umbrien und die Sabinerberge durchquert habe, wandere ich am Ufer des Tiber weiter, in mich gekehrt, in mein Schneckenhaus zurückgezogen. Es dauert nicht lange, da hallen meine Schritte auf den weißen, glänzenden Marmorfliesen der weiten Korridore des Vatikans und in jenen hohen Gewölben und tiefen Kellern wider. In der Kurie erfahre ich die letzten Neuigkeiten aus dem Königreich. Ohne mich dafür zu interessieren. Mit einer Ausnahme, die mich besonders erleichtert, Gott möge mir vergeben! Teodósio von Bragança ist im Jahre fünfzehnhundertdreiundsechzig gestorben. Unglaublich! Seine Häscher wußten dies nicht... und führten seinen Befehle in Korfu weiter aus, obwohl er bereits tot war!... Wenn Pinto und Miguel ihrem Schicksal, das Isac ihnen bereitet hatte, nicht entgangen sind, werden sie irgendwo in der Ägäis auf den Galeeren des Sultans rudern, und ich müßte endlich sicher vor Verfolgung, Hinterhalten und Attentaten sein. D. Henrique, der Erzbischof von Lissabon, der Großinquisitor und Regent des Reiches, ständiger Legat des Heiligen Stuhls, protestiert abermals beim Vatikan in der Person von Karl Borromäus, gegen die Entsendung Bruder Antonius' von Padua nach Portugal als Kommissar der Franziskaner der Observanz unseres Landes. Karl Borromäus, der Erzbischof von Mailand ist nicht nur Sekretär seines Onkels, des Papstes Pius IV., sondern gleichzeitig auch der Protektor der beiden Orden der Minderen Brüder, der Konventualen und der Observanten. Der Zwischenfall beeindruckt mich nicht. Meine Aufmerksamkeit gilt vielmehr Karl Borromäus. Der Kanzler des Papstes ist ein Freund von Bruder D. Bartolomeu dos Mártires. Sie schreiben sich häufig. Genau das ist es! Es muß ein Weg gefunden werden, um Zugang zu den Archiven der Vatikanischen Bibliothek zu erhalten, zu einer bestimmten, vergessenen und möglicherweise unbekannten Schublade. Das Papier, welches mir Sara in Damaskus gegeben hat, scheint nun deutlich zu sprechen. Wie sehr habe ich mir den Kopf zerbrochen, um jenes *Bor.* zu entschlüsseln. Alles andere war einfach, doch *Bor.*!... Bis ich jetzt den Schlüssel des Rätsels habe: *Bor.* ist Borromäus, Karl Borromäus, der Freund eines meiner Beschützer. Ich verliere keine Zeit damit herauszufinden, wer Meister Jakobus diesen Hinweis zugespielt hat, doch ich war sicher, daß Isac Beiçudo seine Finger darin hatte, den Joseph anstieß, der wiederum von Joaquim angestoßen worden war, welcher seinerseits Anstoß erhielt von... Im Vatikan wage ich nicht gleich zu Anfang meine Trümpfe auszuspielen. Es ist eine Art Husarenstück, ein Versuch meinerseits. Ich weiß, daß es schwierig ist, von dem vielbeschäftigten Neffen von Pius IV. empfangen zu werden. Ich könnte mich auf mein Amt als Begleiter von Bonifazius von Aragusa beziehen, auf die Tatsache, daß Seine Heiligkeit mich schon einmal empfangen, daß sie mich zum apostolischen Beichtvater ernannt hat, daß ich der römischen Kurie für die Belange der Franziskaner in meinem Lande angehöre, daß ich Bartolomeu dos Mártires kenne, und was weiß ich noch ... Aber nein. Ich kündige mich einfach als Pantaleon von Aveiro an... und das Unvorhergesehene geschieht: Karl Borromäus empfängt mich umgehend... mit offenen Armen und einem teilnehmenden Lächeln!... Hier ist wieder jemand – den Gedanken kann ich mir nicht versagen – der noch vor mir wußte, wer ich bin... Kurz darauf folge ich einem Bibliothekar durch die verlassenen Galerien, deren Wände von hölzernen, schöngeschnitzen Bücherborten, von Wandbehängen und Bildern großer Meister bedeckt sind. Den weiten Raum bevölkern marmorne und bronzene Statuetten auf kostbaren Postamenten. Die Schritte hallen auf den glänzenden Parkettfußböden wider und das leiseste Flüstern wird zu einem Donner. Wie gut gefällt mir diese ruhige Einsamkeit, in welcher die Zeit still zu stehen scheint inmitten des Schweigens der sprechenden Bücher! Hier gibt es nicht die heftigen Zuckungen der Leidenschaften und die Kunst wußte das Leben in seinem schönsten Augenblick festzuhalten. Hände, welche zu Staub werden müssen, haben die ewigen Kunstwerke geschaffen, die einen Triumph des sterblichen Menschen über den sicheren Tod darstellen. Ich lächle, als ich bemerke, daß dieser Gedanke dem widerspricht, was ich dachte, als ich an den Ruinen der Via Appia vorüberging, Ruinen, die, wenn sie trotz allem bestehen, noch immer den Sieg des vergänglichen Menschen über die Zeit bedeuten. Ich verliere mich in diesen gegensätzlichen Gedanken – wie wandelbar, widersprüchlich und flüchtig ist die menschliche Seele! – und ich erlebe mich selbst nicht, fühle in mir nicht, welch wichtigen Schritt ich gerade tue. Ich bin wie ein Schlafwandler, befinde mich außerhalb meiner selbst, sehe, wie ich dort gehe. Der Bibliothekar bleibt vor einem Schrank mit Schubladen stehen, öffnet eine davon vorsichtig und holt eine Rolle mit Papieren daraus hervor. Er liest die auf der Außenseite vermerkte Nummer.

«Wie merkwürdig! Das ist nicht dieselbe Nummer!»

Er bindet die Papiere auf, rollt sie auf und wirft einen kurzen Blick darauf.

«Habt Ihr João de Lancastre gesagt?» Nein. Diese Papiere beziehen sich auf D. Jorge de Lancastre, den Herzog von Coimbra. Nur ein Antrag und Unterlagen dazu, an Seine Heiligkeit, die Ehe D. Jorges mit D. Maria Manuel zu genehmigen... Der Papst hat nicht zugestimmt.. Doch es müßte noch eine andere Rolle geben... und er suchte auf dem Grund der Schublade genauer nach, aus der er ein loses Band und eine Etikette herausholte. Seht, was hier geschehen ist. Seht Ihr – und er zeigte mir die Nummer der herabgefallenen Etikette. Es war dieselbe, die auf dem Papier stand, das mir Sara gegeben hatte. – Wie konnte so etwas geschehen? Jemand hatte diese Dokumente entfernt... Kommt. Laßt uns einen Blick auf die allgemeine Liste der vorhandenen Dokumente werfen, sagt er, nachdem er das Band und die Etikette in die Schublade wieder zurückgelegt und diese sorgfältig verschlossen hatte. Der allgemeine Katalog war eindeutig: jene Nummer bezog sich auf die Unterlagen, welche D.João de Lancastre an den Heiligen Stuhl geschickt hatte, um die Anerkennung und den Segen seiner Heiligkeit für die Ehe mit D. Guiomar de Coutinho zu bitten. Die Papiere waren verschwunden. Pintos Hand wahrscheinlich. Doch für mich gab es keinen Zweifel mehr. Allein die Tatsache, daß sie gestohlen worden waren, war ein Beweis dafür, daß es sie gab... dennoch stand ich vor der Welt mit leeren Händen da. Ich fühle mich, als würde sich in mir und um mich herum eine Leere bilden. Die Dinge und das Leben selbst scheinen ihren Sinn verloren zu haben, ihren Zweck, scheinen vollkommen unnütz zu sein. Sogar für die Hymnen, die ich einst dem Schöpfer sang, fehlt mir jetzt der Antrieb. Wo ist meine Franziskanerseele geblieben? Ich sehe mich gleichsam in einer Wüste ohne Eile, den Mut, ja nicht einmal den Willen, sie zu verlassen. Ich verfalle willenlos, apathisch in die schale Routine des frühen Aufstehens, der religiösen Verpflichtungen, denen ich ohne den geringsten Funken von innerer Begeisterung nachkomme, des bürokratischen Alltags der Kurie... Manchmal raffe ich mich auf, zwinge mich in einem Aufbegehren dagegen, in die Stadt hinaus zu gehen, um zu sehen, ob es mir gelingt, meine alte Neigung wieder aufleben lassen, die Vorschriften und festen Zeiten, das Rufen der Glocke einfach zu ignorieren, Neue Dinge zu entdecken, mit Menschen zu sprechen, so wie es gerade kommt... Anfangs führen mich diese Ausgänge unweigerlich zu den Ruinen des Forum, des Colosseums oder an die Ufer des Tiber, dort wo am wenigsten Menschen zusammenkommen. Später suche ich dann, da ich ja gerade die Einsamkeit unbedingt vermeiden will, bevölkerte Orte auf, Märkte voller Gedränge und Lärm, denn die Italiener reden schreiend und übermäßig gestikulierend miteinander. Obwohl mich der Lärm störte, so konnten doch die Frauen mich zerstreuen, die laut den Preis von Gemüse, Fleisch und Fisch aushandelten, als ginge es um Leben und Tod, um die Ehre, die es zu erringen oder verlieren gilt, um die Errettung oder die Verdammung der Seele. Es ist dies die Welt der kleinen Dinge, der geringen, unmittelbaren Interessen. Warum soll ich danach trachten, immer das Große, mittelbar Absolute, die letzten Ziele des menschlichen Schicksals zu bedenken? Hier geht vor mir eine alte Frau, mit gewölbtem Rücken, voller Falten, zahnlos, die mit den Augen die wenigen Münzen zählt, welche in der Handfläche der linken Hand liegen, während sie mit ihrer Rechten den Einkaufskorb hält. Sie hat gerade dem Stand der Fischfrau den Rücken gekehrt und geht nun davon, als wäre sie einer Szene aus einem Stück des Plautus entsprungen, schimpfend darüber, daß alles teuer sei – porca miseria! – der Fisch, das Fleisch, das Gemüse... Eine Bilanz seines Lebens ziehen!... Wenn ein Franziskaner die Wassertropfen nicht zählen darf, die ausreichen, um seinen Durst zu stillen, noch den Kanten Brot, der ausreicht, um seinen Hunger zu betäuben, wie kann er dann Vater und Mutter berücksichtigen?...

Mich ziehen die Buchläden an. Einige Titel überfliege ich gleichgültig: *Il Principe* von Nicoló Machiavelli, die *Vite de'piu eccelenti pittori, scultori e architetti*, von Giorgio Vasari, der *Orlando furioso* von Ariost, die *Pasquinta* von Pietro Aretino. Fast verborgen, in einem Bücherhaufen, finde ich die *Laudes creaturarum* oder den *Cantico del sole* meines Vaters, des Heiligen Franziskus. Ein altes, fast vergessenes Werk. Ich interessiere mich dafür. Kaufe es. Auch der Cortegiano von Baldassare *Castiglione* zieht meine Aufmerksamkeit auf sich. Nicht wegen seines Inhalts, sondern weil er dem «ehrwürdigen und illustren Herren D. Miguel da Silva, Bischof von Viseu» gewidmet ist. Ich erinnere mich sehr wohl an diese hochberühmte Gestalt, einen großen Latinisten und Hellenisten, Doktor der Universität von Paris, Gesandten des Königs D. Manuel beim Heiligen Stuhl, Freund und Verteidiger der getauften Juden. Der grausame Haß D. João III. und seiner prinzlichen Brüder verfolgt ihn, weil er so hohe Würden besitzt und so freimütig ist und weil der Papst ihn gegen ihren Willen zum Kardinal ernennt, so, daß er gezwungen ist, nach Rom zu fliehen. Der König entkleidet ihn aller Ehren, Bezüge, Privilegien und Immunitäten, aller Gnaden, Befreiungen von Abgaben, verbannt ihn aus dem Königreich, verfolgt ihn mit Häschern, die den Auftrag haben, ihn zu ermorden, treibt ihn in das Elend, welches ihn nicht selten dazu bringt, den Tisch seines Freundes, des Papstes Julius III., aufzusuchen. Er stirbt in Rom, alt, krank, in bitterster Armut... Die Erinnerung an solchen Haß und derartige Rache ruft jenen Haß und jene Rache in mein Gedächtnis zurück, die um mich herum kreisten... Doch ein anderer Titel lenkt meine Aufmerksamkeit auf sich, da der Autor ein Bekannter von mir ist, Bruder Francisco Orantes, den Philip I. in Vertretung des Bischofs von Palencia von Bruder Zedillo begleitet nach Trient geschickt hatte. Ich hatte ihn während der Versammlung an Allerheiligen im Jahre fünfzehnhundertzweiundsechzig predigen hören. Bevor er im selben Jahre nach Segovia zurückkehrte, machte er sich die Mühe, nach Venedig zu kommen, um sich von seinem Gefährten zu verabschieden, der mit mir ins Heilige Land reiste. Er hinterließ mit den sieben Bänden einer Apologie des lateinischen Glaubens gegen die Doktrin Calvins, *Locorum Catholicorum pro Romana Fide adversus Calvini institutiones Libri VII... Venedig, 1564*, die Frucht seiner einjährigen, intensiven Konzilsarbeit... Ich erinnere mich an meinen Gefährten, der mir jetzt fehlt, und gebe mir selbst das Versprechen, ihn zu besuchen, wenn ich auf der Rückreise nach Portugal durch Spanien käme, und einige Tage mit ihm zu verbringen, in... Versagt mein Gedächtnis? Ich kann mich nicht daran erinnern, daß er den Namen der Stadt, des Ortes, des Klosters erwähnt hätte, in dem er lebt!... ich werde in der Kurie nachfragen müssen. Werden sie es wissen? Sie werden es schon wissen... Ein weiteres Buch winkt mir zu, will meine Aufmerksamkeit, möchte, daß ich darin blättere: *De Visibili monarchia Ecclesiae Libri Octo... Auctore Nicolao Sandero...* Nicholas Sanders! Ein weiterer Freund, den ich in Trient kennengelernt habe!... Englischer Bürger... «Charlwood, Surrey» betonte er gern mir gegenüber, und fügte hinzu, daß er in Winchester und am New College in Oxford, Oxonia natürlich, studiert habe... Die Thronbesteigung der Königin Elisabeth, einer durch und durch protestantischen Feindin der römischen Patres, veranlaßt ihn, in die päpstliche Stadt zu kommen, wo er in einen geistlichen Orden eintritt. Im Jahre fünfzehnhundertfünfzig wird von ihm schon als möglichem Kardinal gesprochen. Er hilft währenddessen dem polnischen Kardinal Hossius in Preußen, Litauen, Polen, die Ausbreitung der Ketzerei einzudämmen. Ich treffe ihn im Jahre fünfundsechzig in Rom, wohin er von Löwen gekommen war, wo er den Doktorgrad erworben hatte. Überströmend, aktiv, voller dynamischer Pläne gegen die Protestanten in seinem England. Ob ich ihn nicht begleiten wolle – versuchte er mich – nach Spanien, um bei König Philipp um Geld zu bitten und Männer für einen Kreuzzug zu sammeln – das begreife ich doch? – ein Heer, das aus jenen Ländern, aus Irland, Schottland, aus England jenen Schandfleck tilgte? – Doch die Kardinalswürde lockte, Macht... und er wartete, wartete... und die Zeit verging... Plötzlich bemerke ich das Erscheinungsjahr des Buches: Löwen, 1571! Fünfzehnhunderteinundsiebzig!... Ich erstarre! Mir wird bewußt, daß ich fünf Jahre in dieser krankhaften Betäubung vergeudet habe! Ich hatte den Strudel der Zeit kaum bemerkt, hatte nicht wahrgenommen, wie die Winter, die Frühjahre im Fluge vergangen waren... Eines Tages, als ich aufstehe und das Fenster meines Zimmers öffne, höre ich das Gezwitscher der Schwalben, die mit ihrem schnellen, unruhigen Flug unter leisem Piepsen, flügelschlagend die Reste ihrer löchrigen Nester wiederaufsuchen, die den vergangenen Winter überdauert hatten. Ich greife dieses Symbol auf. Wenn sie die Trümmer ihrer Nester wieder aufbauen, geduldig die Risse mit kleinen Lehmkügelchen wieder verstopfen, sie an den Rändern wieder befestigen, warum schlage ich dann nicht den Weg meiner inneren Erneuerung ein?... Und unvermittelt empfinde ich Sehnsucht nach meiner fernen Heimat! Ein Zeichen der Gesundung? Doch war ich überhaupt krank?... Und Verse aus vergangenen Zeiten kommen auf meine Lippen:

Ihr Kreaturen der Erde
und Vögel des Himmels,
Lobet den Herrn!

An diesem Tage halte ich den Gottesdienst mit einer Anteilnahme und einer Wärme, die ich schon lange nicht mehr gefühlt hatte, und als ich aus der Kirche herauskomme, treffe ich auf eine schwatzende Kinderschar auf dem Weg zur Schule. Einige kommen, um von mir den Segen zu erbitten und mir die Hand zu küssen. Ich bin fast beschämt. Wohin haben mich meine Schritte die ganze Zeit über geführt, daß ich so lange mein Apostolat nicht wahrgenommen, so lange keinen Katechismus mehr unterrichtet habe.?... Die Älteren sollten ihre Erfahrung, ihr Wissen, die Technik der Berufe, die ethischen Gesetze der πολις... an die jüngere Generation weitergeben. Ich war vollkommen unnütz und egoistisch. Dies muß unbedingt ein Ende haben, ich muß so schnell wie möglich in meine Heimat zurück und dort ruhig meine Aufgabe bei den anderen wahrnehmen... Ich treffe Nicholas Sanders. Enttäuscht darüber, daß die Kardinalswürde noch immer auf sich warten läßt! Er trägt mir an, mich bis nach Spanien zu begleiten, wo er seine Ideen umzusetzen gedenkt. Ich beeile mich. In den letzten Apriltagen des Jahres fünfzehnhunderteinundsiebzig verlasse ich in Begleitung des Engländers das anmutige Italien, das mich so lange beherbergt hat und von dem aus ich an einem Tage, der nun schon so weit zurückliegt, zu meiner Pilgerfahrt in das Heilige Land und zu den Ursprüngen meines Lebens aufbrach. Ich habe ein Ziel. Ich kann es kaum erwarten anzukommen, doch die Reise ist lang. Mitte Mai bin ich in Avignon, im Juni überquere ich die Pyrenäen, komme in Monserrat an. Ich setze meinen Weg über Tarragona, Cuenca, durch Kastilien fort... Nicholas Sanders nimmt Abschied von mir. Es gebe katholische Dissidenten in Schottland und in Nordirland, das wisse ich doch? Er werde zu ihnen gehen, sobald er Geld und zum Kampf bereite Söldner habe. Sie würden siegen, das würde ich noch sehen... Ich komme durch Toledo, Mérida, Badajoz...

Am zwanzigsten August komme ich durch Elvas und durch Gegenden, die mir so vertraut sind, daß ich – endlich, Gott sei Dank! – fühle, wie mein Herz wie einst dahinschmilzt. Ende das Monats erreiche ich Setúbal, wo ich in unserem Kloster, in dem ich übernachte, erfahre, daß das Haus von Aveiro zweifache Trauer trägt: im vorangegangenen Jahr war die Herzogin D. Juliana de Lara gestorben, und wenige Tage vor meiner Ankunft war in der Kirche des

Heiligen Dominikus in Coimbra D. João de Lancastre, der Herzog von Aveiro, begraben worden. Ich ziehe mich in die Kapelle zum Gebet zurück... tief bewegt.

XXI

Das Haus des Staubes

... «In Geth nolite anuntiare, lacrimis ne ploretis, in domo pulveris pulvere vos conspergite.»

... «Verkündet's ja nicht in Geth; laßt Euer Weinen nicht hören; im Haus des Staubes bedeckt Euch ebenfalls mit Staub.»

(Micha I, 10)

«Bruder, was wünscht Ihr? Geht in die Küche, hinten im Haus, dort wird man Euch eine warme Suppe geben.»

Ich saß auf der Stufe einer Steintreppe am Eingang des Palastes. Ich hatte den Weg, welchen ich so lange nicht mehr gegangen war, hinauf ins Gebirge genommen, um das Kapuzinerkloster zu besuchen, den Blick im Blau jenes Meeres und dem Grün jener Wälder zu baden, war nach Azeitão hinuntergestiegen und hatte mich vor dem Herrenhaus des Herzogs von Aveiro niedergelassen und darüber nachgesonnen, wie der Tod den Kreis aus Liebe und Haß geschlossen hatte. Ich hatte es aufgegeben, dort nach Papieren zu suchen, welche die Echtheit der Ehe von Guiomar Coutinho und João de Lancastre beweisen könnten. Wenn jener sie besaß, mußte er einen Grund gehabt haben, sie nicht zu veröffentlichen, nachdem er es einmal im Vertrauen vor dem kirchlichen Gericht getan hatte. Daß er es nicht tat, nachdem die Heirat mit Prinz D. Fernando vollzogen war, zeigte deutlich die Vornehmheit seiner Gefühle, und nach ihrem Tode war es noch ratsamer, Stillschweigen zu bewahren. Wie war mir nur der verrückte Gedanke gekommen, aufzudecken, was sie verschweigen wollten? Und wem etwas entdecken, wo doch der Tod jene mit sich genommen hatte, die in den Fall verwickelt waren, deren Richter und Henker waren? Wer würde jetzt noch ein Interesse an der Wiederherstellung der Wahrheit haben? Der einzige Lebende, der ein Interesse daran haben könnte, bin ich ... und ich bin in einer Franziskanerkutte und hinter einem geistlichen Namen verborgen...

Da kommt, anmutig auf seinem Schimmel, von einem glänzenden Gefolge begleitet, der neue Herzog von Aveiro, D. Jorge de Lancastre, stattliche dreiundzwanzig Jahre alt. Ein federgeschmücktes Barrett, der Kragen und die Ärmelbündchen gefältelt, ein Wams aus blauem Samt, eine Silberkette auf der Brust, einen kostbaren Dolch im Gürtel, dessen Rand mit Gold und Edelsteinen verziert ist, Pumphosen bis zur Mitte des Oberschenkels, das wohlgeforme Bein in Seidenstrümfen bis zu den weichen Schuhen. Er wird sich König D. Sebastião bei der Hetzjagd anschließen. Und er hält vor mir, nennt mich Bruder und bietet mir etwas von seiner Suppe an... Bruder! Gleich das erste Wort, das er an mich richtet!

«Mein Herr», antworte ich ihm, «ich ruhe mich gerade von der Wanderung aus...»

Da das Pferd ungeduldig tänzelt, grüßt er mich mit seinem federgeschmückten Barrett und stiebt, von seinen Gefährten gefolgt, davon. Ich bleibe sitzen und sehe ihn dort unten in den Pinienwäldern auf der Ebene verschwinden, die sich endlos bis nach Coina hinstreckt... Bruder! Ich wandere weiter nach Lissabon, setze wie damals, vor langer Zeit, über den alten Tejo... In ihm ist etwas, was mir anders als sonst erscheint.

Es ist nicht die Vielzahl der Naus, Karavellen, Galeonen, kleiner Lastschiffe, Kähne, von denen einige kommen, andere auslaufen, die Geschäftigkeit des Reiches... Es ist die übermäßige Betriebsamkeit, die, wenn sie auch nicht völlig neu ist, doch einen verwundert und aufmerken läßt. Es ist die Fiebrigkeit, mit welcher gearbeitet wird, die an einem gesonderten, bewachten Ort aufgebauten Werften, auf denen in einem nie zuvor gesehenen Rhythmus gearbeitet wird. Meine Frage an den Fährmann, einen alten, mit dem Fluß vertrauten Mann, mag indiskret, vorwitzig und möglicherweise unnötig sein. Was denn los sei! Nun, nichts besonderes. Es sei der König – der kleine König... dieser kleine Junge... Ein «putto», dachte ich italianisierend... Und der Mann ruderte ruhig, sicher, gleichmäßig. Erdbeben und Seuchen könnten kommen, Wasserfluten hereinbrechen... Nichts würde ihn erschüttern... Er habe schon so manches erlebt mit denen, die zu Staub werden würden, und viel durchgemacht, Ehrwürden. Doch so etwas, eine solche Dummheit, eine solche Tollheit, habe er noch nie gesehen.!... Gott möge ihm vergeben, wenn sich dort nicht das Verderben des Reiches ankündigte... Wenn alle Würmer, die im Schlamm jenes Kopfes zappeln, sich an meinen Angelhaken hängten, würde ich so viel Fisch, so viel Fisch fangen, daß man in Portugal niemals mehr hungern würde!...

«Ich höre, Ihr seid aus dem Algarve.»

«Aus Tavira. Auch dort brodelt es in der Residenz des Königs. Was ihr hier an neuen Schiffsbauten seht, ist nichts im Vergleich zu dem, was in den kleineren, geschützeren Häfen los ist. Bis hin in den Norden, heißt es, läßt er in großem Stile bauen, in Porto, in Viana... Es gibt überall Spione... Aus Spanien, aus Venedig, aus Marokko... Die Welt ist beunruhigt über das, was hinter solchen Vorbereitungen stecken mag. Der König läßt wissen, daß er unseren Gebieten in Übersee einen wirksamen Schutz angedeihen und die französischen und englischen Korsaren entmutigen will, die unsere Naus anzugreifen pflegen. Doch insgeheim wird gesagt, daß er Marokko und Nordafrika bis hin zum Land des Priesters Johannes erobern und den Sultan besiegen und Palästina von den Ungläubigen befreien will...»

Seine Stimme entfernt sich und die gleichmäßigen Ruderschläge lassen in meiner Vorstellung Bilder von Ruderern mit nackten Oberkörpern aufsteigen, die auf den türkischen Galeeren schwitzen. Ich höre den Lärm und den Schlachtruf aufbrausen. Man sprach, als ich durch Spanien kam, von nichts anderem als dem großen Sieg, den die Spanier und Venezianer über den Türken in Lepanto bei einem Vergeltungsschlag errungen hatten, weil jener sich Zyperns bemächtig hatte. Man erzählte sich entsetzliche Grausamkeiten, welche begangen worden waren, seit der Halbmondbanner auf den Mauern Nikosias wehte... drei Tage lang wird geplündert, ein Massaker an den Christen findet statt, die Kathedrale der heiligen Sophia wird zu einer Moschee gemacht, Kinder werden auf dem Sklavenmarkt verkauft, die Frauen vergewaltigt und in die

Harems verschleppt... Nur Famagusta mußte noch erobert werden. Die Armee des Lala Mustapha belagerte die Stadt vom Land und vom Meer aus. Die Venezianer und Griechen verteidigen sich mutig, doch schon bald bringt das Abgeschnittensein, in dem sich Marco António Bragadino mit seinen siebentausend Mann, ohne Munition und Lebensmittel, befindet, ihn dazu, den Türken vorzuschlagen, daß sich die Stadt unter ehrenhaften Bedingungen ergibt: die Garantie für einen freien Truppenabzug nach Kreta soll er gegeben und den Bewohnern soll die freie Ausübung ihrer Religion zugesagt werden und, daß sie ihre Besitztümer behalten sollten. Mustapha nimmt dies an, doch als Bragadino in sein Generalsquartier kommt, um den Vertrag zu beschließen, läßt er ihn festnehmen. Auf dem öffentlichen Platz wird ein Schaffott aufgebaut. Bragadino kommt, mit Ketten an Händen und Füßen als letzter im Zug seiner Edelleute, deren Köpfe schon bald bluttriefend oben von der Mauer herab dem Leiden ihres Kommandanten zusehen, dem bei lebendigem Leibe die Haut abgezogen wird, welche mit Stroh gefüllt durch die Straßen getragen wird, um den Bewohnern Schrecken einzuflößen, bevor sie dem Sultan als die größte aller Trophäen geschickt wird...

«Er hat erreicht, daß ihm der Papst eine Bulle für einen Kreuzzug ausfertigen ließ!» höre ich wieder die Stimme meines Ruderers sagen, der von D. Sebastião spricht. «Ein Wahnsinn, der uns alle ins Verderben stürzen wird, Ihr werdet es sehen... Die Steuern sind unerträglich, und ich habe schon von Fällen gehört, in denen die Kaufleute sogar gewaltsam und unter Drohungen dazu gezwungen wurden, *freiwillig* die Ringe und das letzte Hab und Gut herzugeben...

«Freiwillig!»

«Euch Mönchen gehört das Leben... Ihr zieht Euch in eine Höhle oben im Gebirge zurück, einige Regentropfen und ein paar Brotkrumen ernähren Euch wie die Vöglein... Seht, wohin die Ehrsucht der Welt führt!»

«Eure Worte sind klug, mein Freund. Kommt mit mir, denn auch für Euch ist dort Platz...»

Wir sind ans Ufer gelangt, der Fährmann macht fest. Ich solle mich nicht wundern, wenn er eines Tages an meine Tür klopfen würde. Wohin ich ginge? Nach Enxobregas? Dort würde ich ihn demnächst am Hals haben... demnächst... Und er lacht mit seinem zahnlosen Mund, spuckt in die schwieligen Hände, um die glatten, glänzenden Ruder besser halten zu können... und da fährt er wieder zurück... Ich bleibe noch lange am Kai auf einem Ankerstock sitzen, an dem die Taue der Schiffe festgemacht sind, die in der Nähe des Ufers vor Anker liegen. Ich empfinde einen merkwürdigen Widerwillen dagegen, in die Routine des Klosterlebens zurückzukehren, und zögere dies so lange wie möglich hinaus. Eine Nau kommt gerade aus Ostindien zurück. Sie wirft direkt vor mir Anker. Da kommen schon die Boote mit den Passagieren. Ich sehe, wie die Leute an Land gehen, in ihren Gesichtern stehen die Beschwerlichkeit der Seereise und die Freude geschrieben, wieder in ihrer Heimat zu sein. Einige sind mit kostbaren Wämsen bekleidet, ihre Finger starren von Ringen, ihnen folgen junge, farbige Sklaven mit erschreckten Augen... Zwei Männer mittleren Alters bleiben neben mir stehen. Ich beobachte sie. Einer, er ist klein und untersetzt und hat ein glattrasiertes Gesicht, stellt einen großen Sack auf den Boden und spricht mit seinem Gefährten. In einiger Entfernung steht demütig, mit einer kleinen Truhe auf den Schultern, ein junger Mann mit asiatischen Zügen und safranfarbener Haut.

«Ich muß noch auf meine beiden Seekisten warten. Du wirst sicher begierig sein, deine Mutter zu sehen. Wenn du es eilig hast, Luis, laß dich nicht aufhalten...»

Sich nicht aufhalten lassen! Ach, Diogo do Couto! Habe er denn so schnell vergessen, daß er ihn in Moçambique ohne Freunde angetroffen habe und ihm und auch seinem armen javanesischen Freund die Reise bezahlt habe, damit er überhaupt nach Lissabon kommen konnte? Wisse er denn nicht, daß sein Luis ins stiefmütterliche Land zurückkehre...

«Ach! Jetzt sprichst du so! ‹Das stiefmütterliche Land!›... Noch vor kurzem, an der Decksbürstung, als wir das Land sichteten, zitiertest du noch jene schönen Verse deines Gedichtes ‹Dies ist meine glückliche Heimat, die ich liebe›... Ach, Luis!...»

Dieser Luis ist eine merkwürdige Gestalt. Er ist nicht sehr groß, mager, sieht mit seinem grauen Bart gealtert aus, und seine eine leere Augenhöhle macht auf ihn aufmerksam. Gefältelter Kragen, eine schäbige Weste mit samtgefütterten Schlitzen, ein Überwurf, der von den Schultern herabhängt, Pumphosen bis zum Schenkel, Strümpfe, die das Bein bis zu den ledernen Halbstiefeln umhüllen.

«Jetzt komm mir nicht mit deinem Pessimismus!» sagte Diogo do Couto. «Jetzt bist du zu Hause. Du hast Freunde...»

«...und Feinde...»

«...viele und mächtige Freunde. In den beiden wichtigsten Adelshäusern Portugals. Der Sohn des Herzogs von Aveiro, D. Jorge, ist Dichter wie du, und mir scheint, er ahmt sogar deine Sonette nach. Sobald er weiß, daß du angekommen bist... Und unter den Herren von Bragança hast du ernsthafte Bewunderer. Es wird nicht lange dauern, bis der Hof dich wieder aufnimmt. Und jenes Buch, für das ich den historischen Kommentar geschrieben habe? Warum widmest du es nicht dem König? Übersteigert wie er dem Vernehmen nach ist, was den Ruhm des Vaterlandes angeht, wird es ihm gefallen...»

Ich begreife, daß Luis Dichter ist, doch ich war weit davon entfernt zu ahnen, daß ich vor einem Homer, einem Vergil stand und wir Freunde werden würden, wie es selten welche gibt. Es war drei Wochen später oder vier, ich erinnere mich nicht mehr so genau. Ich komme an der Druckwerkstatt von Germão Galhardo vorüber und gehe hinein, um ihn zu begrüßen. Ich hatte vergessen, wieviel Zeit vergangen war! Ich finde das Haus verändert vor, von einem anderen Arbeitseifer erfüllt. Germão Galhardo war vor etwa zehn Jahren verstorben und der Drucker war nun António Gonçalves, ein ebenso freundlicher Mann wie sein Vorgänger, der, als er erfährt, daß ich ein Freund seines Vorgängers war, mir gleich sein Haus zur Verfügung stellt. Er zeigt mir die Werke, die gerade gedruckt werden und einige, die schon fertig sind und gerade aus der Presse kommen. Ein großes Werk, jawohl, sei das, welches gerade angefangen werde! Etwas nie Gesehenes! Das Werk eines Genius!... Und er nimmt eine Buchseite von der Leine, auf der sie trocknet. Ich lese. «Ich, der König, lasse alle, die diese Genehmigungsverfügung lesen, wissen, daß ich geruhe, Luis de Camões die Erlaubnis zu erteilen, damit er in dieser Stadt Lissabon ein Werk in Oktavreimen, das da heißt «Die Lusiaden», drucken lassen kann, welches zehn vollendete Gesänge umfaßt.» Es ist dies die Genehmigungsverfügung des

Königs mit dem Datum vom vierundzwanzigsten September dieses Jahres einundsiebzig. Auf der Rückseite das Gutachten des Zensors, «Bruder Bertholameu Ferreira» und auf der folgenden Seite beginnt das Werk mit seinem Ersten Gesang. António Gonçalves, der mir einen Arm um die Schulter gelegt hat und dessen Gesicht dem Meinen sehr nahe ist, deklamiert bereits begeistert, noch bevor ich selbst zu lesen anfange:

> *«Die Waffen und die stolzen Heldenscharen,*
> *die von der Lusitanen Abendland...»*

«Die portugiesische Aeneis!» rufe ich aus.

Ich lese gierig, ganz verzaubert, und bemerke nicht einmal, daß hinter mir, außer dem Drucker, der neben mir steht, jemand lächelnd meine Reaktion beobachtet.

«Gibt es nicht mehr davon?» frage ich den Drucker, als ich das Blatt zu Ende gelesen habe.

«Ihr müßt auf den nächsten Schub warten!» sagt jene Stimme, die ich nie wieder vergessen sollte.

Ich wende mich um und stehe vor dem Autor. Auch er erkennt mich wieder. Sei ich nicht jener Franziskaner, der am Tage seiner Ankunft auf dem Kai war? António Gonçalves will etwas zu mir sagen, doch ich halte ihn zurück. Es sei nicht notwendig. Ich wisse sehr wohl, vor wem ich stünde. Es sei unbestritten eine große Ehre, ihn kennenzulernen. Wir geben uns die Hand, und eine Stunde später gehen wir, angeregt miteinander redend, am Fluß entlang. Von jenem Augenblick an und solange das Werk gedruck wurde, trafen wir uns jeden Tag in der Druckwerkstatt. Ich bin tief berührt davon, an der Geburt eines so großen Gedichts teilzunehmen. Er erzählt mir sein ganzes Leben, spricht von seiner Armut, seinen gescheiterten Liebschaften, von denen letztlich seine Verse handeln, dem Neid anderer Dichter... Er ist eine verbitterte, enttäuschte Seele. Das Einzige, was noch eine Flamme in seinem seewindgebräunten Gesicht leuchten läßt, ist sein Werk, vor allem dies Gedicht auf seine Heimat. Es war ihm gelungen, dem König in Sintra einige Passagen vorzulesen, vor allem den Anfang, dem er eine Widmung hinzufügte, in welcher er den jungen Monarchen rühmte... (Er habe die Gunst gebraucht, das werde ich, sein Freund Pantaleon, doch verstehen?)... und auch ein ebenfalls den König lobendes Ende, in welchem er ihn dazu anspornt, einen Achill, einen Alexander zu übertreffen, seiner Muse ewigen Stoff zu liefern. D. Sebastião gefiel dies, doch Luis ist mit seinem Gewissen nicht im Reinen. Warum? Warum wohl? Seit ihm klar geworden, wie gefährlich und wahnsinnig die Phantasie des Herrschers sei, erscheine es ihm ein Fehler zu sein, in den Chor der Lobhudler einzustimmen, welche sich um ihn scharten. Und dann geht er prophezeihend zur Ankündigung apokalyptischer Zustände über, die das Reich erwarten, und zu seinen kritischen Betrachtungen über den Stand der Dinge. Diesen modernen Dichter, der aus der Schule stammt, die ihren Kanon aus den italienischen Dichtern und Künstlern schöpft, höre ich häufig Gedanken entwickeln, die auch mir gekommen waren, als ich mich in Gegenden aufhielt, in denen man das Nebeneinander von verschiedenen Meinungen und Glauben miterleben konnte. Es sei ein Paradox – sagte er – daß eine Nation, die eine neue Dimension innerhalb des kosmischen Raumes und der Zeit entdeckt habe, das Miteinander von Rassen und Religionen, von Gebräuchen und Formen, in welcher Hemisphäre und unter welcher Konstellation auch immer, daß diese Nation versteinert den Beschlüssen des Tridentinum und den Fesseln der Inquisition verhaftet bliebe. Der natürliche Weg eines Landes, das der Welt die Moderne eröffnet hat, müßte der Weg der Reform sein... Und er fragte mich, ob ich empört wäre. Und ich sage nur, keineswegs, ganz im Gegenteil, auch ich, ganz unter uns, Gott möge mir verzeihen...

Mit der Zeit und aufgrund der immer deutlicher werdenden Undankbarkeit der Menschen wird ihm das Leben immer bitterer. Krankheit und Armut klopfen an seine Tür. Die Pension, die ihm der König hat zuteil werden lassen, reicht für den Lebensunterhalt nicht aus, so daß sein javanesischer Gefährte schon von Tür zu Tür gehen mußte, um für den Dichter zu betteln. Ich versuche, seine Bedürftigkeit im Rahmen des Möglichen zu mindern, und lasse ihn häufig ins Kloster kommen, unter dem Vorwand, er möge meine klösterliche Schwermut lindern. Es ist dies jetzt fast die einzige Freundschaft, die ich pflege, und in seiner Gesellschaft fühle ich, wie mein einstiger zu Späßen aufgelegter Geist wieder aufzuleben beginnt. Ich führe ihn in die Küche, um mit ihm eine heiße Brühe mit darein gebröckeltem Maisbrot zu essen. Während wir sie löffeln, foppe ich ihn.

«Nun, Luis, wie ist der Zustand?»

Und er antwortet, ohne sich aus der Ruhe bringen zu lassen, während er die Suppe schlürft und seinen bereits ergrauten Bart schleckt:

«Ungewiß.»

Er hat längst gemerkt, worauf ich hinauswill, und aus der großen Freundschaft heraus, die er für mich empfindet und die ich erwidere, nimmt er meinen Spaß freundlich auf. Diesmal spiele ich mit seinen berühmten Versen, in denen er von der Ungewißheit und der Widersprüchlichkeit seines Seelenzustands spricht:

Derart ungewiß ist mir mein Zustand,
daß die Glut mich zitternd frieren läßt.

Darauf ich:

«Armer Luis! Was für eine zitternde Glut! Immer bist du verliebt!»

Er lacht. Es ist eine der wenigen Gelegenheiten, bei der ich ihn lachen sehe, denn die Gewitterwolken der Tragödie ziehen sich schon dräuend zusammen. An einem Tage im Jahre achtundsiebzig leert sich die Stadt, eilen alle an den Fluß, um den Zug der Soldaten vorbeiziehen zu sehen, der sich nach Afrika einschifft. Niemals hat man ein Volk sich trauriger von seinen Söhnen verabschieden sehen. Niemals sah man soviel Ungewißheit in den Gesichtern der jungen Männer, die aufbrechen. Sie fühlen besser als jeder andere, daß sie, nach dieser übereilten Zwangsaushebung, für den Krieg nicht vorbereitet sind. Man bildet kein Heer, indem man kräftigen Männern die Hacke aus der Hand nimmt und ihnen dafür ein Schwert, eine Lanze, eine Armbrust gibt. Einige junge Leute tragen, wie auch der König, stolzen Mut zur Schau. Mitten unter ihnen leuchtet das ehrwürdig weiße Haupthaar D. Jorge da Silvas.

«Er will auf dem Schlachtfeld sterben!» flüstert mir Luis ins Ohr. «Vermag denn nicht einmal dieses weiße Haar diesem allgemeinen Wahnsinn Einhalt zu gebieten? Laß uns von hier weggehen, denn es bricht mir das Herz! Dies ist die Armee des Todes! Du wirst es sehen!...» und er zog mich, während ich noch stehen geblieben war, um neben D. Sebastião den ritterlich anmutigen jungen Herzog von Aveiro zu betrachten. «Bruder!»...

Anfang August vernahm man die ersten Stimmen, die von dem ungeheuren Unglück sprachen, und der Name «Alcácer Quibir» wurde voller Furcht ausgesprochen... und in weniger als zwei Jahren brach alles zusammen. Der König starb in der Ferne, ohne Nachkommen zu hinterlassen. Ich stelle mir diese von Leichen übersäten Sandflächen vor, wenige Stunden nach dem Verhängnis, als nur die Stille, die Geier, die Raben sich auf dem Feld des Todes niederlassen, die Schakale aus der Wüste kommen. Wie ein reales Bild habe ich die Vision vor Augen, die den jungen König zeigt, wie er nackt, nachdem man ihn seiner reichen Rüstung und der kostbaren Kleider beraubt hat, dort liegt, tiefe grünlich schimmernde Wunden hat, entstellt ist, ein Geier auf seiner Brust sitzt, der ihm das Fleisch am Halse herausreißt und die blutigen Stücke genüßlich verschlingt, einen anderen, der ihm gierig die Augäpfel herauspickt und grausige schwarze Löcher im Schädel zurückläßt...

Der neue Monarch ist eine greiser Kardinal, der bald stirbt. Philip II. von Spanien schickt sich an, die langersehnte Einigung der Halbinsel durchzuführen. Die juristischen Diskussionen um die Frage des Thronrechts sind reine Übungen für Spezialisten, ohne einen Richter, der über die Frage entscheidet, es bleibt nur die Gewalt... und unsere Kraft ist dort, im Sande Afrikas geblieben. Der Prior von Crato versucht noch das, was an portugiesischem Mut geblieben ist, um sich zu scharen, doch die ihm folgen, haben nur das Hemd zu verlieren, das sie auf dem Leibe tragen, oder den Bettelsack, es sind einfache Leute und Mönche. Einer von ihnen ist mein Freund Bruder Nicolau Dias. Ich bin bereit, seinem Beispiel zu folgen, zu einem Zeitpunkt, als schon der Boden des Königreiches unter den schweren Schritten der Männer des Herzogs von Alba erzittert. Ein unerwartetes trauriges Hindernis taucht indes auf – der javanesische Diener erscheint voller Angst im Kloster: Luis liegt im Sterben! Ich eile und komme noch gerade rechtzeitig, um den letzten Herzschlag in jener «berühmten lusitanischen Brust» zu hören und ihm die letzte Ölung zu geben. Außer mir und Jau folgt niemand sonst seinen sterblichen Resten... alles ist verloren! Die Niederlage von Alcântara! Der Prior von Crato flieht über den Minho, und viele seiner Anhänger werden gefangengenommen und in die Kerker Spaniens geworfen! Mein armer Nicolau Dias ist auch darunter... Ich erfahre auch, daß dort in weiter Ferne, in den eisigen Wäldern Schottland, ein anderer Nikolaus seine Schlacht verloren hat: Nicholas Sanders stirbt vor Kälte und Hunger, nachdem er erleben mußte, wie die Armee besiegt wurde, der er angehörte...

Ich fühle, daß ich hinaus muß, wie einst, dem Zufall gehorchend, die Ortschaften, Berge und Ebenen durchstreifen, an den Ufern der Bäche entlangwandern muß. Dieses Mal gibt es indes keinen Zufall, der Zufall ist geplant. Ich lenke meine Schritte nach Abrantes. Ich möchte das Grab Guiomar Coutinhos besuchen, die in der Kapelle des Dominikanerklosters die ewige Ruhe gefunden hat. Als ich dort ankomme, bleibe ich vor der Igreja da Misericórdia dort in der Nähe stehen, um den Giebel des Portikus genauer zu betrachten, dessen wichtigstes Ornament ein Pelikan ist. Es ist dies der Geburtsort des Herrn D. Jorge, des Herzogs von Coimbra, Sohn des Königs D. João II. Welch merkwürdige Koinzidenzen gibt es im Leben...! Doch in der Kapelle der Dominikaner, wo ich auf dem ebenen Grabstein meiner Mutter niederzuknien gedachte, fehlt jede Spur irgendwelcher Grabplatten. Der Sakristan, ein junger Mann, sagt auf meine Frage, daß er nichts von alten Gräbern in jener Kirche wisse. Er erzählt indes, er habe von den Alten gehört, daß dieser Boden nach einem Erdbeben, welches das Kloster fast zerstört hat, erneuert worden sei. Ich denke mir, daß zwei Grabplatten dort vor dem Hauptaltar nebeneinander hätten liegen müssen. Doch der Himmel duldete nicht einmal, daß diese Spur zurückbliebe.

Anmerkungen

1. Von Frei Pantaleão de Aveiro weiß man nur, daß er den «*Itinerário de Terra Santa*», das Reisebuch für das Heilige Land, geschrieben hat und «minderer Bruder des Ordens des Heiligen Franziskus, von der Observanz der Provinz beider Algarves» war, wie auf dem Deckblatt der 2. Ausgabe zu lesen steht, daß er zur Zeit der Veröffentlichung seines Buches im Jahre 1593 im Franziskanerkloster von Xabregas lebte, von sich sagt, er sei alt und sein Gedächtnis ließe nach. Drei Jahre später, im August 1596 erhält er die Genehmigung, die zweite Ausgabe seines Buches herauszugeben. Weder sein Vater noch seine Mutter sind bekannt, noch irgendwelche Angehörigen, noch sein weltlicher Name. Man weiß weder, wann er geboren und gestorben ist, noch wo. Einige nehmen aufgrund seines geistlichen Namens an, daß er aus Aveiro stammt. In seinem Werk erwähnt er viele Orte, die vor allem südlich von Lissabon liegen – Setúbal, Évora, die Serra de Ossa... Der Alentejo, der Ribatejo, der Algarve, die Beira Interior sind ihm bekannt. Er spricht von Coimbra und dem Mondego, doch gibt er dabei zu verstehen, daß er beides nie kennengelernt hat. Frei Jerónimo de Belém führt in seiner lakonischen *Chronica Serafica da Santa Provincia dos Algarves*, Lissabon 1750-1758, nicht einmal dies an. Diogo Barbosa Machado (*Biblioteca Lusitana*, Band II, Lissabon 1752) steht nicht an zu sagen, daß er aus «der Stadt seines Names im Bischoftum Coimbra gebürtig» sei, und macht ihn zum Autor von *Louvores de São João*, die es nur als Manuskript gäbe,... von dem niemand weiß, wo es geblieben ist. Inocêncio Francisco da Silva ist vorsichtiger. Er schreibt: «Man weiß nichts über seine Lebensumstände, nur daß er aus dem Städtchen (heute Stadt) seines Namens stammt...» (*Dic. Bibl. Port.,* Lissabon 1862) Niemand weiß etwas über ihn, und man kann nicht einmal das Erdbeben von 1755 dafür

verantwortlich machen, das für so vieles herhalten muß, da selbst vorher nichts über ihn bekannt war. Pantaleão de Aveiro spricht, obwohl er den gesamten *Itinerário* in der ersten Person schreibt, nur sehr wenig über sich selbst und verschweigt sehr viel oder fast alles. Er lüftet kaum den Schleier des Geheimnisses, das ihn umgibt oder hinter dem er sich verbergen möchte. Er erklärt uns, wie die Gelegenheit sich für ihn bot, ins Heilige Land zu reisen. Er war als Gehilfe des Sekretärs des Ordens, Frei Antónios de Pádua, bei der römischen Kurie. Beide arbeiteten für den Ordensgeneral Frei Francisco de Zamora, als der kurz vorher zum Guardian von Jerusalem ernannte Bonifazius von Ragusa (dem heutigen Dubrovnik) auftaucht und Pantaleão einlädt, ihn durch Italien zu begleiten, um eine neue franziskanische Familie zusammenzustellen, die in Palästina jene Mönche ablösen sollte, die nach einem dreijährigen Aufenthalt wieder zurückkommen sollten. Nun ist es aber keineswegs so, daß diese derart genauen Angaben fein geordnet präsentiert würden. Sie mußten hier und dort aus der ersten und der zweiten Ausgabe (der einzigen, die der Autor selbst gesehen hat) herausgepickt werden. Es gibt Einzelheiten, die in der ersten stehen und in der zweiten verschwunden sind, und in der letzteren gibt es natürlich eine Menge Zusätze... Doch wie kommt es, daß wir in Rom an so herausragender Stelle diesen unbekannten Franziskanermönch finden? Warum sucht ihn der berühmte Bruder Bonifazius auf, ein Mann, der schon vor sieben Jahren einmal Guardian des Heiligen Grabes gewesen war und unter den Türken so viel Ansehen genoß? Wer, welche Macht oder welcher Einfluß standen hinter der Berufung Frei Pantaleãos an die Kurie? Jene Berufungen beinhalteten häufig heftige Zusammenstöße im Rahmen persönlicher Kämpfe unter den Großen der Zeit. Man muß sich vorstellen, wie wütend Kardinal D.Henrique war, als man ausgerechnet Frei António de Pádua – eben den António de Pádua, für den Pantaleão in Rom arbeitete – das Amt übertrug, das er für einen Mönch seines Vertrauens, Frei Cristóvão de Abrantes, wünschte!... Mit Bruder Bonifazius wird Pantaleão von Papst Pius IV. empfangen, bevor sie aufbrechen, um die Franziskanerfamilie zusammenzustellen, und zum apostolischen Beichtvater ernannt. Welches Mönchlein ist das, das mit der Herzogin von Ferrara den venezianischen Schatz besucht?

Er kennt die Großen seiner Zeit in Lissabon, in Rom, in Trient, Adlige und Geistliche, und hat Umgang mit ihnen. Es ist schon eine beachtliche Galerie, aus der ich Frei D. Bartolomeu dos Mártires, den Erbischof von Braga und Primas beider Spanien, heraushebe; Frei Luís de Souto Maior, Doktor der Theologie und Graf von Arganil, eine herausragende Persönlichkeit des Konzils von Trient... Diese hochgestellten, ehrwürdigen Personen kommen zu seiner Abreise ins Heilige Land eigens aus Trient nach Venedig, um sich von ihm zu verabschieden. Frei Luís de Souto Maior wäre sogar mit ihm zusammen gefahren, wenn er nicht überraschend krank geworden wäre. Einige haben schriftliche Werke hinterlassen, auch Bruder Bonifazius. Warum wird über Pantaleão kein einziges Wort verloren? Es sieht wie eine Verschwörung aus. In Zypern antwortet er, als er gefragt wird, ob es wirklich jene großen Portugiesen gegeben habe, die zu Land und zur See im Orient so aufsehenerregende Heldentaten vollbracht hätten, er habe viele von ihnen gekannt. Der Erzbischof von Lissabon, D. Miguel de Castro, Vizekönig und Gouverneur des Königreichs, willigt ein, die Schirmherrschaft für die Veröffentlichung des *Itinerário* zu übernehmen, dessen Deckblatt das Wappen des Prälaten ziert...

Als ich vor zwölf Jahren, auf einem klapprigen Wagen, der an der Ecke Avenida de Roma – João XXI. stand, unter Broschüren, Zeitschriften aus zweiter Hand, Kolportageliteratur wie Fotoromanen und Comics ganz unerwartet auf den warmen, glänzenden, mit gutem, braunem Schafsleder gebundenen Rücken der vierten Auflage des *Itinerário* des Pantaleão de Aveiro stieß, machte ich mich mit meiner Neigung zum Forschen daran, das Werk und den Autor erneut zu studieren. Das Geheimnis nahm mich sofort gefangen. Ich verbrachte lange, geduldige Stunden in Bibliotheken und Archiven damit, die Geisterspuren zu verfolgen, die der Text mir unweigerlich legte. Ich erfuhr nichts, außer, daß es von der ersten Auflage einen Nachdruck mit einigen leichten Abweichungen gibt, und daß das Deckblatt des Exemplars aus dem Staatsarchiv nicht wie die anderen auf der Rückseite bedruckt ist; daß die zweiten Auflage umfangreicher ist als die erste, und daher eine kritische, sich auf die beiden, dem Autor gekannten Texte stützende Ausgabe notwendig macht; daß der genaue Zeitpunkt seiner Reise nach Palästina festgestellt werden mußte, der in den Enzyklopädien und Lehrbüchern immer wieder falsch angegeben wird; und daß eine Menge Material zu sammeln war, um die ungenauen Angaben präzise zu ergänzen, die er häufig erst gemacht hat, als sein Gedächtnis wegen des hohen Alters nachließ. Ich beschloß dann, eine gewagte Hypothese aufzustellen und den Versuch zu unternehmen, sie zu beweisen. Ich fand eine zur gleichen Zeit spielende unglaubliche Geschichte... in der es ebenfalls eine Verschwörung des Schweigens gab, die so weit ging, daß die Dokumente, die sie beweisen könnten, verschwunden waren. Es hat jedoch ein Dokument bis zum heutigen Tage überdauert, das besagt, jene Papiere habe es gegeben. Es ist der Brief des Herzogs von Aveiro an die Regentin, D. Catarina von Bragança, von dem ein Auszug das Motto des XX. Kapitels dieses Romans bildet.

Die Verbindung dieser beiden geheimnisvollen Geschichten könnte daher, gäbe es Unterlagen, womöglich zu einer Doktorarbeit werden, die der Akademie für Geschichte vorzulegen wäre oder irgendeiner anderen akademischen Institution, und in einer Fachzeitschrift wie *Armas e troféus* veröffentlicht und schließlich in praktischen Sonderdrucken auftauchen würde. Da es jedoch diese Unterlagen nicht gibt, und man nicht beweisen konnte, daß die gewagte Hypothese mit der historischen Wirklichkeit übereinstimmt, beschloß ich den Weg der Fiktion einzuschlagen, auf dem jede Art von Erfindung möglich ist, und, mit etwas Poesie durchsetzt, dieses schöne, traurige Drama des 16. Jahrhunderts zu rekonstruieren... Es mußte selbstverständlich in der ersten Person erzählt werden, denn der *Itinerário de Terra Santa* ist eine Ich-Erzählung. Der Erzähler ist, wie kann es anders sein, Pantaleão de Aveiro.

2. Doch Pantaleão de Aveiro und sein *Itinerário* lassen einen schwindlig werden. Sie eröffnen Horizonte, die über die engen Grenzen eines x-beliebigen schönen, traurigen, privaten Dramas weit hinausgehen: in dem Gewirr von Bibelzitaten, Anspielungen auf detaillierte liturgische Zeremonien, Streifzügen durch das Alte Testament, ermüdenden Aufzählungen des Ablasses, den man an jedem im Heiligen Land besuchten Ort gewinnt – was im Rahmen der Intention eines solchen *Itinerário* verständlich ist – fallen einem

Reiseaufzeichnungen auf, die die aufmerksamen Augen und Ohren unseres Mönches gesammelt haben und die von der genauen Beschreibung einer Frucht wie der Banane, deren Einführung bei uns gerade begonnen hatte, dem Preis der Lebensmittel in Damaskus bis hin zu den allgemeinen großen Menschheitsproblemen der damaligen Zeit gingen, deren Folgen den Menschen – *mutatis mutandis*, – den Menschen von heute noch unter den Nägeln brennen. Hier spürt man den Herzschlag der Geschichte, wenn sich auch der Autor, der sich zu ihrem Echo macht, nicht immer der ganzen Tragweite des Geschehens bewußt ist. Die Reformation und die Gegenreformation, die Uneinigkeit unter den Christen, der religiöse Fanatismus, der heilige Krieg und der Geist der Kreuzzüge; die Juden, die vertrieben und um das ganze Mittelmeer herum zertreut werden und noch immer auf die Ankunft des Messias warten; die starke Nation, die eine schwache unterwirft, die Vorboten der Einnahme Zyperns durch den Sultan, Palästina als Schauplatz von Streitigkeiten, die von den Galeeren Soliman des Prächtigen bestrittene venezianische Vorherrschaft auf dem Meer; der geschäftige Handel in den Häfen des Mittleren Ostens; die Entsendung von Botschaftern der römischen Ostkirchen nach Rom; die internationale Spionage, die geheime Nachrichten zwischen den Hauptbeteiligten in einer Welt befördert, die sich im Umbruch befindet; der Mißbrauch der Macht, die Ungerechtigkeit, die Piraterie, die Plünderung, der Wucher, der Reichtum und die Armut, der Sex usw. – eine nicht zu verachtende, reiche, an Themen überfließende Quelle. Der *Itinerário* mußte also zur Arbeitsgrundlage gemacht, von allem religiösen Inhalt *ad usum perigrinorum* befreit und die Fiktion in diese Vorlage eingearbeitet werden. Dies wurde getan. Doch nicht ausschließlich. Die ungenauen Datierungen wurden durch das genaue Datum ersetzt, das so genau erforscht wurde, daß es zum Teil auf den Tag genau ist. Die Anspielungen auf historische Tatsachen sind erweitert und mit Details versehen worden. Falsche bibliographische Angaben wurden korrigiert und, falls der Autor nicht angegeben war, wurde herausgefunden, wer es war. Wo Frei Pantaleão schweigt, weil er ahnt, daß die Angelegenheit übelgesonnenen «Lästermäulern» oder der Zenur mißfallen könnte («Aus dem Gedruckten habe ich schon zwei Sachen gestrichen» schreibt Frei António Tarrique, der Zensor der zweiten Auflage), wird auf der Grundlage beharrlicher Nachforschungen rekonstruiert, was er nicht sagt, – das ist bei der nur vage angedeutenden Frage des Bilderstreites, der Gesandtschaften der syrischen, armenischen und maronitischen Christen zum Konzil von Trient der Fall, bei der Erwähnung des Königs von Zypern, der Beschreibung einer Beschneidung auf der Insel Korfu. Die Genauigkeit der Beschreibungen von Kirchen, archäologischen Stätten, Porträts von Personen wurde beibehalten – wobei allerdings die Art der Beschreibung modernisiert, die Farben belebt, die Konturen verdeutlicht und die Bilder perspektivisch dargestellt werden. Die gleiche Sorgfalt wurde auf die Wiedergabe dessen verwendet, was der Autor weder beschreibt noch erzählt, Orte und Monumente wurden also in mühsamer Kleinarbeit so rekonstruiert, wie sie im 16. Jahrundert waren oder ausgesehen haben müssen, bevor sie vollkommen oder teilweise durch Erdbeben zerstört wurden (im Falle Taviras, zum Beispiel), Personen wurden beschrieben, Episoden nacherfunden, die durch die reichliche Verwendung von Dialogen an den Stellen, wo sie sich anbieten oder stattgefunden haben könnten, dramatisiert werden... Der Text des Autors wurde auseinandergenommen und daraus eine Art Kollage gemacht, die eine neue Lesart des Originaltextes darstellt. Die systematische Unterordnung unter den klassischen Diskurs wurde aufgegeben, doch es wurde eine Zwischenform gefunden, die die Patina jener Zeit mittels einiger veralteter Worte und einer Satzkonstruktion einfängt, die typisch war für Menschen, die vom Lateinischen durchdrungen waren, und mittels des Gebrauchs der Anrede in der zweiten Person Plural zwischen höhergestellten Personen. Allerdings sollte man nun nicht glauben, daß dies der Versuch ist, den Lokalkolorit oder die Stimmung einer Epoche auf die Art der Romantiker einzufangen. Nichts dergleichen. Es ging darum, nicht aus dem Auge zu verlieren, daß der Erzähler gebildet ist, Latein spricht, die Bibel ebenso wie Ovid oder den *Lazarillo de Tormes* liest, mit Theologen und Predigern Umgang pflegt und ein guter Kenner der Rhetorik ist, das heißt, er kann die Sprache seinem Gesprächspartner entsprechend dosieren, er spricht gleichermaßen rhetorisch wie prognostisch, ungekünstelt oder geschraubt. Selbst wenn die Prosa nicht auf dem *Itinerário* basiert, was im größten Teil dieses Romans der Fall ist, so wurde versucht, die Besonderheit dieses Erzählers und die Varianten seiner persönlichen Eigenart zu berücksichtigen.

3. Doch wie kann man von seiner Eigenart sprechen, wenn man nichts über ihn weiß? Welchen Pantaleão de Aveiro zeigen uns diese Seiten?... Es gibt zuverlässige Angaben, die aus den Zeilen und zwischen den Zeilen des *Itinerário* herausgearbeitet werden konnten und von ihnen ausgehend, wurde die Figur gestaltet, die – was man nicht vergessen darf – die Figur eines Romans und nicht einer historischen Biographie ist. Eine belegte Tatsache ist, daß seine Stimmungen wechseln; er bezieht sich immer wieder auf seine Anfälle «klösterlicher Schwermut», die Einsamkeit des Klosterlebens, die manchmal noch durch das Fehlen von Büchern gesteigert wird. Und die Bücher und seine Liebe zum Lesen sind eine weiterer Hinweise, den man erhält: ein eiliges Zusammentragen der von ihm angeführten Zitate belegt dies. Er muß, seinen Freundschaften, seiner Fähigkeit nach zu urteilen, mit Unbekannten, vor allem mit den Juden, die er im gesamten Mittelmeerraum trifft, ein Gespräch anzufangen, mit ihnen Umgang zu haben, ein liebenswürdiger, sehr umgänglicher Mensch gewesen sein. Er spricht mit Gott und der Welt, und alle reden mit ihm... und er scherzt gern: ein lustiger Mensch. Aufgrund seines Charakters und, so folgert man, aufgrund seines Aussehens gefiel er den Frauen und war selbst empfänglich für weibliche Schönheit und Frische: man braucht nur zu sehen, wie er vermerkt, daß er spürt, wie die jungen Mädchen sich an ihn lehnen, als er einer Beschneidung auf Korfu beiwohnt; oder die Episode mit dem indiskreten Fenster zweier schöner Türkinnen, denen er Fächer schenkt, die er in Venedig gekauft hatte, etwas, was auf eine Neigung zu derartigen Annäherungsformen schließen läßt; oder Notiz davon zu nehmen, wie sehr ihn auf Zypern, im Hafen von Salinas, jene griechische Nonne beeindruckt («diese Frau war von fremdartigem Aussehen und großer Schönheit...» schreibt er). Klösterliche Schwermut, liebenswürdiges, lustiges Wesen, Empfänglichkeit für die weiblichen Reize, welche Zutaten braucht man noch, um in einem fiktionalen Werk noch einen Schritt weiter zu gehen und ihm das Fehlen einer tiefen, wahren Berufung zuzu-

schreiben, oder sich vorzustellen, daß er gegen seinen Willen das Habit nimmt, weil dies seit seiner Kindheit von außen so bestimmt worden war, etwas, das in jener Epoche gang und gäbe war?... Trotz des ganzen religiösen, kanonischen Aufwands des *Itinerário*, der zur Lektüre der Inquisitoren gedacht war, unterläßt er es dennoch nicht, mit Juden, Mauren, Türken über Fragen ihres Glaubens zu sprechen. Und in einer Zeit der Intoleranz war er auf seine Art so tolerant, wie es irgend möglich war: «Ich mache diejenigen, die meinen *Itinerário* lesen, an dieser Stelle darauf aufmerksam, daß ich häufig von Juden aus dem Abendlande sprechen werde, welche ich im Morgenland angetroffen habe, und ich versichere als Christ, daß es nicht mein Absicht ist, irgend jemanden, auch nicht zum Christentum bekehrte Juden, zu verleumden, von denen es, wie ich glaube, viele fromme und tugendhafte in diesem Königreich gibt, und das Böse, was die Bösen tun, schadet den Guten nicht: die Menschen urteilen nach dem Äußeren, *Deus autem intuetur cor*... Ebenso wie es viele verborgene Gläubige gibt, dürfen wir nicht alle für ungläubig halten, und jene, die katholisch sind, sollten das nicht verleumden, was ich im Einzelnen schreibe, denn wenn meine Absicht eine andere gewesen wäre, hätte ich viele Dinge gesagt, die ich verschweige, um nicht verletzend zu sein; und wer sich schuldig fühlt, der schweige und bessere sich...» *A bon entendeur*... Und was weiß man noch Genaueres über seine Wesenart? Er war aktiv, zupackend, hatte das Zeug, andere zu leiten. In einer Gruppe stand er selbstverständlich an der Spitze. Und er war ein scharfer, aufmerksamer, genauer Beobachter von Dingen und Personen, von alten Gemäuern und neuen Gebräuchen, von verschiedenen Menschentypen, die er auf seiner Reise durch die Welt antraf, des psychologischen Verhaltens seiner Gesprächspartner; geduldig vermerkte er unzählige kleine Tatsachen, deren Gesamtheit ein kostbares, fast unbekanntes und ungenutztes historisches Notizbuch darstellt – sein ganzes Werk ist ein Beweis dafür. Es wird kein geringes Verdienst sein, wenn es diesem Roman gelingt, dazu beizutragen, diesen ausgezeichneten und völlig unbekannten portugiesischen Schriftsteller des 16. Jahrhunderts für viele seiner Landsleute der Vergessenheit zu entreißen.

Eine andere Charaktereigenschaft Pantaleãos de Aveiro war seine franziskanische Neigung, die Gaben der Natur zu würdigen, sei es einen einfachen Murcia-Kohl oder die goldenen Früchte der Zitrusbäume oder ein gutes Fischgericht, das er am Meeresstrand im Hafen von Japho, dem heutigen Tel Aviv, ißt. Wenn er auch Fasten und Entbehrungen gewohnt ist, den Kanten Brot und den Schluck Wasser einer Quelle am Wegesrand, so verachtet er, wenn die Gelegenheit sich ihm bietet, eine schmackhafte Speise oder den Trost eines guten Zypernwein oder einen Tropfen aus den berühmten Weingärten Bethlehems keineswegs. Zudem besaß er eine empfindsame Seele, die einer haben muß, um zu sagen: «Es ist etwas Wunderbares und Bemerkenswertes, wenn ihr von jenem Hügel herab auf Jerusalem blickend, in eurer Seele eine mitfühlende Traurigkeit fühlt, eine unbestimmte Melancholie, die euch bedrängt und sich über euer Herz legt...» Es sind dieses natürliche Franziskanertum, diese Empfindsamkeit mit ihrer Rührung, die eingestandene Freude am Singen und der Tonfall, den er verwendet, wenn es um Dinge des Lebens, die besuchten Stätten, bestimmte Bibelzitate, Psalmen, Prophetien, Verse geht, die mich dazu brachten, dieser Figur die Fähigkeit zu verleihen, ihr Gefühl in Hymnen und poetischen Ergüssen auszudrücken. Darüber hinaus ist da seine strenge Selbstbeherrschung in den Reaktionen auf die zuweilen tragischen und durch äußerste Gewalt gekennzeichneten Ereignisse. Diese Selbstbeherrschung, das Schweigenkönnen in Bezug auf sich selbst und andere im ganzen *Itinerário* läßt mich zu dem Schluß kommen, daß Pantaleão de Aveiro ein Mensch war, der sein Inneres betrachtete und sich prüfte. Daher rührt meine Aufspaltung der Romanfigur, die geheimen, widersprüchlichen Selbstgespräche, die im Inneren stattfindenden Diskussionen der beiden «*Ich*», das zeitweilige Auftauchen seines *Zuschauers*, der er selbst ist.

4. Und die anderen Figuren?... Zuerst einmal Guiomar Coutinho und João de Lancastre und ihre Liebe. Wir werden diesen traurigen Fall nicht noch einmal aufrollen. Für diejenigen, die historische Objektivität schätzen, führen wir eine Bibliographie auf:

Francisco de Andrade, *Chronica de D. João III*, Lissabon 1613.

Fr. Luís de Sousa, *Anais de D. João III*, 2. Auflage, Lissabon 1751.

António Caetano de Sousa, *Provas de História Genealógica da Casa Real Portuguesa* 1799-1748.

Conde de Sabugos, *Neves de Antanho*, Lissabon 1918.

Marquês de Lavradio, *Descendência de El-Rei D. João III – O Duque de Aveiro*, Lissabon 1945.

Das Thema mußte die Romantiker einfach anziehen. Es ist hier nicht der Ort, über den Wert der folgenden Werke zu urteilen:

Camilo Castelo Branco, *O Marquês de Torres Novas*, Drama in fünf Akten und Epilog, Porto 1849.

Bernardino Pereira Pinheiro, *D. Guiomar Coutinho, Episódio de D. João III* zwölf unvollendete Seiten in der *Revista Contemporânea de Portugal e Brasil*, Band IV, Seite 489-500 (Die Zeitschrift wurde von António Brederode gegründet und von Ernesto Biester geleitet. Sie erschien vom 1.4.1858 bis zum Jahr 1865.)

An Teodósio de Bragança sind nur sein Name und die Gründlichkeit authentisch, mit der er über ein Netz von Informanten herauszufinden versuchte, was in der Welt geschah, und mit der er alles in den *Os Livros de Muitas Coisas*, den «Büchern über Vielerlei Dinge» titulierten Bänden sammelte. Diese Tatsache war verführerisch. Noch etwas finstere, verborgene Boshaftigkeit, und das war's! Er bekam einen grausamen, hassenswerten und rachsüchtigen Charakter, den er von seinem Vater, D. Jaime, geerbt hatte, er wurde mit einem Haufen gedungener Mörder umgeben und verwandelte sich in jene abscheuliche Romanfigur. Er möge mir verzeihen!...

Über die anderen Figuren ist wenig zu sagen. Einige stammen aus dem *Itinerário*, andere sind einfach erfunden, und es gibt welche, die, wenngleich historische Figuren, neu geschaffen wurden. Von Bruder Zedillo, den Pantaleão gleichbleibend mit «mein Gefährte» bezeichnet, werden nur einmal in der ersten Auflage, in Kapitel IV, einige Angaben, ohne Namen, zu seiner näheren Beschreibung gemacht: «...mein Gefährte, welcher ein sehr verdienstvoller Pater war, der aus Spanien mit einem anderen hochgelehrten Pater unserer franziskanischen Familie namens Frey Francisco Orantes zum heiligen Konzil von Trient ging, welcher zum selbigen Konzil im Namen des Bischofs von Palencia gekommen war...» In der zweiten Auflage verschwindet diese Anmerkung, warum auch immer, vollständig, doch dann taucht in Kapitel XXXVII auf Blatt 123 der

Name auf: «...als ich mit meinem Gefährten Frey António Zedillo zusammen war»... Ich habe versucht, ihn in den Listen und Werken über die spanischen Patres ausfindig zu machen, die am Konzil teilgenommen haben, bin aber nicht auf ihn gestoßen. Ich wäre gern nach Spanien gereist, um, wo genau, weiß ich auch nicht, seine Spur zu verfolgen und ihn zu entdecken, doch es war mir nicht möglich. Anders bei Nicholas Sanders. Pantaleão erwähnt nur einen englischen Pater, der am Konzil teilgenommen hat und ein Werk über die Vormachtstellung und Einheit der Römischen Kirche geschrieben hat, dessen Titel jener auf Latein aus dem Gedächtnis zitiert... allerdings falsch. Ich habe das mit feinsten, von Käfern und Bücherwürmern geschaffenen Gängen durchlöcherte Buch nach vielen Irrwegen gefunden. Es steht in der BNL. Und darin auch die Geschichte des Autors. Er ist eine namentlich bekannte Persönlichkeit. Er hat einen Platz in den Enzyklopedien. Aus ihm habe ich eine symbolische Figur gemacht...

Von Isac Beiçudo sagt Frei Pantaleão nur folgendes (Kapitel XCL, 2. Auflage, Bl. 292):

«Ich traf einen anderen Juden, den sie Isac Beiçudo Portuges nannten, welcher mir sagte, er diene als Spion, sende Nachrichten an unseren Gesandten, der in Rom war, über Dinge aus Indien, getreu und aus wenig eigenem Interesse. Jener besuchte mich manchmal heimlich, so daß es die anderen nicht merkten, weil sie ihn gefangennehmen würden, wenn sie wüßten, daß er mit Portugiesen sprach, denn sie hielten ihn für einen Spion, selbiges sagte er mir, und daß er es wagte, wenn sie ihn bezahlten, alle drei Monate in Lissabon Bericht zu erstatten, über alles, was in Indien geschah...»

Dies spielte sich in Tripoli ab. Es steht mir nicht zu, die Veränderung zu beurteilen, die ich an ihm durchgeführt habe, ebenso wie ich glaube, daß es nicht passend ist, über die anderen Figuren Betrachtungen anzustellen.

5. Und da diese Anmerkungen nicht zum Ziel haben, die Dokumentation darzulegen, noch damit zusammenhängende Wissen in ermüdender Weise auszubreiten (ermüdend für den Leser, der kei-

nen Gefallen daran hat, noch derartige Abenteuer gewohnt ist), schließe ich mit vier kurzen Anmerkungen:

Erste Anmerkung: Ich kenne verschiedene Beschreibungen von Autodafés, darunter auch die von Herculano und die von Camilo. Die Rekonstruktion eines Autodafés in Évora verdankt keinem der beiden Autoren noch anderen etwas. Die Grundlage für die literarische Ausgestaltung ist das trockene Dokument, das im *Boletim Internacional de Bibliografia Luso-Brasileira*, Band III, Juli-Sept. 1962, Nr. 3, *Compromisso da Misericórdia de Lisboa*, Cap. 27. «Dos Padecentes», S. 464 zu finden ist.

Zweite Anmerkung: Das Bild aus dem Alltag Lissabons im 16. Jahrhundert, des Gesprächs zweier Bürger über die «Monopolisten» (Zwischenhändler, würden wir heute sagen) ist eine Adaptation/Kollage der *Arte de Furtar*, Amsterdam 1744, Kapitel V.

Dritte Anmerkung: das Porträt D. Frei Bartolomeu dos Mártires und das Detail bezüglich seiner Kleider, die er gegen seinen Willen in Trient trug, stammen aus Frei Luís de Sousa, *A vida do Arcebispo*.

Vierte Anmerkung: «Ich beschreibe hier nicht» sagt Frei Pantaleão de Aveiro in seinem *Itinerário*, 2. Auflage, Bl. 12, «die Art, wie jene Beschneidung durchgeführt wurde, noch die Zeremonien, die damit verbunden waren...» Es war eine Herausforderung, den freisinnigen Bruder Pantaleão des Romans dies erzählen zu lassen. Unter anderen Quellen wie unzähligen Bildern und der Bibel beruht die vorgelegte Beschreibung auf dem detaillierten Bericht, den Montaigne von einer Beschneidung gegeben hat, an der er – just im 16. Jahrhundert – in Rom teilgenommen hat. (Oeuvres Complètes, Bilbliotèque de la Pléiade, Paris 1962: *Journal de Voyage en Italie*, S. 1215 ff.) Jede Fiktion beruht auf der Realität, sei es auf der der Vergangenheit, sei es auf der der Zukunft wie in der modernen «Science-Fiction». Gleichwohl sollte niemand glauben, daß ich vorhabe, mit diesem Buch in das Gebiet des sogenannten «historischen Romans» einzudringen. Es enthält die alten Probleme der Menschheit, die, aus weit zurückliegenden Jahrhunderten der Nachwelt überkommen, bis heute noch dieselben Schauplätze wie einst haben und auf größere, umfassendere übergreifen.

Anmerkungen der Übersetzerin

Einleitung

D. Miguel de Castro: das *D.* steht für *Dom*, das aus dem lateinischen Dominus = Herr stammt und ein Titel ist, der den Namen hoher Geistlicher und Äbten bestimmter Orden (Augustiner) und den Namen der Adligen und Könige vorangestellt wird. Die weibliche Form *Dona* wird ebenfalls mit D. abgekürzt.

Kapitel I

Diogenes Laertius: in Laerte geborener griechischer Schriftsteller des ausgehenden 2. und beginnenden 3. Jahrhunderts n.Chr.

Heiliger Augustinus, 353 in Tagaste geboren, 430 in Hippo gestorben. Hervorragendster Kirchenvater des Abendlandes.

Cyrillus von Jerusalem, Kirchenvater, um 315-386

Gregorius von Nyssa, Kirchenvater, 331-394

Der Heilige Pantaleon wurde schon Mitte des 5. Jahrhunderts verehrt. Er gehört als Schutzpatron der Ärzte zu den 14 Nothelfern.

Kapitel II

D. Paio Peres Correia: Meister des Ordens von Santiago, eroberte 1242 Tavira. Die sieben christlichen Ritter erlitten, als sie gegen den Rat von D. Paio Peres die Stadt allein angriffen und von den Mauren gefangen wurden, am 11. Juni 1242 den Märtyrertod.

Kapitel III

Reyes Católicos: «Katholische Majestäten», Titel der Könige von Spanien, der 1497 Isabella von Kastilien und Ferdinand von Aragonien von Papst Alexander VI. verliehen wurde.

Kapitel IV

Nau (von *nave*): ein Dreimast-Großsegler mit hohen Aufbauten, der viereckige Segel im Gegensatz zur Karavelle besitzt, die dreieckige «lateinische» Segel hat. Es ist vor allem ein Handelsschiff, das mehr Ladekapazität und keinen größeren Tiefgang als die Karavelle besitzt.

Fernandinische Mauern: Fernando I. regierte von 1367-85.

Ribeira: auch *Ribeira das Naus*, Hafen- und Werftviertel Lissabons

Casa da India: Östlich der königlichen Paläste gelegener Sitz der Verwaltung des Hafens und des Überseehandels, Zollbehörde. Ging hervor aus der 1481/82 von Lagos nach Lissabon verlegten «Casa da Guiné»

Ança: Ort in der Nähe von Coimbra.

Auto: kurzes, einaktiges Schauspiel, das zur Verherrlichung kirchlicher Feste auf öffentlichen Plätzen aufgeführt wurde. Portugals berühmtester Verfasser von *Autos* ist Gil Vicente (um 1465 möglicherweise in Guiomarães geboren, gestorben Ende 1536 oder Anfang 1537).

Baltasar Dias: auf Madeira geborener Autor vieler *Autos* und Zeitgenosse Gil Vicentes. Über sein Leben ist wenig bekannt. Die erhaltenen Ausgaben seiner Werke stammen erst vom Anfang des 17. Jahrunderts.

Cristóvão Falcão de Sousa: Adliger Dichter des 16. Jhd. Wahrscheinlich zwischen 1515 und 1518 geboren und 1557 gestorben. Ihm wird die Autorschaft der Ekloge «Crisfal» ebenso zugeschrieben wie dem Dichter Bernardim Ribeiro.

Kapitel V

Das Konzil von Trient (Tridentinum), in dem die katholische Lehre neuformuliert und zahlreiche Reformbeschlüsse gefaßt wurden, fand in drei Tagungsperioden statt: 1545-1547, 1551-1552 und 1562-1563.

Guardian. Der Vorsteher eines Franziskanerklosters.

Kapitel VI

Janitscharen: (türkisch jeni tscheri: «neue Truppe»). Um 1130 von Sultan Urchan aus Kriegsgefangenen gebildet. Später, seit Murad II. (ca. 1421-23), aus gewaltsam ausgehobenen Christenkindern. Bei der sogenannten «Knabenlese» (deschwirme) wurde jeweils das 5. Kind türkischen Landsleuten zur Erziehung zum Islam übergeben und von Jugend an an Strapazen und Blutvergießen gewöhnt. Die den Janitscharen gewährten Vorrechte und der hohe Sold lockten bald Christen und Türken in ihre Reihen. Die Bevorzugung der J. führte bei ihnen zu Hochmut und Aufsässigkeit. Erst 1826 gelang es Mohammed II., den letzten großen Aufstand niederzuschlagen und das Janitscharen-Korps endgültig aufzulösen.

Sandschakbey (oder Sandschakbeg): von sandschak-Fahne/ Bezirk: Bezirksgouverneur.

Beylerbey (oder Beglerbeg): Provinzgouverneur.

Tschausch: Leibgardist.

Orchestra: Im altgriechischen Theater Raum für das Auftreten des Chores

Kapitel VII

Quintal: 60 kg.

Kapitel VIII

Cavaquinho: ein viersaitiges, volkstümliches portugiesisches Instrument mit der Form einer kleinen Guitarre, möglicherweise griechischen Ursprungs. Die Portugiesen brachten das Instrument nach Brasilen, wo es noch heute sehr beliebt ist und offenbar auch nach Hawaii, wo es als «Ukulele» in die Volksmusik Eingang fand.

Kapitel VIII

Papst Kalixt III. (1455-1458).

Romeco: Vulgärgriechisch.

Frankenland: 1536 erhielten die Franzosen das Recht, im Osmanischen Herrschaftsgebiet frei zu reisen, Handel zu treiben, und da man auch französische Gerichte zuließ, wurde Frankreich die

Schutzmacht für die Christen im Bereich des Islam. Daher rührt die Bezeichnung Frankenland für das christliche Abendland.

Japho (das biblische Joppe) später Jaffa, heute Tel Aviv.

Kapitel IX

Simon der Gerber siehe Apostelgeschichte 10,6-16.

Anatot: Heimat des Propheten Jeremia. Wahrscheinlich mit dem heutigen 5 km nordöstlich von Jerusalem liegenden Ort Ras-el-charube identisch.

Das Terebinthental: Dort fand die Philisterschlacht statt, in der David Goliath zu Fall brachte.

Teich Bethesda: siehe Jos. 5,1-18 Die Heilung des Lahmen.

Grabeskirche der Heiligen Jungfrau: Über eine Treppe innerhalb der Kirche gelangt man über 47 Stufen hinunter zur Krypta.

Teich Siloah: Joh. 9,11. Die wunderbare Heilung des Blinden.

Kapitel X

Betphage: Markus 11,1: Jesus ließ dort den Esel für den Einzug in Jerusalem holen.

Emesa: Stadt in Syrien, das heutige Homs.

Soliman: (Soleiman, Solyman, Süleyman).

Soliman II. 1520-66, der Prächtige. Unter seiner Herrschaft erreichte das osmanische Reich seinen ausgedehntesten Machtbereich. Seine Flotte beherrschte das Mittelmeer bis Gibraltar. Als er am 6. September 1566 in Ungarn starb, wurde sein Tod drei Wochen lang geheimgehalten.

Kapitel XI

Terebinthe: eine Pistazienart.

Refaimtal: Apostelgeschichte 8,27. Kandake war der Titel der Königinnen von Äthiopien.

Königin von Kandake: Kandake war der Titel der Königinnen von Äthiopien

Der Heilige Sabas: gründete 492 an der westlichen Wand der Kidronschlucht das erste Kloster Palästinas, *Mar Saba*, die große *Laura*, eine Kolonie von Einsiedlermönchen, die unter der Führung eines Abtes in Höhlen oder Grotten leben.

Kapitel XII

Tekoa: die Stadt der Propheten, 8 km südlich von Bethlehem, aus der der Prophet Amos stammt.

Gregorius von Nazianz: griechischer Kirchenvater (328-390).

Arsenius d. Gr.: Einsiedler (354-445).

Paphnucius: Abt, Gründer einer *Laura* bei Heraklia, gestorben um 380.

Daniel, Hl.: der 2. der ersten Säulensteher, geb. um 409, gest. 493.

Maria Ägyptiaca: lebte 17 Jahre als Dirne in Alexandria. Schließt sich aus Neugier einer Pilgerfahrt nach Jerusalem an, wird sich dort ihrer Sündhaftigkeit angesichts eines Marienbildes bewußt. Sie zieht sich in die Wildnis jenseits des Jordans zurück, wo sie 40 Jahre lang lebte. Der *Heilige Zosiumus* sucht sie dort auf, um sie zu taufen.

Elisäus: von Elias aus dem Bauernstand zum Propheten berufen (1 Kg. 19,12 ff), wohnte in Gilgal.

Gilgal: letzter Lagerplatz der Kinder Israels vor dem Auszug nach Ägypten – Die Beschneidung : siehe Josua 5,3.

Achan: siehe Josua 7,25.

Schittim: Ort in der Nähe Jerichos (Jos. 2,1).

Geisterstadt: Anspielung auf die Festung *Massada*, in die sich die Zeloten 70 n.Chr. flüchteten. Sie wurden dort drei Jahre lang belagert. Als sie den römischen Truppen unter dem Befehl Flavius Silva nicht mehr standhalten konnten, starben die 960 Männer, Frauen und Kinder eher, als daß sie in Gefangenschaft gerieten (siehe Flavius Josephus, *Der Jüdische Krieg*).
Am Fuße des Massada-Berges befinden sich durch Erosion entstandene bizarre Formen im weichen Lissanmergel. Möglicherweise haben die Pilger daraus die Toten gedeutet.

Früchte, die zu Asche zerfallen: Gemeint ist der *Sodomsapfel* (Calotropis)

Kapitel XIII

Quartau: = 3 Canadas, 1 Canada etwa 1 Liter.

Shilloh, (Schilo): das biblische Silo siehe Jer. 7,12 mit dem heutigen Chirbet Selun im Gebirge Ephraim zu identifizieren.

Ramatajim: das Arimathia der Lutherbibel.

Subaschi: Oberst der 300 Reiter zählenden Hofmannschaft der Herrensöhne.

Almude: 1 Almude = 16,54 Liter.

Chan (Hau): das Portugiesische macht *cão* oder *cambaleo* daraus. Die Tatsache, daß *cão* im Portugiesischen auch Hund heißt, nutzt der Autor zu einem unübersetzbaren Wortspiel.

Sichem: beim heutigen Nablus; Josephs, aus Ägypten überführter Leichnam wurde dort von Josua begraben (Jos. 24.32). 128 v. Chr. wurde die Stadt zerstört.

Garizim: heute Gerisim.

Djennin: das «En Gannim», Stadt der Leviten, der Bibel.

Kapitel XIV

Esdrelon: biblisch Jesreel.

Heilige Frau von Loreto: der Legende nach soll dies 1295 geschehen sein.

Magdala: das heutige Migdal.

Chorazim: Stadt in Galiläa, 3 km nordwestlich von Kapernaum (Mt. 11,21; Lk 10.13).

Kapitel XV

Bassora: Basra.

Rótulo: (von lat. Rotulus) = 4 arrateis; 1 Arratil = 459 Gramm.

Cäsarea: Cäsarea Philippi nahe der Jordanquelle.

Barudi: (Berytus) das heutige Beirut.

Sidon: heute Saida.

Acon: heute Akko.

1 Cruzado = 400 Goldreale.

Hl. Nikolaus von Myra: (aus Myra, dem heutigen Demre stammend, gest. um 350) einer der am meisten verehrten Heiligen Rußlands, der über die Byzantinische Tradition Eingang in die Ostkirche fand. Schutzpatron der Schiffer oder der Bäcker.

Behemoth (Hiob 40,15): ein dem Nilpferd ähnliches Riesentier.

Leviathan (ebda.): ein dem Krokodil ähnliches Riesentier.

Kölesyrien: Tiefland zwischen Libanon und Antelibanon.

Trachonitis: antiker Name des heute el Ledscha genannten 43 km langen, 30 km breiten, 38 km südlich von Damaskus gelegenen Lavafeldes.

Moabiter: ein den Israeliten verwandtes Volk, das auf der Hochebene östlich des Toten Meeres lebte.

Nabatäer: Das Reich der Nabatäer dehnte sich über das ganze Ostjordanland bis nach Damaskus aus. Sie waren das wichtigste Handelsvolk Ostarabiens, bis der römische Kaiser Trajan es 105 n. Chr. vernichtete und ihr Gebiet zur römischen Provinz Arabia machte.

Kapitel XVIII

Golf von Antalya: an der Südküste Kleinasiens gelegen, hieß in der Antike Attalia.

Karaman: Landschaft im südöstlichen Kleinasien.

Der *Minderjährige König* ist *D. Sebastião*, der 1554 als Sohn des Infanten Johanns und Johannas, der Tochter Karls V. 1557 nach dem Tode seines Großvater D. João III. unter der Vormundschaft des greisen Kardinal D. Henrique an die Regierung kommt. Er stirbt in der Schlacht von Alcácer Quibir. Nach dem Tode des Kardinals D. Henrique fällt Portugal 1580 an Spanien, wo es bis zum Jahre 1640 verbleibt. Eine Legende besagt, daß der junge König eines Tages aus dem Nebel zurückkommen wird, um sein Land zu retten.

Kapitel XX

Alcácer-Quibir, in Nordafrika. Dort findet am 4. August 1578 die verheerende Niederlage der Portugiesen statt. (Siehe D. Sebastião).

Crassus (der Dicke): Beiname einer Familie des alten plebejischen

Geschlechts der Licinier. L. Licinius Crassus (geb. 140 n.Chr.) war z. B. einer der bekanntesten Redner seiner Zeit.

Metellus: angesehene Familie des römisch-plebejischen Geschlechts der Caelier.

Scipio: Name einer patrizisch-römischen Familie, aus der z. B. P. Cornelius Scipio Africanus Major stammt, der Karthago besiegte.

Anmerkungen

Herculano, Alexandre Herculano (1810-1877):einer der großen portugiesischen Schriftsteller, schrieb unter anderem auch eine Geschichte des Ursprungs und der Einsetzung der Inquisition in Portugal.

Camilo: Camilo Castelo Branco, portugiesischer Schriftsteller (1825-90):. Die Übersetzung seines Buches «Das Verhängnis der Liebe» erschien 1988 bei Beck & Glückler.

A Arte de Furtar (Die Kunst des Stehlens): zur Zeit João IV. (1656-67) erschienen, das vollständigste literarische Dokument, das über die gesellschaftliche Wirklichkeit jener Zeit bekannt ist. Der Autor ist wahrscheinlich der Jesuit Manuel da Costa.

BECK & GLÜCKLER

Manuel da Fonseca: «Saat des Windes»

Roman. 192 S., Leinen, DM 28,–
Aus dem Portugiesischen von Ilse Losa
ISBN: 3-924175-52-7

«Brausend, in jähen Stößen, jagt zügellos der Wind dahin. In wütender Hast stürmt er gegen den Giebel, dringt durch die losen Dachziegel, kriecht wimmernd in das düstere Innere der elenden Hütte. Und bleibt, beharrlich, winselnd und pfeifend.»

Der duldsame Kleinbauer Palma wird nach dem Verlust seiner Felder, dem Selbstmord seines Vaters und seiner Frau, seiner fälschlichen Verhaftung als Dieb zum Desperado, zu einem Vertreter des ländlichen Anarchismus, der nicht auf die Solidarität der Landarbeiter wartet, sondern sich allein sein Recht verschaffen will.

In knappen Bildern, atemlosem Rhythmus und erregender Spannung schildert Fonseca den Untergang dieser Bauernfamilie.